Edition Eulenburg



# GÖTTERDÄMMERUNG

VON

## RICHARD WAGNER

English Translation by Frederick Jameson
Version française par Alfred Ernst

Vol. II

Ernst Eulenburg Ltd., London · Ernst Eulenburg & Co. GmbH, Mainz
Edition Eulenburg GmbH, Zürich · Edition Eulenburg Inc., New York

# GÖTTERDÄMMERUNG.

## PERSONEN
der Handlung in 3 Aufzügen und einem Vorspiele.

| | |
|---|---|
| SIEGFRIED | Tenor. |
| GUNTHER. ALBERICH | Hoher Bass. |
| HAGEN | Tiefer Bass. |
| BRÜNNHILDE. GUTRUNE. DRITTE NORN. WOGLINDE | Sopran. |
| WALTRAUTE. ZWEITE NORN. WELLGUNDE | Tiefer Sopran. |
| ERSTE NORN. FLOSSHILDE | Alt. |
| MANNEN . . . Bass und Tenor. FRAUEN | Sopran. |

## SCHAUPLATZ DER HANDLUNG:

| | |
|---|---|
| VORSPIEL: | Auf dem Felsen der Walküren. |
| ERSTER AUFZUG: | Gunther's Hofhalle am Rhein. Der Walkürenfelsen. |
| ZWEITER AUFZUG: | Vor Gunther's Halle. |
| DRITTER AUFZUG: | Waldige Gegend am Rheine. — Gunther's Halle. |

## VERZEICHNISS DER SCENEN:

# INSTRUMENTE DES ORCHESTERS.

STREICHINSTRUMENTE: 16 erste und 16 zweite Violinen. (Vl.) — 12 Bratschen. (Br.) — 12 Violoncelle. (Vc.) — 8 Contrabässe. (Cb.)

HOLZBLASINSTRUMENTE: 3 grosse Flöten (Fl.) und 1 kleine Flöte (kl. Fl.), zu welcher an einigen Stellen die dritte gr. Fl. als zweite kl. Fl. hinzutritt. — 3 Hoboen (Hb.) und 1 Englisches Horn (Elh.). welches letztere auch als 4e Hoboe mitzuwirken hat.*) — 3 Clarinetten (Cl.) und 1 Bassclarinette (BCl.) in A- und B-Stimmung. — 3 Fagotte (Fag.), von denen der dritte verschiedene Stellen, in denen das tiefe 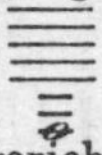 erfordert wird, sobald das Instrument hierfür noch nicht eingerichtet ist, durch einen Contrafagott zu ersetzen ist.

BLECHINSTRUMENTE: 8 Hörner**) (Hr.), von welchen vier Bläser abwechselnd die 4 zunächst bezeichneten Tuben übernehmen, nämlich: 2 Tenortuben (Tt.) in B, welche der Lage nach den F-Hörnern entsprechen, und demnach von den ersten Bläsern des dritten und vierten Hörnerpaares zu übernehmen sind; ferner· 2 Basstuben (Bt.) in F, welche der Lage der tiefen B-Hörner entsprechen, und demnach am zweckmässigsten von den zweiten Bläsern der genannten Hörnerpaare geblasen werden.***) — 1 Contrabasstuba. (Cbt.) — 3 Trompeten. (Tr.) — 1 Basstrompete. (Btr.) — 3 Tenor-Bass-Posaunen. (Pos.) — 1 Contrabassposaune (Cbp.), welche abwechselnd auch die gewöhnliche Bassposaune übernimmt.

SCHLAGINSTRUMENTE: 2 Paar Pauken. (Pk.) — 1 Triangel. (Trg.) 1 Paar Becken. (Bck.) — Ein Glockenspiel.

SAITENINSTRUMENTE: 6 Harfen.

---

*) Für das, seiner Schwäche wegen der beabsichtigten Wirkung nicht entsprechende, englische Horn hat der Tonsetzer eine „Alt-Hoboe" konstruiren lassen, welche er ein für alle Mal in seinen Partituren dem englischen Horn substituirt wissen will.

**) Die mit einem + bezeichneten einzelnen Noten sind immer von den Hornisten als gestopfte Töne stark anzublasen.

***) In dieser, sowie in den vorhergegangenen Partituren, sind die Tenortuben in *Es*, die Basstuben in *B* geschrieben, weil den Tonsetzer diese Schreibart, namentlich auch zum Lesen, bequemer dünkte: beim Ausschreiben der Orchesterstimmen müssen jedoch die im Texte bezeichneten Tonarten von *B* und *F*, der Natur der Instrumente wegen. beibehalten, die Noten demnach für diese Tonarten transponirt werden.

# INSTRUMENTS OF THE ORCHESTRA.

STRINGS: 16 first and 16 second Violins (Vl.) — 12 Tenors (Br.) — 12 Violoncellos (Vc.) — 8 Doublebasses (Cb.).

WOOD WINDS: 3 Flutes (Fl.) and 1 Piccolo (kl. Fl.), to which in some passages the 3rd Flute is added as 2nd Piccolo. — 3 Oboes (Hb.) and 1 English Horn (Elh.), which also plays the 4th Oboe part.*) — 3 Clarinets (Cl.) and 1 Bass Clarinet (BCl.) in A and B flat. — 3 Bassoons (Fag.), the 3rd of which has to play in several passages the low A . Should the instrument not have this note, it must be played by the Contra-Bassoon.

BRASS WINDS: 8 Horns**) (Hr.), four of which have to take alternately the 4 nearest Tuba parts, viz. 2 Tenor Tubas (Tt.) in B flat, which correspond best to Horns in F, and therefore should be played by first players of the 3rd and 4th Horns; moreover: 2 Bass Tubas (Bt.) in F, which correspond with the low Horns in B flat, and therefore suit best the second players of the above-named Horns.***) — 1 Contrabass Tuba (Cbt.) — 3 Trumpets (Tr.) — 1 Bass Trumpet (Btr.) — 3 Tenor and Bass Trombones (Pos.) — 1 Contrabass Trombone (Cbp.), which takes alternately the ordinary Bass Trombone part.

PERCUSSION INSTRUMENTS: 2 pairs of Kettle drums (Pk.) — 1 Triangle (Trg.) — 1 pair of Cymbals (Pk.) — 1 Side drum. — 1 Carillon (Glockenspiel).

SIX HARPS.

---

*) For the weak English Horn, which does not produce the intended effect, the Composer had an Oboe Alto constructed, and he desires it to substitute the English Horn in all his scores.

**) The notes marked with + are always to be accentuated strongly as stopped notes by the Horns.

***) In this, as well as the preceding scores, the Tenor Tubas are written in *E flat*, the Bass Tubas in *B flat*, because the composer believed this way easier to read; when copying out the parts, however, the keys of *B flat* and *F* should be retained according to the nature of these instruments, and the notes must therefore be transposed.

# INSTRUMENTS DE L'ORCHESTRE.

CORDES: 16 premiers et 16 seconds Violons (Vl.) — 12 Altos (Br.) — 12 Violoncelles (Vc.) — 8 Contrebasses (Cb.).

BOIS: 3 Flûtes (Fl.) et 1 Petite Flûte (kl. Fl.), à laquelle se joint parfois la 3me comme 2de Petite Flûte. — 3 Hautbois (Hb.) et 1 Cor anglais (Elh.), qui jouera aussi le 4me Hautbois.*) — 3 Clarinettes (Cl.) et 1 Clarinette Basse (BCl.) en La et Si bémol. — 3 Bassons (Fag.), dont le 3me doit jouer les La graves; si l'instrument ne l'a pas encore, on se servira d'un Contre-Basson.

CUIVRES: 8 Cors**) (Hr.), dont quatre se chargent alternativement des 4 Tubas de la manière suivante: Deux Tubas Ténors (Tt.) en Si bémol, d'une étendue égale aux Cors en Fa, qui seront joués par les chefs des 3me et 4me pupitres de Cors; puis: deux Tubas Basses (Bt.) en Fa, correspondant aux Cors graves en Si bémol, qui seront confiés aux seconds exécutants de ces mêmes pupitres.***) — 1 Tuba Contrebasse (Cbt.) — 3 Trompettes (Tr.) — 1 Trompette Basse (Btr.) — 3 Trombones Ténors et 1 Trombone Basse (Pos.) — 1 Trombone Contrebasse (Cbp.), qui se charge aussi du Trombone-Basse ordinaire.

BATTERIE: 2 paires de Timbales (Pk.) — 1 Triangle (Trg.) — 1 paire de Cymbales (Bk.) — 1 Caisse roulante. — 1 Carillon (Glock.).

SIX HARPES.

*) Pour remplacer le Cor anglais dont le son trop faible ne rend pas l'effet voulu, l'auteur a fait construire un hautbois-alto qu'il substitue partout dans ses Partitions au Cor anglais.

**) Les notes indiquées par un + doivent toujours être accentuées par les cors comme sons bouchés.

***) Dans cette partition, comme dans les précédentes, les Tubas Ténors sont écrits en *Mi bémol*, les Tubas Basses en *Si bémol*, parce que le compositeur a trouvé ce mode de lecture plus facile; en copiant les parties il faut cependant conserver les tonalités de *Si bémol* et *Fa*, selon la nature de ces instruments.

| | |
|---|---|
| Allmählich | *poco a poco* |
| anmuthig bewegt | *allegretto grazioso* |
| belebend | *animando, animandosi* |
| belebt | *animato* |
| belebter | *più animato, più vivo* |
| bestimmt | *deciso* |
| bewegt | *mosso* |
| bewegter | *più mosso* |
| breit | *largo* |
| ein wenig | *un poco* |
| etwas | *un poco* |
| etwas bewegt doch nicht zu schnell | *poco agitato* |
| gemessen | *un poco pesante, sostenuto* |
| heftig | *impetuoso* |
| heftiger | *più impetuoso* |
| immer | *sempre* |
| langsam | *lento, adagio* |
| langsamer | *più lento* |
| langsamer werdend | *rallentare* |
| lebhaft | *vivo, vivace (quickly)* |
| lebhafter | *più vivo, vivace* |
| mässig | *moderato non troppo* |
| mässig bewegt | *moderato, allegretto* |
| mässig langsam | *non troppo lento, andante moderato* |
| mässig und zurückhaltend | *moderato sostenuto* |
| mässiges Zeitmass | *moderato* |
| noch | *ancora* |
| rascher | *più mosso* |
| ruhig | *tranquillo, quieto* |
| schnell | *allegro, veloce, rapido* |
| schneller | *più allegro, più mosso* |
| sehr | *molto* |
| sehr allmählich etwas langsamer | *poco a poco rallentando* |
| sehr bewegt | *molto agitato* |
| sehr feierlich und gemessen | *grave e sostenuto* |
| sehr gemessen | *molto moderato* |
| sehr heftig | *impetuosissimo* |
| sehr langsam und ausdrucksvoll | *molto lento ed espressivo* |
| sehr lebhaft | *vivacissimo, molto mosso* |
| sehr lebhaft und schnell | *allegro vivace* |
| sehr schnell | *vivacissimo* |
| sehr schnell und heftig | *presto impetuoso* |
| streng im Zeitmass | *sempre in tempo* |
| stürmisch | *tempestuoso* |
| voriges Zeitmass | *tempo primo* |
| wie im Anfang | *come primo* |
| wie zuerst | *come prima, a tempo* |
| wieder | *di nuovo* |
| ziemlich | *un poco, non troppo* |
| zurückhalten | *rallentare* |

# Zweiter Aufzug.

## Vorspiel und erste Scene.

Fl. 1.
Fl. 2.
Fl. 3.
Hob. 1.
Hob. 3.
Cl. 1. (B)
Cl. 2. (B)
3 Fag.
zu 3.
Pos. 1.
Pos. 2.
Pos. 3.
CB. Pos.
Bs. Tub. 2.
CB. Tub.
Viol.
Br.
Vc.
CB.
p
cresc.
più p

Fl. 1.
Fl. 2.
Fl. 3.
Hob. 1.
Hob. 2.
cresc.
Hob. 3.
Cl. 1.
Cl. 2.
Cl. 3.
(B)
cresc.
3 Fag.
Pos. 1.
p cresc.
Pos. 2.
p cresc.
Pos. 3.
p cresc.
CB. Pos.
p cresc.
Bs. Tub. 2.
dim.
CB. Tub.
dim.
Viol.
Br.
Vc.
CB.
f
dim.

Fl. 1.
Fl. 2.
Fl. 3.
Hob. 1.
Hob. 2.
Hob. 3.
Cl. 1.
Cl. 2.
Cl. 3.
3 Fag.
(zu 3)
Pos. 1.
Pos. 2.
Pos. 3.
CB. Pos.
Viol.
Br.
Vc.
CB.
dim.
più p
p

Fl.
1.
p
Hob.
1 u.2.
p
Cl.
1 u.2.
p
Bs. Cl. (B)
f
dim.
p
8 Fag.
zu 3.
f
dim.
p
2 Ten. (Es)
p
4 Tub.
2 Bass (B)
p
p
mf
dim.
p
Viol.
p
mf
dim.
p
Br.
p
mf
dim.
p
Vc.
f
dim.
p
CB.
f

Fl. 1.
Hob. 1.u.2.
Cl. 1.u.2.
Bs. Cl.
p f dim. - p cresc.
8 Fag. (zu 8.)
p f dim. - p cresc.
(Es)
Tub.
(B)
p mf dim. - - p
Viol.
p mf dim. - - p
Br.
p mf dim. - - p
Vc.
p f dim. - p cresc.
CB.
f

Fl. 1.
Hob. 1 u.2.
Cl. 1 u.2.
Bs. Cl.
3 Fag. zu 3.
1 u. 2.
3.
(Es)
Tub.
(B)
Viol.
Br.
Vc.
CB.
p
f
cresc.

3 Fl.
(zu 3)
3 Hob.
3 Cl.
Bs. Cl.
3 Fag. 1 u 2
(zu 3)
CB. Tub.
Viol.
Br.
Vc. u. CB. (zus.)
dim.
cresc.
3 Fl. (zu 3)
3 Hob.
3 Cl.
Bs. Cl.
3 Fag. (zu 3)
CB. Tub.
Viol.
Br
Vc. u. CB. (zus.)

Fl. 1.
Fl. 2.
Fl. 3.
Hob. 1.
Hob. 2.
Hob. 3.
Cl. 1.
Cl. 2.
Cl. 3.
Tromp. 3. (F)
Bs. Cl.
3 Fag. (zu 3)
(Es)
4 Tub.
(B)
CB. Tub.
Viol.
Br.
Vc.
CB.
f
più f
dim.
mf
p

Der Vorhang geht auf. — Uferraum vor der Halle der Gibichungen: rechts der offene Eingang zur Halle; links das Rheinufer: von diesem aus erhebt sich eine durch verschiedene Bergpfade gespaltene, felsige Anhöhe, quer über die Bühne, nach rechts dem Hintergrunde zu aufsteigend. Dort sieht man einen der Fricka errichteten Weihstein, welchem, höher hinauf, ein gleicher dem Donner geweihter entspricht. Es ist Nacht. — Hagen, den Speer im Arme, den Schild zur Seite, sitzt schlafend an einen Pfosten der Halle angelehnt.

Allmählich noch langsamer.

Lebhaft.
Fl. 1.
Fl. 2.
Fl. 3.
Hob. 1.
Hob. 2.
Hob. 3.
Cl. 1.
Cl. 2.
Cl. 3.
Hör. (F)
(gedämpft)
Tromp. 3. (F)
1 u. 2.
Fag.
3.
CB. Tub.
(geth.)
(mit Dämpfer)
(marc.)
Viol.
Br.
Hier tritt der Mond plötzlich hervor, und wirft ein grelles Licht auf Hagen und seine nächste Umgebung: man gewahrt Alberich vor Hagen kauernd, die Arme auf dessen Kniee gelehnt.
Vc.
pizz.
CB.

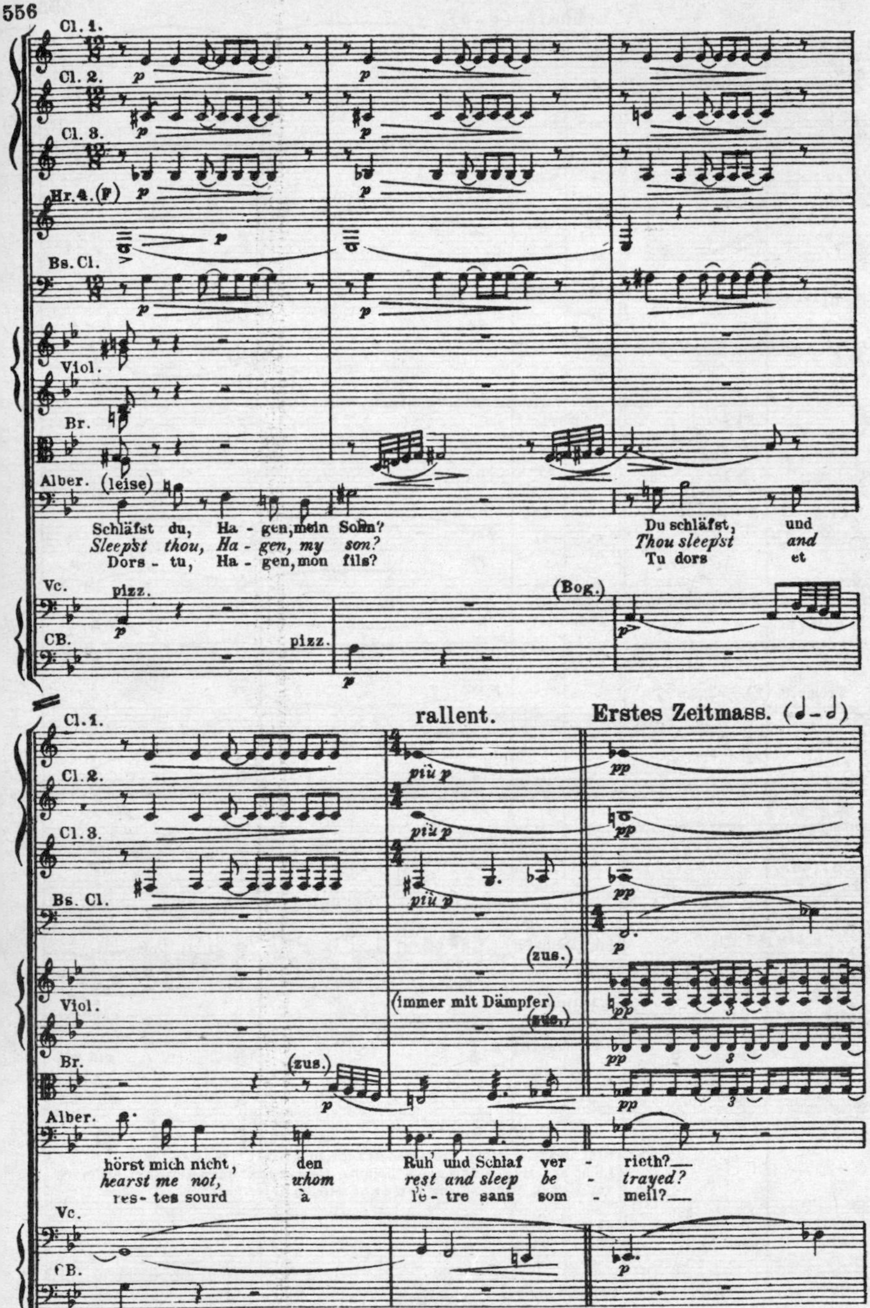
Cl. 1.
Cl. 2.
Cl. 3.
Hr. 4. (F)
Bs. Cl.
Viol.
Br.
Alber.
(leise)
Schläfst du, Ha - gen, mein Sohn?
Sleep'st thou, Ha - gen, my son?
Dors - tu, Ha - gen, mon fils?
Du schläfst, und
Thou sleep'st and
Tu dors et
Vc.
pizz.
(Bog.)
CB.
pizz.
rallent.
Erstes Zeitmass.
più p
pp
(zus.)
(immer mit Dämpfer)
hörst mich nicht, den Ruh' und Schlaf ver - rieth?
hearst me not, whom rest and sleep be - trayed?
res - tes sourd à l'ê - tre sans som - meil?

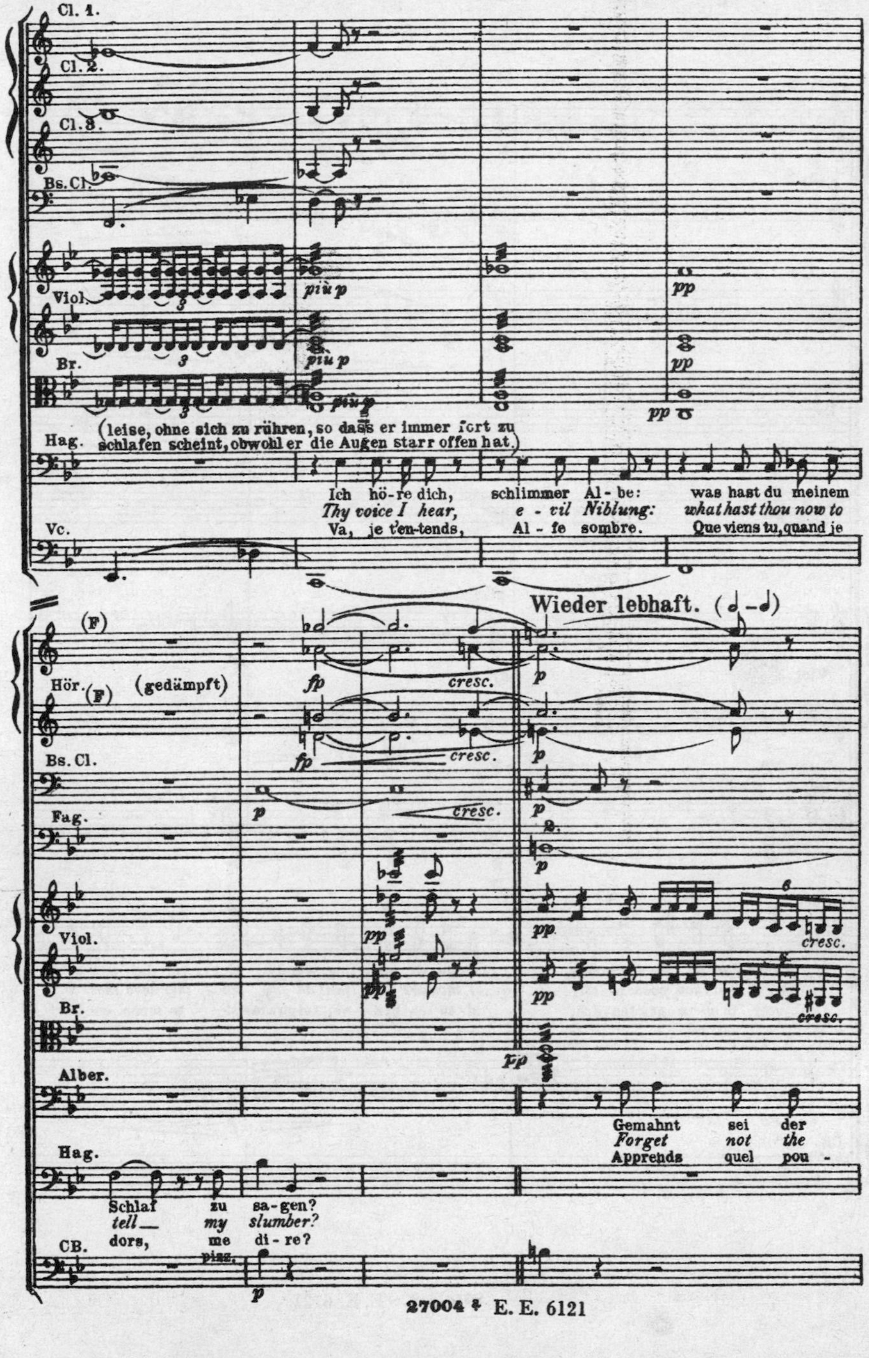
Cl. 1.
Cl. 2.
Cl. 3.
Bs. Cl.
Viol.
più p
pp
Br.
(leise, ohne sich zu rühren, so dass er immer fort zu schlafen scheint, obwohl er die Augen starr offen hat.)
Hag.
Ich hö-re dich, schlimmer Al-be: was hast du meinem
Thy voice I hear, e-vil Niblung: what hast thou now to
Va, je t'en-tends, Al-fe sombre. Que viens tu, quand je
Vc.
Wieder lebhaft.
(F)
Hör.
(gedämpft)
fp
cresc.
p
Bs. Cl.
Fag.
Viol.
pp
cresc.
Br.
fp
Alber.
Gemahnt sei der
Forget not the
Apprends quel pou-
Hag.
Schlaf zu sa-gen?
tell my slumber?
dors, me di-re?
CB.
pizz.

Cl. 1.
cresc.
Cl. 2.
cresc.
Cl. 3.
cresc.
Bs. Cl.
Fag. 2.
pizz.
Viol.
Br.
Alber.
Macht, der du ge - bie - test, bist du so mu - thig, wie die Mut - ter dich mir ge -
might that thou possess - est, if thou art va - liant as thy mo - ther bore thee to
voir tu peux at - ten - dre, si tu es bra - ve, toi qu'ain - si ta mère en - fan -
Vc.
CB.

rallent.
Wieder langsam. (♩ = 𝅗𝅥)
Cl. 1.
p
pp
Cl. 2.
p
pp
Cl. 3.
p
pp
Bs. Cl.
p
Hör.
2 u. 4. (F)
(gedämpft)
sf
Fag. 3.
p
3 Pos.
pp
(Bog.)
p
Viol.
p
Br.
p
Alber.
bar!
me!
-tal
(immer wie zuvor)
Hag.
Gab
Though
Si
Vc.
p
pizz.
CB.
p

Fl.
1 u. 2.
3 Hob.
3 Cl.
Hr.
2.
Bs. Cl.
Viol.
Br.
Hag.
mir die Mut - ter Muth, nicht mag ich ihr doch
might throughher was mine, no debt of thanks I
d'el - le j'eus du cœur, lui dois - je ren-dre
Vc.
CB.

(zu 3)
Fl. 1 u. 2.
3 Hob.
3 Cl.
Hr. 2.
Bs. Cl.
3 Fag.
Viol.
Br.
Hag.
danken, dass dei - ner List sie er - lag:
owe her, that prey she fell to thy craft:
grâces d'a - voir cé - dé à ta ru - - se?
Vc.
CB.
pizz.

3 Hob.
1 u. 2.
3 Cl.
1 u. 2.
1 u. 2.
Hör. (gedämpft)
3 u. 4.
Bs. Cl.
Fag.
Viol.
Br.
Hag.
früh alt — fahl und bleich, hass' ich die Frohen,
old in youth — weak and wan, hating the happy,
Tôt vieux, — laid, bla-fard, je hais la joi-e,
Vc.
CB.

Wieder lebhaft.
Hob. 1 u. 2.
Cl. 1 u. 2.
(zu 3)
Hör.
Bs. Cl.
Fag. 1.
(zu 3)
Viol.
pizz.
(Bog.)
Br.
Alber.
(wie zuvor)
Hagen, mein Sohn! Hasse die Frohen! Mich Lustfreien,
Hagen, my son! Hate thou the happy! This joyless and
Hagen, mon fils! Hais la joi-e! Moi sombre, char-
Hag.
freu-e mich nie!
ne'er am I glad!
triste à ja-mais!
Vc.
CB.

Hob.
Cl.
Fag.
Viol.
Br.
(zus.)
(geth.)
cresc.
Alber.
Leidbe-lasteten, liebst du so wie du sollst! Bist du kräftig, kühn und
sorrow-laden one lov'st thou so as thou shouldst. Be thou crafty, strong and
-gé de peines, tu m'aimes comme tu dois. Toi, ro-bu-ste, brave, a-
Vc.
CB.
pizz.
klug, die wir be-kämpfen mit nächti-gem Krieg, schon giebt ih-nen Noth un-ser
bold! Those whom with weapons of darkness we fight, e'en now are dismayed by our
-droit, ceux que dans l'ombre pour-suivent nos coups, vois quel-le dé-tres-se leur
(Bog.)

Cl.
Viol.
Br.
Alber.
Neid. Der einst den Ring mir entriss, Wo - tan, der wü - thende
hate. And he who ravished my ring, Wo - - tan, the ra - venous
vient. Le ra-vis-seur de l'anneau, Wo - - tan, vo-leur plein de
Vc.
CB.
pizz.
Hob.
1 u.2.
Cl.
Fag.
Räuber, vom eig'nen Ge - schlechte ward er ge - schla-gen: an den
rob-ber, by one of his he-roes himself was vanquished: throughthe
ra-ge, par sa pro-pre ra-ce se vit a - bat-tre, et le

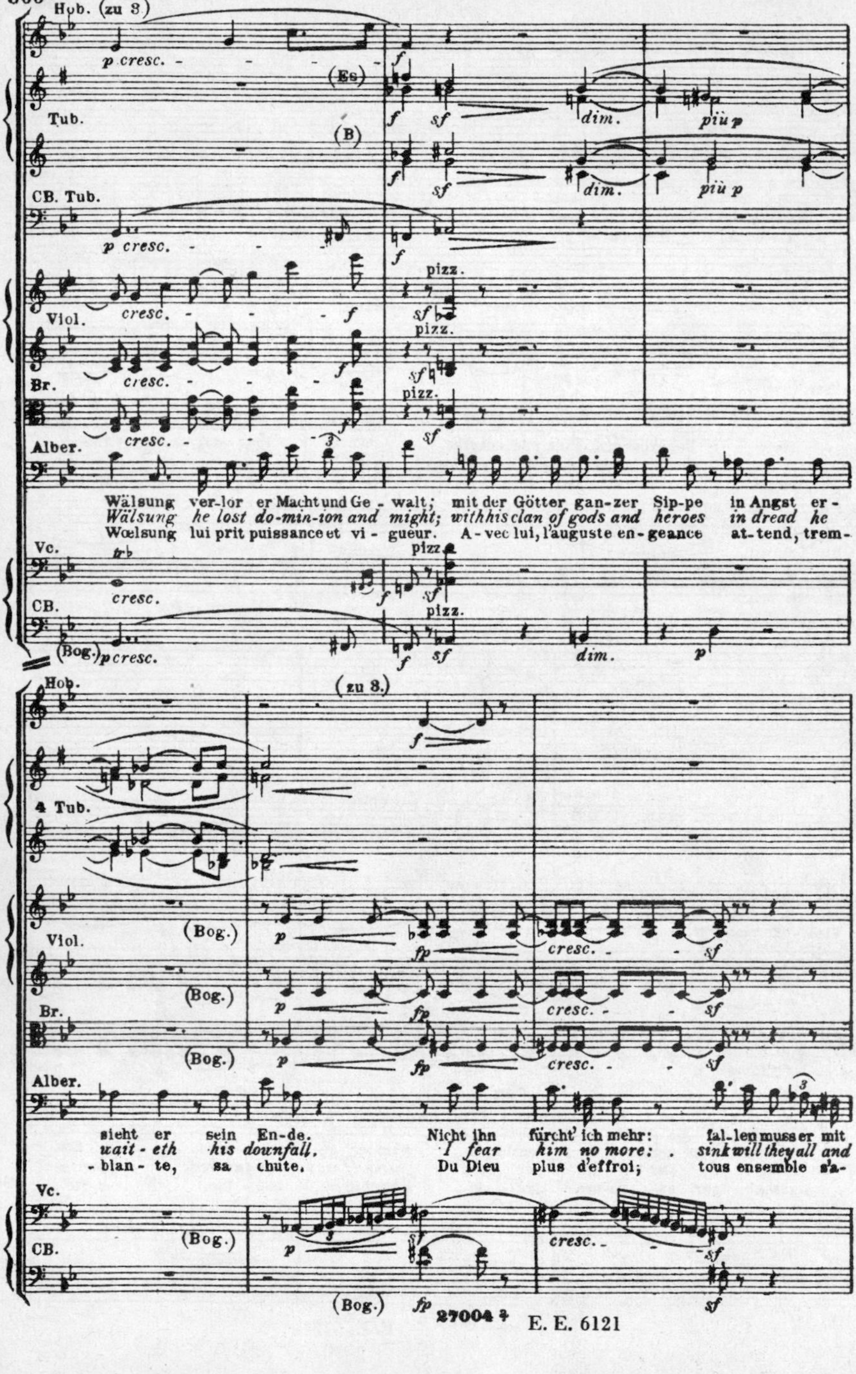
Hob. (zu 3)
p cresc.
(Es)
Tub.
(B)
dim.
più p
CB. Tub.
pizz.
Viol.
cresc.
Br.
Alber.
Wälsung ver-lor er Macht und Ge - walt; mit der Götter gan-zer Sip-pe in Angst er-
Wälsung he lost do-min-ion and might; with his clan of gods and heroes in dread he
Wœlsung lui prit puissance et vi - gueur. A - vec lui, l'auguste en - geance at-tend, trem-
Vc.
CB.
(Bog.)
Hob.
(zu 3.)
4 Tub.
Viol.
(Bog.)
Br.
Alber.
sieht er sein En-de. Nicht ihn fürcht' ich mehr: fal-len muss er mit
wait-eth his downfall. I fear him no more: sink will they all and
-blan-te, sa chute. Du Dieu plus d'effroi; tous ensemble s'a-
Vc.
CB.
(Bog.)

rallent.
3 Cl.
p
più p
p
più p
Hör.
4. (F)
p
Alber.
Al - len!
per - ish!
- bî - ment!
Schläfst du, Ha - gen, mein
Sleep'st thou, Ha - gen, my
Dors - tu, Ha - gen, mon
Vc.
p
CB.
Langsam. (♩ = 𝅗𝅥)
Viol.
pp
3
pp
3
Br.
pp
3
Alber.
Sohn?
son?
fils?
(Hagen bleibt unverändert, wie zuvor.)
Hag.
Der E - wi - gen Macht, -
The might of the gods,
La for - ce des Dieux
Vc.
pp
pp
CB.
pp
pp

Lebhaft.
Cl.
Bs. Cl.
Fag.
2 u. 3. (zus.)
Viol.
Br.
Alber.
Ich
I
Moi,
und du!
and thou!
et toi!
Hag.
wer erb-te sie?
who then shall win?
qui va l'a-voir?
Vc.
CB.
Viol. 1.
Wir er-ben die Welt, trüg' ich mich nicht in dei-ner Treu',
The world will be ours, for in thy truth my faith is firm;
A nous l'u-ni-vers, si sur ta foi je peux comp-ter,
dim.
sf
cresc.

2.
Cl.
3.
Bs. Cl.
Hr. 1. (F) (ohne Dämpfer)
Fag. 2 u. 3. (zus.)
Pauk. (F)
Viol.
(trem.)
Br.
Alber.
theilst du meinen Gram und Grimm. Wo-tan's Speer zer-spell - te der
thou shar-est my wrath and hate. Wo-tan's spear was shat - tered by
si, mê-me fu-reur nous tient. Wo-tan vit sa lan - ce rom-
Vc.
CB.
cresc.

Cl.
Bs. Cl.
Hr. 1 (F)
Fag.
Pauk.
Viol.
Br.
Alber.
Vc.
CB.
1 u. 2.
3.
2.
pizz.
(Bog.)
(C)
sf
dim.
p
tr
Wäl - sung, der Fafner, den Wurm, im Kampfe ge - fällt, und kin-disch den
Sieg - fried, and Fafner, in fight before him hath fall'n, and left him as
- pu - e quand Fafner, le monstre a - vait suc - com - bé; l'anneau est aux

Cl.
Bs. Cl.
cresc.
Hr. 1.
Fag.
pizz.
Viol.
Br.
Alber.
Reif sich er-rang, je-de Ge-walt hat er gewonnen: Wal-hall und Ni-belheim
boo-ty the ring; power and might wieldeth the Wälsung: Wal-hall and Ni-belheim
mains de l'enfant; tou-te puis-sance est son parta-ge: Wal-hal! et Ni-belheim
Vc.
CB.
pizz.
Cl. 3.
Hör.
1 u. 2.
(ohne Dämpfer)
p dolce
Fag. 1 u. 2.
più p
Viol. 2.
Br.
Alber.
nei-gen sich ihm. An dem furcht-lo-sen Helden erlahmt selbst mein
bow before him. On the bold-est of heroes in vain lies my
trem-blent sous lui. L'a-na-thè-me s'é-carte du bra-ve sans
Vc.
più p
pizz.
CB.
più p

Cl.
Fag.
Viol.
Br.
Alber.
Fluch; denn nicht kennt er des Rin - ges Werth, zu nichts nützt er die neid-li-che
curse; for to him hath the ring no worth, he knows nought of its wonderful
peur. De l'anneau il ne sait le prix, et vain res - te pour lui son pour -
Vc.
CB.
(Bog.)
cresc.
dim.
acceler.
Hör.
stacc.
(ohne Dämpfer)
pizz.
Macht. Lachend in lie - bender Brunst brennt er le - bend da -
might. Laughing in ar - dour of love burns his life aye a -
- voir Ri - eur, il lais - se l'amour brûler sa vi - e sans

Mässig werdend.
Cl.
Bs. Cl.
Hör. (gedämpft)
Fag. (zu 3.)
Viol.
Br.
Alber.
hin. Ihn zu verder-ben, taugt uns nun einzig!
way. 'Tis his un-do-ing on-ly can help us!
fin. Sous nos efforts, il faut qu'il suc-combe!
Schläfst du, Hagen, mein
Sleep'st thou Hagen my
Dors-tu, Hagen, mon
Vc.
geth.
CB.
(Bog.)
(pizz.)

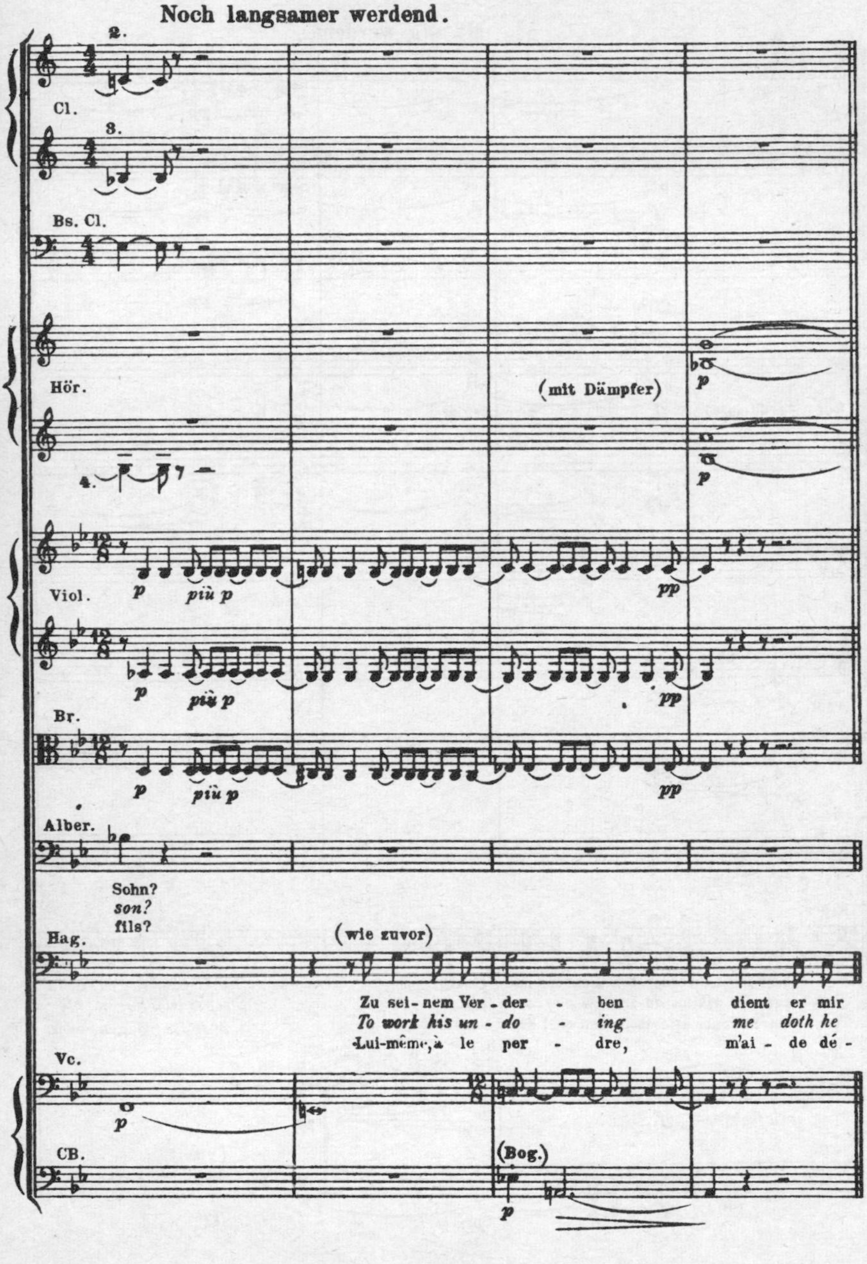
Noch langsamer werdend.
2.
Cl.
3.
Bs. Cl.
Hör.
(mit Dämpfer)
4.
Viol.
p
più p
pp
Br.
Alber.
Sohn?
son?
fils?
Hag.
(wie zuvor)
Zu sei - nem Ver - der - ben dient er mir
To work his un - do - ing me doth he
Lui-même, à le per - dre, m'ai - de dé -
Vc.
CB.
(Bog.)

Wieder schnell, wie zuvor.
Cl.
sf
Bs. Cl.
Hör.
Fag.
2 u.3.
Viol.
Br.
p cresc.
dim.
Alber.
Den goldnen Ring, den Reif gilt's zu erringen! Wälsung!
The golden ring must thou rob from the
Le cercle d'or, l'anneau, sache le prendre!
Hag.
schon.
serve.
-jà!
Vc.
CB
pizz.
(Bog.)
1. (ausdrucksvoll)
2.
3.
piu p
pp
Ein weises Weib lebt dem Wälsung zu
A woman wise holdeth him in her
Une femme vit, toute au Wœlsung vou-

Cl. 1
p
2.
Fag.
3.
1 u. 2.
p weich
pp
Viol.
Br.
Alber.
Lieb: rieth es ihm je, des Rhei - nes Töchtern, die in
love: if by her rede to the Rhine's fair daughters, who in
- é - e; sur son con - seil, s'il vient au fleuve, vers les
Vc.
CB.
pizz.
1.
Cl.
2.
Hr. 1. (E) (ohne Dämpfer)
pp (weich)
Fag.
Viol.
Br.
Alber.
Wassers Tie - fen einst mich bethört, zu - rück zu ge - ben den Ring: ver -
wa - try deeps my wisdom bewitched, his hand should give back the ring, for
fil - les qui ja - dis m'ont trompé, et qu'il leur rende l'an - neau, ma
Vc.
CB.
(Bog.) pp

Hob.
Cl.
Hr. 1. (E.)
Fag.
Viol.
Br.
Alber.
lo - ren ging mir das Gold, kei - ne List er - lang - te es
e - ver lost were the gold, and no wiles could win it a -
per - te est sans es - poir, nul - le ru - se n'y fe - rait
Vc.
CB.
cresc.
pizz.

Hob.
Engl. Hr.
Hr. 1. (F)
Fag.
Viol.
Br.
Alber.
Vc.
CB.
pizz.
dim.
je. — Drum oh-ne Zö-gern ziel' auf den
gain. — Then with-out stint strive thou for the
rien. — Donc, sans re-lâ-che, veille à l'an-

2.
Hob.
3.
Engl. Hr.
1.
Hör.
4. (F.)
2.
dim.
Fag.
3.
dim.
p
Viol.
dim.
12/8
Br.
Alber.
Reif! Dich Zag - lo - sen zeugt' ich mir
ring! I fos - tered thee fear - less for
-neau! Vail - lant t'ai - je fait à mon
Vc.
CB.
(Bog.)

Hr. 4. (F.)
sfp
p
Fag.
Viol.
p
p
Br.
sf
sf
p
Alber.
ja, dass wi-der Hel - den hart du mir hiel-test. Zwar
this; that against he - roes safe thou shouldst hold me. Though
gré pourqu'au hé-ros tu sois re-dou - ta-ble, mais
Vc.
p
sf
p
CB.
pizz.
p
cresc.
p
Hr. 4. (F.)
p
marc.
Fag. (zu 3.)
p
Viol.
p
p
Br.
p
sf
p
sf
p
Alber.
stark nicht ge-nug, den Wurm zu be-stehn,
weak is my strength to fight with the foe,
fort pas as-sez pour vaincre un dra - gon
Vc.
p
CB. (Bog.)
pizz.
p (stacc.)
p

Cl.
Hr. 4. (F)
Fag. 2. u. 3. (zus.)
Pk. (B-E.)
Viol.
Br.
Alber.
was al - lein dem Wäl - sung be - stimmt,
who as prey to Sieg - fried was doomed,
aux seuls coups du Woel - sung pro - mis!
Vc.
CB.
Cl.
Fag.
Viol.
Br.
Alber.
zu zä - hem Hass' doch er - zog ich Ha - gen; der
yet dead - ly hat - red I bred in Ha - gen; 'tis
De mâ - le hai - ne je t'ai nour - ri, et j'at-
Vc.
CB.

Cl. 2. u. 3. (zus.)
Hr. 1. u. 2. (F)
Fag. 2. u. 3. (zus.)
Viol.
Br.
Alber.
soll mich nun rä-chen, den Ring ge-win-nen, dem
his to a-venge me, the ring to win me, in
-tends ma ven-geance. Re-prends l'an-neau sur le
Vc.
CB.
rallent.
1. u. 2.
Cl. 3.
4 Hör. (gedämpft.)
(F.)
(B.)
Fag. 1. u. 2.
3.
pizz.
(Bog.)
Wälsung und Wo-tan zum Hohn! Schwörst du mir's, Ha-gen mein
Wälsung's and Wo-tan's de-spite! Swear to me, Ha-gen, my
Wœlsung, à Wo-tan fais hon-te! Ju-res-tu, Ha-gen, mon
rallent.

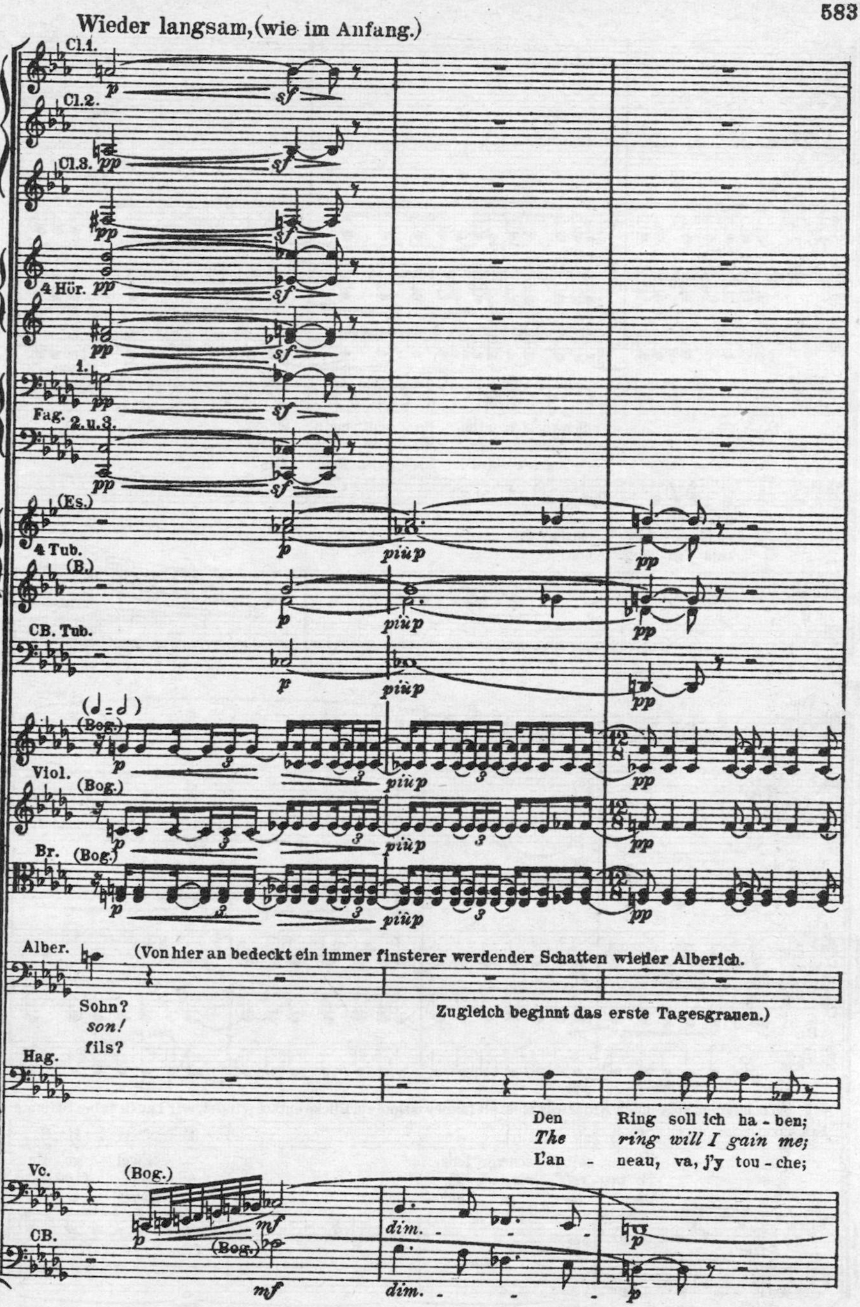
Wieder langsam, (wie im Anfang.)
Cl. 1.
Cl. 2.
Cl. 3.
4 Hör.
1.
Fag.
2. u. 3.
(Es.)
4 Tub.
(B.)
CB. Tub.
(𝅗𝅥 = 𝅗𝅥)
(Bog.)
Viol.
(Bog.)
Br.
(Bog.)
Alber.
Sohn?
son!
fils?
(Von hier an bedeckt ein immer finsterer werdender Schatten wieder Alberich.
Zugleich beginnt das erste Tagesgrauen.)
Hag.
Den Ring soll ich ha-ben;
The ring will I gain me;
L'an-neau, va, j'y tou-che;
Vc.
(Bog.)
CB.
(Bog.)
p
pp
sf
più p
mf
dim.

(Es.)
4 Tub.
(B.)
CB. Tub.
Viol.
Br.
Alber.
Schwörst du mir's, Hagen, mein Held?
Swear to me, Hagen, my son!
Ju-res-tu, Hagen, mon fils?
Hag.
har-re in Ruh!
rest thou in peace!
sois en re-pos!
Vc.
CB.
Pos.
Hag. (Wie mit dem Folgenden Alberichs Gestalt immer mehr dem Blicke entschwindet, wird auch seine Stimme
Mir selbst schwör' ich's; schwei-ge die
To my-self swear I; trust thou and
Je me ju-re; trève à tes
dim.
piùp
pp
p

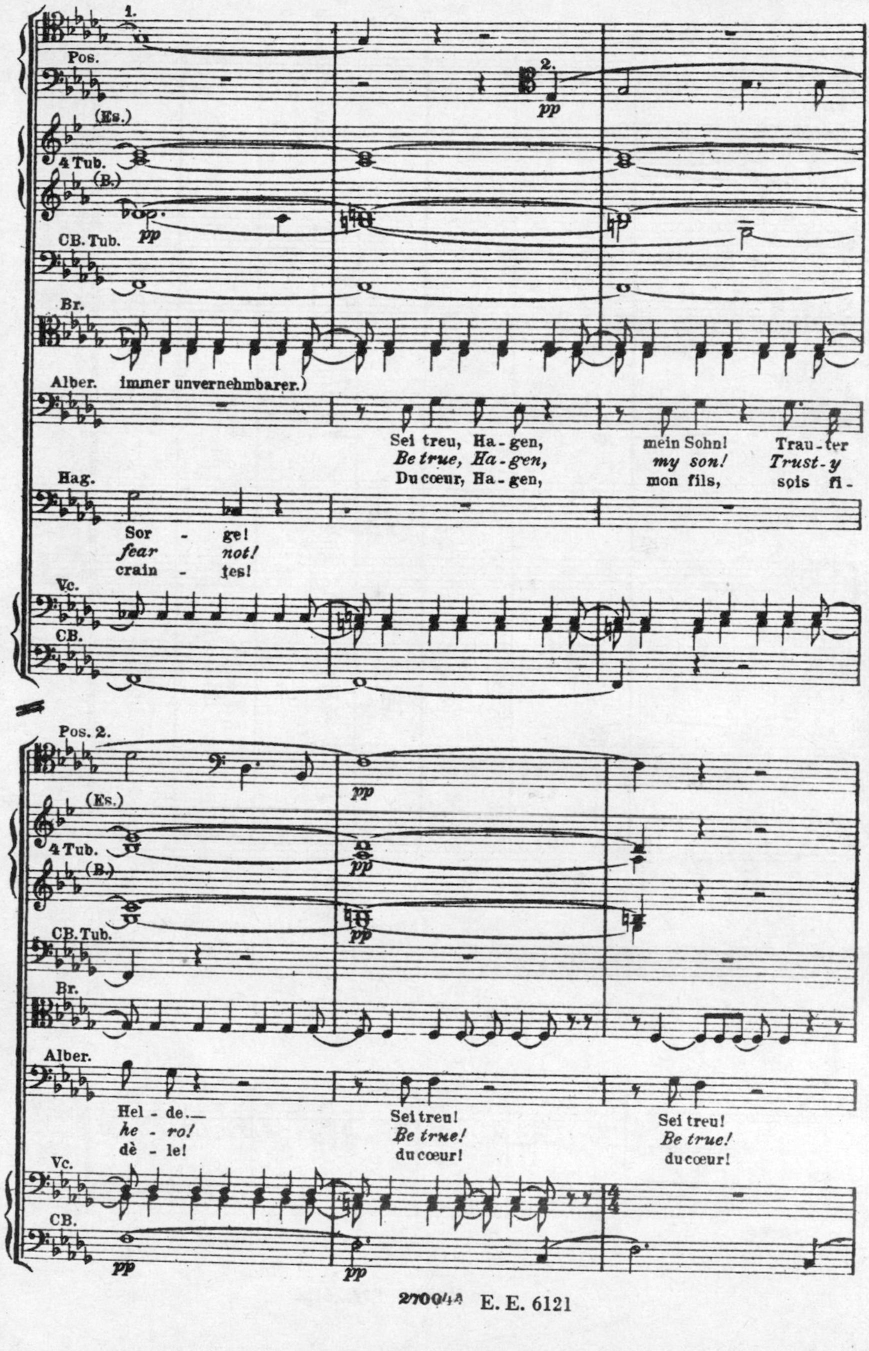
1.
Pos.
2.
pp
(Es.)
4 Tub.
(B.)
pp
CB. Tub.
Br.
Alber.
immer unvernehmbarer.)
Sei treu, Ha - gen,
Be true, Ha - gen,
Du cœur, Ha - gen,
mein Sohn!
my son!
mon fils,
Trau - ter
Trust - y
sois fi -
Hag.
Sor - ge!
fear not!
crain - tes!
Vc.
CB.
Pos. 2.
pp
(Es.)
4 Tub.
(B.)
pp
pp
CB. Tub.
Br.
Alber.
Hel - de.
he - ro!
dè - le!
Sei treu!
Be true!
du cœur!
Sei treu!
Be true!
du cœur!
Vc.
CB.
pp
pp

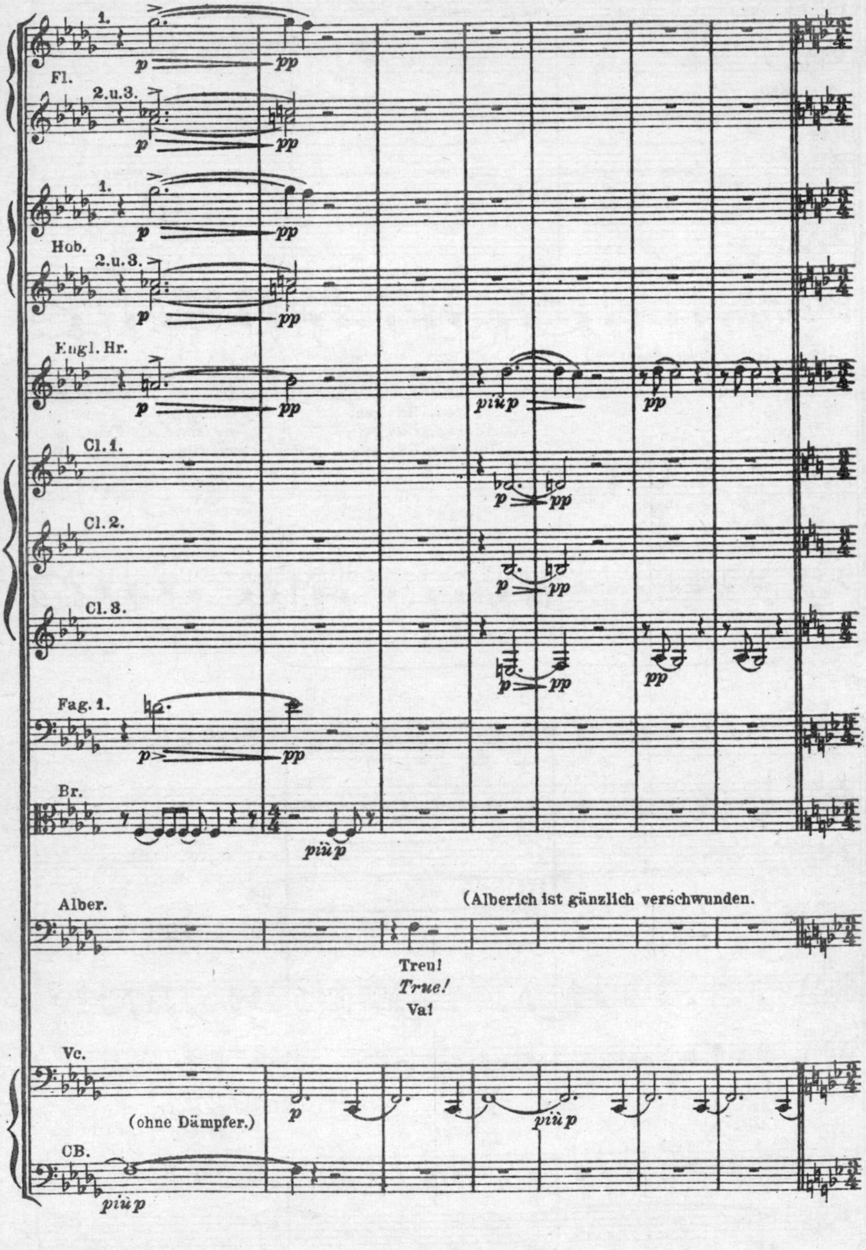
Fl.
1.
2.u.3.
Hob.
Engl. Hr.
Cl. 1.
Cl. 2.
Cl. 3.
Fag. 1.
Br.
Alber.
(Alberich ist gänzlich verschwunden.
Treu!
True!
Va!
Vc.
(ohne Dämpfer.)
CB.
p
pp
più p

Ohne merkliche Veränderung des Zeitmaasses etwas gemächlicher.
Engl. Hr.
più p
Cl. 3.
più p
Bs. Cl.
p
Hagen, der unverändert in seiner Stellung verblieben, blickt regungslos und starren Auges nach
Vc.
CB.
(Die E Saite nach Es zu stimmen.)
Bs. Cl.
più p
dem Rheine hin, auf welchem sich die Morgendämmerung ausbreitet.)
Vc.
CB.
Hr. 1. (F.)
(Alle 8 Hörner ohne Dämpfer.)
p
Bs. Cl.
pp
Vc.
CB.
(ohne Dämpfer.)
pp

## Zweite Scene.

Hr. 1.
cresc.
più f
Hr. 2.
cresc.
più f
Hr. 3.
cresc.
più f
Hr. 4.
(Es.)
cresc.
più f
Hr. 5.
cresc.
più f
Hr. 6.
cresc.
più f
Hr. 7.
(Es.)
p cresc.
Hr. 8.
(Es.)
p cresc.
1.
p cresc.
Fag.
2. u 3.
(zu 2.)
p cresc.
Br.
(ohne Dämpfer.)
p cresc.
Vc.
p cresc.
CB.
cresc.

Hr. 1
Hr. 2.
Hr. 3.
Hr. 4.
Hr. 5.
Hr. 6.
Hr. 7.
Hr. 8.
(gedämpft) (E.)
(gedämpft) (E.)
3 Fag.
2u.3. (zu2)
3 Pos.
CB. Pos.
Viol. (ohne Dämpfer.)
Br.
(Hagen macht eine zuckende Bewegung.)
Vc.
CB.
più f
cresc.
sf
p

Hr. 3.u.4. (E.)
Hr. 5.u.6. (E.)
Hr. 7.u. 8. (E.)
Vc.
CB.
piùp
Hr. 1.u.2. (ohne Dämpfer.)
Hr. 3.u.4.
(ohne Dämpfer.)
Hr. 5.
Fag. 2.u.3.
pizz.
(Bog.)
Viol.
dim.
Br.
(Siegfried tritt plötzlich, dicht am Ufer, hinter einem Busche hervor.)
Siegf.
Hoi-ho! Ha - gen! Mü - der
Hoi-ho! Ha - gen! Wea - ry
Hoi-ho! Ha - gen! Hom-me
Vc.
CB.

Fl. 2.
4 Hör.
dim.
Fag.
pizz.
Viol.
Br.
(Bog.)
sf
Siegf.
Mann! Siehst du mich kom - men?
man! Wake thou and greet me!
las! c'est moi, j'ar - ri - ve!
(Siegfried ist in seiner eigenen Gestalt; nur den Tarnhelm hat er noch auf dem Haupte; diesen zieht er jetzt ab, und hängt ihn, während er hervorschreitet, in den Gürtel.)
(Hagen erhebt sich gemächlich.)
Hag.
Hei!
Hei!
Hé!
Vc.
CB.
p (gut gehalten.)
poco cresc.
cresc.
poco f
Sieg - fried! Ge-schwin - der Hel - de!
Sieg - fried! Thou speed - y he - ro!
Sieg - fried! Hé - ros ra - pi - de!

Hob.
1.
cresc.
2.
cresc.
Cl.(B.)
1.
cresc.
2.
cresc.
Hör.
1 u. 2.
3.
Fag.
1. u. 2.
fp
fp
p
3.
fp
fp
p
Viol.
poco f
f
pizz.
sf
f
(Bog.)
p
Br.
sf
(Bog.)
fp
fp
Siegf.
Vom Brünn-hil-den-stein:
From Brünn-hil-de's rock!
Du roc en-flam-mé!
Hag.
Wo brau-sest du her?
Whence stormest thou now?
D'où nous tom-bes-tu?
Vc.
poco f
fp
fp
CB.
poco f
f

2. (F.)
Hör.
4. (F.)
1. u. 2.
Fag. 3.
Viol.
cresc.
pizz.
(Bog.)
Br.
Siegf.
dort sog ich den A - them ein, mit dem ich dich rief, so
'Twas there that the breath was drawn that called thee but now; so
J'en viens d'une ha - leine i - ci où son - ne ma voix, si
Vc.
pizz.
CB.
1. (F.)
Hör
cresc.
poco f
Fag. 1. u. 2.
Viol.
mf
dim.
Br.
Siegf.
schnell war mei - ne Fahrt. Lang - sa - mer folgt mir ein Paar; zu
fast hither I flew. Toil - ing more slow - ly a pair by
prompt fut mon re - tour! Plus len - te - ment suit le cou - ple. L'es-
Vc.
CB.
pizz.
(Bog.)

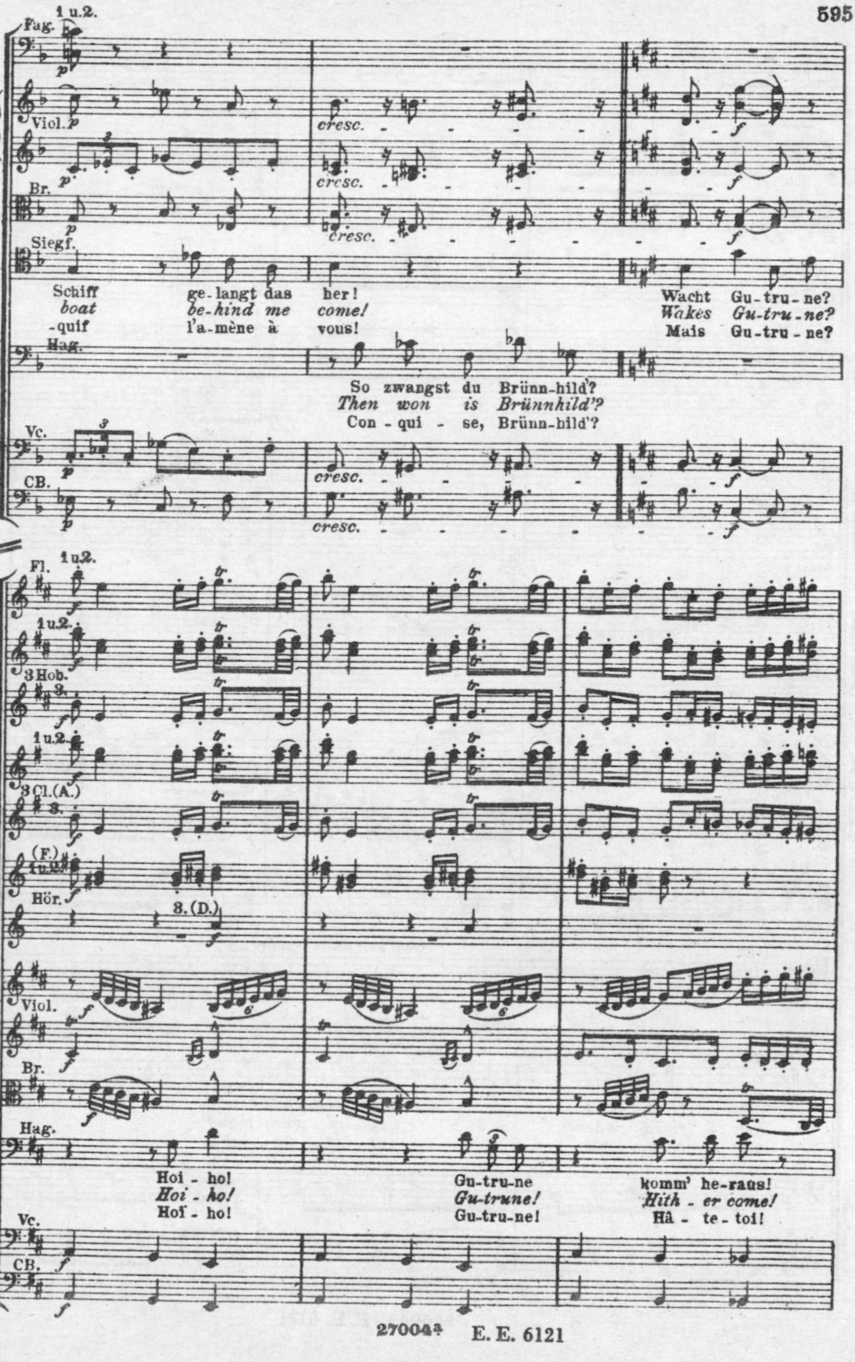
1 u.2.
Fag.
Viol.
cresc.
Br.
Siegf.
Schiff ge-langt das her!
boat be-hind me come!
-quif l'a-mène à vous!
Wacht Gu-tru-ne?
Wakes Gu-tru-ne?
Mais Gu-tru-ne?
Hag.
So zwangst du Brünn-hild'?
Then won is Brünnhild'?
Con-qui-se, Brünn-hild'?
Vc.
CB.
Fl.
3 Hob.
3 Cl. (A.)
(F.)
Hör.
8. (D.)
Hoi-ho!
Hoi-ho!
Hoï-ho!
Gu-tru-ne
Gu-trune!
Gu-tru-ne!
komm' he-raus!
Hith-er come!
Hâ-te-toi!

Fl.
1 u.2.
1.u.2.
Hob.
3.
Cl.1.
Cl.2.
Cl.3.
(F.)
2.
4 Hör.
(D.)
4.
1 u.2.
3 Fag.
8.
Viol.
Br.
(Sich zur Halle wendend.)
Siegf.
Euch
Ye
Je
Hag.
Sieg - fried ist da:
Sieg - fried is here:
Sieg - fried est là:
was säumst du drin?
why lin - ger'st thou?
que tar - des-tu?
Vc.
CB.

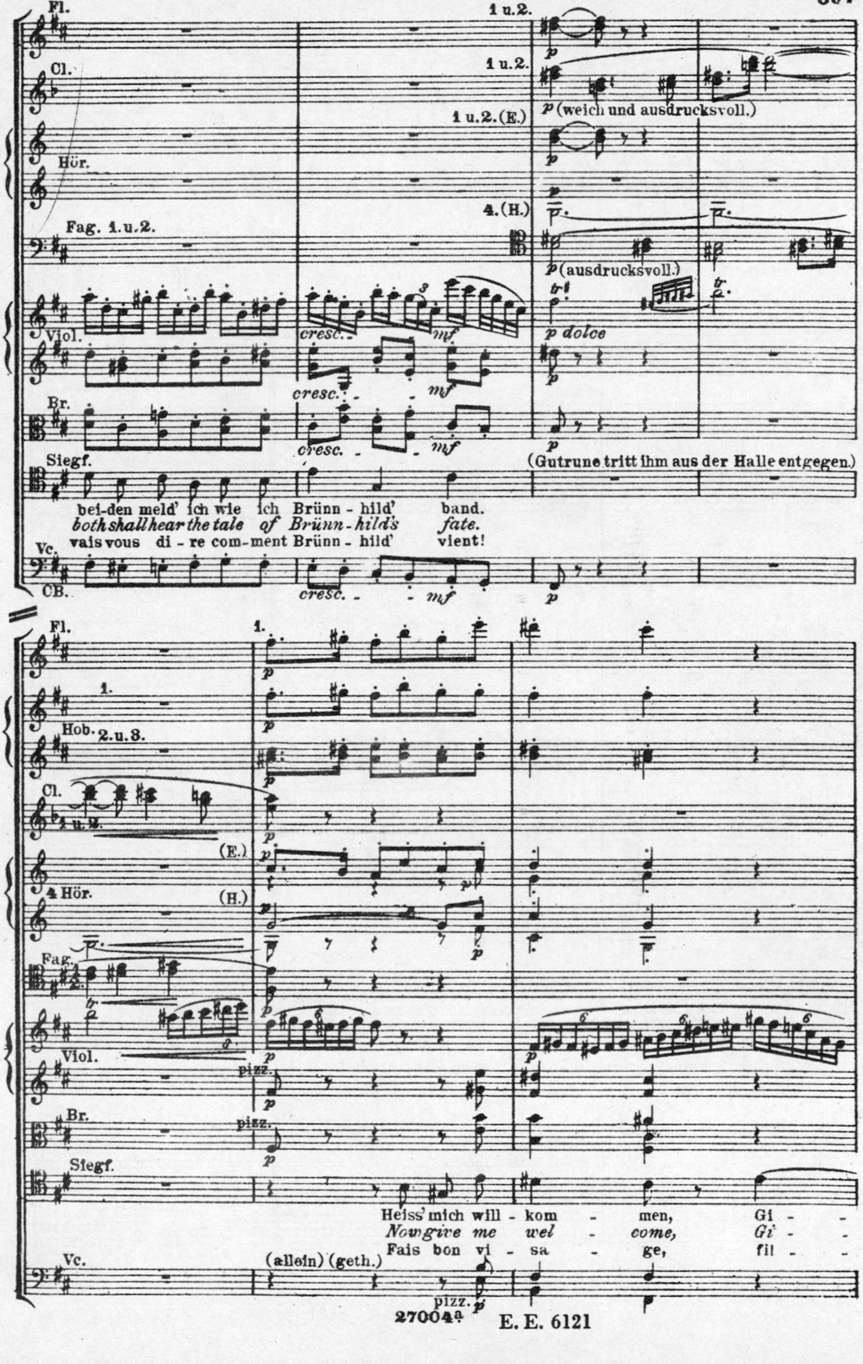

(Gutrune tritt ihm aus der Halle entgegen.)

bei-den meld' ich wie ich Brünn - hild' band.
*both shall hear the tale of Brünn-hild's fate.*
vais vous di - re com-ment Brünn - hild' vient!

Heiss' mich will - kom - - men, Gi -
*Now give me wel - - come, Gi -*
Fais bon vi - sa - - ge, fil -

Fl. 1.
1 u.2.
3 Hob.
1.
Cl.
2.
4 Hör.
Fag. 1 u.2.
Viol.
pizz.
(Bog.)
Br.
Siegf.
- bichs-kind! Ein gu - ter Bo - te bin ich dir.
- bich maid! for tid - ings good to thee I bear.
- le de Roi, à qui t'ap - por - te du bon - heur.
Vc.
(zus.)
(Bog.)
CB.
(Bog.)

Fl.
1.
Hob.
1.
Cl. 2.
(F.)
4 Hör.
(C.)
Fag. 1 u. 2.
Viol.
(Bog.)
Br.
(Bog.)
pizz.
Gutr.
Frei - - a grüs-se dich zu al - ler Frau - en
Frei - - a greeteth thee in name of wo - man's
Frei - - a soit pour toi au nom des fem-mes pro-
Vc.
pizz.
CB.

Fl.
1.
1 u.2.
Hob.
4 Hör.
cresc.
Fag.
1 u.2.
Viol.
cresc.
Br.
(Bog.)
cresc.
Gutr.
Eh - re!
hon - our!
-pi - ce!
Siegf.
Frei und hold sei nun mir Frohen!
Free - ly grant thou grace to thy wooer!
Libre et douce i - ci fais majoie!
Vc.
(Bog.)
CB.
(Bog.)

Fl.
1. u. 2.
Hob.
Cl.
(F.)
4 Hör.
(C.)
Fag.
Pk. (G.)
cresc.
Viol.
Br.
Siegf.
zum Weib ge - wann ich dich heut'!
for wife I have won thee to - day.
Pour femme aujourd'hui je te prends.
Vc.
CB.

Fl.
Hob.
dim.
più p
Cl. 1 u. 2.
(F)
4 Hör.
(C)
dim.
più p
dim.
3 Fag.
dim.
più p
dim.
più p
Viol.
dim.
p
Br.
dim.
più p
Gutr.
So folgt Brünn - hild' mei - nem Bru - der?
Then comes Brünn - hild with my bro - ther?
A - lors, Brünn - hild suit mon frè - re?
Vc.
CB. pizz.
p
più p

Hob. 3.
Hr. 4. (C.)
1.
Fag. 2 u. 3.
Viol.
Br. più p
Gutr.
Seng - te das
Came he un-
Sauf de la
Siegf.
Leicht ward die Frau ihm ge-freit.
Light was his woo - ing, I ween.
Vite ils se sont fi - an - cés.
CB.
pp
Cl.
2. u. 3.
Hr. 4.
più p
Fag.
pp
Viol.
più p
Br.
Gutr.
Feu - er ihn nicht?
harmed through the fire?
flamme il sor - tit?
Siegf.
Ihn hätt' es auch nicht ver-sehrt, doch
Safe in its blaze had he been, had
Lui n'en a pu rien souffrir; pour
Vc.
CB.
p
sf

Fl. 1.u.2.
Hob.
Cl. 1. 2.u 3.
4 Hör. 1 u.2. (F.) 3. (C.) 4. (C.)
Fag. 2.u.3.
4 Pos. 1 u.2. 3 u.4.
Pk. (G)
Viol.
Br.
Siegf.
ich durchschritt es für ihn, da dich ich wollt' er-wer-ben.
I not dared it for him, for so I sought to win thee.
lui c'est moi qui pas - sai. De ma foi c'est bien le ga-ge?
Vc.
CB.
(Bog.)
f p pp mf cresc. p cresc.

Hob.
Cl.
Hr. 1. u. 2.
Hr. 3. u. 4.
Hr. 6.
Fag.
Pk.
Viol.
Br.
Gutr.
Doch dich hat es ver - schont?
But thee hath it not harmed?
La flam - me t'é - par - gna?
Hielt
Held
Donc
Siegf.
Mich freu - te die schwe - ben - de Brunst.
I laughed in the tu - mult of flames.
Joy - eux me ren - dait le bra - sier.
Vc.
CB.

Hr. 6. (E.)
1.u.2.
Fag. 3.
piùp
Viol. 1.
p
Br.
pizz.
(Bog.)
Gutr.
Brünn-hild' dich für Gun - ther?
Brünn-hild' thee for Gun - ther?
Brünn-hild' crut voir Gun - ther?
Siegf.
Ihm glich ich auf ein
Like were we to a
Oui, j'a - vais pris ses
Vc.
CB.
pizz.
Hr. 1.u.2. (E.)
Hr. 3.u.4. (E.)
Hr. 6.
Viol.
Br.
Siegf.
Haar: der Tarn-helm wirk - te das, wie Ha - gen tüch - tig es
hair: the Tarnhelm served me well, as Ha - gen tru - ly fore -
traits; le Tarn-helm l'a permis. Par Ha - gen j'eus ce con -
Vc. pizz.
CB.

1 u. 2.
4 Hör.
3 u. 4.
Bs. tromp. (Es.)
pp
poco cresc. - - -
1. u. 2.
pp
poco cresc. - - -
Pos.
3
pp
poco cresc. - - -
CB. Pos.
pp
poco cresc. -
Viol.
poco cresc. - - -
Br.
poco cresc. - - -
Gutr.
So zwang'st du das küh - ne
Thy force tamed the val - iant
Tu domp - tes la fiè - re
Siegf.
wies.
told.
-seil.
Hag.
Dir gab ich gu - ten Rath.
I gave thee good - ly redes.
C'é - tait un bon a - vis!
Vc.
(Bog.)
CB.
mf

1.u.2.(zus.)
Hob.
3.
Cl.1.
Cl.2.
Cl.3.
(F.)
4 Hör.
(F.)
1.
Fag. 2.u.3. (zus.)
Bs. tromp. (Es.)
Pos.1.
Pos.2.
Pos.3.
pizz.
(Bog.)
Viol.
(Bog.)
pizz.
(Bog.)
Br.
pizz.
(Bog.)
Gutr.
Weib?
maid?
fem - me?
Und ver - mähl - te sie sich dir?
And she gave her-self to thee?
Tu l'é - pou - ses en son nom?
Siegf.
Sie wich Gunther's Kraft.
She felt Gunther's force.
Non, c'est Gunther seul.
Vc. (Bog.)
pizz.
(Bog.)
dim.
CB.
pizz.

1u.2.
1.
Hob.
2.
cresc.
3.
Cl.1.
Cl.2.
Cl.3.
Fag.1.
Fag. 2.
Fag. 3.
f
sf
Viol.
Br.
Siegf.
Ih - rem Mann ge-horch-te Brünnhild ei - ne vol - le bräut - li - che
Through the night the dauntless Brünnhild' to her right - ful hus-band be -
À l'é - poux sou - mi - se, Brünnhild' reste ain - si du-rant u - ne
Vc.
CB.
(Bog.)

Hob.
1 u. 2.
3.
Cl.
1 u. 2.
3.
cresc.
Hör.
(F)
(C)
Fag.
1 u. 2.
3.
Viol.
Br.
Gutr.
Als ihr Mann doch gal-test du?
But the right in sooth was thine.
Mais l'é-poux, n'est-ce donc toi?
Siegf.
Nacht. Bei Gu- tru-ne weil- te
longed. With Gu- tru-ne so - journed
nuit. À Gu- tru-ne seule est
Vc.
CB.
pizz.
(Bog.)

Fl. 1.
Hob.
Cl.
Hör.
3. (C)
4.
Fag.
Viol.
pizz.
(Bog.)
Br.
Gutr.
Doch zur Sei - te war ihm Brünnhild'?
But yet Brünnhild' lay be-side him?
En ta cou-che veil - le Brünnhild?
Siegf.
Sieg - fried.
Sieg - fried.
Sieg - fried.
Vc.
CB.
(zus.)
cresc.

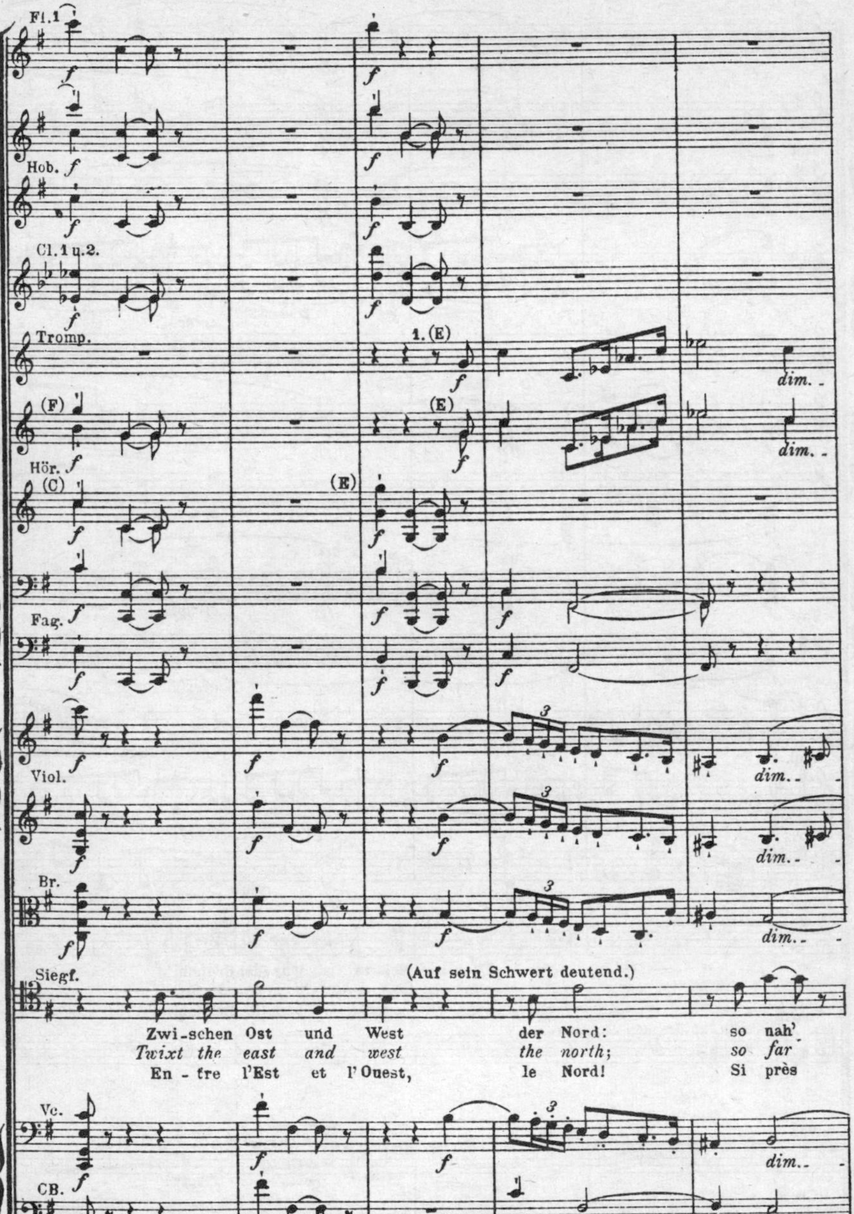
Fl. 1
Hob.
Cl. 1 u. 2.
Tromp.
1. (E)
dim.
(F)
(E)
Hör.
(C)
(E)
Fag.
Viol.
Br.
(Auf sein Schwert deutend.)
Siegf.
Zwi-schen Ost und West der Nord: so nah'
Twixt the east and west the north; so far
En-tre l'Est et l'Ouest, le Nord! Si près
Vc.
CB.

Trp. 1.
2. (E)
Hr. 1 u. 2.
1 u. 2.
Fag. dim.
3.
Viol.
Br.
Gutr.
Wie em - pfing
How from thee
Com-ment à
Siegf.
war Brünn - hild' ihm fern.
was Brünn - hild' from him.
est Brünn - hild' bien loin.
Vc.
CB.
pizz.
Hr. 1 u. 2.
Fag.
più p
Viol.
Br.
Gutr.
Gun - ther sie nun von dir?
came she to Gunther's arms?
Siegf. Gun - ther la re - mets - tu?
Durch des Feu - ers ver-lö-schen-de
Through the fast fading glow of the
Par les flam - mes dé-jà moins ar-
CB. (nur 4)

Hr. 2.
Fag.
Viol.
Br.
Siegf.
Lo - he, im Früh - ne - bel vom Fel-sen folg-te sie mir zu
fire, as day dawned, in the mist she follow-ed me down the
-den - tes, à l'au - be, de la ro-che je la conduis au
Vc.
CB.(alle)
(Bog.)
pizz.
Cl.
2.(B)
3.(B)
1 u.2.
Fag.
3.
Viol.
pizz.
Br.
pizz.
Siegf.
Thal; dem Stran-de nah', flugs die Stel-le tausch-te Gun - ther mit
vale; when near the shore, soon the bride groom's place to Gun - ther I
val. Au bord du Rhin, prompt, je chan-ge. Place à Gun - ther tout
Vc.
CB.
più p
pizz.

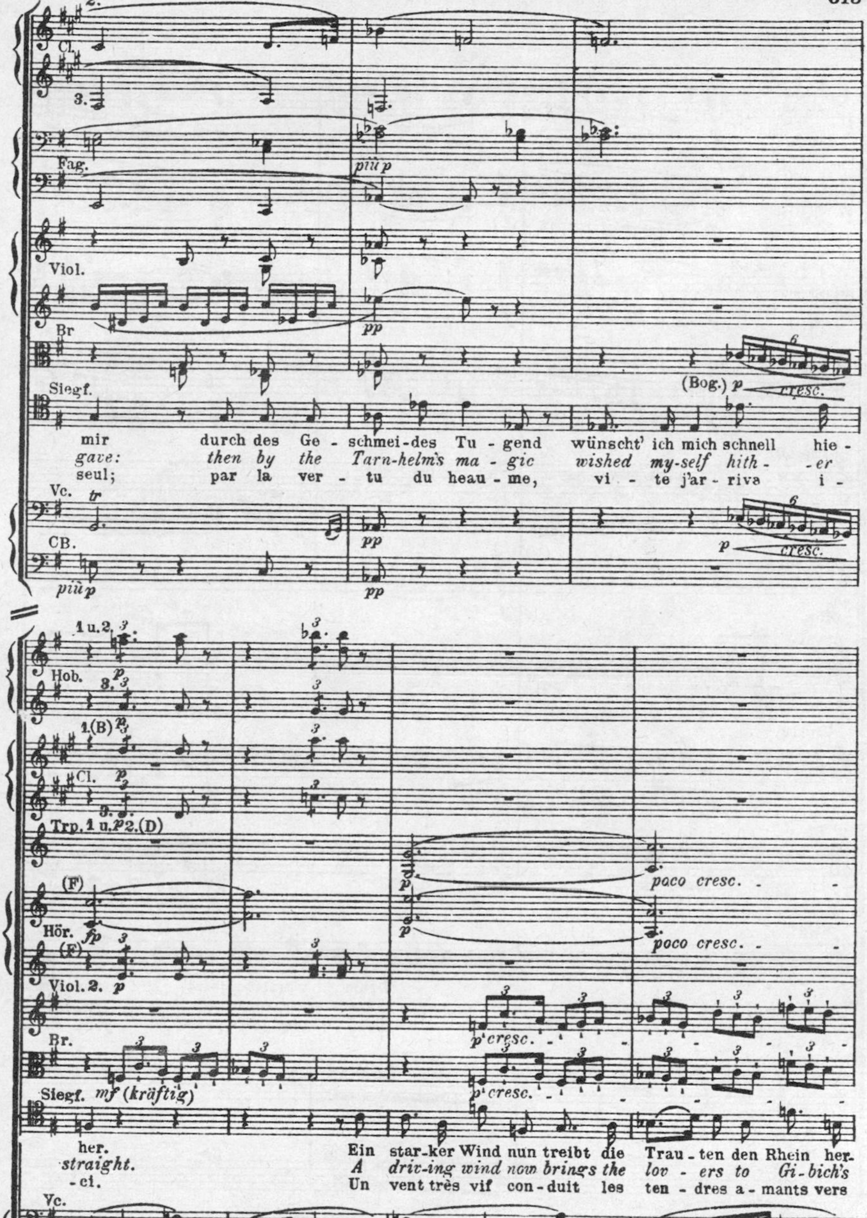
Cl.
Fag.
Viol.
Br
Siegf.
mir durch des Ge - schmei-des Tu - gend wünscht' ich mich schnell hie -
gave: then by the Tarn-helm's ma - gic wished my-self hith - - er
seul; par la ver - tu du heau - me, vi - te j'ar - riva - i -
(Bog.) p cresc.
Vc.
CB.
più p
pp
Hob.
Cl.
Trp. 1 u. 2. (D)
(F)
Hör.
poco cresc.
Viol. 2.
Br.
mf (kräftig)
p cresc.
Siegf.
her. Ein star - ker Wind nun treibt die Trau - ten den Rhein her.
straight. A driv-ing wind now brings the lov - ers to Gi - bich's
- ci. Un vent très vif con - duit les ten - dres a - mants vers
Vc.
CB.
(Bog.) fp
cresc.

1 u. 2.
Hob.
3.
1 u. 2.
Cl.
3.
Trp. (D)
1 u. 2.
(F)
Hör.
(D)
Viol. 2.
p cresc.
Br.
Siegf.
auf.
home.
nous.
Drum rüs-tet jetzt den Em-
Then wel-come give to the
Donc tout soit pret pour l'ac-
Vc.
cresc.
(gut gehalten)
CB.
cresc.
(gut gehalten)

Hob. f
più f
Cl. f
più f
Trp. 1 u. 2. (D)
poco f
Hör. f
più f
(E)
(D)
1 u. 2.
Fag.
3.
Viol.
(Bog.)
Br.
Gutr.
Sieg - fried!
Sieg - fried!
Sieg - fried!
Mäch - tig - ster
Might - i - est
Hom - me si
Siegf.
pfang!
pair.
-cueil.
Vc.
più f
CB.
più f

Hob.
2 u.3.
f
dim.
cresc.
Cl.
2 u.3.
p
cresc.
(F)
Hör.
f
dim.
p
cresc.
(D)
f
dim.
p
4.(F)
cresc.
Fag.
Viol.
fp
p
tr
cresc.
Br.
fp
p
p cresc.
Gutr.
Mann! Wie fasst mich Furcht vor dir!
man! I shrink with fear of thee!
fort! Quel trouble tu mets en moi!
Vc.
fp
p cresc.
CB.
fp

Hob. 1 u.2.
Cl.
2 u.3.
Trp. 1 u.2.
(C)
1.(C)
Hör.
(F)
Fag. (zu 3.)
Viol.
Br.
Siegf.
So sagt dem Bo-ten
Then grant the her-ald
Rends grâce au mes-sa-
(Vom Ufer her rufend.)
Hag.
In der Fer-ne seh' ich ein Se-gel!
From a-far a sail draw-eth hith-er!
Au loin-tain pa-rait u-ne voi-le!
Vc.
CB.
(immer kräftig)
(immer kräftig)

Fl.
1.
Hob.
Cl.
Trp. 1. (C)
2.
Hör.
Fag.
(zu 3)
Viol.
cresc.
pizz.
Br.
pizz.
Gutr.
Las - set uns sie hold em - pfan - gen, dass
Let us give her worth-y greet - ing, that
Tous fai-sons pour Brunnhild' fê - te, et
Siegf.
Dank!
thanks!
-ger!
Vc.
pizz.
CB.

Fl. 1.
1 u. 2. (zu 2.)
1.
Hob.
2 u. 3.
Cl.
2. (allein)
Trp. 1 u. 2. (C)
Hör.
Fag.
1 u. 2.
Viol.
(Bog.)
Br.
(Bog.)
Gutr.
hei- - ter sie und gern hier wei- le!
blithe and fain she here may tar-ry!
qu'el- - le soit chez nous heu - reu - se!
Du, Ha - gen,
Thou, Ha - gen,
Toi, Ha - gen,
Vc.
(Bog.)
CB.
pizz.
(Bog.)

min-nig ru-fe die Män-ner nach Gi - bich's Hof zur
*call the men for the wed-ding in Gi - bich's hall to -*
fais l'ap-pel de joie aux hom-mes; Qu'ils soient pré-sents aux

Fl. 1.
Hob. (zu 3.)
Cl.
3.
Trp 2.
cresc.
f
Hör.
cresc.
fp
cresc.
Fag.
2 u. 3.
fp
cresc.
p
fp
cresc.
Viol.
pizz.
(Bog.)
fp
cresc.
Br.
pizz.
(Bog.)
fp
cresc.
Gutr.
Hoch - zeit!
geth - er!
no - ces!
Fro - he
Mirth - ful
Fem - mes joy -
Vc.
pizz.
(Bog.)
fp
cresc.
CB.
fp
pizz.

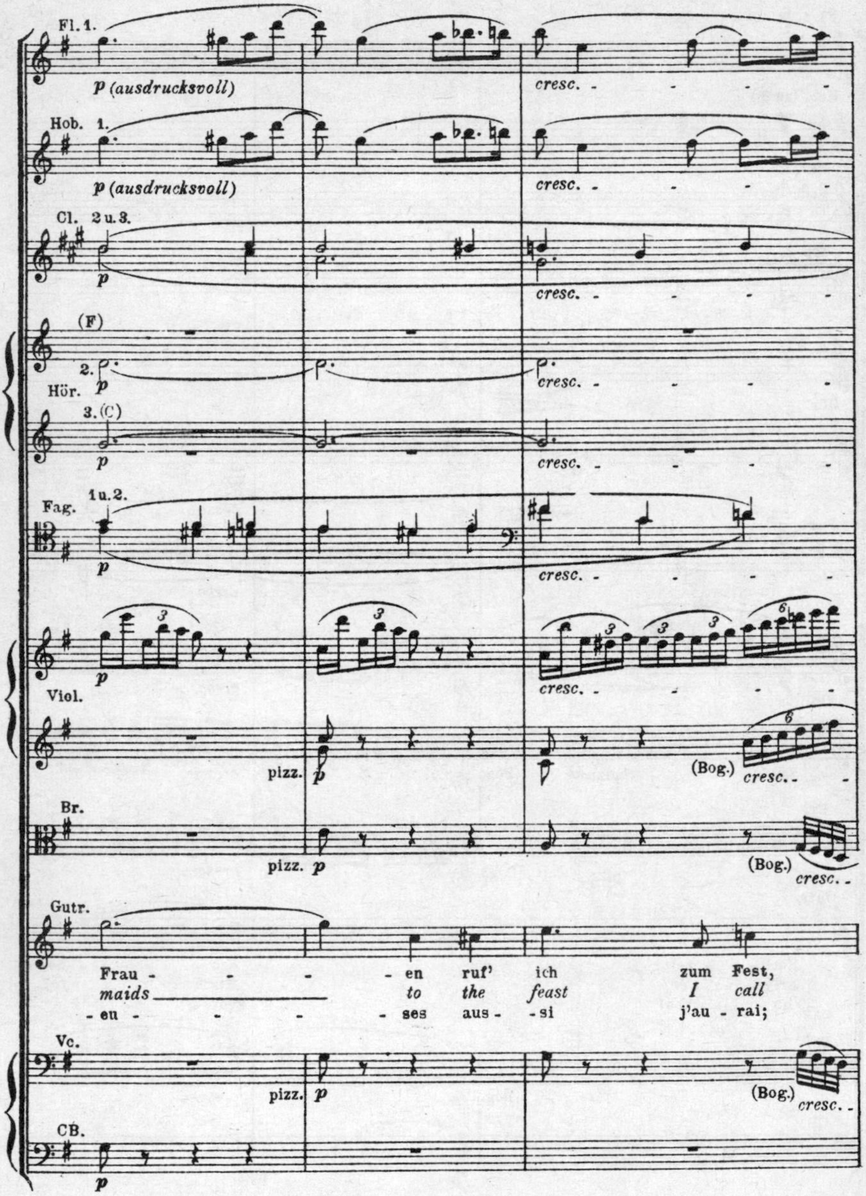
Fl. 1.
p (ausdrucksvoll)
cresc.
Hob. 1.
p (ausdrucksvoll)
cresc.
Cl. 2 u. 3.
p
cresc.
(F)
2.
p
cresc.
Hör.
3. (C)
p
cresc.
Fag. 1 u. 2.
p
cresc.
p
cresc.
Viol.
pizz.
p
(Bog.)
cresc.
Br.
pizz. p
(Bog.)
cresc.
Gutr.
Frau - - - en ruf' ich zum Fest,
maids to the feast I call
- eu - - - - ses aus - si j'au - rai;
Vc.
pizz. p
(Bog.)
cresc.
CB.
p

Fl. 1.
1 u. 2.
(zus.)
Hob.
2 u. 3.
cresc.
1.
Cl.
(F)
Hör.
4. (D)
1 u. 2. (zus.)
Fag.
3.
Viol.
Br.
pizz.
(Bog.)
Gutr.
(Nach der Halle zu schreitend.)
der Freu - di-gen fol-gen sie gern.
our mer - ri-ment fain would they share!
à mon bonheur qu'el-les aient part!
Vc.
CB. (Bog.)
più f

Fl. 1 u. 2.
Hob.
3 Cl.
2 u. 3.
Hör.
Fag.
Viol.
stacc.
cresc.
(Bog.)
pizz.
Br.
Gutr.
(wendet sie sich wieder um.)
Ras-test du, schlim - mer Held?
Wilt thou rest, faith - less man?
Es - tu las, froid hé - ros?
Siegf.
Dir zu
Help - ing
Pour vai-
Vc.
CB.

Fl. 1 u. 2.
Hob.
2 u. 3.
Cl. 2 u. 3.
Trp.
(C)
(F)
Hör.
Fag.
2 u. 3.
ff (sehr kräftig)
(zu 2.)
Viol.
Br. (Bog.)
Siegf.
(Er reicht ihr die Hand, und geht mit ihr in die Halle.)
hel- - fen
Gu- - trun'
- der,
ruh' ich aus.
is may rest.
me voi - ci.
(Hagen hat einen Felsenstein in der Höhe des Hintergrundes erstiegen: dort setzt er jetzt sein Stierhorn zum Blasen an.)
Vc.
CB.

## Dritte Scene.

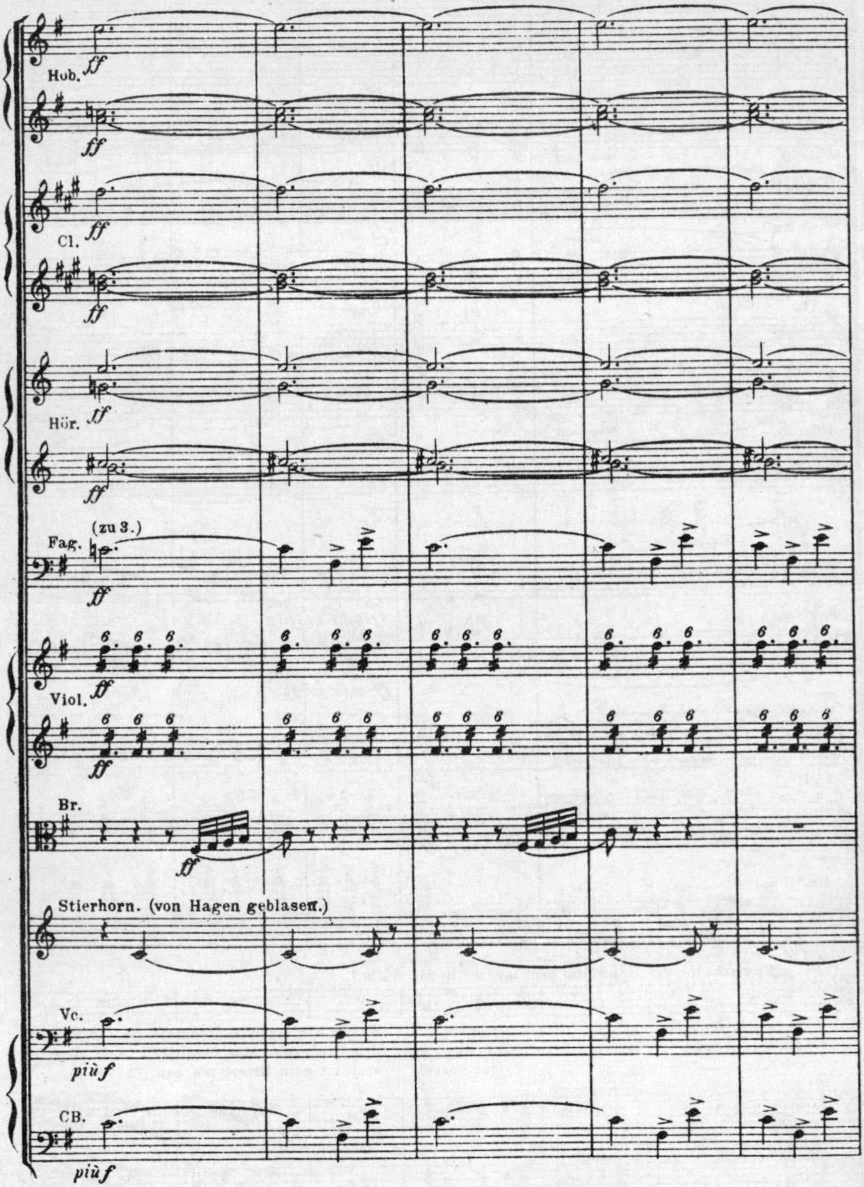

Hob.
Cl.
Hör.
(zu 3)
Fag.
CB. Tub.
Viol.
Br.
Stierhorn.
Hag.
Hoi - ho!
Hoi - ho!
Hoi - ho!
Hoi - ho ho - ho!
Hoi - ho ho - ho!
Hoi - ho ho - ho!
Vc.
(immer f)
CB.
(immer f)

Fag.
(zu 3.)
ff
CB. Tub.
Viol. 2.
Br.
Hag.
Ihr Gi-bich's Mannen, ma-chet euch auf! We- -he!
Ye Gi-bich vas-sals, gath-er ye here. Arm ye!
Les hom-mes d'ar-mes, tous de-bout! tous! Las!
Vc.
CB.
Fag. (zu 3)
CB. Tub.
Viol. 2.
Br.
Hag.
We- -he! Waf- -fen! Waf-fen!
Arm ye! Wea-pons! Wea-pons!
Las! Ar- -mes! Ar-mes!
Vc.
CB.

1 u.2.(F)
Hör.
3 u.4.(F)
Fag.
(zu 3.)
CB. Tub.
Viol.2.
Br.
Hag.
Waf - fen durch's Land!
Arm through the land!
Ar - mes par - tout!
Gu - te
Good - ly
Bon - nes
Vc.u.CB.
Hör.
Fag. (zu 3.)
Trp.
3.(F)
Bs.Trp.
(Es)
1 u.2.
4 Pos.
3 u.4.
CB. Tub.
Pauk.
(G)
p cresc.
Viol.
Br.
Hag.
Waf - fen! Star - ke Waf - fen! Scharf zum Streit!
wea - pons! Might - y wea - pons! Sharp for strife!
ar - mes! For - tes ar - mes! Durs tran - chants!
Vc.u.CB.

kl.Fl.
1 u.2.
3 Fl.
3.
1 u.2.
Hob.
3.
1 u.2.
Cl.
3.
Hör.
1 u.2.
Fag.
(F)
2.
1.
Trp.
(F)

4 Pos.
più f
CB.Tub.
Pauk. tr
Viol.
più f
Br.
più f
Stierhörner hinter der Scene.
(links) (Des)
ff
Hag.
Noth ist da!
Need is here!
Ur- - gence est là!
Vc.
più f
CB.
più f

634 635

1u.2.
Pos.
CB.Pos.
CB.Tub.
Pauk. (Fis)
Viol.
Br.
Stierhörner.
(rechts) (D)
Hag.
Noth! Need! Ur - gence!
We - he! Arm ye! Las!
We - he! Arm ye! Las!
Hoi-ho! Hoi-ho! Hoï-ho!
Vc.
CB.

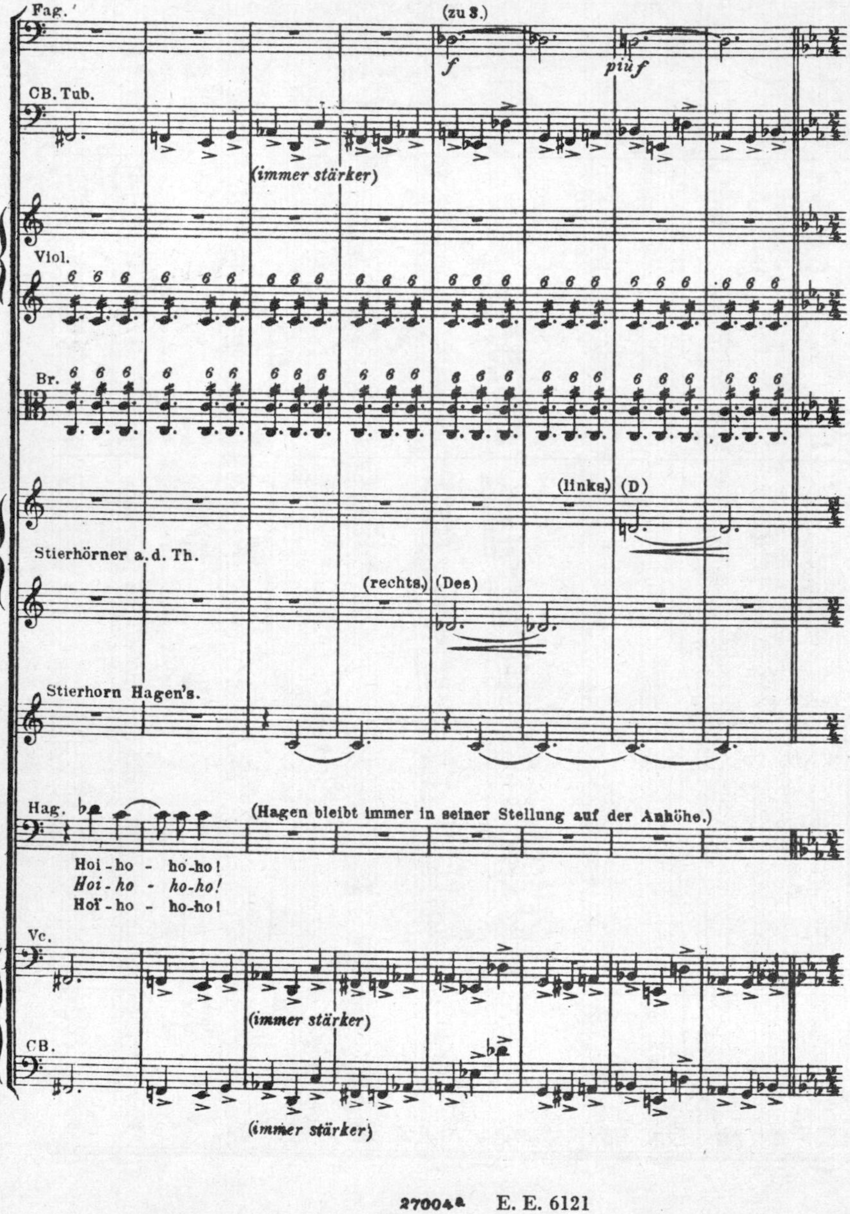
Fag.
(zu 3.)
f
più f
CB. Tub.
(immer stärker)
Viol.
Br.
(links) (D)
Stierhörner a. d. Th.
(rechts) (Des)
Stierhorn Hagen's.
Hag.
(Hagen bleibt immer in seiner Stellung auf der Anhöhe.)
Hoi-ho - ho-ho!
Hoi-ho - ho-ho!
Hoï-ho - ho-ho!
Vc.
(immer stärker)
CB.
(immer stärker)

Zwei Takte so schnell, wie zuvor ein Takt 3/4.

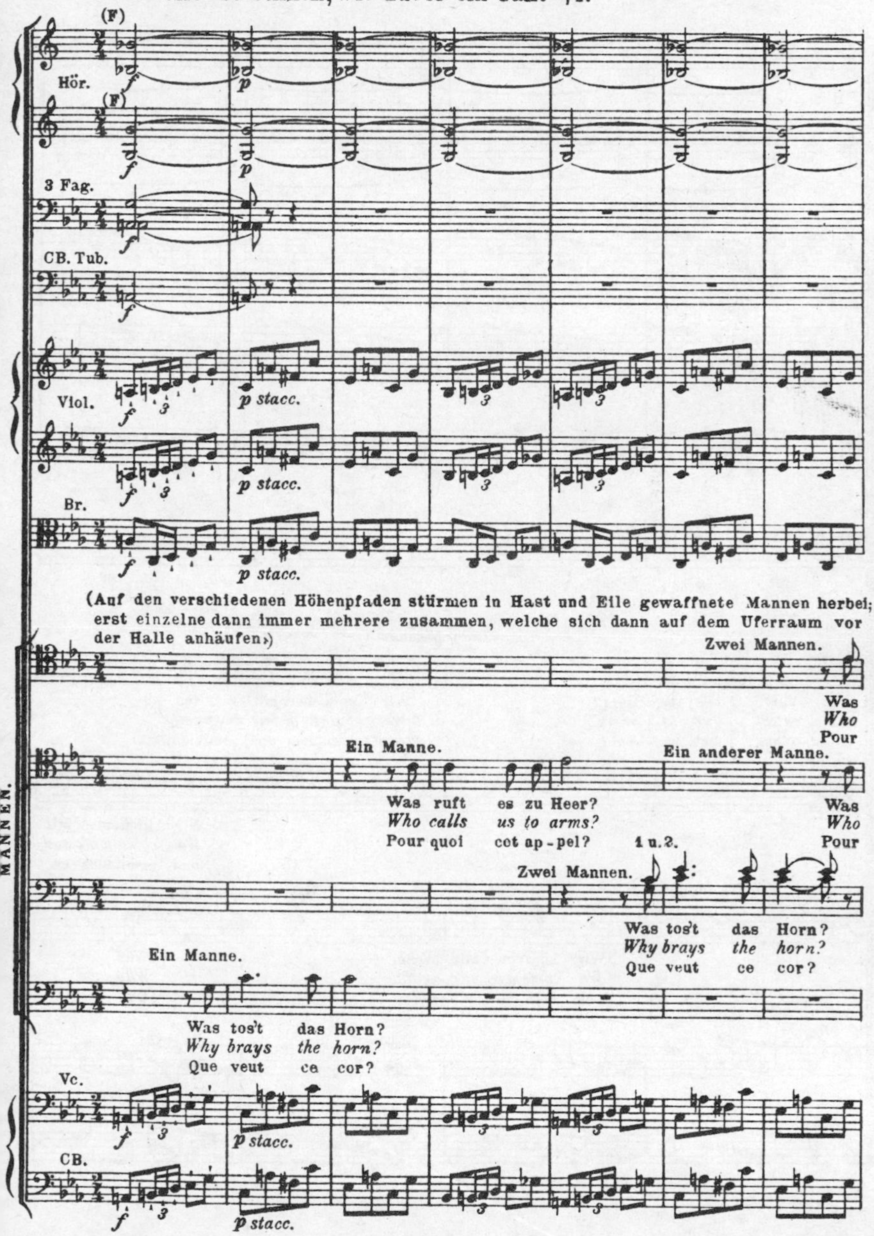
(F)
Hör.
(F)
3 Fag.
CB. Tub.
Viol.
p stacc.
Br.
(Auf den verschiedenen Höhenpfaden stürmen in Hast und Eile gewaffnete Mannen herbei; erst einzelne dann immer mehrere zusammen, welche sich dann auf dem Uferraum vor der Halle anhäufen.)
MANNEN.
Zwei Mannen.
Was
Who
Pour
Ein Manne.
Was ruft es zu Heer?
Who calls us to arms?
Pour quoi cet ap-pel?
Ein anderer Manne.
Was
Who
Pour
1 u. 2.
Zwei Mannen.
Was tos't das Horn?
Why brays the horn?
Que veut ce cor?
Ein Manne.
Was tos't das Horn?
Why brays the horn?
Que veut ce cor?
Vc.
CB.
p stacc.

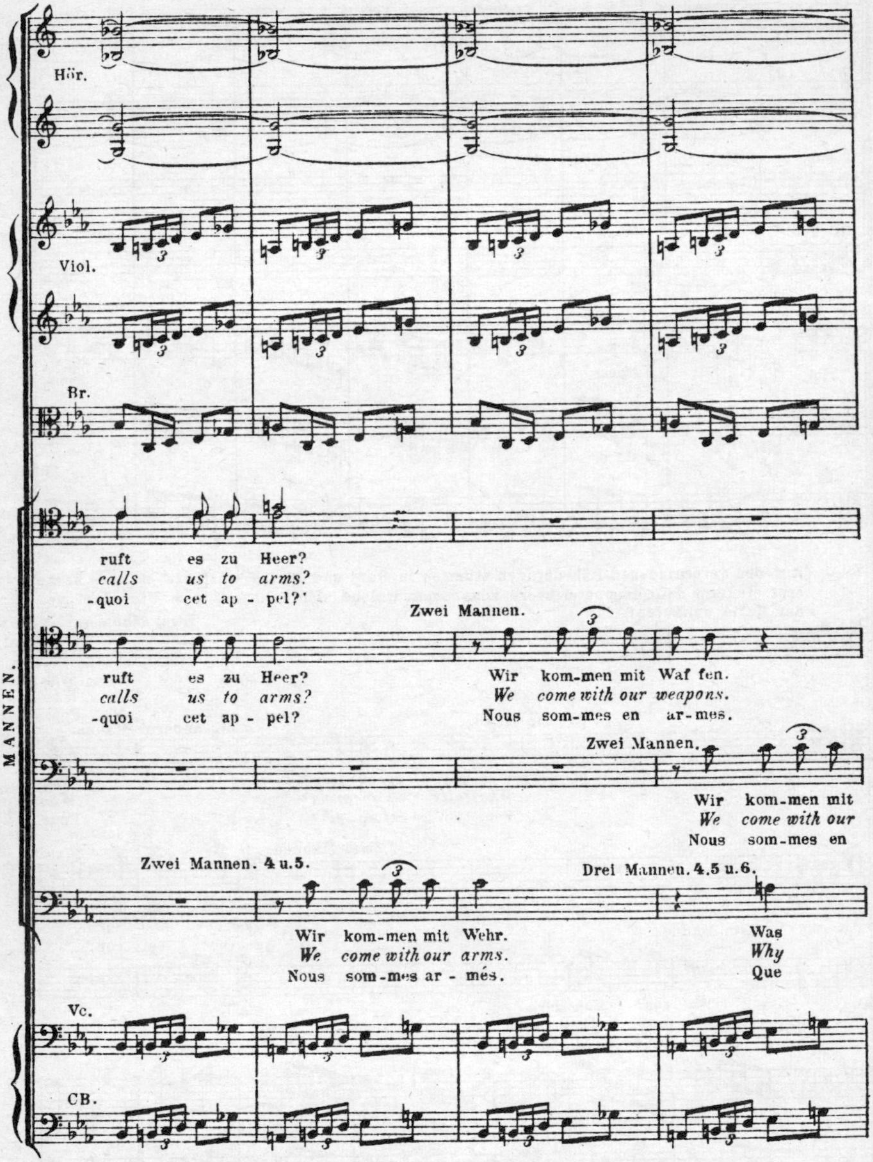
Hör.
Viol.
Br.
MANNEN.
ruft es zu Heer?
calls us to arms?
-quoi cet ap-pel?'
Zwei Mannen.
ruft es zu Heer?
calls us to arms?
-quoi cet ap-pel?
Wir kom-men mit Waf fen.
We come with our weapons.
Nous som-mes en ar-mes.
Zwei Mannen.
Wir kom-men mit
We come with our
Nous som-mes en
Zwei Mannen. 4 u.5.
Drei Mannen. 4.5 u.6.
Wir kom-men mit Wehr.
We come with our arms.
Nous som-mes ar - més.
Was
Why
Que
Vc.
CB.

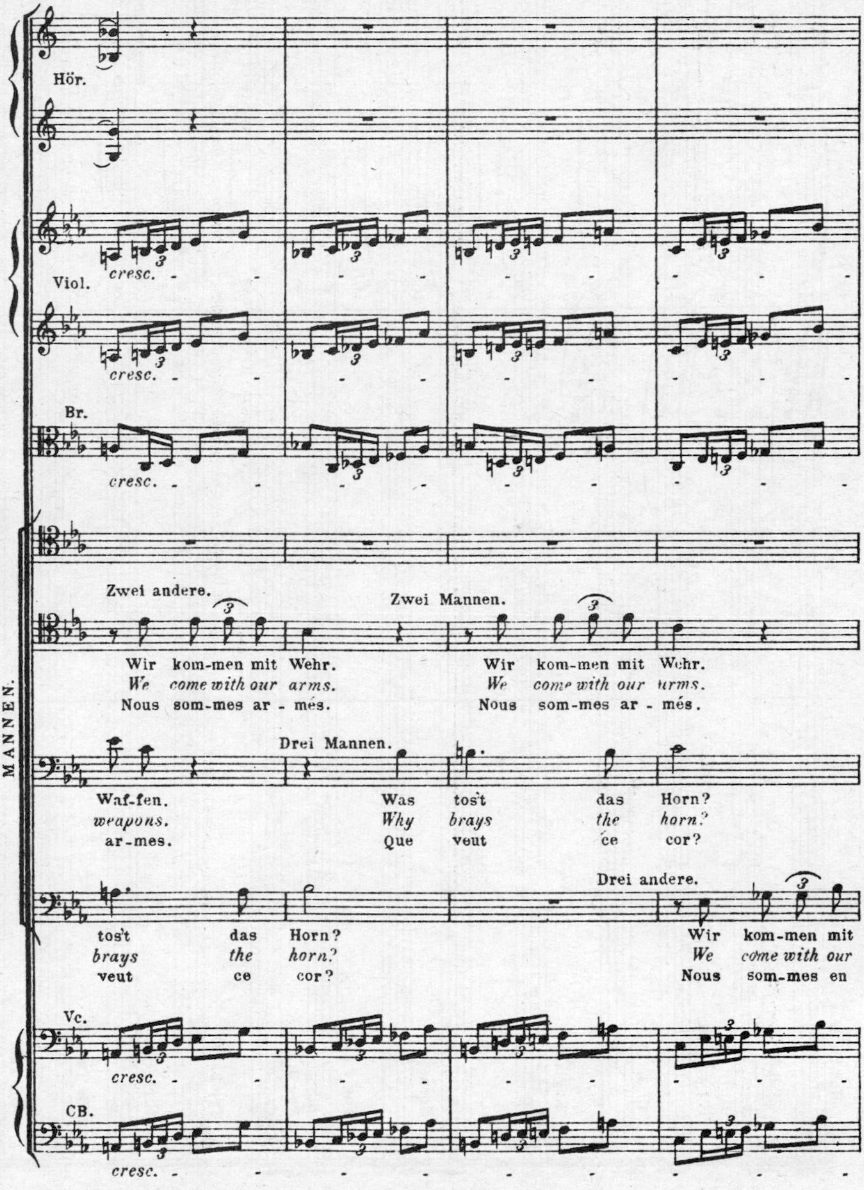

Hör.
Viol.
cresc.
cresc.
Br.
cresc.
MANNEN.
Zwei andere.
Wir kom-men mit Wehr.
We come with our arms.
Nous som-mes ar - més.
Zwei Mannen.
Wir kom-men mit Wehr.
We come with our urms.
Nous som-mes ar - més.
Waf-fen.
weapons.
ar-mes.
Drei Mannen.
Was tos't das Horn?
Why brays the horn?
Que veut ce cor?
tos't das Horn?
brays the horn?
veut ce cor?
Drei andere.
Wir kom-men mit
We come with our
Nous som-mes en
Vc.
cresc.
CB.
cresc.

Hob. 1 u. 2.
Hob. 3.
Cl. 1 u. 2. (B)
Cl. 3. (B)
Engl. Hr.
(F)
Hörn.
(F)
Fag. 1 u. 2.
Fag. 3.
Trp. 2. (F)
Bstrp. (Es)
2 Bs. Tub. (B)
CB. Tub.
zu 2.
zu 2.
zu 2.
zu 2.
f
6

Viol.
Br.
MANNEN.
Zwei Mannen.
Wir kommen mit Wehr.
We come with our arms.
Nous som-mes ar - més.
Drei Mannen.
Ha - - gen!
Ha - - gen!
Ha - - gen!
Drei Mannen.
Ha - - gen!
Ha - - gen!
Ha - - gen!
Ha - - - - - - gen!
Ha - - - - - - gen!
Ha - - - - - - gen!
Ha - - - - - - gen!
Ha - - - - - - gen!
Ha - - - - - - gen!
Drei andere.
Wir kommen mit Waf-fen.
We come with our wea-pons.
Nous som-mes en ar - mes.
Hoi-ho!
Hoi-ho!
Hoï-ho!
Waf fen.
wea-pons.
ar - més.
Hoi-ho!
Hoi-ho!
Hoï-ho!
Vc.
CB.

Hob. 1 u. 2. zu 2.
Hob. 3.
Cl. 1 u. 2. zu 2.
Cl. 3.
Engl. Hr.
(F)
Hörn.
(F)
Fag. 1 allein.
Fag. 2 u. 3.
zu 2.
Trp. 2 (F)
Bstrp.
2 Bs. Tub.
CB. Tub.
più f

Viol.
Br.
MANNEN.
Ha - - - - gen!
Ha - - - - gen!
Ha - - - - gen!
Hoi - ho!
Hoi - ho!
Hoï - ho!
Ha - - - - gen!
Ha - - - - gen!
Ha - - - - gen!
Hoi - ho!
Hoi - ho!
Hoï ho!
Hoi-ho!
Hoi-ho!
Hoï-ho!
Ha - gen! Ha - gen!
Ha - gen! Ha - gen!
Ha - gen! Ha - gen!
Hoi-ho!
Hoi-ho!
Hoï-ho!
Ha - gen! Ha - gen!
Ha - gen! Ha - gen!
Ha - gen! Ha - gen!
Vc.
CB.

Hob.1 u.2.(zu 2)
Hob. 3.
Cl.1 u.2.(zu 2)
Cl.3.
Engl. Hr.
(F)
Hör.
(F)
Fag.1.
Fag. 2 u. 3.(zu 2)
Trp.1 u.3. (F)
Trp.2.
Bstrp.
2 Bs. Tub.
zu 2
f
più f

Pauk.
più f
Viol.
più f
più f
Br.
più f
MANNEN.
(alle)
Ha - - - - gen!
Ha - - - - gen!
Ha - - - - gen!
Ha - - - - gen!
Ha - - - - gen!
Ha - - - - gen!
Hoi -
Hoi -
Hoï -
(alle)
Ha - - - - gen!
Ha - - - - gen!
Ha - - - - gen!
Ha - - - - gen!
Hu - - - - gen!
Ha - - - - gen!
Hoi -
Hoi -
Hoï -
(alle)
Hoi-ho!
Hoi-ho!
Hoï-ho!
Hoi-ho!
Hoi-ho!
Hoï-ho!
Ha - - gen!
Ha - - gen!
Ha - - gen!
Ha - - gen!
Ha - - gen!
Ha - - gen!
(alle)
Hoi-ho!
Hoi-ho!
Hoï-ho!
Hoi-ho!
Hoi-ho!
Hoï-ho!
Ha - - gen!
Ha - - gen!
Ha - - gen!
Ha - - gen!
Ha - - gen!
Ha - - gen!
Vc.
più f
CB.
più f

zu 3.
3 Fl.
1 u. 2. (zu 2)
Hob.
3.
1 u. 2.
(zu 2)
Cl. 3.
Engl. Hr.
Hörn.
Fag. 1 u. 2.
Fag. 3.
1 u. 3.
Trp.
2.
Bstrp.
Pos. 1.
Pos. 2.
Pos. 3.
più f
ff
f

CB. Tub.
Pauk.
Viol.
Br.
più f
MANNEN.
ho! ho! ho!
ho! ho! ho!
Wel-che Noth ist da? Wel-cher Feind ist nah'? Wer
Tell what need is here! Tell what foe is near! Who
Quelle ur-gence est là? Qui doit-on frap-per? Qui
Wel-che Noth ist da? Wel-cher Feind ist nah'?
Tell what need is here! Tell what foe is near!
Quelle ur-gence est là? Qui doit-on frap-per?
Vc.
CB.

3 Fl. zu 3.
1 u. 2. (zu 2)
Hob.
3.
1 u. 2.
(zu 2)
Cl.
3.
Engl. Hr.
Hörn.
1 u. 2.
Fag.
3.
1 u. 3.
Trp.
2.
Bstrp.
Pos. 1.
Pos. 2.
ff
f

Tub. (B) (zu 2)
CB. Tub.
Viol.
Br.
MANNEN.
Wer giebt uns Streit?
Who brings us strife?
Qui vient sur nous?
Wer giebt uns Streit?
Who brings us strife?
Qui vient sur nous?
giebt uns Streit?
brings us strife?
vient sur nous?
Wel-cher Feind ist nah? Wel-che Noth ist da? Wer
Tell what foe is near! Tell what need is here? Who
Qui doit-on frap-per? Quelle ur-gence est là? Qui
Wer giebt uns Streit?
Who brings us strife?
Qui vient sur nous?
Wel-cher Feind ist nah? Wel-che Noth ist da?
Tell what foe is near! Tell what need is here?
Qui doit-on frap-per? Quelle ur-gence est là?
Vc.
CB.

3 Fl.
(zu 3)
(zu 2)
Hob.
(zu 2)
Cl.
Engl. Hr.
Hör.
zu 2.
Fag.
1 u. 3.
Trp.
2.
Bstrp.
Pos. 1.
Pos. 3.
CB. Pos.
(zu 2)
(E)
1 u. 2.
2 allein.
zu 2.

Pauk.
Beck.
(G)
più f
Viol.
Br.
(immer ff)
MANNEN.
Wer giebt uns Streit? Wer giebt uns Streit?
Who brings us strife? Who brings us strife?
Qui vient sur nous? Qui vient sur nous?
Wer giebt uns Streit? Wer giebt uns Streit? Ist Gun-ther in
Who brings us strife? Who brings us strife? Is Gun-ther in
Qui vient sur nous? Qui vient sur nous? Court-il un dan-
giebt uns Streit? Ha - - - - - - gen!
brings us strife? Ha - - - - - - gen!
vient sur nous? Ha - - - - - - gen!
Wer giebt uns Streit? Ha - - - gen! Ist Gunther in Noth?
Who brings us strife? Ha - - - gen! Is Gun-ther in need?
Qui vient sur nous? Ha - - - gen! Où Gun-ther est - il?
Vc.
CB.

kl. Fl.
Fl. 1 u. 3.
zu 2
(immer ff)
Fl. 2.
1. (immer ff)
Hob. 2 u. 3.
(immer ff)
1.
Cl. (immer ff)
2 u. 3.
(immer ff)
Engl. Hr.
(immer ff)
Hör. (immer ff)
1 u. 3.
Trp. (immer ff)
2.
Bstrp.
(immer ff)
Pos. 1 u. 2.
Pos. 3 u. 4.
(Es) zu 2.
tr
f
ff

Pauk.
Beck.
f
Viol.
Br.
MANNEN.
Wel-che Noth ist da? Wel-cher Feind ist nah?
Tell what need is here? Tell what foe is near?
Quelle ur-gence est là? Qui doit - on frap - per?
Noth? Wel-che Noth ist da? Wel-cher Feind ist nah? Wir kommen mit
need? Tell what need is here? Tell what foe is near? We come with our
- ger? Quelle ur-gence est là? Qui doit - on frap - per? Nous som-mes en
Ist Gun-ther in Noth? Wer giebt uns Streit? Wer ist in Noth, wer giebt uns
Is Gun-ther in need? Who brings us strife? Who is in need, who brings us
Court - il un dan - ger? Qui fond sur nous? Pour qui craint - on? Qui fond sur
Wer giebt uns Streit? Wer ist in Noth?
Who brings us strife? Who is in need?
Qui fond sur nous? Pour qui craint - on?
Vc.
CB.
(immer ff)
(immer ff)

kl.Fl.
tr
Fl.1u.3.
ff
Fl.2.
Hob.1.
1u.2.
Hob.2u.3.
3.
Cl.1.
Cl.2u.3.
Engl.Hr.
Hör.
Fag.
ff
1u.3.
Trp. 2.
Bstrp.

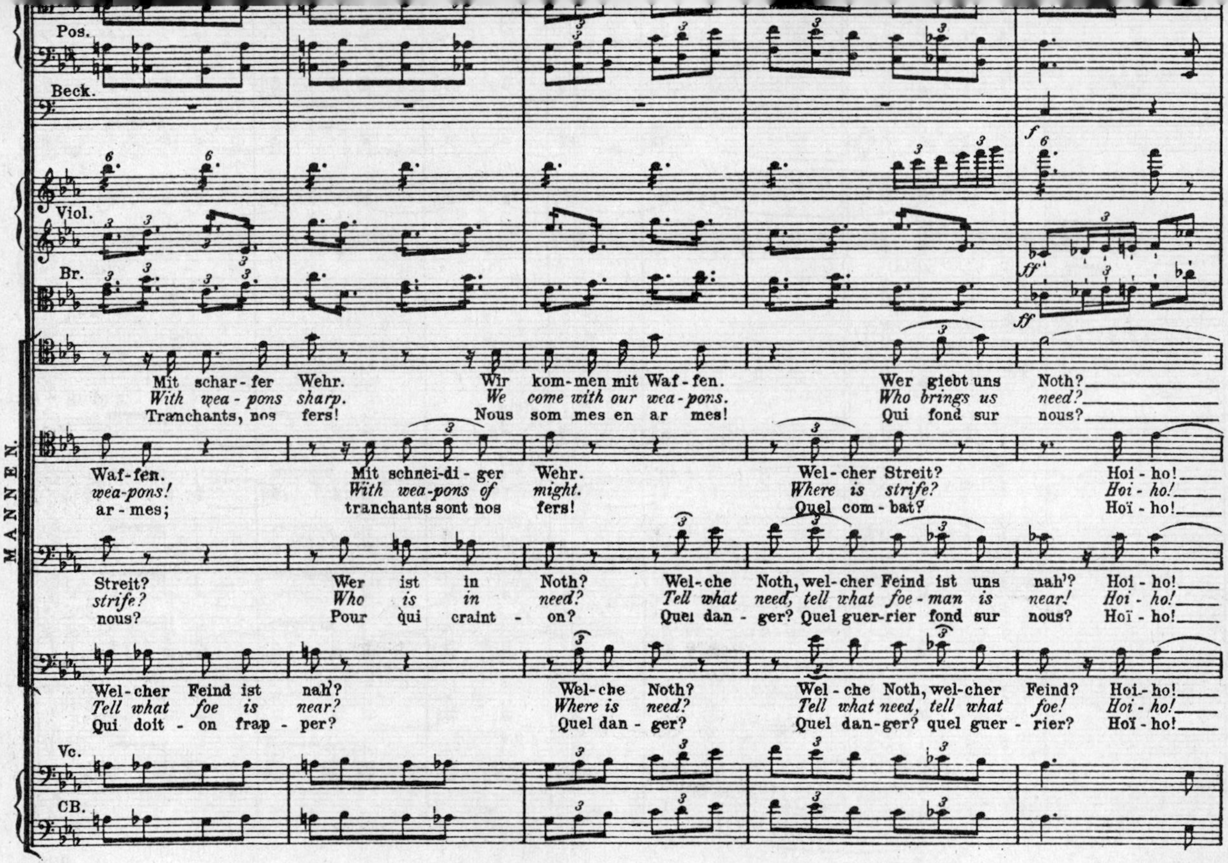
Pos.
Beck.
Viol.
Br.
MANNEN.
Mit schar-fer Wehr. Wir kom-men mit Waf-fen. Wer giebt uns Noth?
With wea-pons sharp. We come with our wea-pons. Who brings us need?
Tranchants, nos fers! Nous som mes en ar mes! Qui fond sur nous?
Waf-fen. Mit schnei-di-ger Wehr. Wel-cher Streit? Hoi-ho!
wea-pons! With wea-pons of might. Where is strife? Hoi-ho!
ar-mes; tranchants sont nos fers! Quel com-bat? Hoï-ho!
Streit? Wer ist in Noth? Wel-che Noth, wel-cher Feind ist uns nah? Hoi-ho!
strife? Who is in need? Tell what need, tell what foe-man is near! Hoi-ho!
nous? Pour qui craint-on? Quel dan-ger? Quel guer-rier fond sur nous? Hoï-ho!
Wel-cher Feind ist nah? Wel-che Noth? Wel-che Noth, wel-cher Feind? Hoi-ho!
Tell what foe is near? Where is need? Tell what need, tell what foe! Hoi-ho!
Qui doit-on frap-per? Quel dan-ger? Quel dan-ger? quel guer-rier? Hoï-ho!
Vc.
CB.

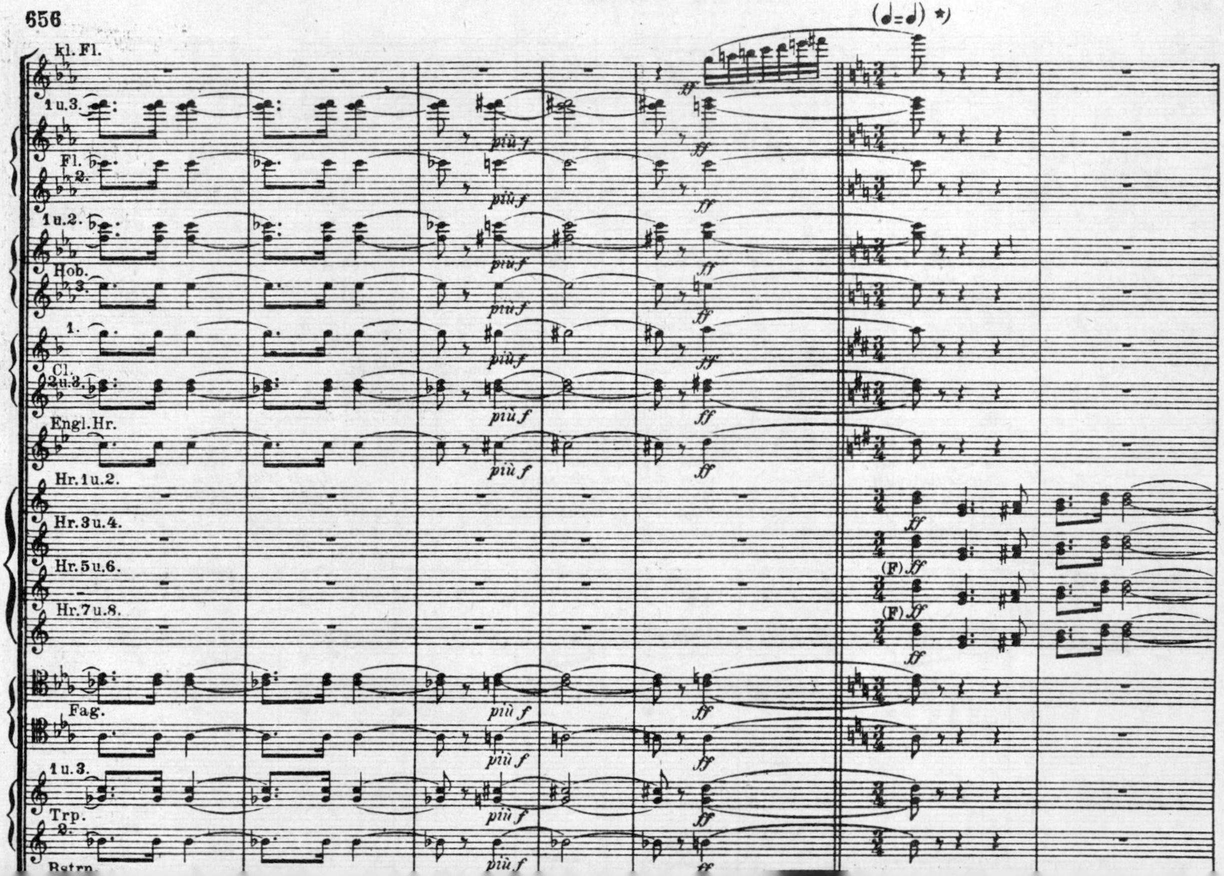
(𝅗𝅥=𝅗𝅥) *)
kl. Fl.
1 u. 3.
Fl.
2.
1 u. 2.
Hob.
3.
1.
Cl.
2 u. 3.
Engl. Hr.
Hr. 1 u. 2.
Hr. 3 u. 4.
Hr. 5 u. 6.
Hr. 7 u. 8.
Fag.
1 u. 3.
Trp.
2.
Bstrp.
più f
ff
(F) ff

*) In diesem $\frac{3}{4}$ Takt werden die Viertel so schnell genommen, wie im $\frac{2}{4}$ Takt, somit schneller als im vorangehenden $\frac{3}{4}$ Takt.

Hr. 1 2 3 4.
(nur 2)
Hr. 5 6 7 8.
(nur 2)
mf
dim.
p
1.(E)
Trp.
2.(E)
4 Pos.
Viol. 2.
Br.
mf
Hag. (immer von der Anhöhe herab.)
Rüs - tet euch wohl und ras - tet nicht! Gun - ther sollt' ihr em -
Arm yourselves well and loi - ter not! Wel - come give to your
Tous soy - ez prêts; au - cun re - tard! Gun - ther vers nous re -
Vc. u. CB.
f
1.
Trp.
cresc.
2.
4 Pos.
Viol.
Br.
Hag.
pfahn: ein Weib hat der ge -
lord: a wife Gun - ther hath
- vient: U - ne femme à lui s'u -
Vc. u. CB.

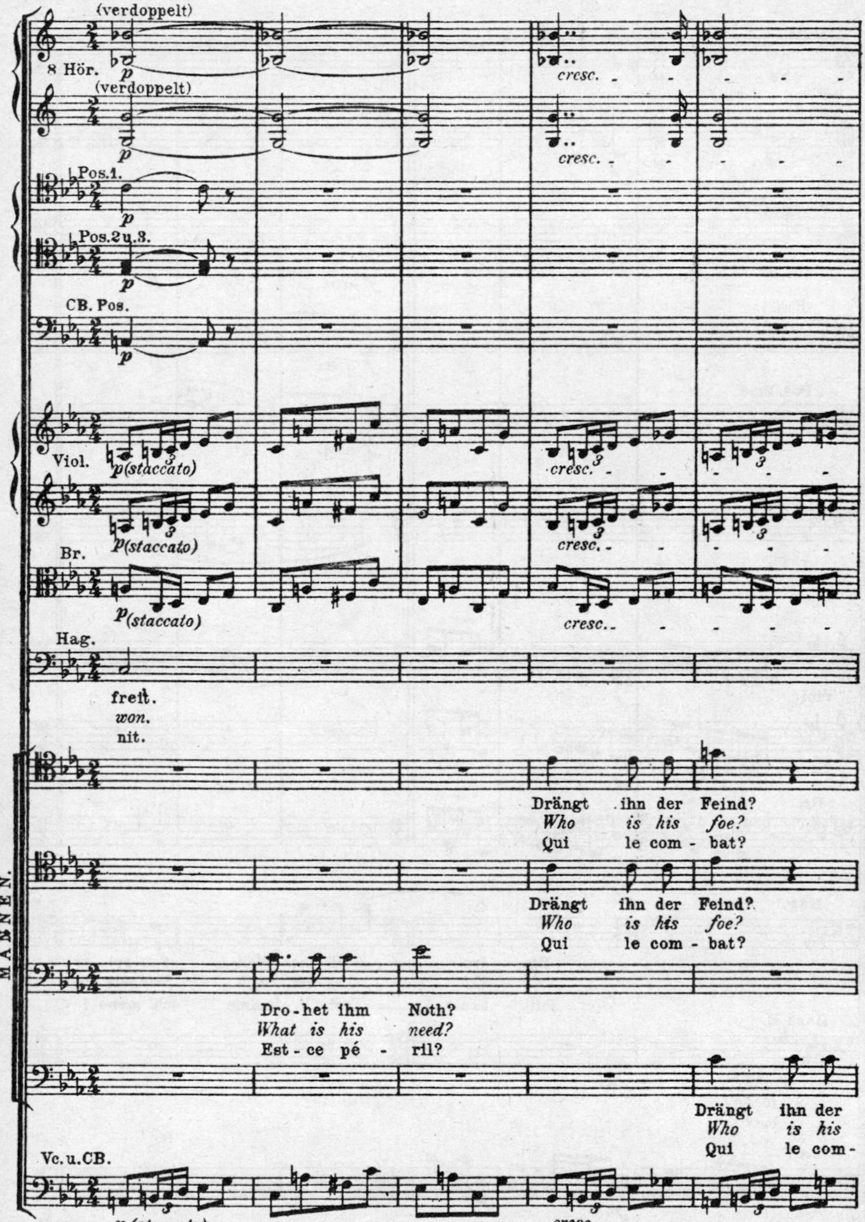
(verdoppelt)
8 Hör.
(verdoppelt)
cresc.
Pos.1.
Pos.2 u.3.
CB. Pos.
Viol.
p (staccato)
Br.
Hag.
freit.
won.
nit.
MANNEN.
Drängt ihn der Feind?
Who is his foe?
Qui le com - bat?
Dro - het ihm Noth?
What is his need?
Est - ce pé - ril?
Drängt ihn der
Who is his
Qui le com-
Vc. u. CB.

(zu 4)
8 Hör.
(zu 4)
2 Trp. (Es)
2.
2 u.3.
Pos. 1.
Pos. 2u.3.
CB Pos.
f dim.
p
Viol.
Br.
Hag.
Ein freis - - - li-ches Weib füh-ret er
A Val - - - ky-rie wife bringeth he
Puis - sante est la femme qu'il mène i -
Bass II.
Feind?
foe?
- bat?
Vc.u.CB.

Viol.
Br.
Hag.
MANNEN.
Vc.u.CB.
Ten.
p
cresc.
più f
heim.
home.
-ci.
(alle)
Ihm fol-gen der Ma-gen feind-li-che Man-nen?
Her kins-men and vas-sals fol-low in an-ger?
A-t'il des pa-rents lan-cés à sa sui-te?
Ein-
Brünn-
Seul

3 Hob.
zu 3.
3 Cl.
zu 3.
Engl. Hr.
zu 4.
8 Hör.
zu 4.
Bstrp. (Es)
Pos. 1 u. 2.
dim.
Pos. 3 u. 4.
dim.
Viol.
Br.
dim.
Hag.
- - sam fährt er, kei - ner folgt.
- - hild fol-lows him; none be - side.
- - il nous vient; nul ne suit!
Bass I.
So be -
Then his
Il tint
Vc.
pizz.
(Bog.)
CB.

3 Hob. (zu 3)
3 Cl. (zu 3)
Engl. Hr.
(zu 4)
8 Hör.
(zu 4)
Fag. 1 u. 2.
Fag. 3.
3 Trp. (Es)
1 u. 2.
Bstrp. (Es)
Pos. 2.
Pos. 3 u. 4.
Viol.
Br.
MANNEN.
So be - stand er die Noth?
Then his pe - ril is past?
Il tint tête au dan - ger?
So be - stand er den
Then the fight has been
Il fit fuir l'a - gres -
stand er die Noth?
pe - ril is past?
tête au dan - ger?
So be - stand er die Noth?
Then his pe - ril is past?
Il tint tête au dan - ger?
Vc.
CB.

3 Hob. (zu 3)
3 Cl.
Engl. Hr.
8 Hör.
(zu 4)
Fag. 1 u. 2.
3. Trp. (Es)
Bstrp.
Pos. 1 u. 2.
Pos. 3 u. 4.
Viol.
Br.
Hag.
Der Wurm-töd-ter
The dragon slay-er
Ce-lui qui tu-
MANNEN.
So be-stand er den Kampf?
Then the fight has been fought?
Il fit fuir l'a-gres-seur?
Kampf? Sag' es an!
fought? Tell the tale!
-seur. Par-le donc!
So be-stand er den Kampf?
Then the fight has been fought?
Il fit fuir l'a-gres-seur?
Sag' es an!
Tell the tale!
Par-le donc!
Vc.
CB.
più f
ff
mf

Hr. 1 u. 2.
Hr. 3 u. 4.
Hr. 5 u. 6.
Hr. 7 u. 8.
3 Pos.
CB. Pos.
Viol.
Br.
Hag.
wehr - te der Noth! Sieg - - fried, der Held,
brought him the bride. Sieg - - fried the he - ro
- a le dra - gon, Sieg - - fried le fier,
Vc.
CB.

Hr. 1 u. 2.
Hr. 3 u. 4.
Hr. 5 u. 6.
Hr. 7 u. 8.
Viol.
Br.
Hag.
der schuf ihm Heil!
held Gun - ther safe!
fut son sau - veur!
Bass I.
Ein Manne.
Was
Why
A -
Vc.
CB.
pizz.
p
f
dim.

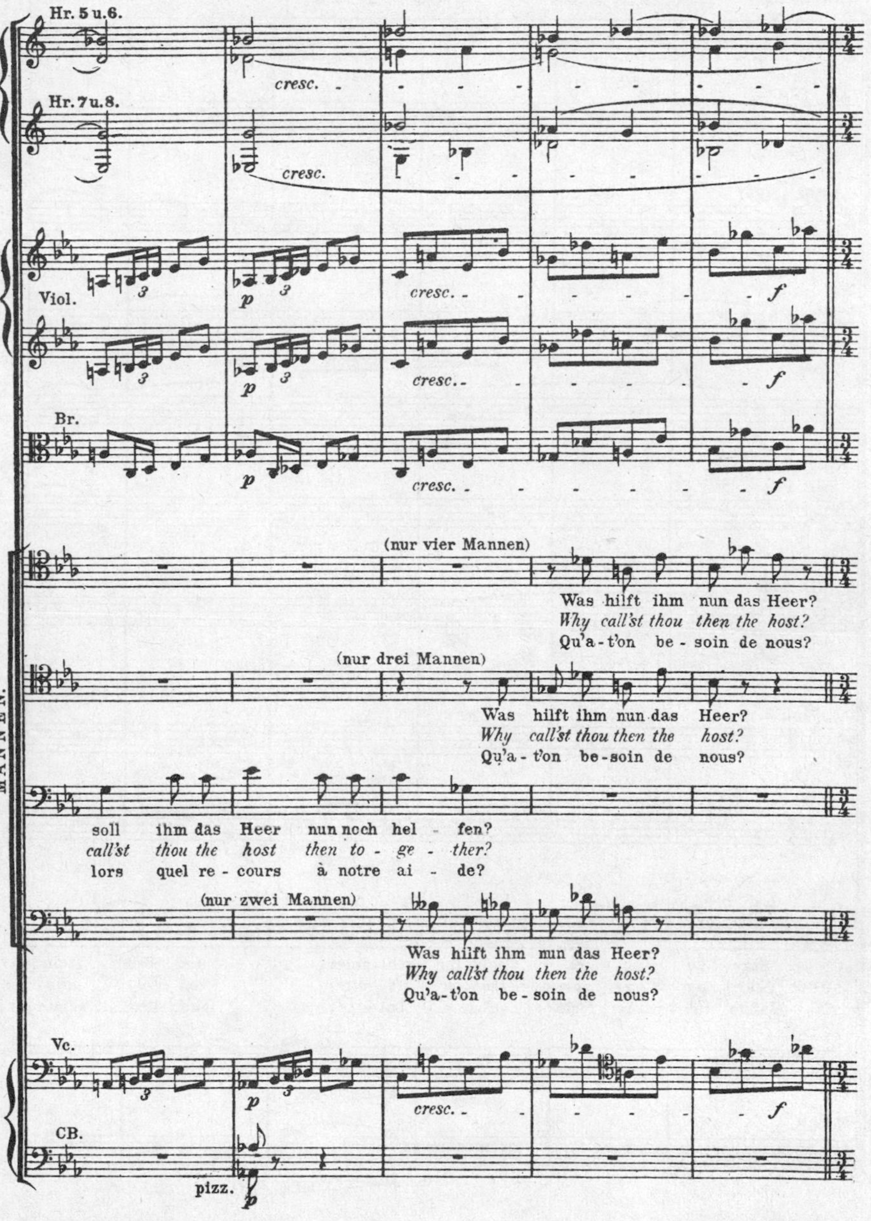
Hr. 5 u. 6.
cresc.
Hr. 7 u. 8.
cresc.
Viol.
p
cresc.
f
Br.
MANNEN.
(nur vier Mannen)
Was hilft ihm nun das Heer?
Why call'st thou then the host?
Qu'a-t'on be-soin de nous?
(nur drei Mannen)
Was hilft ihm nun das Heer?
Why call'st thou then the host?
Qu'a-t'on be-soin de nous?
soll ihm das Heer nun noch hel-fen?
call'st thou the host then to-ge-ther?
lors quel re-cours à notre ai-de?
(nur zwei Mannen)
Was hilft ihm nun das Heer?
Why call'st thou then the host?
Qu'a-t'on be-soin de nous?
Vc.
CB.
pizz.

Hr. 5 u. 6.
Hr. 7 u. 8.
Trp. 1. (Es)
Pos.
CB. Pos.
CB. Tub.
Viol. 2.
Br.
Hag.
Star - ke Stie - re sollt ihr schlachten; am Weih - stein
Stur - dy steers now shall ye slaughter; on Wo - tan's
Maints tau - reaux forts qu'on a - bat - te; qu'au lieu saint
Vc.
CB.
Bog.
dim.
cresc.

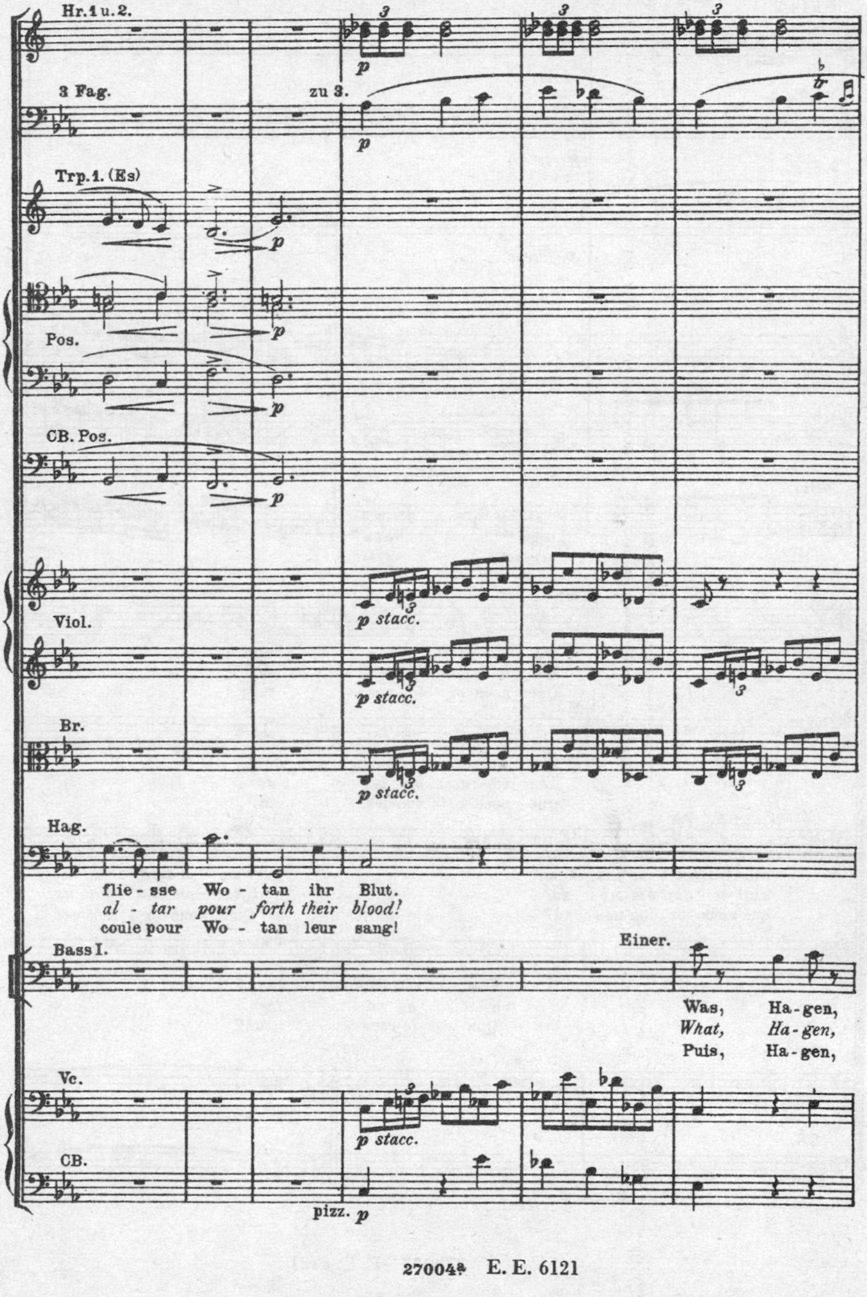
Hr. 1 u. 2.
3 Fag.
zu 3.
Trp. 1. (Es)
Pos.
CB. Pos.
Viol.
p stacc.
Br.
Hag.
flie - sse Wo - tan ihr Blut.
al - tar pour forth their blood!
coule pour Wo - tan leur sang!
Einer.
Bass I.
Was, Ha - gen,
What, Ha - gen,
Puis, Ha - gen,
Vc.
CB.
pizz.

Hr. 1 u. 2.
cresc.
Hr. 3 u. 4.
p cresc.
3 Fag.
(zu 3)
p cresc.
Viol.
cresc.
cresc.
Br.
cresc.
cresc.
MANNEN.
(4 M.)
Was hei-ssest du uns dann?
What more dost bid us do?
Que nous or-don-nes - tu?
(4 M.)
Was hei-ssest du uns dann?
What more dost bid us do?
Que nous or-don-nes - tu?
Einer.
was hei-ssest du uns dann?
what more dost bid us do?
que nous or-don-nes - tu?
Alle.
Was hei-ssest du uns
What more dost bid us
Que nous or-don-nes -
Was soll es dann?
What do we then?
Que fe-rons - nous?
Vc.
p
cresc.
CB.
(Bog.) p
cresc.

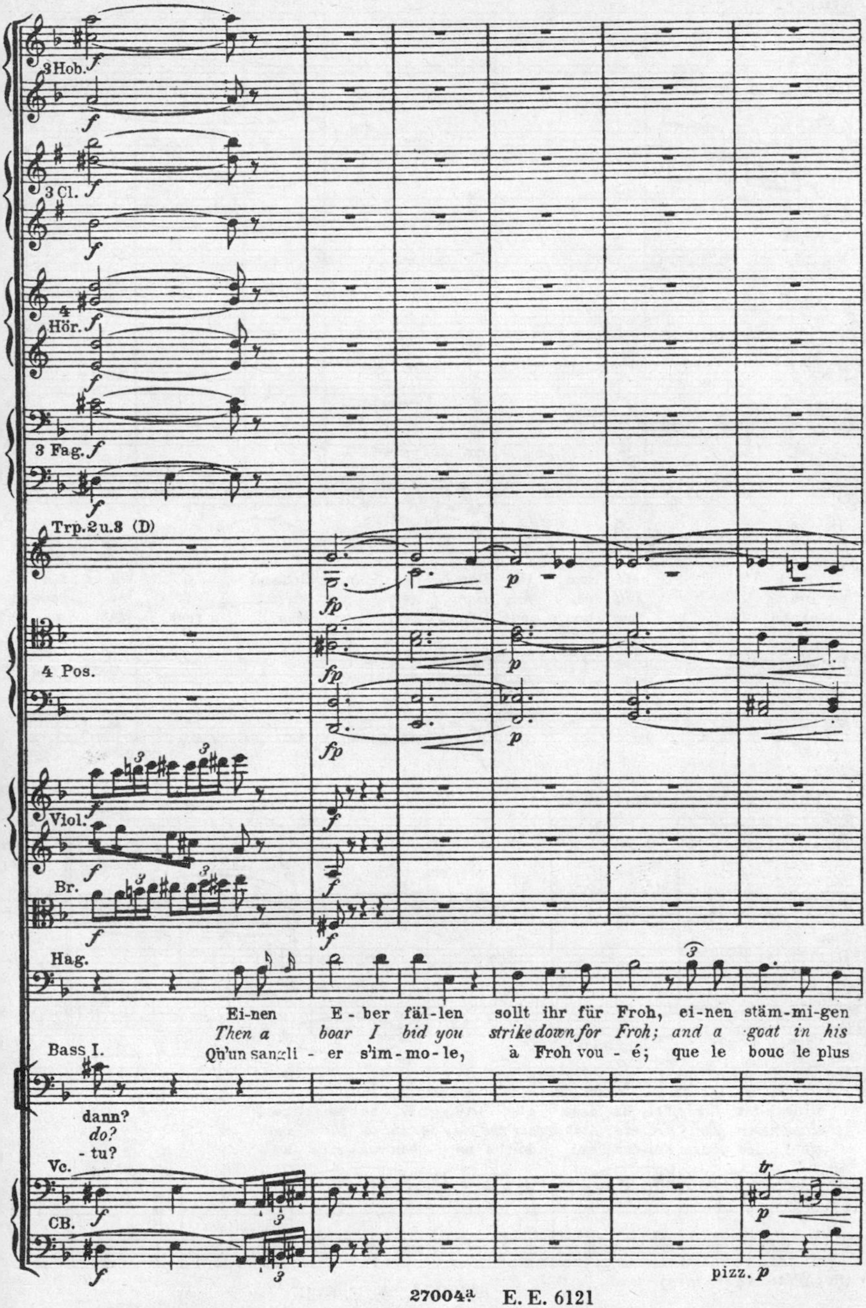
3 Hob.
3 Cl.
4 Hör.
3 Fag.
Trp. 2 u. 3 (D)
4 Pos.
Viol.
Br.
Hag.
Ei-nen E-ber fäl-len sollt ihr für Froh, ei-nen stäm-mi-gen
Then a boar I bid you strike down for Froh; and a goat in his
Qu'un sangli - er s'im-mo-le, à Froh vou - é; que le bouc le plus
Bass I.
dann?
do?
- tu?
Vc.
CB.
pizz.

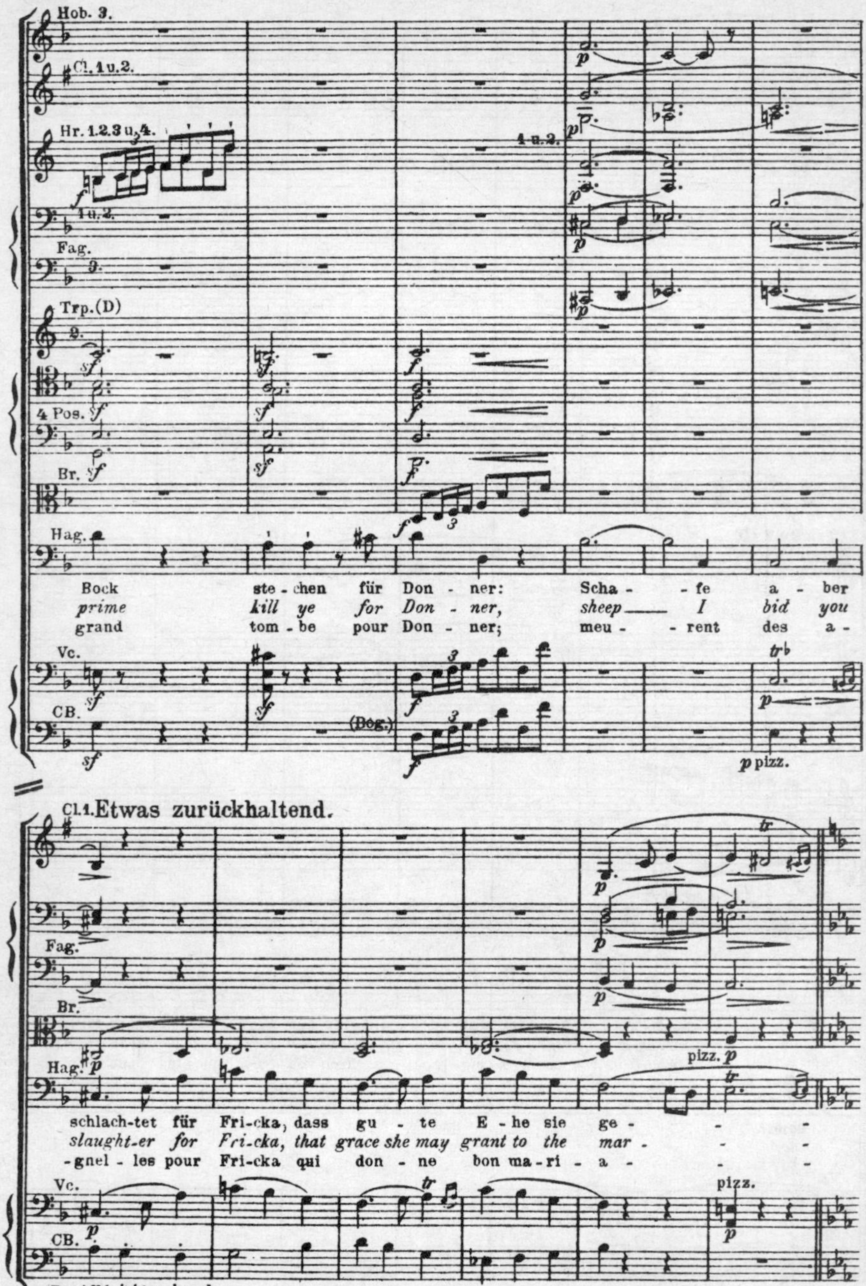

Bock | ste - chen | für Don - ner: | Scha - | - fe | a - ber
*prime* | *kill ye* | *for Don - ner,* | *sheep___ I* | *bid* | *you*
grand | tom - be | pour Don - ner; | meu - | - rent | des a -

**Cl.1.Etwas zurückhaltend.**

schlach - tet **für** Fri - cka, dass gu - te E - he sie ge -
*slaught - er for Fri - cka, that grace she may grant to the mar -*
- gnel - les pour Fri - cka qui don - ne bon ma - ri - a -

(Bog.) *p (nicht gebunden)*

Wieder lebhaft.

Hob.
1.
2.
più f
Cl.
1.
2.
cresc.
8 Hör.
1 u 2. (F.)
3 u. 4. (F.)
5 u. 6. (E.)
7 u. 8. (H.)
Fag.
1 u. 2.
3.
Trp.
1. (E.)
2. (E.)
cresc.
4 Pos.
f
p

Viol.
più f
pizz.
(Bog.)
Br.
più f
(stacc.)
Hag.
Das Trink-horn nehmt, von trau-ten
The drink-horn take that fair-est
La corne à boi-re vous ten--dent les chè-res
(8 M.)
Thie-re, was schaffen wir dann?
Ha-gen, what then must we do?
bê-tes, de nous qu'attends-tu?
MANNEN.
(4 M.)
schaf-fen wir dann?
then must we do?
nous qu'attends--tu?
(4 M.)
Was schaf-fen wir dann?
What then must we do?
Que fai-re dès lors?
Vc.
CB.
pizz.

Fl. 1. 2.
Hob. 1u.2. 3.
Cl. 1u.2. 3.
8 Hör. 1u.2. (E.) 3u.4. (H.) 5u.6. (E.) 7u.8. (H.)
Fag. 1u.2. 3.
Trp. (E.)
Pos. 1u.2. 3.
p cresc.

cresc.
Hag.
Frau'n mit Meth und Wein — wonnig ge-füllt!
women with mead and wine — gaily have filled!
femmes a-vec hy-dro-mel — et jo-yeux vin!
(Alle 1. Ten.)
Das Trinkhorn zur Hand, –
The drinkhorn in hand, –
La corne à la main,
(Die 2. Ten.)
Das Trinkhorn zur Hand, –
The drinkhorn in hand, –
La corne à la main,
MANNEN.
(Die 1. Bässe.)
Das Trinkhorn zur Hand, – wie hal-ten wir es
The drinkhorn in hand, – what have we then to
La corne à la main, que fe-rons-nous en-
(Die 2. Bässe.)
Das Trinkhorn zur Hand, –
The drinkhorn in hand, –
La corne à la main,
Vc.
(stacc.)
cresc.
f
CB.
(Bog.)
p
f
pizz. f

Fl.
2u.3.
1u.2.
Hob.
3.
Cl.
2u.3.
1u.2.(E.)
3u.4.(H.)
8 Hör.
5u.6.(E.)
7u.8.
(H.)
(F.)
(C.)
(F.)
(C.)
1u.2.
Fag.
3.
(C.)
Trp. 1u.2.
1u.2.
Pos.
3u.4.
dim.

Hag.
Rü-stig ge-zecht, bis der Rausch euch zähmt:
Freely carouse un-til tamed by drink.
Fer-me, bu-vez, jusqu'à pleine i - vres - se!
MANNEN.
(Die 1.Ten.)
wie hal-ten wir es dann?
what have we then to do?
Que fe-rons-nous a - - près?
(Die 2.Ten.)
wie hal-ten wir es dann?
what have we then to do?
que fe-rons-nous en - cor?
wie hal-ten wir es dann?
what have we then to do?
Que fe-rons-nous a - - près?
(Die 1.Bässe.)
dann?
do?
-cor?
wie hal-ten wir es dann?
what have we then to do?
Que fe-rons-nous a - - près?
wie hal-ten wir es dann?
what have we then to do?
Que fe-rons-nous a - - près?
(Die 2.Bässe.)
wie hal-ten wir es dann?
what have we then to do?
que fe-rons-nous en - cor?
wie hal-ten wir es dann?
what have we then to do?
Que fe-rons-nous a - - près?
Vc.
CB.
(Bog.)

Etwas zurückhaltend.

Trp.
1.(E.)
2.(E.)
Pos.
1.
2.
3.
4.
Viol.
Br.
Hag.
Al-les den Göt-tern zu Eh - ren, dass gu-te E - - - - -he sie
So to the gods give all honour, that grace they may grant to the
pour que les Dieux en leur gloi - re au noble hy-men soient pro-
Vc.
geth.
CB.
pizz.

Sehr lebhaft.

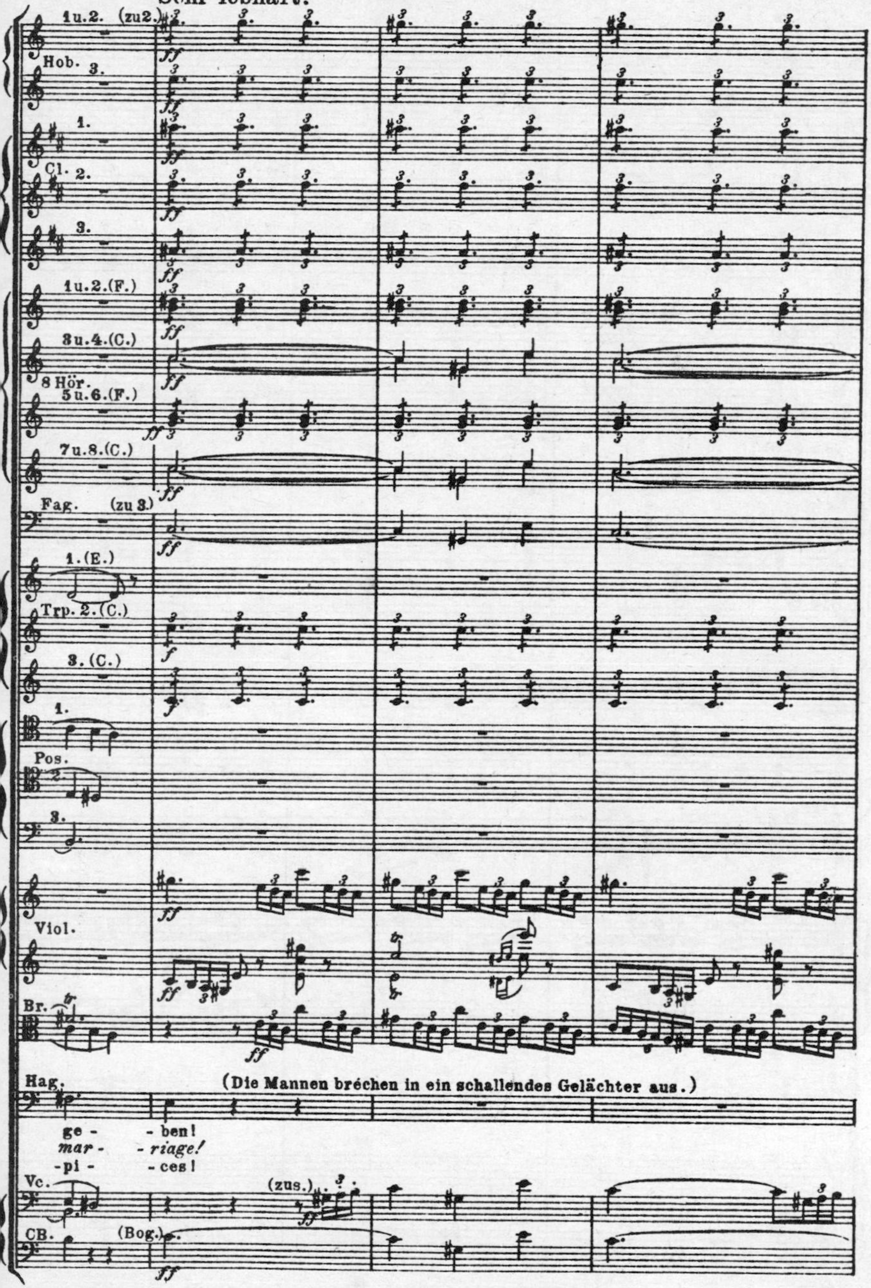

(zu 2)
1u.2.
Hob.
3.
1.
Cl.
2.
3.
1u.2. (F.)
3 u.4. (C.)
8 Hör.
5 u. 6. (F.)
7u.8. (C.)
Fag. (zu 3.)
2.
Trp.
3.
Viol.
Br.
Vc.
CB.

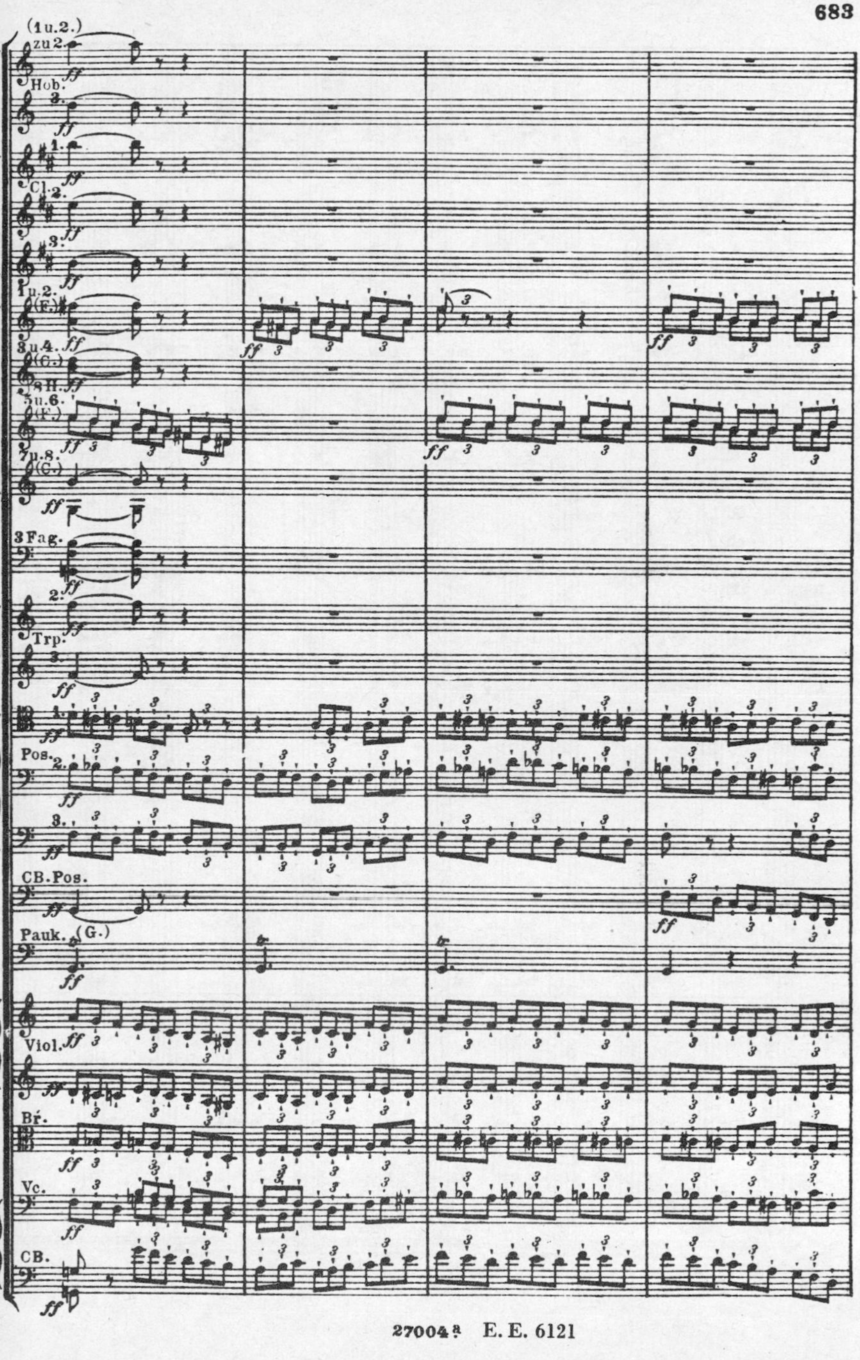
(1u.2.)
zu 2.
Hob.
3.
1.
Cl. 2.
3.
1u.2.
(F.)
3u.4.
(C.)
8 H.
5u.6.
(F.)
7u.8.
(C.)
3 Fag.
2.
Trp.
3.
1.
Pos.
2.
3.
CB. Pos.
Pauk. (G.)
Viol.
Br.
Vc.
CB.
ff

kl. Fl.
1.
Fl.
2 u. 3.
1.
Hob.
2 u. 3.
1.
Cl.
2 u. 3.
1 u. 2. (F.)
3 u. 4. (F.)
8 Hör.
5 u. 6. (F.)
7 u. 8. (C.)
1 u. 2.

Viol.
Br.
MANNEN.
Gross Glück und Heil lacht nun dem Rhein, da Ha-gen, der grim-me, so
Good hap and health greets now the Rhine, if Ha-gen, the grim one, so
Joie et bon- -heur nous sont pro-mis si Ha-gen le som-bre s'a- -
Gross Glück und Heil lacht nun dem Rhein, da Ha-gen, der grim-me, so
Good hap and health greets now the Rhine, if Ha-gen, the grim one, so
Joie et bon- -heur nous sont pro-mis si Ha-gen le som-bre s'a- -
Gross Glück und Heil lacht nun dem Rhein, da Ha-gen, der grim-me, so
Good hap and health greets now the Rhine, if Ha-gen, the grim one, so
Joie et bon- -heur nous sont pro-mis si Ha-gen le som-bre s'a- -
Gross Glück und Heil lacht nun dem Rhein, da Ha-gen, der grim-me, so
Good hap and health greets now the Rhine, if Ha-gen, the grim one, so
Joie et bon- -heur nous sont pro-mis si Ha-gen le som-bre s'a- -
Vc.
CB.

kl.Fl.
1.
Fl.
2 u.3.
1u.2.
Hob.
3.
1.
Cl.
2 u.3.
1 u.2. (F.)
3 u.4. (F.)
8 Hör.
5 u.6. (F.)
7 u.8. (C.)
1 u.2.
Fag.
3.
1.(F.)
Trp.
2 u.3. (C.)
3.(C.)
1 u.2. F.
ff
sf
f

Pos.
3.
4.
Viol.
Br.
MANNEN.
lu - stig mag sein! Der Ha - - - ge-dorn sticht nun nicht mehr; zum
merry may be! The hed - - - ge's thorn pricks now no more; as
-mu - se si bien! Le houx des bois n'a plus d'é - pi - nes; en hé -
lu - stig mag sein! Der Ha - - - ge-dorn sticht nun nicht mehr; zum
merry may be! The hed - - - ge's thorn pricks now no more; as
-mu - se si bien! Le houx des bois n'a plus d'é - pi - nes; en hé -
lu - stig mag sein! Der Ha - - - - ge-dorn sticht nun nicht mehr;
mer - ry may be! The hed - - - - ge's thorn pricks now no more;
-mu - se si bien! Le houx des bois n'a plus d'é - pi - nes;
lu - stig mag sein! Der Ha - - - - ge - dorn sticht nun nicht mehr;
mer - ry may be! The hed - - - - ge's thorn pricks now no more;
-mu - se si bien! Le houx des bois n'a plus d'é - pi - nes;
Vc.
CB.

kl.Fl.
1.
Fl.
2 u.3.
1 u.2.
Hob.
3.
1.
Cl.
2 u.3.
1 u.2. (F.)
3 u.4. (F.)
8 Hör.
5 u.6. (F.)
7 u.8. (C.)
1 u.2.
Fag.
3.
(F.)
1 u.2.
Trp.

4.
Viol.
Br.
MANNEN.
Hoch-zeits - ru - fer ward er be - stellt. Zum Hoch - zeits - - ru - fer ward er be-
wed - ding her - ald plays he his part. As wed - ding ___ her - ald he plays his
-raut ___ de no - ces on l'a chan - - gé, en hé - raut ___ de no - ces on l'a chan-
Hoch - zeits ru - fer ward er be - stellt. Zum
wed - ding her - ald plays he his part. As
-raut ___ de no - ces on l'a chan - - gé, en hé -
zum Hoch-zeits-ru - fer ward er be - stellt. Zum Hoch - zeits - - ru - fer ward er be-
as wed-ding her - ald plays he his part. As wed - ding ___ her - ald he plays his
en hé-raut de no - ces on l'a chan - gé, en hé - raut ___ de no - ces on l'a chan-
zum Hoch-zeits-ru - fer ward er be - stellt. Zum
as wed-ding her-ald plays he his part. As
en hé-raut de no - ces on l'a chan - gé, en hé -
Vc.
CB.

kl.Fl.
1.
Fl.
2u.3.
1u.2.
Hob.
3uA.
1.
Cl.
2u.3.
(F.)
(F.)
8 Hör.
(F.)
(C.)
1u.2.
Fag.
3.
1u.2. (F.)
Trp.
3. (C.)

Pos. 3.
4.
CB-Tub.
Pauk. (C-G.)
Viol.
Br.
MANNEN.
Vc.
CB.
(gut gehalten.)
(gut gehalten.)
(gut gehalten.)
f
p
cresc.
ff
stellt, zum Hoch - zeits - ru - fer ward er nun be - stellt. Gross
part, as wed - ding her - ald plays he now his part. Good
-gé, en hé - raut de no - ces on nous l'a chan-gé! Joie
Hoch - zeits - ru - fer, zum Hochzeits - ru - fer ward er be - stellt. Gross
wed - ding her - ald, as wed-ding her - ald plays he his part. Good
-raut de no - ces, en hé - raut de no - ces ou l'a chan-gé! Joie
stellt, zum Hoch - zeits - ru - fer ward er nun be - stell. Gross
part, as wed - ding her - ald plays he now his part. Good
-gé, en hé - raut de no - ces, on nous l'a chan-gé! Joie
Hoch - zeits - ru - fer! Gross Glück und Heil
wed - ding her - ald. Good hap and health
-raut de no - ces, Joie et bon - heur
(gut gehalten.)

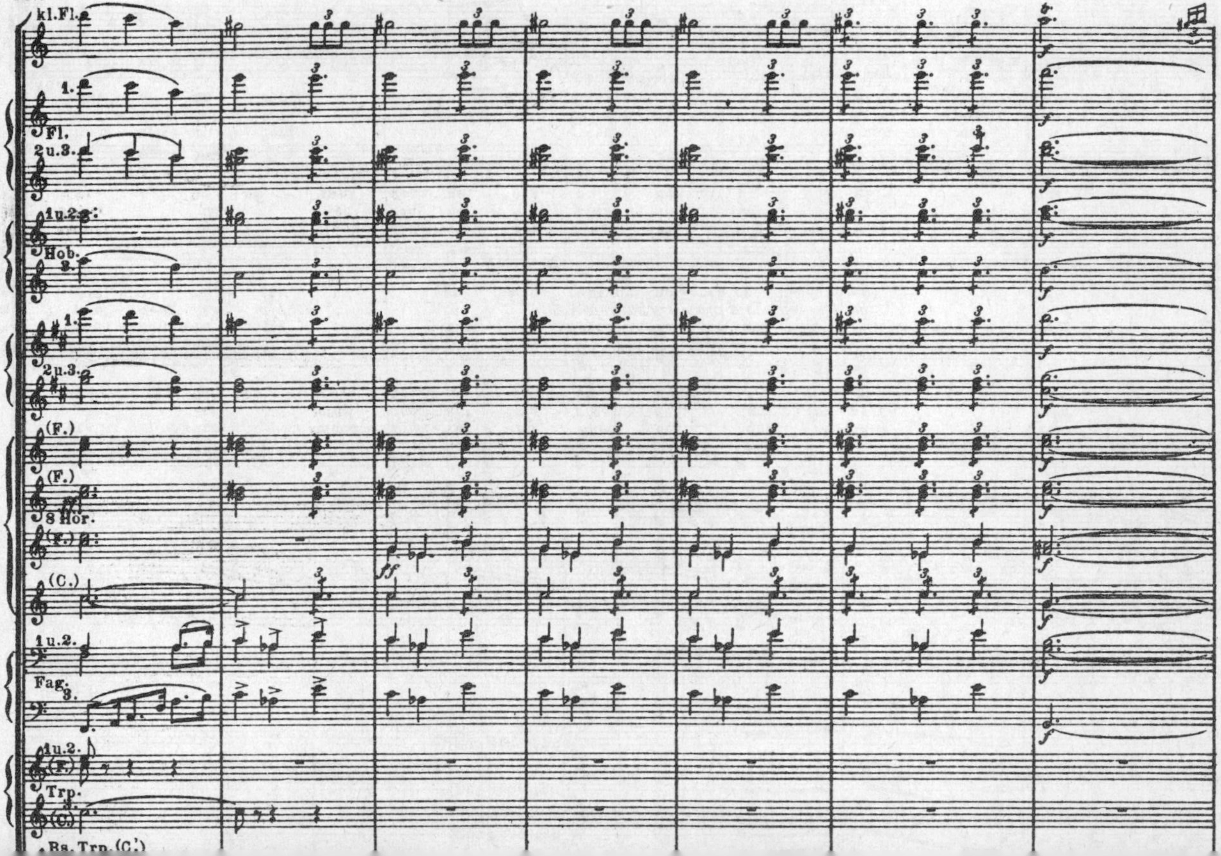
kl.Fl.
1.
Fl.
2 u.3.
1u.2.
Hob.
3.
1.
2 u.3.
(F.)
(F.)
8 Hor.
(F.)
(C.)
1 u.2.
Fag.
3.
1u.2.
(F.)
Trp.
3.
(C.)
Bs. Trp. (C.)

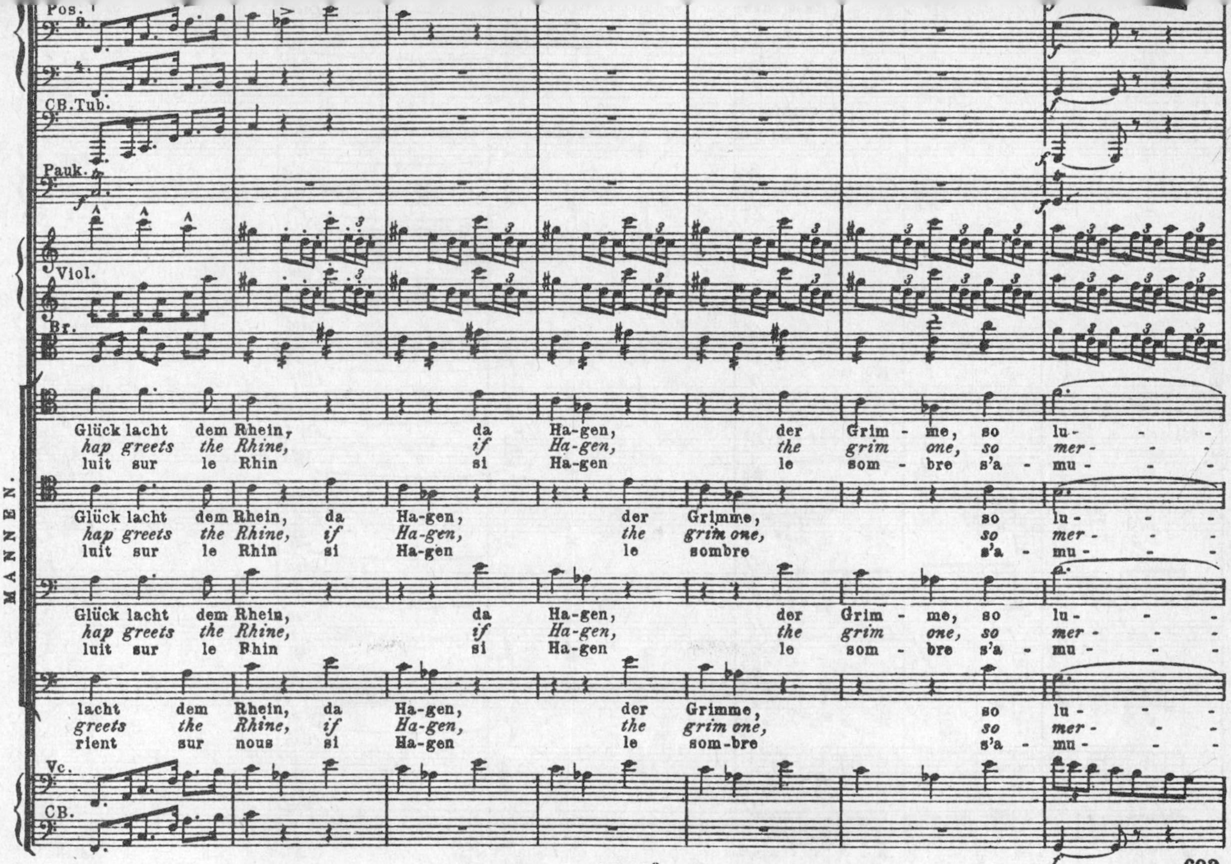
Pos.
a.
CB.Tub.
Pauk.
Viol.
Br.
MANNEN.
Glück lacht dem Rhein, da Ha-gen, der Grim - me, so lu-
hap greets the Rhine, if Ha-gen, the grim one, so mer-
luit sur le Rhin si Ha-gen le som - bre s'a - mu-
Glück lacht dem Rhein, da Ha-gen, der Grimme, so lu-
hap greets the Rhine, if Ha-gen, the grim one, so mer-
luit sur le Rhin si Ha-gen le sombre s'a - mu-
Glück lacht dem Rhein, da Ha-gen, der Grim - me, so lu-
hap greets the Rhine, if Ha-gen, the grim one, so mer-
luit sur le Rhin si Ha-gen le som - bre s'a - mu-
lacht dem Rhein, da Ha-gen, der Grimme, so lu-
greets the Rhine, if Ha-gen, the grim one, so mer-
rient sur nous si Ha-gen le som-bre s'a - mu-
Vc.
CB.

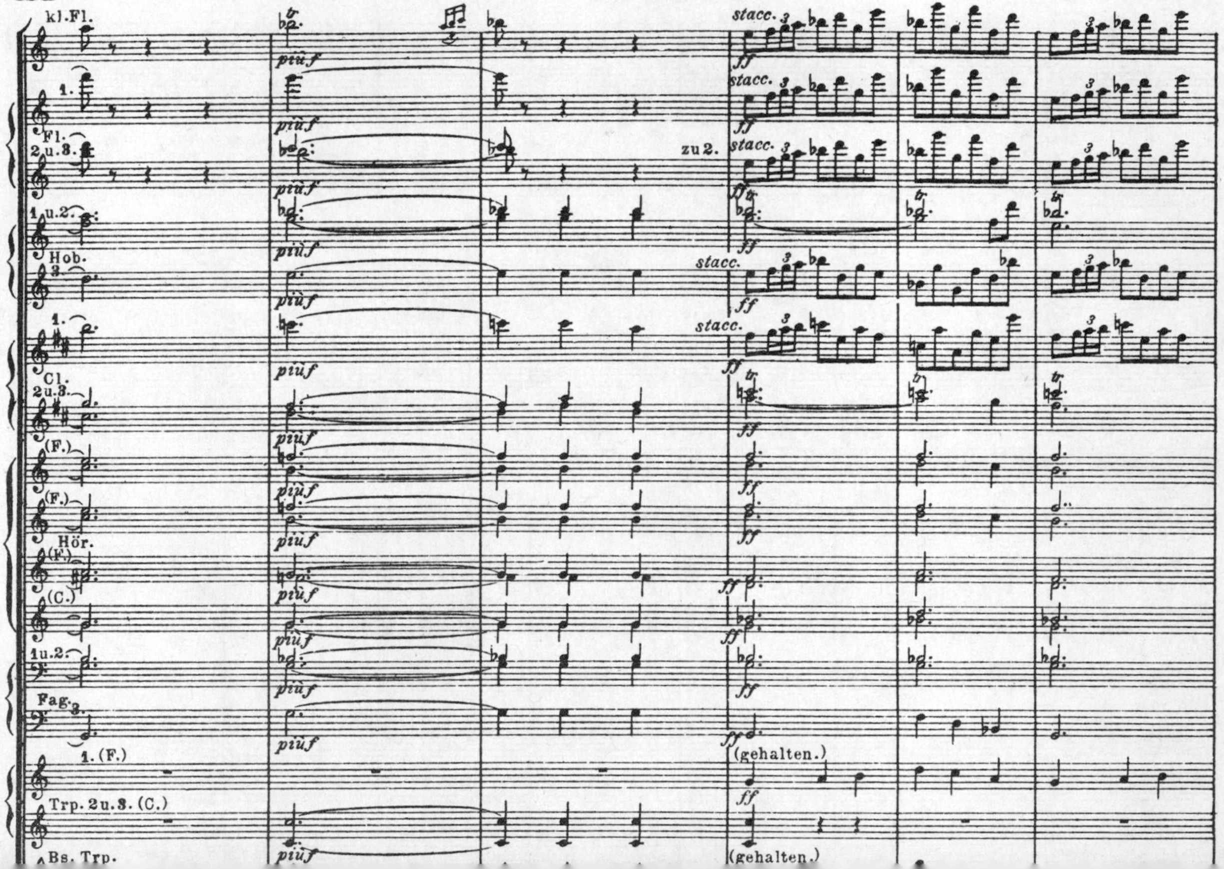
kl.Fl.
1.
Fl.
2u.3.
1u.2.
Hob.
3.
1.
Cl.
2u.3.
(F.)
(F.)
Hör.
(F.)
(C.)
1u.2.
Fag.
3.
1.(F.)
Trp. 2u.3.(C.)
Bs. Trp.
tr
più f
zu 2.
stacc.
ff
(gehalten.)

4.
CB. Tub.
Pauk.
Viol.
Br.
MANNEN.
Vc.
CB.
più f
ff
stacc.
- - -stig, so lu - - - - - - - - - - - - - - stig mag sein!
- - -ry, so mer - - - - - - - - - - - - - - ry may be!
- - -se, s'a - mu - - - - - - - - - - - - - se si bien!
(Hagen, der immer sehr ernst verblieben, ist zu den Mannen herabgestiegen und steht jetzt unter ihnen.)

kl.Fl.
1.
Fl. zu2
2 u.3.
1.
Hob.
2.
3.
1.
Cl. 2.
3.
(F.)
(F.)
8 Hör.
(F.)
(C.)
1 u.2.
fp
fp
fp
fp
fp
fp
fp
fp
fp
fp

2. (C.)
Bs.Trp. (C.)
1.
Pos.
2.
3.
CB.Tuba.
Pauk.
Viol.
Br.
Hag.
Nun lasst das La-chen muth'-ge Man-nen!
Now cease your laughing, val-iant vas-sals!
Ces-sez de ri-re, bra-ves Leu-des!
Vc.
CB.

1u.2 (F.)
Hör.
3u.4.(F.)
Fag.
Viol.
Br.
Hag.
Em - pfangt Gun ther's
Re - ceive Gun - ther's
Voi - ci' vo - tre
Vc.
CB.
Hob.1u.2.
p cresc.
Cl.
(zu3.)
cresc.
1u.2.
Hör.
3u.4.
Fag.
Viol.
Br.
Hag.
Braut: Brünnhil - de nah't dort mit
bride! Brünnhil - de nears there with
reine, Brünnhild' a - vec son é -
Vc.
CB.
fp
cresc.

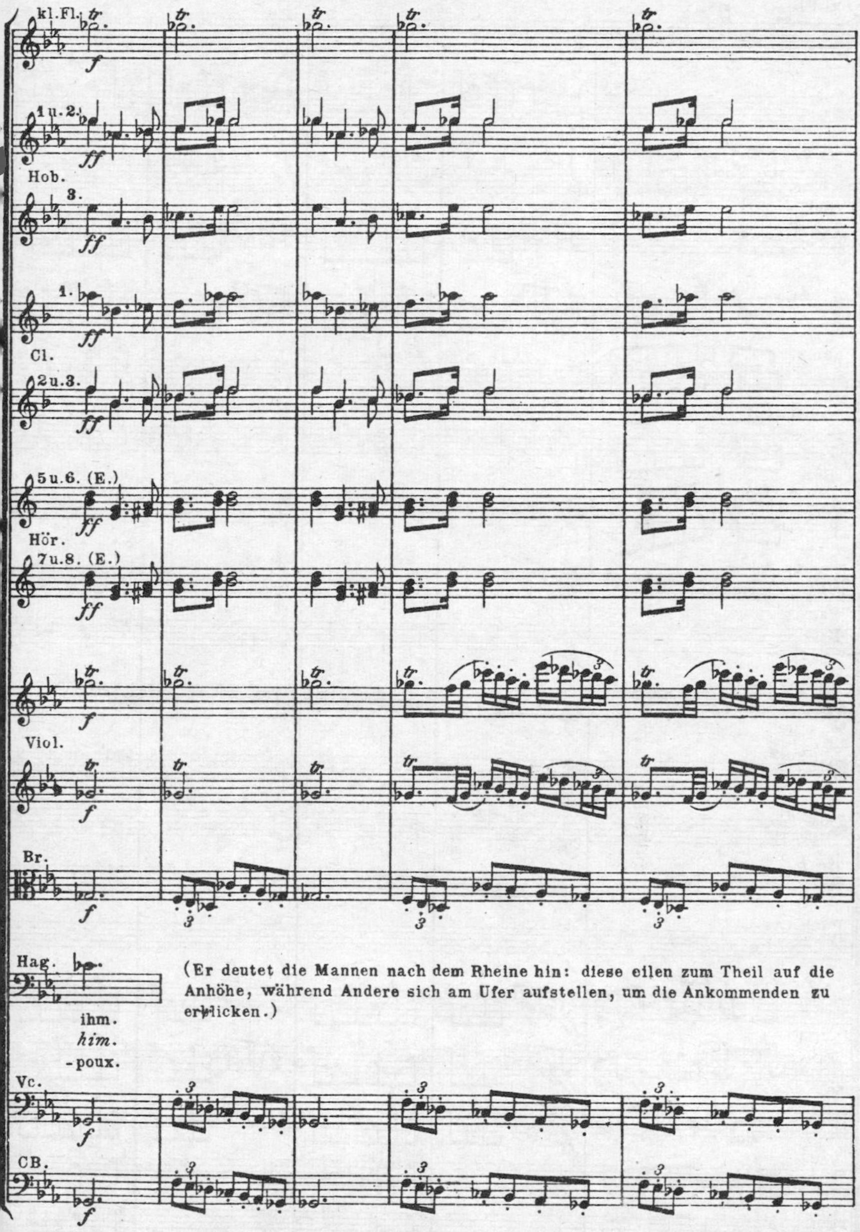
kl. Fl.
1 u. 2.
Hob.
3.
1.
Cl.
2 u. 3.
5 u. 6. (E.)
Hör.
7 u. 8. (E.)
Viol.
Br.
Hag.
ihm.
him.
-poux.
(Er deutet die Mannen nach dem Rheine hin: diese eilen zum Theil auf die Anhöhe, während Andere sich am Ufer aufstellen, um die Ankommenden zu erblicken.)
Vc.
CB.

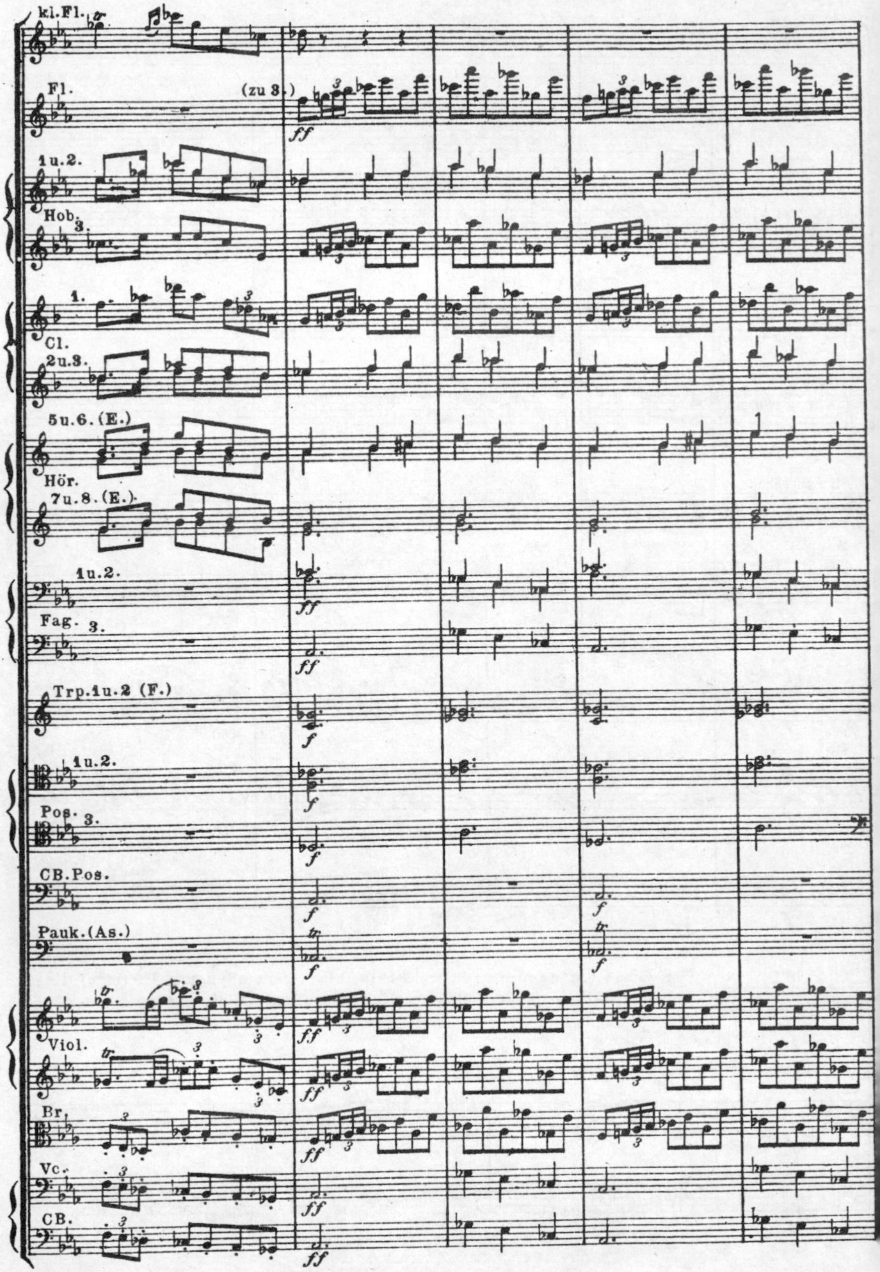
kl.Fl.
Fl.
(zu 3.)
ff
1u.2.
Hob.
3.
1.
Cl.
2u.3.
5u.6. (E.)
Hör.
7u.8. (E.)
1u.2.
Fag.
3.
Trp.1u.2 (F.)
1u.2.
Pos.
3.
CB.Pos.
Pauk. (As.)
Viol.
Br.
Vc.
CB.

zu 3.
Fl.
1 u. 2.
Hob.
3.
1.
Cl.
2 u. 3.
1 u. 2. (F.)
3 u. 4. (F.)
8 Hör.
5 u. 6. (E.)
7 u. 8. (E.)
1 u. 2.
Fag.
3.
1 u. 2. (F.)
Trp.
3. (C.)
1 u. 2.
Pos.
3.
CB. Pos.
(trem.)
Viol.
(trem.)
Br.
Hagen (näher zu einigen Mannen tretend.)
Hold seid der Her - rin, hel - fet ihr
Love well your la - dy, faith - ful - ly
Pour son ser - vi - ce, tous, soy - ez
Vc.
CB.
fp
f
sf

2.
Fl.
3.
1u.2.
Hob.
3.
1u.2.
Cl.
3.
1u.2.(F.)
3u.4.(F.)
8 Hör.
5u.6.(Es.)
7u.8.(Es.)
(F.)
(F.)
1u.2.
Fag.
3.
Trp.
3.
(C)
2.(E.)
fp
cresc.
ff
f
sf
sfp

Pos.
3.
CB.Pos.
Viol.
Br.
fp
cresc.
f
ff
Hag.
(Er wendet sich langsam zur Seite, in den Hintergrund.)
treu:
help:
prêts.
traf sie ein Leid,
if she be wronged,
Vienne un af - front,
rasch seid zur Rache!
swift be your vengeance!
prompt, qu'on la venge!
(Während des Folgenden kommt der Nachen mit
Gunther und Brünnhilde auf dem Rheine an.)
MANNEN.
(Einige.)
Heil!
Hail!
Los!
Ein Manne (auf der Höhe.)
Heil!
Hail!
Los!
Vc.
CB.
sf
sfp
cresc.

kl.Fl.
1.
Fl.
2u.3.
1u.2.
Hob.
3.
1u.2.
Cl.
3.
1u.5. (F.)
(zu 4.)
2u.6.
8 Hör.
3u.7. (Es.)
(zu 4.)
4u.8.
Fag. (zu 3.)
1.(Es.)
Trp.
2.(E.)
2u.3. (Es.)
Bs.
Trp.
C.
(Es.)
1u.2.
Pos.
ff

CB. Tub.
Pauk. (Des.)
(Ges.)
cresc.
Viol.
Br.
(Diejenigen, welche von der Höhe ausgeblickt hatten, kommen zum Ufer herab.)
MANNEN.
(Einige.)
Heil!
Hail!
Los!
(Andere.)
Heil!
Hail!
Los!
(Alle.)
Will - - -kom - - men!
Be wel - - come!
Los! Joi - - - e,
Vc.
CB.

kl.Fl.
3 Fl.
3 Hob.
3 Cl.
zü 4 (F)
8 Hr.
zu 4
(Es)
3 Fag.
(zu 3)
1.
3 Trp. (Es)
zu 3.
Bs Trp. (Es)
ff
f

CB.Tub.
Pauk. (Ges)
Viol.
Br.
MANNEN.
Will - - kom - men!
Be wel - come!
Los! Joi - e!
(Einige Mannen springen in das Wasser und ziehen den Kahn an das Land. Alles drängt sich immer dichter an das Ufer.)
Will - - kom - men!
Be wel - come!
Los! Joi - e!
Will - - kom - men!
Be wel - come!
Los! Joi - e!
Heil!
Hail!
Los!
Vc.
CB.
ff

kl. Fl.
3 Fl.
3 Hob.
3 Cl.
(F)
8 Hr.
(Es)
(F)
3 Fag.
(zu 3)
1. (F)
3 Trp. 2 u. 3. (Es)
(F)
Bs. Trp. (Es)
8 Pos.

Pauk.
(A)
Beck.
Viol.
Br.
MANNEN.
Will - - kom - men!
Be wel - come!
Los! Joi - e!
Heil! Hail! Los!
Heil! Hail! Los!
Will - - kom - men!
Be wel - come!
Los! Joi - e!
Heil! Hail! Los!
Heil! Hail! Los!
Will - - kom - men!
Be wel - come!
Los! Joi - e!
Will - kom - men Gun - ther!
Be wel - come, Gun - ther!
Los! Joi - e Gun - ther!
Vc.
CB.

poco riten.
kl. Fl.
3 Fl.
3 Hob.
3 Cl.
zu 4
8 Hr. (F)
zu 4
1.
5. 7.
3.
6. 8.
1 u. 2.
3 Fag. 3.
1.
3 Trp. (F)
2 u. 3.
Bs Trp. (Es)

Cb. Tub.
Pauk. (Fu.B)
Becken
Viol.
Br.
MANNEN.
Heil!
Hail!
Los!
Vc.
CB.
ff
f

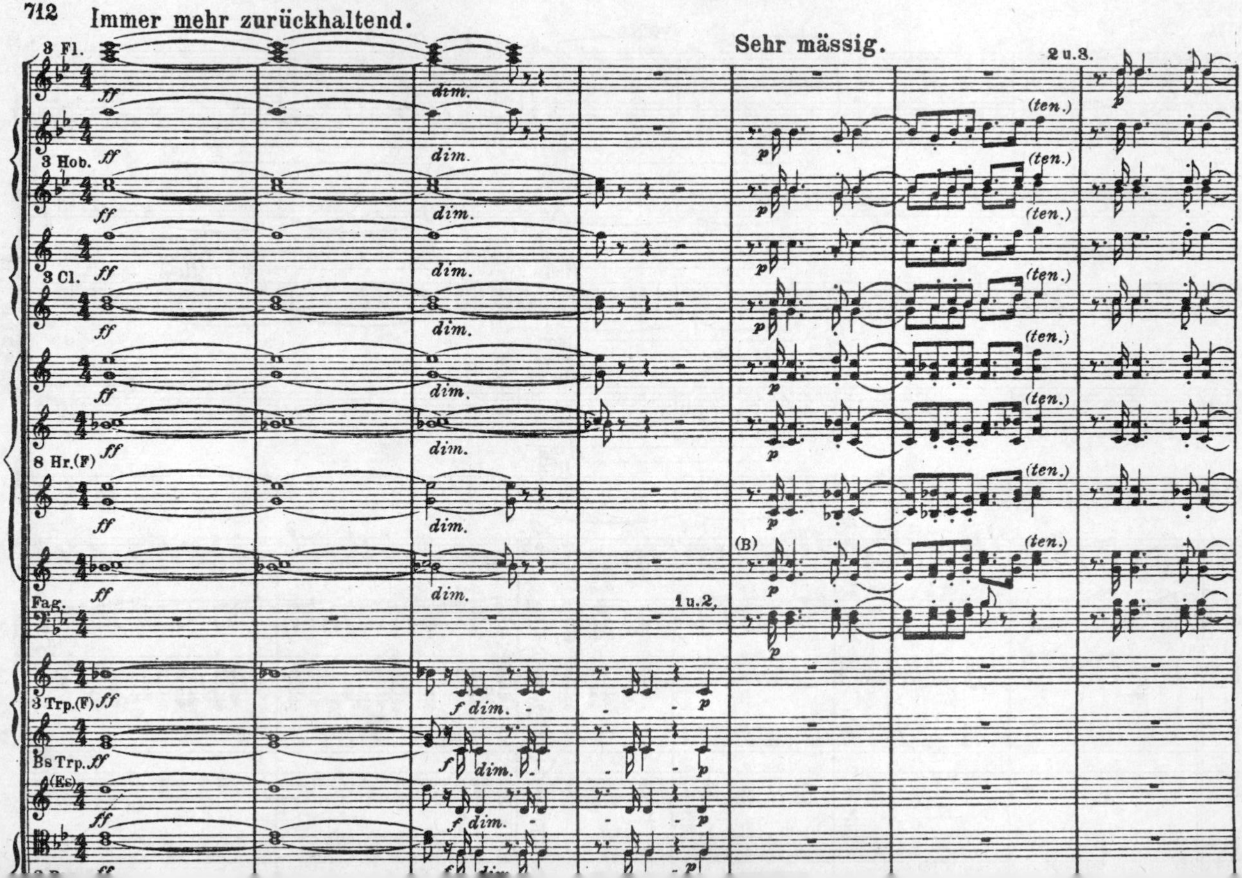
Immer mehr zurückhaltend.
Sehr mässig.
2 u.3.
3 Fl.
3 Hob.
3 Cl.
8 Hr. (F)
(B)
Fag.
1 u.2.
3 Trp. (F)
Bs Trp.
(Es)
ff
dim.
f dim.
p
(ten.)

Pauk. (F u. B)
(schwer)
ff
dim.
p
(verdoppelt)
Rührtr.
(2 Paar Pauk).
Becken
f
dim.
più p
Viol.
ff
Br.
Vierte Scene.
(Gunther steigt mit Brünnhilde aus dem Kahne: die Mannen reihen sich ehrerbietig zu ihrem Empfange. Während des Folgenden geleitet Gunther Brünnhilde feierlich an der Hand.)
MANNEN.
Heil dir, Gun-ther! Heil dir,
Welcome Gunther! Health to thee,
Los! à Gun-ther! Los! Los!
Vc.u.CB.
(CB. allein)

3 Fl.
2 u. 3.
(ten.)
1.
p cresc.
cresc.
ff
3 Hob.
1 u. 2.
3 Cl.
3.
(F)
8 Hr.
(B)
Fag. 1 u. 2.
3
1. (F)
3 Trp.
p cresc.
2 u. 3. (B)
Bs. Trp.

CB. Tub.
2 Paar Pauk. (zu 2)
Rührtr.
Becken.
Viol.
Br.
MANNEN.
— und dei-ner Braut! Heil sei Gun-ther, dir und dei-ner Braut! Will - kom - men!
— and to thy bride! Wel- - come, bridegroom, home and wel-come bride! Be wel - come!
— à l'é-pou-sé - e! Los! à Gun-ther! Los! à tous les deux! Joie! Gloi - re!
— und dei-ner Braut! Heil sei Gun-ther, dir und dei-ner Braut! Will - kom men!
— and to thy bride! Wel- - come, bridegroom, home and wel-come bride! Be wel - come!
— à l'é-pou-sé - e! Los! à Gun-ther! Los! à tous les deux! Joie! Gloi - re!
— und dei-ner Braut! Heil sei Gun-ther, dir und dei-ner Braut! Will - kom - men!
— and to thy bride! Wel- - come, bridegroom, home and wel-come bride! Be wel - come!
— à l'é-pou-sée! Los! à Gun-ther! Los! à tous les deux! Joie! Gloi - re!
— und dei-ner Braut! Heil sei Gun-ther, dir und dei-ner Braut! Will - kom - men!
— and to thy bride! Wel- - come, bridegroom, home and wel-come bride! Be wel - come!
— à l'é-pou-sée! Los! à Gun-ther! Los! à tous les deux! Joie! Gloi - re!
Vc.
CB.
(zus.)
cresc.
ff
p
f

3 Fl.
3 Hob.
3 Cl.
(F)
(F)
8 Hr.
(F)
(B)
Fag. 1 u.2.
3 Trp.
Bs. Trp.
f dim.
dim.
p

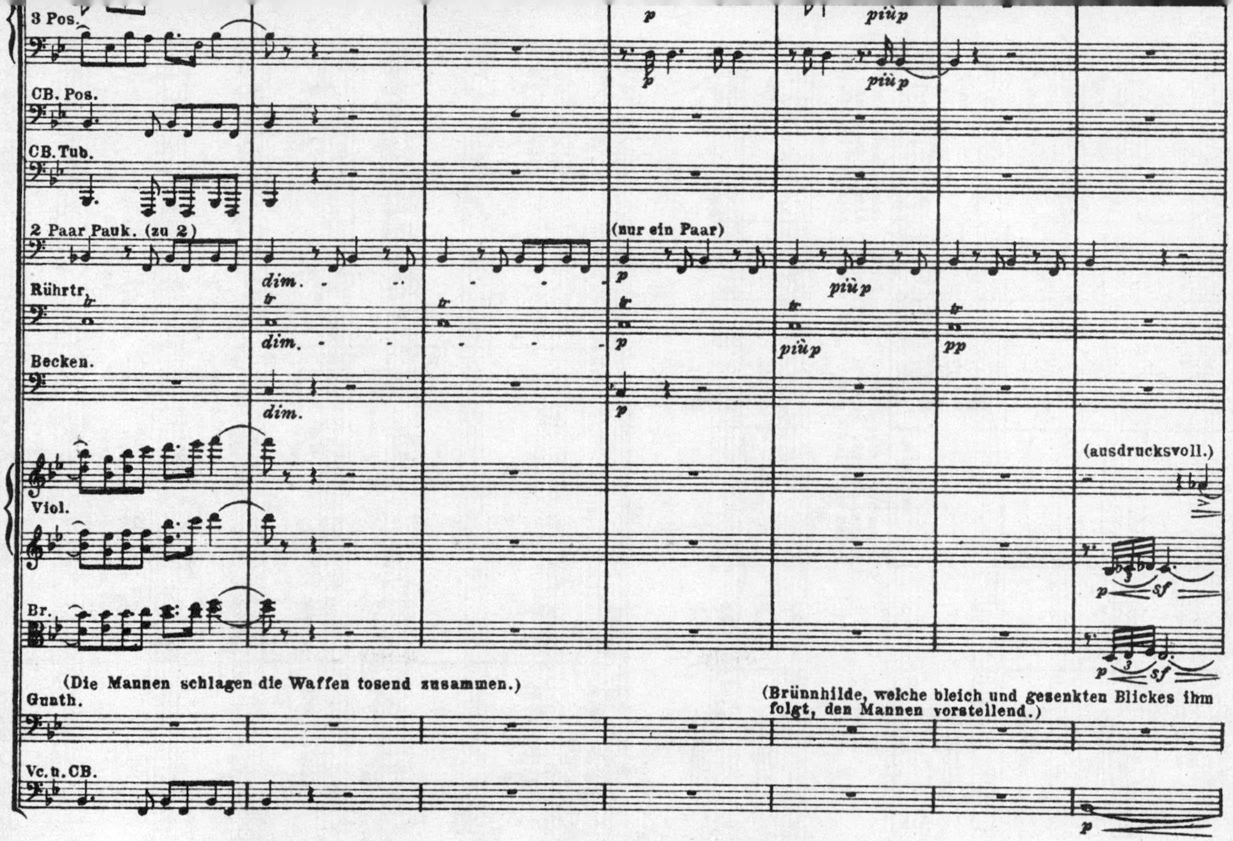
3 Pos.
p
più p
più p
CB. Pos.
CB. Tub.
2 Paar Pauk. (zu 2)
(nur ein Paar)
dim.
p
più p
Rührtr.
tr
dim.
p
più p
pp
Becken.
dim.
p
(ausdrucksvoll.)
Viol.
p
sf
Br.
p
3
sf
(Die Mannen schlagen die Waffen tosend zusammen.)
Gunth.
(Brünnhilde, welche bleich und gesenkten Blickes ihm folgt, den Mannen vorstellend.)
Vc. u. CB.
p

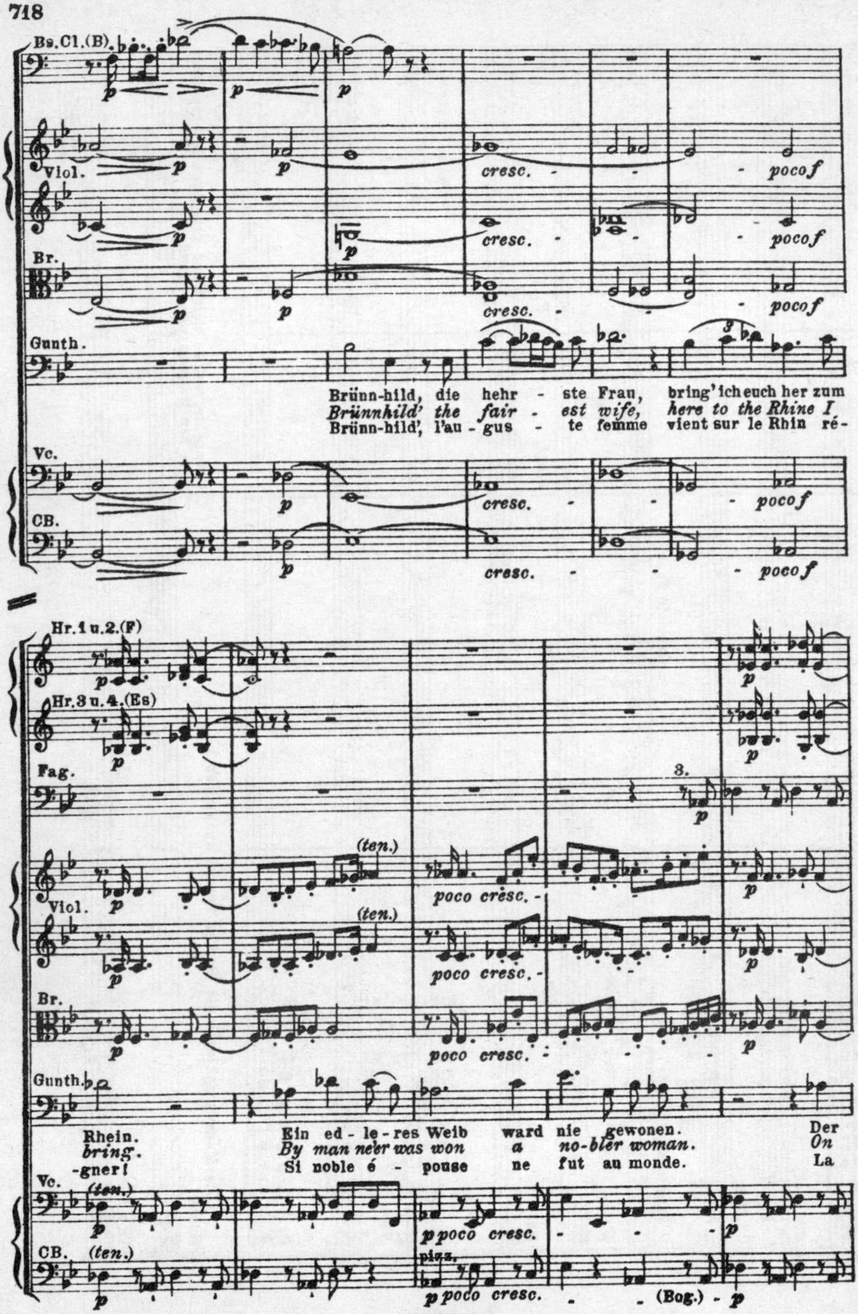
Bs.Cl.(B)
Viol.
Br.
Gunth.
Brünn-hild, die hehr - ste Frau, bring'ich euch her zum
Brünnhild' the fair - est wife, here to the Rhine I
Brünn-hild', l'au - gus - te femme vient sur le Rhin ré-
Vc.
CB.
cresc. - - - poco f
Hr.1 u.2.(F)
Hr.3 u.4.(Es)
Fag.
(ten.)
poco cresc.
Rhein. Ein ed - le - res Weib ward nie gewonen. Der
bring. By man ne'er was won a no-bler woman. On
-gner! Si noble é - pouse ne fut au monde. La
pizz.
(Bog.)

3 Hob.
3 Cl.
Hr. 1 u. 2. (F)
Hr. 3 u. 4. (Es)
(F)
Hr. 6 u. 8. (B)
(zu 2)
1 u. 2.
3 Fag.
Viol.
Br.
pizz.
cresc.
Gunth.
Gi - bichung - en Ge - schlecht, ga - ben die Göt - ter ihm Gunst, zum
Gi - bichs glor - i - ous race, shone e - ver grace from the gods; to
ra - ce qui fleurit i - ci grâ - ce aux di - vi - nes fa - veurs d'in -
Vc.
CB.

1.
p cresc.
3 Fl.
2 u. 3. (zus.)
ff
3 Hob.
cresc.
3 Cl.
Hr. 1 u. 2.
(F)
Hr. 3 u. 4.
(F)
Hr. 6 u. 8.
(B)
3 Fag.
3 Trp. (Es)
Bs. Trp. (Es)
3 Pos.

2 Paar Pauk. (B u F)
Rührtr.
Viol.
Br.
(Bog.)
(Bog.)
Gunth.
höch - sten Ruhm rag' es nun auf!
high - est fame now shall we rise!
si - gne gloi - re va res-plen-dir!
(Die Mannen schlagen feierlich an ihre Waffen.)
MANNEN.
Heil dir
Hail thou
Gloire à toi!
Heil dir
Hail thou
Gloire à toi!
Heil dir
Hail thou
Gloire à toi!
Heil dir!
Hail thou!
Gloire à toi!
Vc.
CB.

kl. Fl.
3 Fl.
3 Hob.
3 Cl.
Hr. 1 u. 2. (F)
Hr. 3 u. 4. (F)
Hr. 5 u. 7. (B)
Hr. 6 u. 8. (B)
3 Fag.
3 Trp. (Es)
B. Trp. (Es)
3 Pos.
ff
poco f
(zu 2.)
(gestopft)
sf
1.
sf

2 Paar Pauk. (B u. F)
Rührtr.
Becken.
Viol.
Br.
(Bog.)
ff
f
(1. Paar allein.)
dim.
MANNEN.
glück - - li - cher Gi - - - - - - bichung!
hap - - pi - est Gi - - - - - - bichung!
Joie à l'heu - reux é-poux!
Glück - - - - li-cher Gi-bichung!
Hap - - - - pi - est Gi-bich-ung!
Joie à l'heu-reux é-poux!
(Gunther geleitet Brünnhilde, welche nie aufblickt, zur Halle, aus welcher jetzt Siegfried und Gutrune von Frauen begleitet, heraustreten.)
Vc.
CB.

Fl.
1 u. 2.
p cresc.
p
1.
p cresc.
Hob.
2.
p cresc.
> dim.
più p
pp
3 Cl.
cresc.
Hr. 1 u. 2. (F)
p
cresc.
Hr. 3 u. 4. (D)
p
cresc.
> dim.
più p
pp
3 Fag.
p
cresc.
Pos. 3.
p
più p
pp
CB. Pos.
p
più p
pp
1. Paar Pauk.
tr
p
più p
pp
p
cresc.
Viol.
p
cresc.
Br.
p
Gunth.
(Gunther hält vor der Halle an.)
Ge-grüsst sei,
I greet thee,
Sa-lut, hé-
Vc.
pp
cresc.
p
CB.
pp
cresc.
p

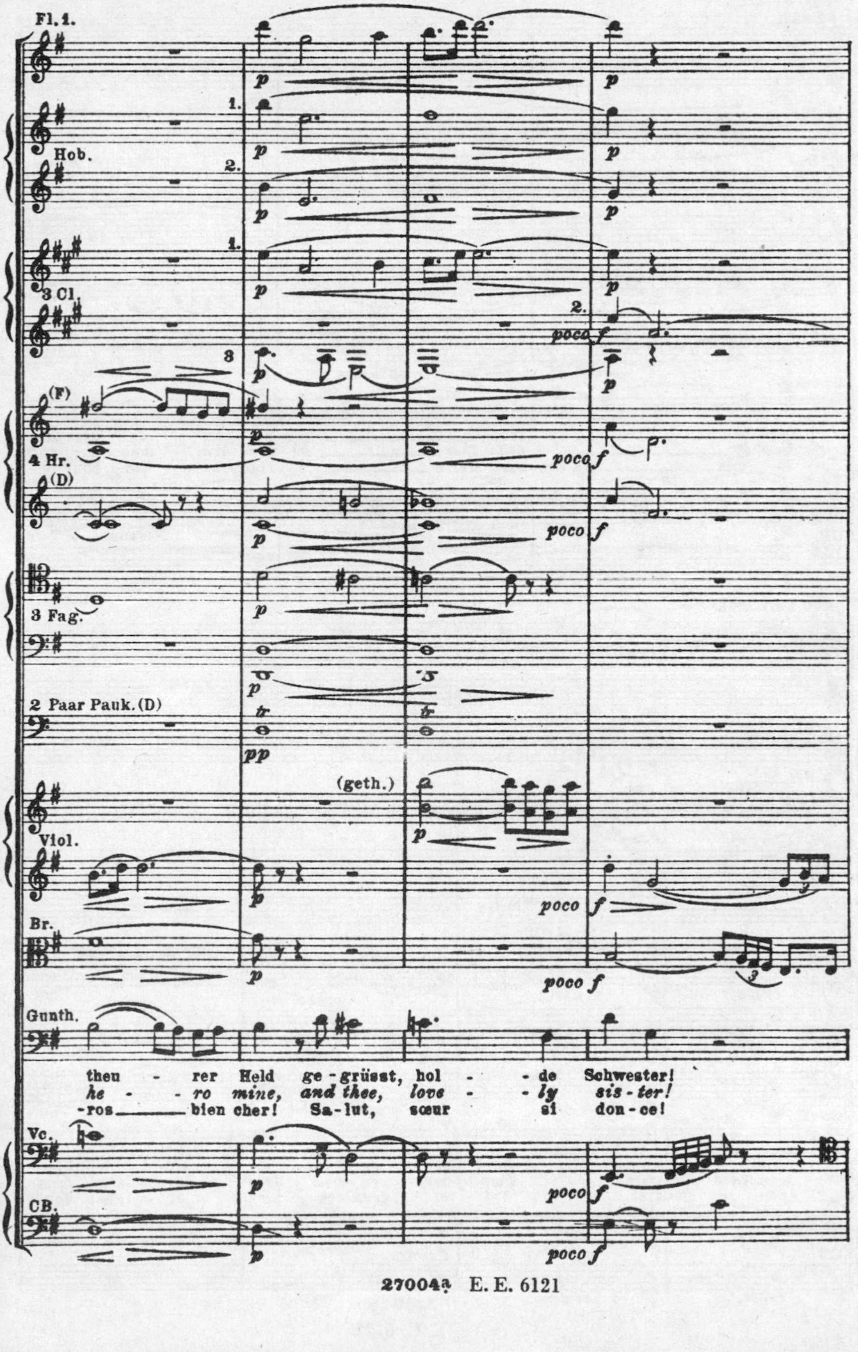
Fl. 1.
1.
Hob.
2.
1.
3 Cl
2.
8
(F)
4 Hr.
(D)
3 Fag.
2 Paar Pauk. (D)
(geth.)
Viol.
Br.
Gunth.
theu - rer Held ge-grüsst, hol - de Schwester!
he - ro mine, and thee, love - ly sis-ter!
-ros bien cher! Sa-lut, sœur si don-ce!
Vc.
CB.

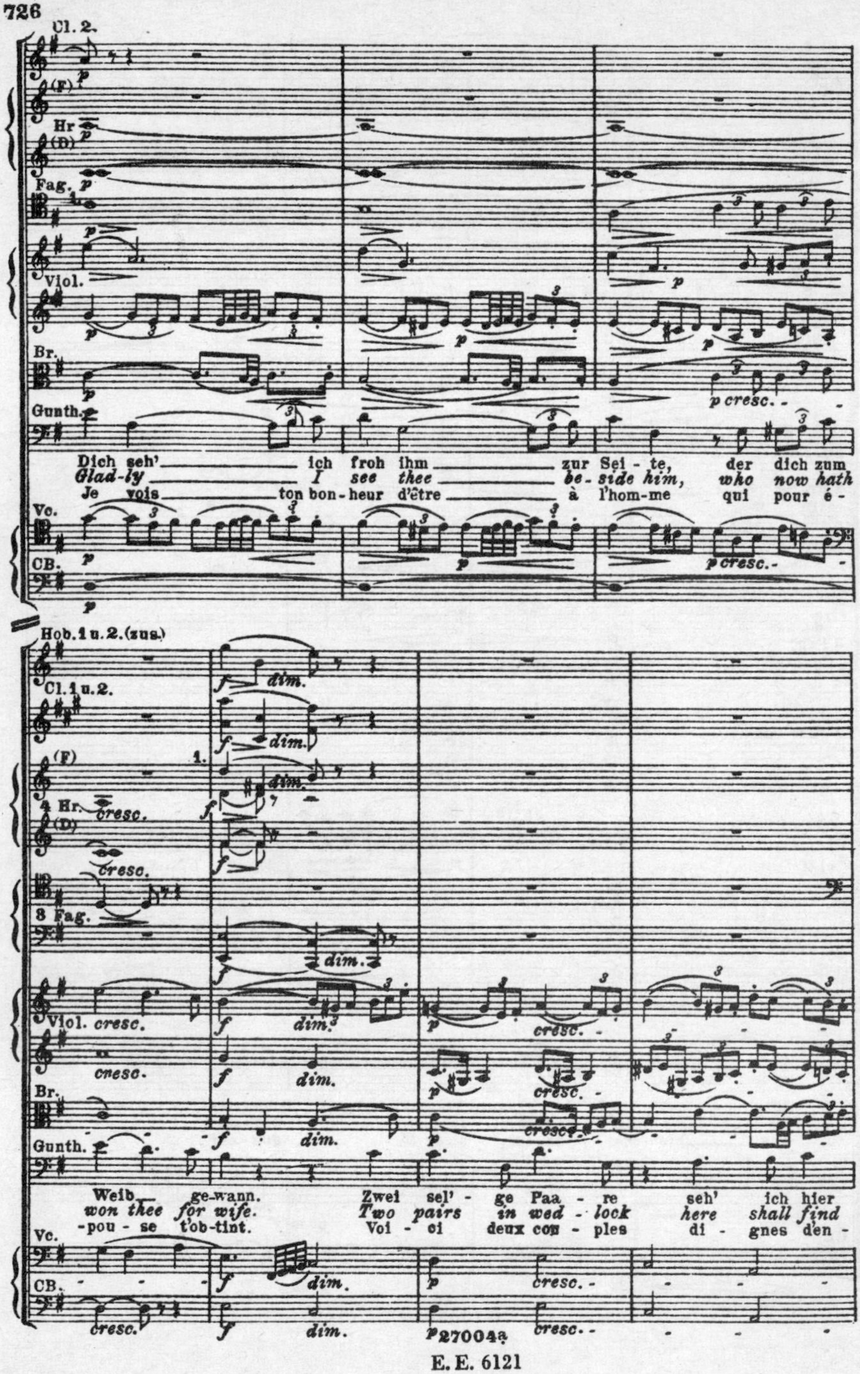
Cl. 2.
(F)
Hr
(D)
Fag.
Viol.
Br.
Gunth.
Dich seh' ich froh ihm zur Sei - te, der dich zum
Glad-ly I see thee be-side him, who now hath
Je vois ton bon-heur d'être à l'hom-me qui pour é-
Vc.
CB.
p cresc.
Hob. 1 u. 2. (zus.)
dim.
Cl. 1 u. 2.
1.
4 Hr.
cresc.
3 Fag.
Viol.
Br.
Gunth.
Weib ge-wann. Zwei sel' - ge Paa - re seh' ich hier
won thee for wife. Two pairs in wed - lock here shall find
-pou - se t'ob-tint. Voi - ci deux cou - ples di - gnes den-
Vc.
CB.
27004a

3 Fl.
3 Hob.
Cl.
4 Hr.
3 Fag.
Viol.
Br.
Gunth.
Vc.
CB.
(Er führt Brünnhilde näher heran.)
pran - gen: Brünn-hild' und Gun - ther,
bless - ing. Brünn-hild' and Gun - ther,
-vi - e. Brünn-hild' et Gun - ther!
pizz.
(Bog.)
cresc.
poco f
dim.
2 u. 3.

acceler.
rallent.
3 Fl.
3 Hob.
3 Cl.
4 Hr.
3 Fag.
3 Trp.
Bs. Trp. (Es)
4 Pos.
Pauk. (Fis)
Viol.
Br.
Gunth.
Gut - run' und Sieg - fried!
Gut - run' and Sieg - fried!
Gut - rune et Sieg - fried!
(Brünnhilde schlägt erschreckt die Augen auf, und erblickt Siegfried; wie in Erstaunen bleibt ihr Blick auf ihn gerichtet.)
Vc.
CB.

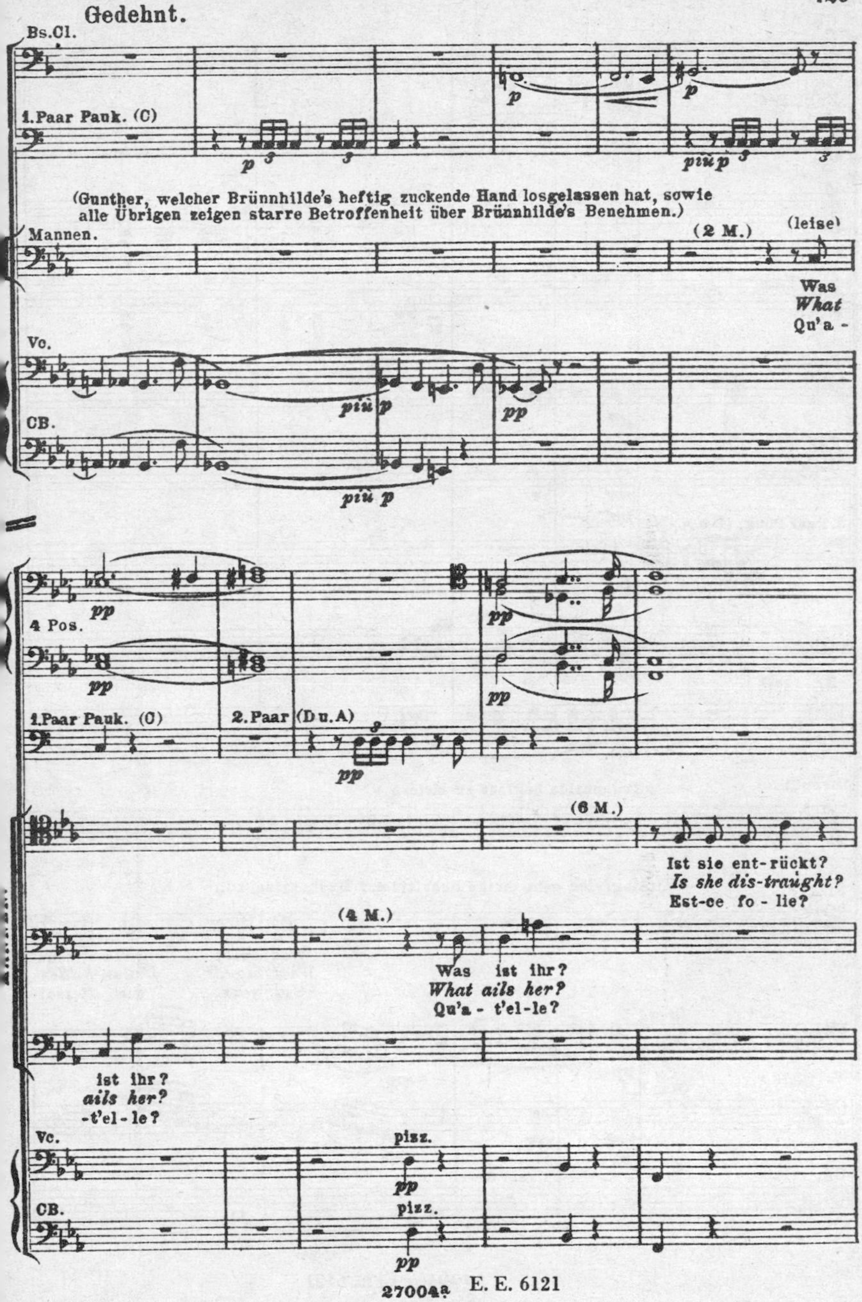
Gedehnt.
Bs.Cl.
1.Paar Pauk. (C)
(Gunther, welcher Brünnhilde's heftig zuckende Hand losgelassen hat, sowie alle Übrigen zeigen starre Betroffenheit über Brünnhilde's Benehmen.)
Mannen.
(2 M.)
(leise)
Was
What
Qu'a -
Vc.
CB.
4 Pos.
1.Paar Pauk. (C)
2.Paar (D u. A)
(6 M.)
Ist sie ent-rückt?
Is she dis-traught?
Est-ce fo - lie?
(4 M.)
Was ist ihr?
What ails her?
Qu'a - t'el-le?
ist ihr?
ails her?
-t'el - le?
Vc.
pizz.
CB.
pizz.

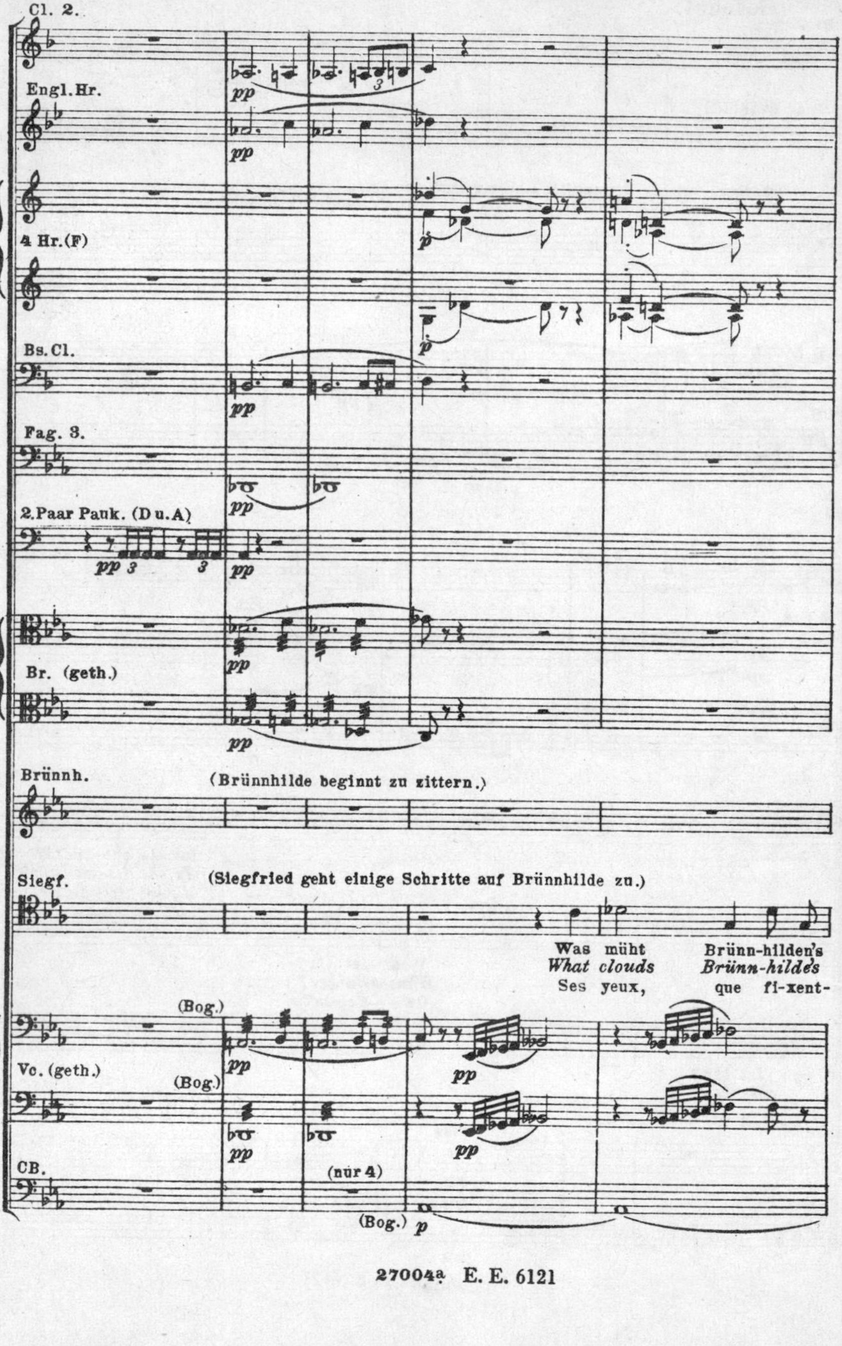
Cl. 2.
pp
3
Engl. Hr.
pp
4 Hr. (F)
p
p
Bs. Cl.
pp
Fag. 3.
pp
2. Paar Pauk. (D u. A)
pp 3
3
pp
Br. (geth.)
pp
pp
Brünnh.
(Brünnhilde beginnt zu zittern.)
Siegf.
(Siegfried geht einige Schritte auf Brünnhilde zu.)
Was müht Brünn-hilden's
What clouds Brünn-hilde's
Ses yeux, que fi-xent-
(Bog.)
Vc. (geth.)
(Bog.)
pp
pp
pp
pp
CB.
(nur 4)
(Bog.) p

Hob. 1.
(ausdrucksvoll)
p
cresc.
mf
dim.
p
Cl. 1 u. 2.
p
Engl. Hr.
(ausdrucksvoll)
p cresc.
f
dim.
p
1.
p
Hr F
4.
p
3 Fag
p
cresc.
mf
dim.
Br.
pp
cresc.
mf
dim.
p
Brünnh. (kaum ihrer mächtig.)
Sieg-fried_ hier? Gut - ru - ne?_
Siegfried_ here? Gut - ru - ne?_
Sieg-fried_ là? Gut - ru - ne?_
Siegf.
Blick?
brow?
-ils?
Gun-ther's mil-de
Gun-ther's gentle
Sœur bien chère à
Vc.
pp
cresc.
mf
dim.
p
CB.

Schnell.
3 Hob.
1.
p (zart)
poco cresc.
2 u. 3. (zus.)
ff
Cl. 1 u. 2.
4 Hr. (F)
p (weich)
poco cresc.
4.
poco cresc.
poco cresc.
3 Fag.
p
poco cresc.
f
Viol.
f
f
Br.
più p
f
più p
f
Brünnh.
(furchtbar heftig)
Ich?
I?
Moi?
Siegf.
Schwe - ster mir ver - mählt, wie Gun - ther du.
sis - ter, won by me as thou by him.
Gun - ther, - elle est mienne, tu es à lui.
Vc.
f
CB.
(alle)
più p
f

3 Fl.
(zu 3.)
1.
3 Hob.
2 u. 3. (zus.)
3 Cl.
4 Hr. (F)
3 Fag.
(trem.)
Viol.
(trem.)
(trem.)
Br.
Brünnh.
Gun - ther? Du lüg'st!
Gun - ther? Thou liest!
Gun - ther? Tu mens!
Vc.
(trem.)
CB.

poco rall.
rallent.
Sehr mässig.
Fl. (zu 3.)
3 Hob.
3 Cl.
p (zart)
4 Hr.
3. (F)
4. (Es)
3 Fag.
Immer mehr zurückhaltend.
Viol.
Br.
Brünnh. (Sie schwankt und droht umzusinken. Siegfried stützt sie.)
Mir schwindet das Licht.
Light fades from mine eyes.
Mon œil s'obscur - cit.
Vc.
CB.

Etwas belebend im Zeitmass.
Cl. 1.
Hr. 4. (Es)
Viol.
Br.
Brünnh.
(Sie blickt in seinen Armen matt zu ihm auf.)
Sieg-fried kennt mich nicht?
Sieg-fried knows me not?
Sieg-fried me tra-hit?
Siegf.
Gun-ther, dei-nem Weib ist
Gun-ther, give thine aid to
Gun-ther, ton é-pou-se
Vc.
p (doch sehr ausdrucksvoll.)
CB.
Hr. 4. (Es)
Fag.
2 u. 3.
p cresc.
Viol. poco cresc.
poco cresc.
Br.
poco cresc.
Siegf. (Gunther tritt hinzu.)
(Brünnhilde erblickt am ausgestreckten Finger Siegfried's den Ring, und schrickt mit furchtbarer Heftigkeit auf.)
ü-bel! Er-wa-che Frau! Hier steht dein Gat-te.
Brünnhild! A-wa-ken, wife! Here stands thy hus-band.
souf-fre! Re-viens à toi! C'est ton fi-dè-le.
Vc.
cresc.
(getragen)
CB.
poco cresc.

Sehr schnell.

Belebt.
3 Fag.
dim.
p
Bs Trp. (Es)
dim.
p
pp
Pos.
p
più p
pp
Viol.
f
Brünnh.
(Hagen aus dem Hintergrunde unter die Mannen tretend.)
Er? Sieg - fried?
He? Sieg - fried?
Lui? Sieg - fried?
Mannen.
(Einige)
Was ist?
What is't?
Voy - ez!
(Einige)
Was ist?
What is't?
Voy - ez!
Vc.
CB.
dim.
p
pp
1.
Pos. 3 u. 4.
Viol.
(immer f)
(immer f)
Br.
f
Hag.
Jetzt mer - ket klug, was die Frau euch klagt!
Now give good heed to the woman's tale!
Ouvrez l'o - reille, é - cou - tez sa plainte!
Vc.
f

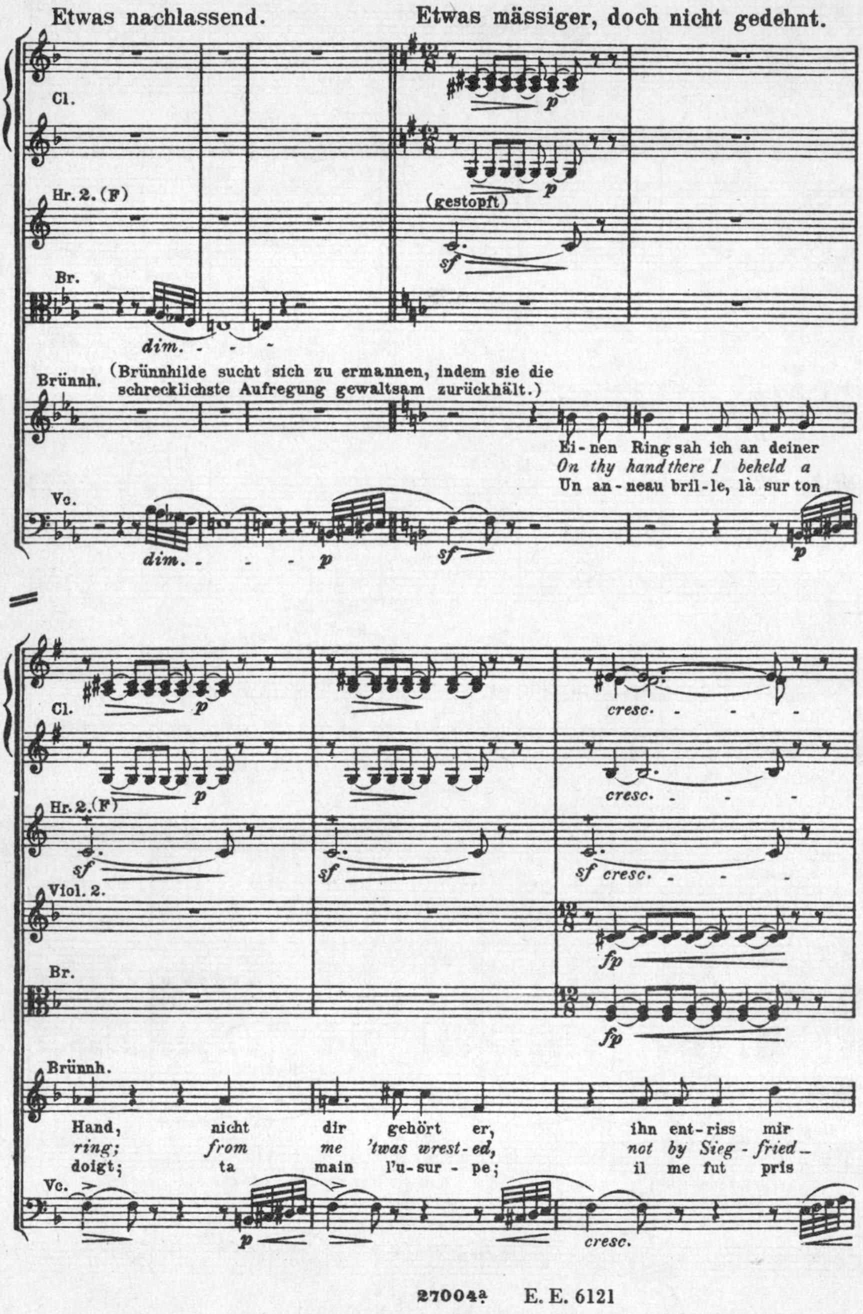
Etwas nachlassend.
Etwas mässiger, doch nicht gedehnt.
Cl.
Hr. 2. (F)
(gestopft)
Br.
dim.
(Brünnhilde sucht sich zu ermannen, indem sie die schrecklichste Aufregung gewaltsam zurückhält.)
Brünnh.
Ei-nen Ring sah ich an deiner
On thy hand there I beheld a
Un an-neau bril-le, là sur ton
Vc.
dim.
Cl.
cresc.
Hr. 2. (F)
sf cresc.
Viol. 2.
fp
Br.
fp
Brünnh.
Hand, nicht dir gehört er, ihn ent-riss mir
ring; from me 'twas wrest-ed, not by Sieg-fried
doigt; ta main l'u-sur-pe; il me fut pris
Vc.
cresc.

Hob.
1 u. 2.
Cl.
Hr. 2. (F)
2. Viol.
Br.
Brünnh. (auf Gunther deutend:)
die-ser Mann.
but by him!
par cet homme.
Wie mochtest von
How came then from
Com-ment de sa
Vc.
ihm den Ring du em - pfah'n?
him the ring to thy hand?
main l'anneau te vint - il?
(offen)
p cresc.
dim.
f
p

1.
Hrn. (Es)
più p
Trp. 3. (Es)
pp
Pos.
più p
Siegf. (betrachtet aufmerksam den Ring an seinem Finger.)
Den Ring empfing ich nicht von ihm.
The ring came not to me from him.
L'an neau ne me vient pas de lui.
Vc.
CB. (nur 4)
Hob.
(zu 3)
(F)
Hrn.
3 Fag.
Trp. 3. (Es)
Pos.
Viol.
cresc.
Br.
Brünnh. (zu Gunther.)
Nahm'st du von mir den
Thou who didst rob the
Toi qui m'as pris l'an -
Vc.
CB.
(4)

Hob. (zu 3)
Cl.
(F)
Hrn.
(F)
(E)
Fag.
Viol.
Br.
geth.
Brünnh.
Ring, durch den ich dir ver- mählt, so mel- de ihm dein Recht, ford're zurück das
ring with which I wed - ded thee, now let him know thy right; take back a-gain the
-neau par qui je suis à toi, pro- cla- me donc ton droit et res- sai- sis ton
Vc.
più p

Hob. 1.
p
Cl.
(F)
Hrn.
(E)
Fag.
Viol.
più p
Br.
Brünnh.
Pfand!
pledge!
gage!
(in grosser Verwirrung.)
Gunth.
Den Ring?
The ring?
L'anneau?
Ich gab ihm kei-nen:
I gave him nothing:
Il l'ent d'un au-tre.
doch — kennst du ihn auch
yet dost thou know it
Mais le connais-tu
Vc.

Hob. 1.
poco f
dim.
1.
Cl. 2.
3.
Hrn.
poco cresc.
mf
1.
Fag. 2.
3.
p
Bs Trp. (C)
3. Pos.
Viol.
Br.
Brünnh.
Wo bärgest du den Ring, den du von mir er - beu - tet?
Where hidest thou the ring that from my hand thou stol - est?
Où caches-tu la bague dont tu fis ta proi - e?
Gunth.
gut?
well?
bien?
Vc.
CB.
(nur 4)

Hob.1. poco rallent.
Sehr lebhaft.
p
più p
Cl.
1.
2.
3.
(gedämpft)
(offen)
5 u. 6. (F)
Hrn.
7 u. 8. (F)
pp
Fag.
Bs Trp. (C)
(stacc.)
ff
Viol.
Br.
pp
Gunth. (schweigt in höchster Betroffenheit.)
(Brünnhilde fährt wüthend auf.)
Vc.

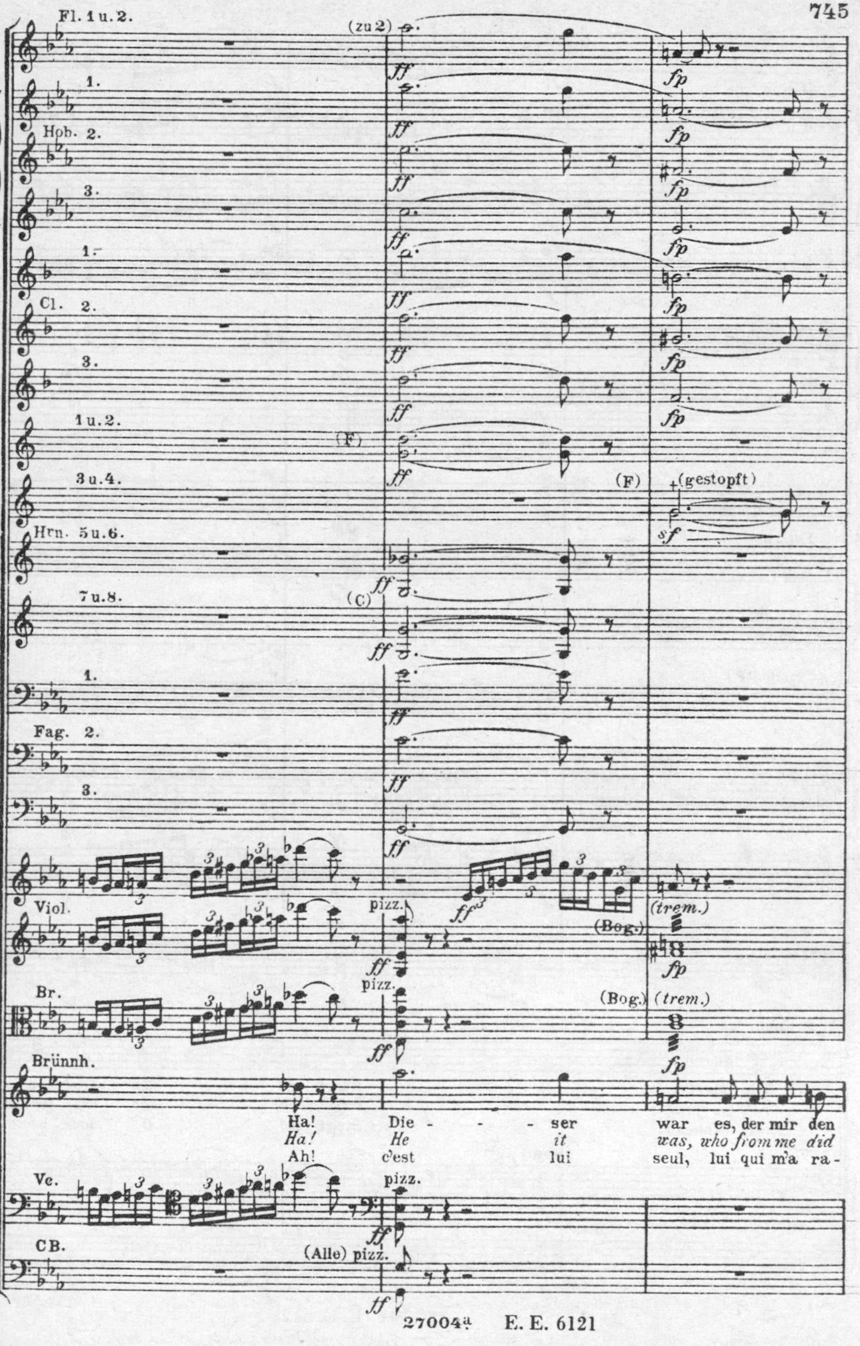
Fl. 1 u. 2.
(zu 2)
Hob. 1. 2. 3.
Cl. 1. 2. 3.
Hrn. 1 u. 2. 3 u. 4. 5 u. 6. 7 u. 8.
(F)
(gestopft)
(C)
Fag. 1. 2. 3.
Viol.
pizz.
(Bog.) (trem.)
Br.
Brünnh.
Ha! Die - - - ser war es, der mir den
Ha! He it was, who from me did
Ah! c'est lui seul, lui qui m'a ra-
Vc.
CB.
(Alle) pizz.

Ring entriss.
rob the ring.
-vi l'anneau.

Siegfried!
Siegfried!
Siegfried!

der       trug - volle
the       trai - tor and
O         four - be vo-

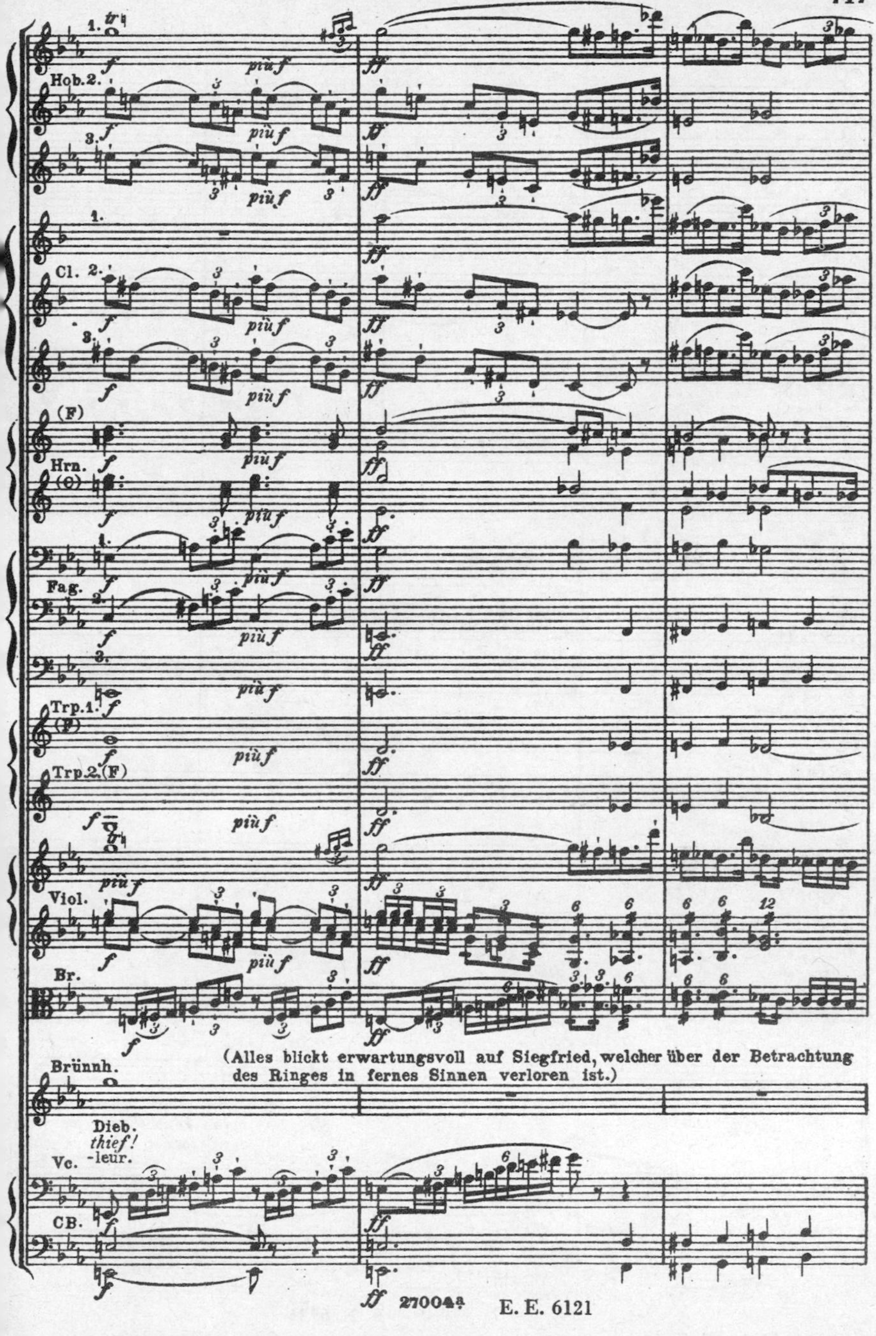
1.
Hob. 2.
3.
più f
1.
Cl. 2.
3.
(F)
Hrn.
(C)
1.
Fag.
2.
3.
Trp. 1.
(F)
Trp. 2. (F)
Viol.
Br.
(Alles blickt erwartungsvoll auf Siegfried, welcher über der Betrachtung des Ringes in fernes Sinnen verloren ist.)
Brünnh.
Dieb.
thief!
-leur.
Vc.
CB.

Hob.
Cl.
dim.
1 u. 2.
Hrn.
3 u. 4.
Fag.
Trp. 1. (F)
Trp. 2. (F)
Viol.
Br.
Siegf.
Von kei - nem Weib kam mir der
No wo - man's hand gave me the
D'au - cu - ne femme n'ai - je cet
Vc.
CB. (zus.)

3 Cl. Etwas mässiger werdend.
(zu 3) (ausdrucksvoll)
Fag.
(zu 3)
Viol.
Br.
Siegf.
Reif, noch war's ein Weib, dem ich ihm ab-gewann: ge-nau er-
ring, nor wo-man was't, from whom I wrest-ed it: I mind me
or; sur nul-le femme n'ai-je con-quis tel bien. En un com-
Vc. u. CB.
Hob. 1 u. 2.
(zu 2)
3 Cl.
(F)
Hrn.
(F)
8. (Es)
Fag. 3.
(allein)
Pauk. II. (B u. E) (tief)
Viol.
pizz.
Br.
Siegf.
kenn ich des Kam-pfes Lohn, den vor Neid-höhl' einst ich be-
well of the boot-y won, when at Neid-höhl' fought was the
-bat, il m'é-chut ja-dis de-vant Neid-höhl où, sous mon
Vc.
CB.
(Bog.)

27004a E. E. 6121

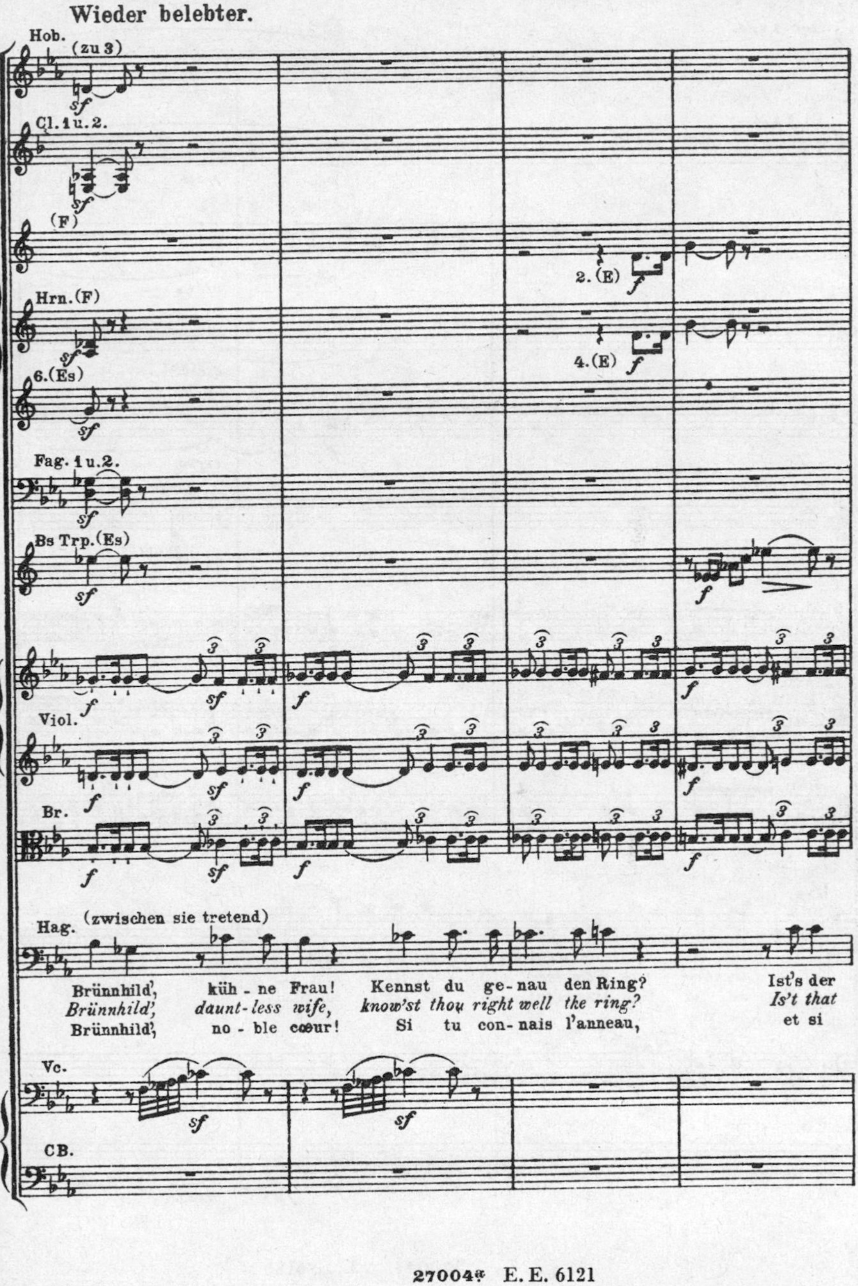
Wieder belebter.
Hob.
(zu 3)
sf
Cl. 1 u. 2.
sf
(F)
2. (E)
f
Hrn. (F)
sf
4. (E)
f
6. (Es)
sf
Fag. 1 u. 2.
sf
Bs Trp. (Es)
sf
f
f
sf
f
f
Viol.
f
sf
f
f
Br.
f
sf
f
f
(zwischen sie tretend)
Hag.
Brünnhild', küh - ne Frau! Kennst du ge - nau den Ring? Ist's der
Brünnhild', daunt - less wife, know'st thou right well the ring? Is't that
Brünnhild', no - ble cœur! Si tu con - nais l'anneau, et si
Vc.
sf
sf
CB.

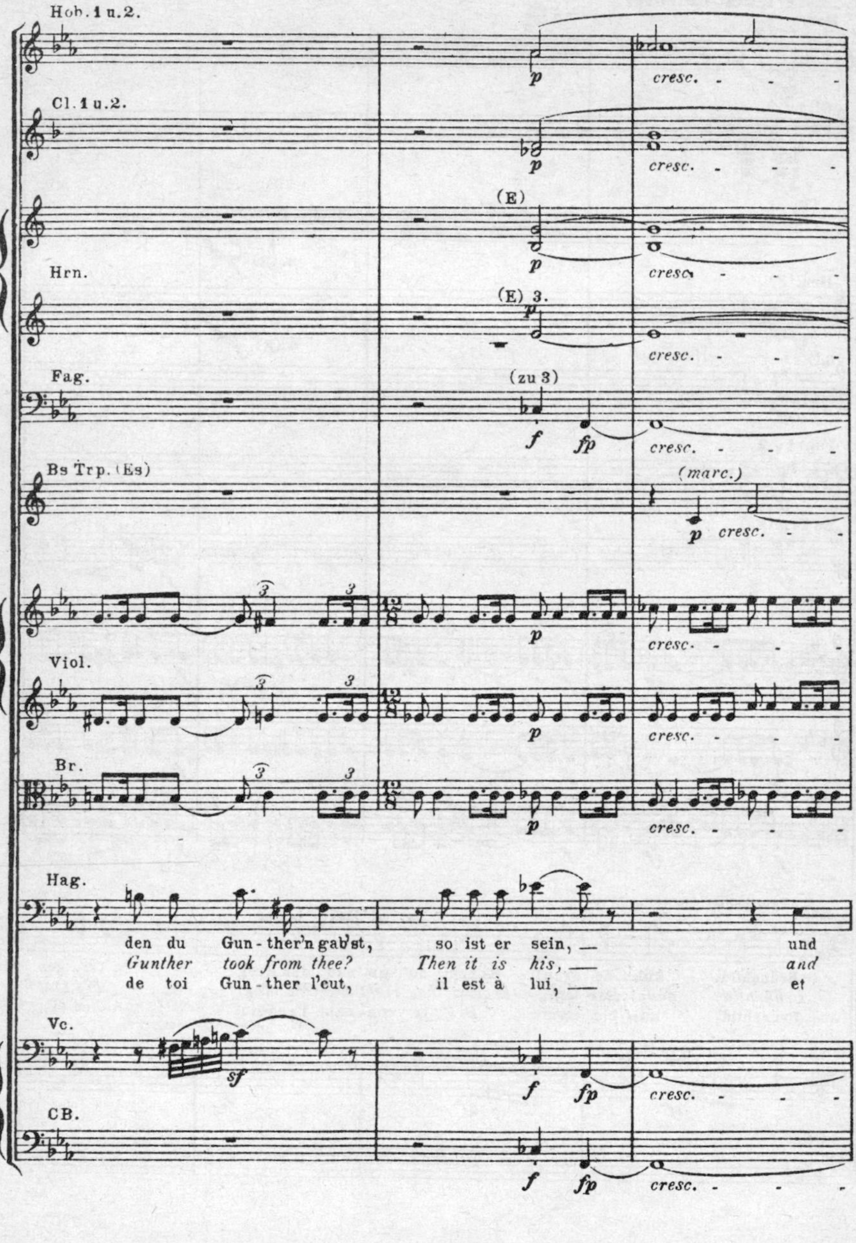
Hob. 1 u. 2.
p
cresc.
Cl. 1 u. 2.
p
cresc.
(E)
p
cresc.
Hrn.
(E) 3.
p
cresc.
Fag.
(zu 3)
f
fp
cresc.
Bs Trp. (Es)
(marc.)
p
cresc.
Viol.
p
cresc.
Br.
p
cresc.
Hag.
den du Gun-ther'n gab'st, so ist er sein, — und
Gunther took from thee? Then it is his, — and
de toi Gun-ther l'eut, il est à lui, — et
Vc.
sf
f
fp
cresc.
CB.
f
fp
cresc.

Fl. 1 u. 2.
(zu 2)
1.
Hob. 2.
3.
1.
Cl. 2.
3.
Hrn. (E)
Fag. (zu 3)
Bs Trp. (Es)
Viol.
dim.
cresc.
Br.
Hag.
(etwas gedehnt)
Siegfried gewann ihn durch Trug, den der Treulo-se büssen sollt'!
Siegfried hath won it by guile, — that the traitor must now a-tone!
Siegfried l'acquit par un dol; or, qui fut four-be paie son crime!
Vc.
CB.

+) (Mit diesen wiederholten Versuchen scheint sie den versagenden Athem bewältigen zu wollen.)

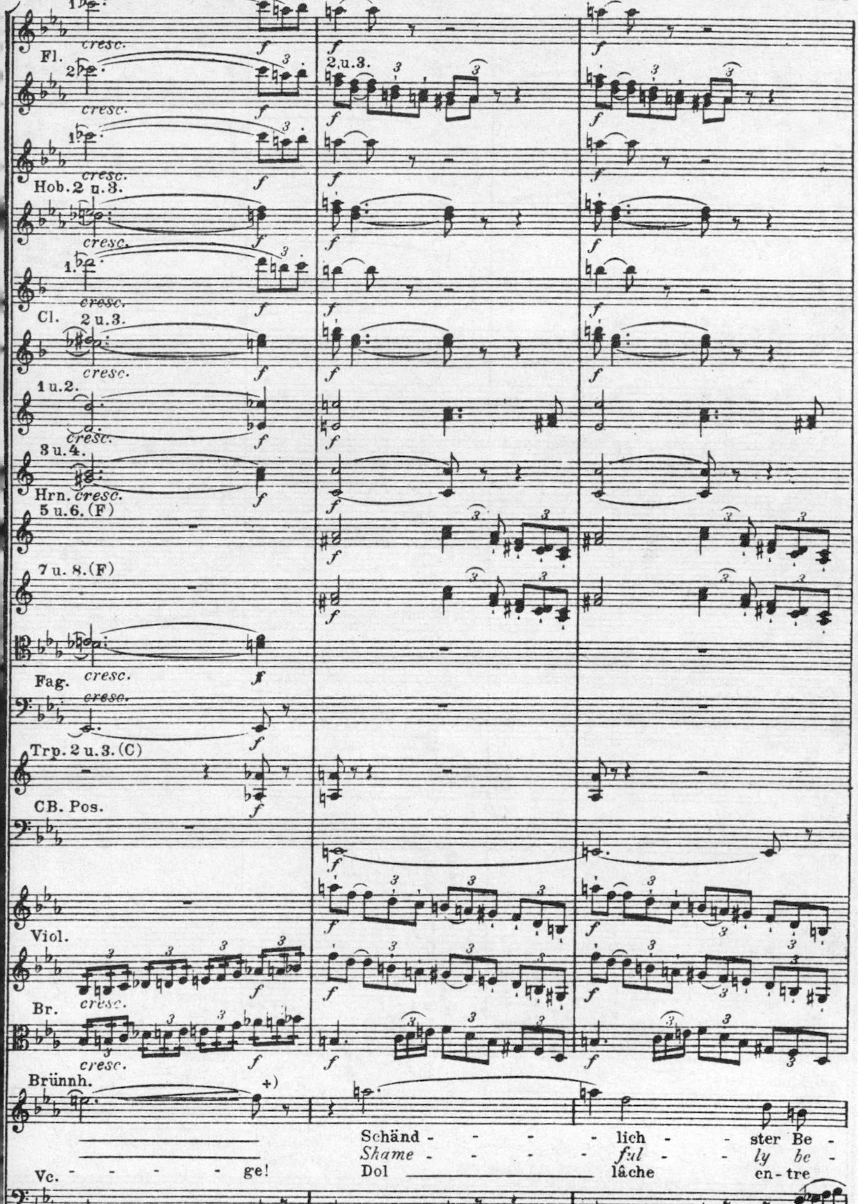
Fl.
2 u. 3.
Hob. 2 u. 3.
Cl.
2 u. 3.
1 u. 2.
3 u. 4.
Hrn.
5 u. 6. (F)
7 u. 8. (F)
Fag.
Trp. 2 u. 3. (C)
CB. Pos.
Viol.
Br.
Brünnh.
Vc.
CB.
cresc.
f
- - - - ge!
Schänd - - - - lich - ster Be -
Shame - - - - ful - ly be -
Dol - lâche en - tre

Fl. 2 u. 3.
Hob.
Cl.
Hrn.
Fag.
Trp. 2 u. 3. (C)
Pos.
Viol.
Br.
Brünnh.
trug!
trayed!
tous!
Ver-rath!
De-ceit!
Ô traî - - tre!
Vc.
CB.

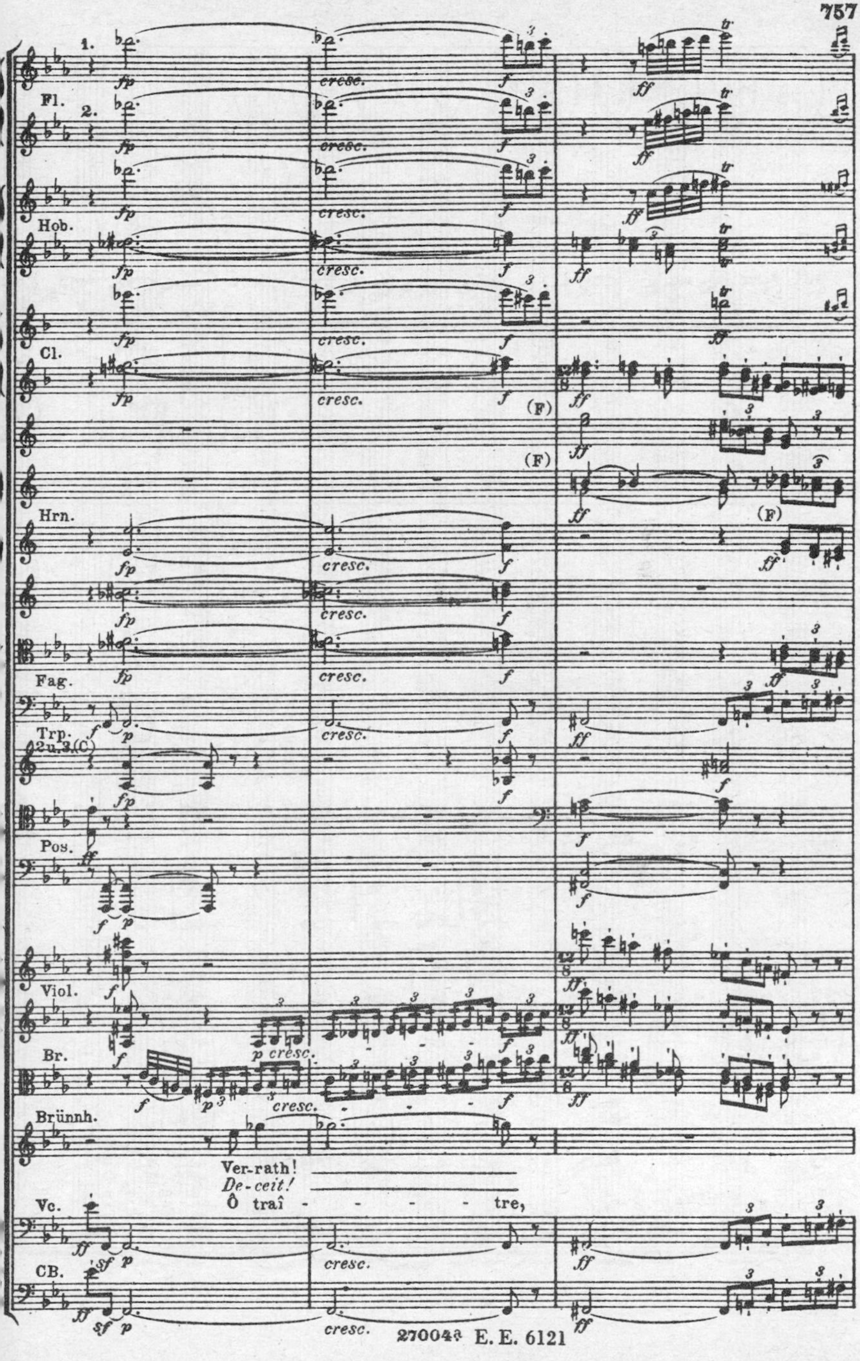
1.
Fl.
2.
Hob.
Cl.
Hrn.
Fag.
Trp.
2u.3.(C)
Pos.
Viol.
Br.
Brünnh.
Ver-rath!
De-ceit!
Ô traî - - - - tre,
Vc.
CB.
cresc.
(F)

1.
Fl.
2.
2 u. 3.
Hob.
Cl.
Hrn. (F)
(gestopft)
(offen)
Fag.
Trp. 2 u. 3.
Pos.

Viol.
Br.
Brünnh.
Gutr.
Frauen.
Mannen.
Vc.
CB.
(trem.)
f(trem.)
cresc.
più f
ff
f
Wie — noch nie — er ge - rächt.
Guile — be - yond — all re - venge.
comme — ja - mais — il n'en fut!
Verrath?
De-ceit?
Un traî - tre?
Ver -
De -
Un

Fl.
Hob.
(zu 2)
ff
Cl.
Hrn. (F)
Fag.
Pos.

Pauk. (G)
Viol.
Br.
Gutr.
rath? ceit? traî-tre?
An wem? To whom? A qui?
Frauen.
An wem? To whom? A qui?
Man-nen.
rath? ceit? traî-tre?
An wem? To whom? A qui?
rath? ceit? traî-tre?
Ver rath? De - ceit? Un traître?
Vc.
CB.
sf
f
ff

Fl.
Hob.
Cl.
Hrn. (F)
Fag.
Trp. 2 u. 3. (F)
f
ff
più f
dim.
p

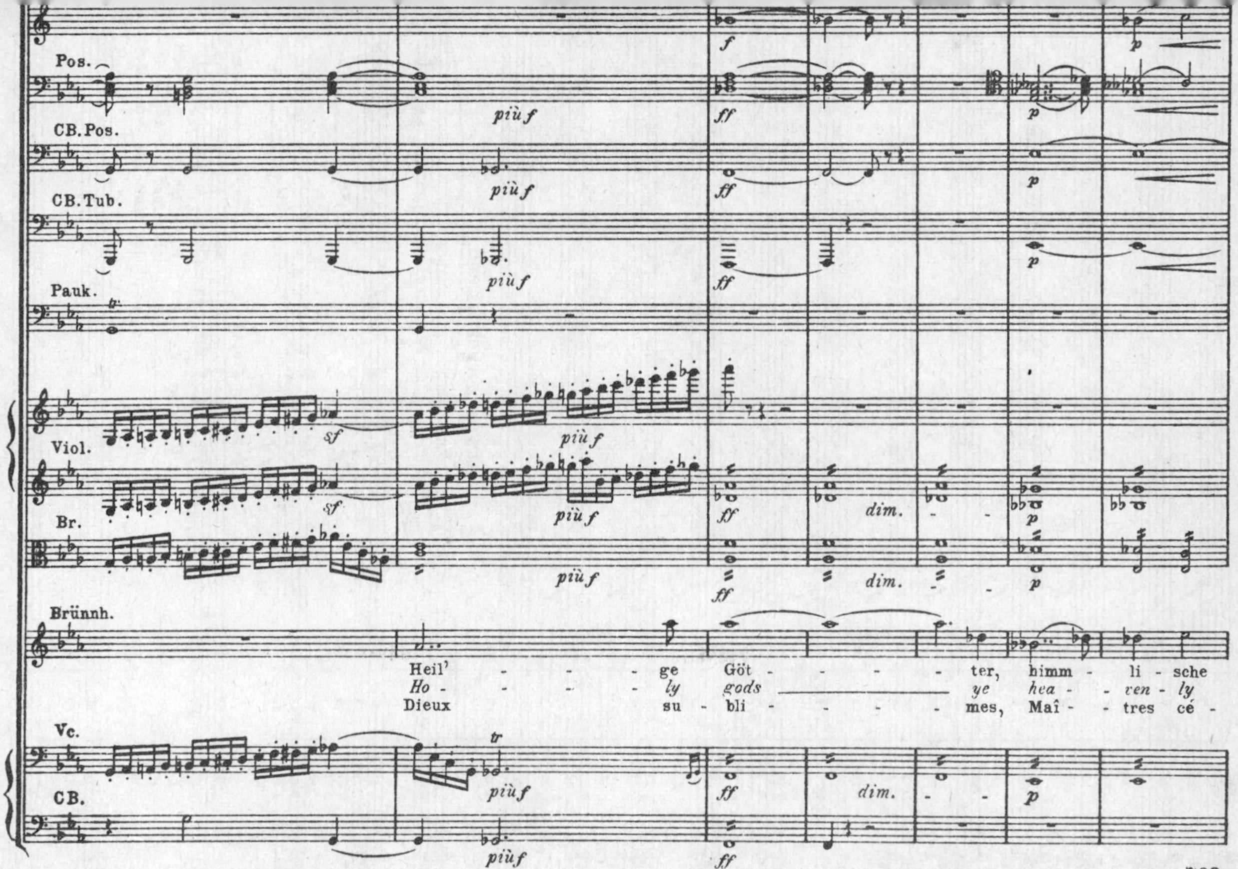
Pos.
CB.Pos.
CB.Tub.
Pauk.
Viol.
Br.
Brünnh.
Vc.
CB.
più f
ff
f
p
sf
dim.
tr
Heil' - - - ge Göt - - - - ter, himm - li - sche
Ho - - - ly gods ye hea - ven - ly
Dieux su - bli - - - - mes, Maî - tres cé -

Hob.
Cl.
Hrn.
Fag.
Bs Trp. (Es)
Pos.
CB. Pos.
CB. Tub.
Viol.
Br.
Brünnh.
Vc.
CB.
cresc.
f
trem.
dim.
fdim.
p cresc.
Etwas zurückhaltend.
(etwas gedehnt)
Len - ker! Raun - tet ihr diess in eu - rem
ru - lers! Have ye or-dained this dark de -
-les - tes! Est - ce le fruit de vos des-

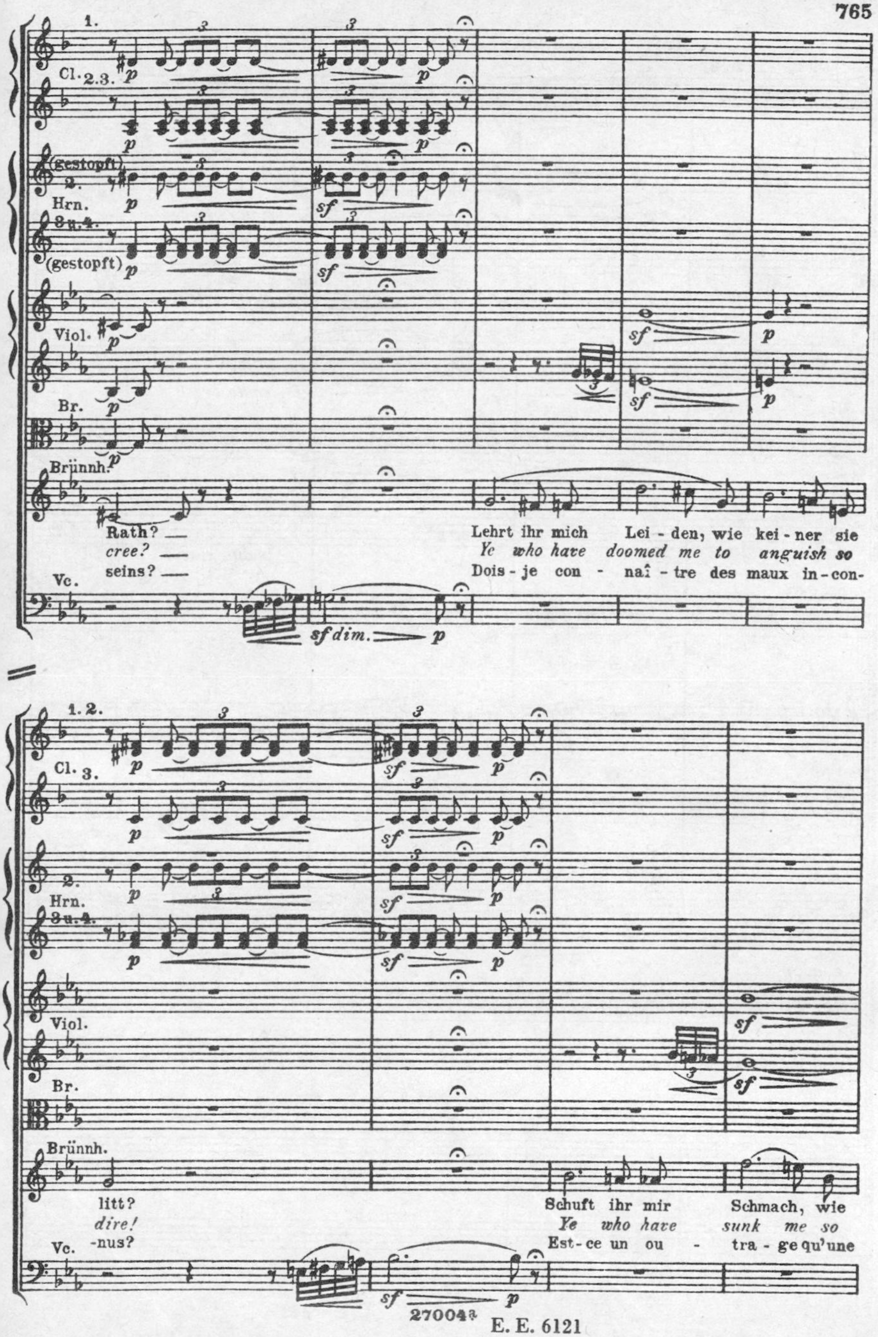
Cl.
Hrn.
(gestopft)
Viol.
Br.
Brünnh.
Rath? —
cree? —
seins? —
Lehrt ihr mich Lei - den, wie kei - ner sie
Ye who have doomed me to anguish so
Dois - je con - naî - tre des maux in - con-
Vc.
sf dim.
litt?
dire!
-nus?
Schuft ihr mir Schmach, wie
Ye who have sunk me so
Est - ce un ou - tra - ge qu'une

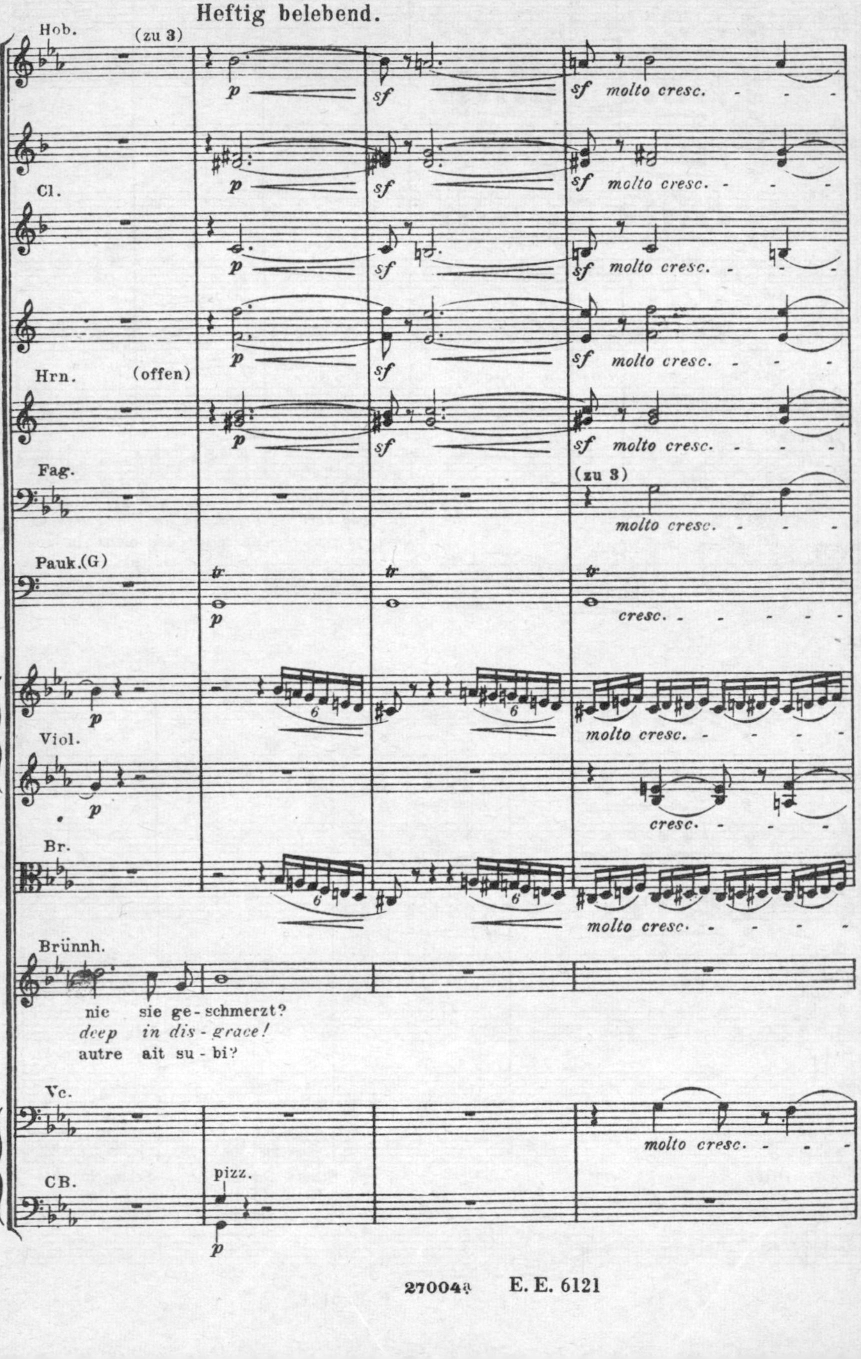
Heftig belebend.
Hob.
(zu 3)
p
sf
molto cresc.
Cl.
Hrn.
(offen)
Fag.
(zu 3)
Pauk.(G)
tr
cresc.
Viol.
6
Br.
Brünnh.
nie sie ge-schmerzt?
deep in dis-grace!
autre ait su-bi?
Vc.
CB.
pizz.

Fl.
(zu 3)
Hob. (zu 3)
Cl.
(zu 3)
Hrn.
(F)
(F)
Fag. (zu 3)
Pauk.
Viol.
Br.
(trem.)
Brünnh.
Ra - thet nun Ra - - - - - - - che, wie
teach me such ven - - - - - - geance as
Soit ma ven - gean - - - - - - ce aus-
(trem.)
(geth.)
Vc.
CB.
(Bog.)

Fl.(zu 3.)
Hob.(zu 3.)
Cl. (zu 3.)
dim. p
dim. p
Hrn.
dim. p
Fag.
dim. p
cresc.
Vioi.
(trem.)
p cresc.
Br.
dim. p
Brünnh.
nie sie ge-ras't! Zün - - - det mir
ne'er was re-vealed! stir in me
si sans pi-tié! Brû - - - le ma
Vc.
(zus.)
dim. p cresc.
CB.
cresc.

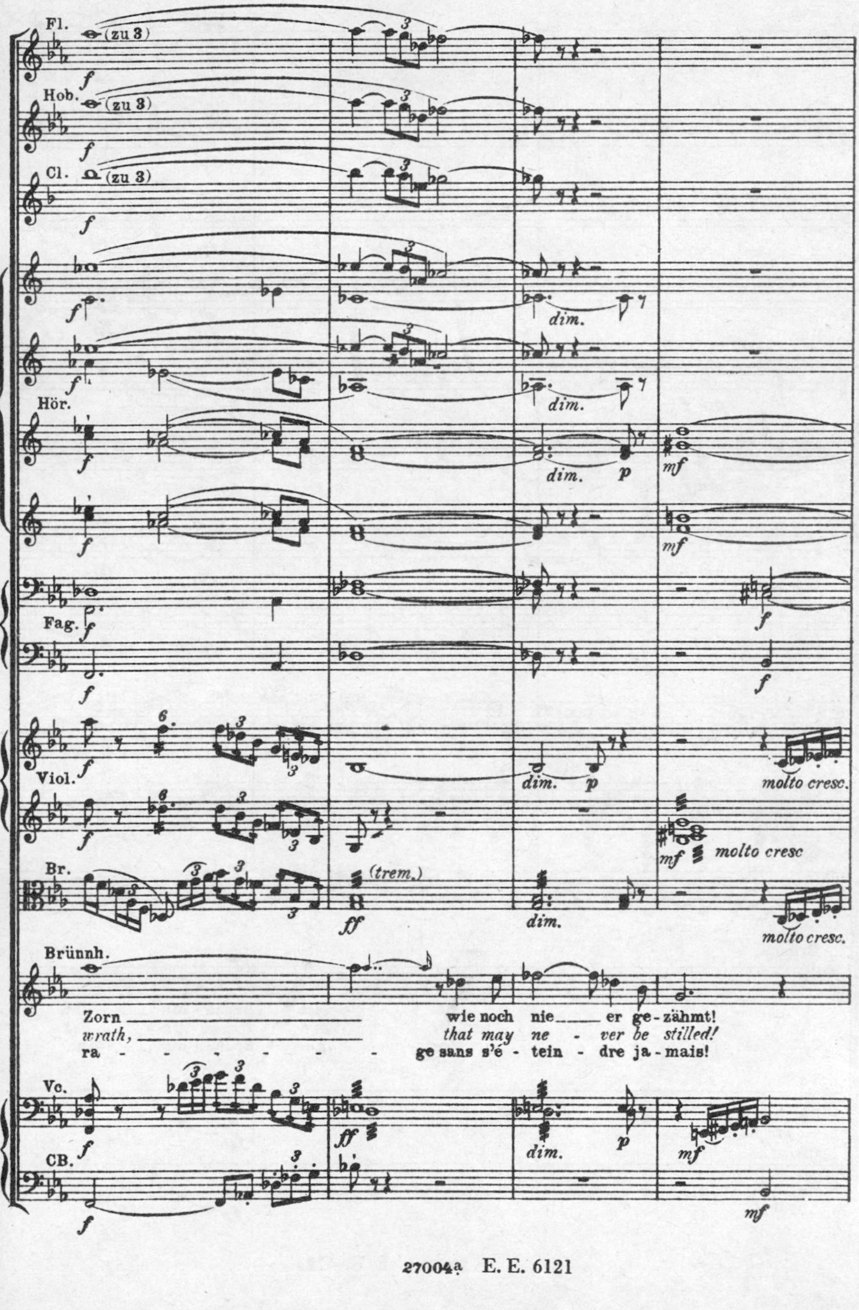
Fl.
(zu 3)
Hob.
(zu 3)
Cl.
(zu 3)
Hör.
Fag.
Viol.
molto cresc.
molto cresc
Br.
(trem.)
molto cresc.
Brünnh.
Zorn wie noch nie er ge-zähmt!
wrath, that may ne - ver be stilled!
ra - - - - - - ge sans s'é - tein - dre ja-mais!
Vc.
CB.

Hob.
Cl.
Hör.
più f
Fag.
Viol.
Br.
Brünnh.
Hei - - sset Brünn - hild', ihr
Let but Brünn - hil - de's
Pren - - - ne Brünn - hild', un
Vc.
CB.
fp

Fl.
(zu 3)
Hob.
Cl.
Hör.
Fag.
Viol.
Br.
Brünnh.
Herz zu zer-bre - - chen,
heart now be bro - - ken;
cœur im - pas - si - - ble!
Vc.
CB.

1.
Hob.
2 u. 3.
1.
Cl.
2 u. 3.
(verdoppelt)
1 u. 5.
2 u. 6.
8 Hör.
(verdoppelt)
3 u. 7.
4 u. 8.
Fag.
Viol.
Br.
Brünnh.
den___ zu zer - trüm - - - - - - - - - mern,
bring___ her be - tray - - - - - - - - - er
Que___ je l'é - cra - - - - - - - - - se,
Vc.
CB.
fp
cresc.

Hob.
Cl.
1u.5.
2u.6.
8Hör.
3u.7.
4u.8.
Fag.
Tromp.(F)
4 Pos.
Viol.
cresc.
Br.
Brünnh.
der sie be-trog!
so to his death!
lui, le trom-peur!
Gunther.
Brünnhild', Ge-
Brünnhild, What
Brünnhild', ma
Vc.
CB.

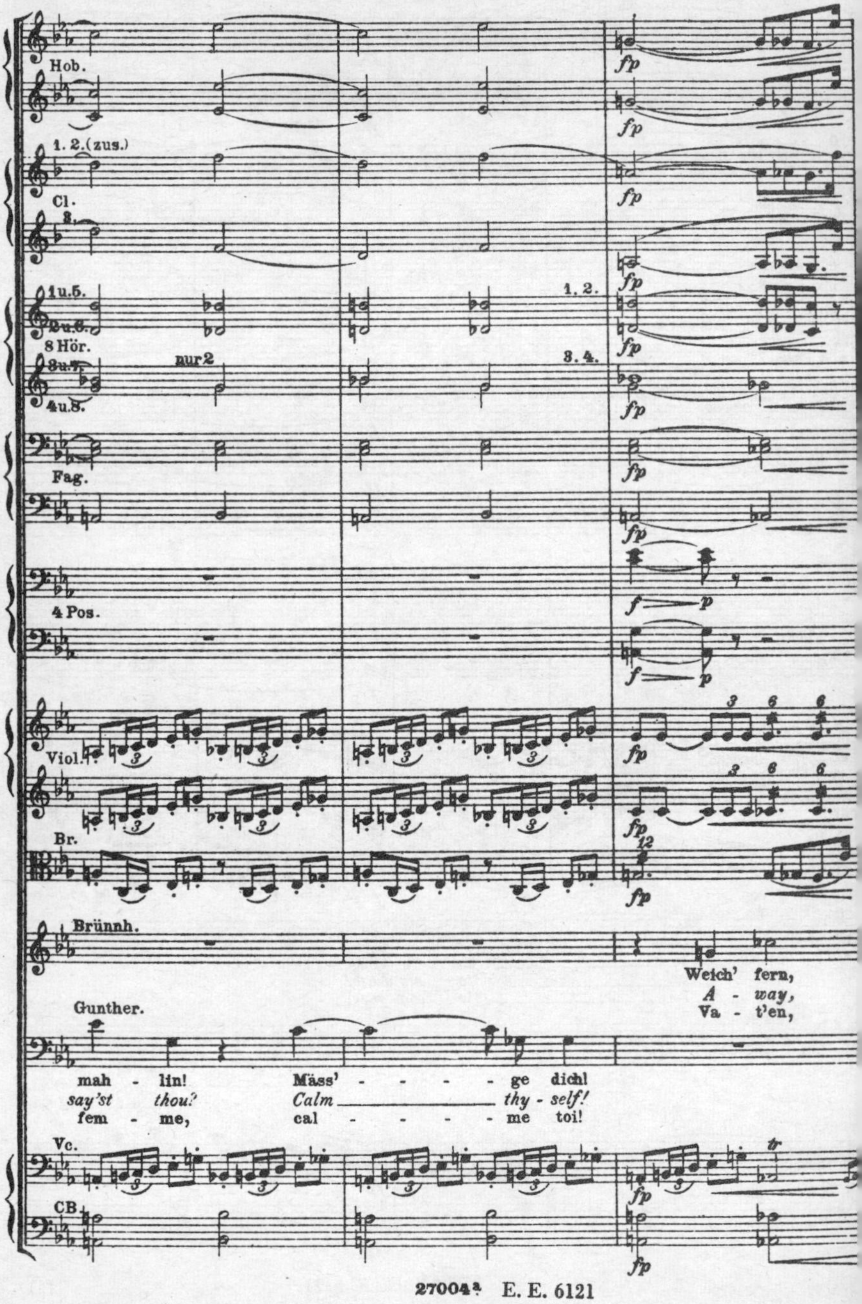
Hob.
1. 2. (zus.)
Cl.
1u.5.
2u.6.
8 Hör.
nur 2
1. 2.
3. 4.
4u.8.
Fag.
4 Pos.
Viol.
Br.
Brünnh.
Weich' fern,
A - way,
Va - t'en,
Gunther.
mah - lin! Mäss' - ge dich!
say'st thou? Calm thy - self!
fem - me, cal - me toi!
Vc.
CB.

Hob. (zu 2)
1. 2. (zus.)
Cl.
3.
4 Hör.
Fag.
Viol.
Br.
Brünnh.
Ver - rä - - ther! Selbst - - - - - - ver - rath' - ner!
be - tray - - er, self ______ be - trayed one!
ô trai - - tre, du - - - pe toi - mê - me!
Vc.
CB.
fp
tr

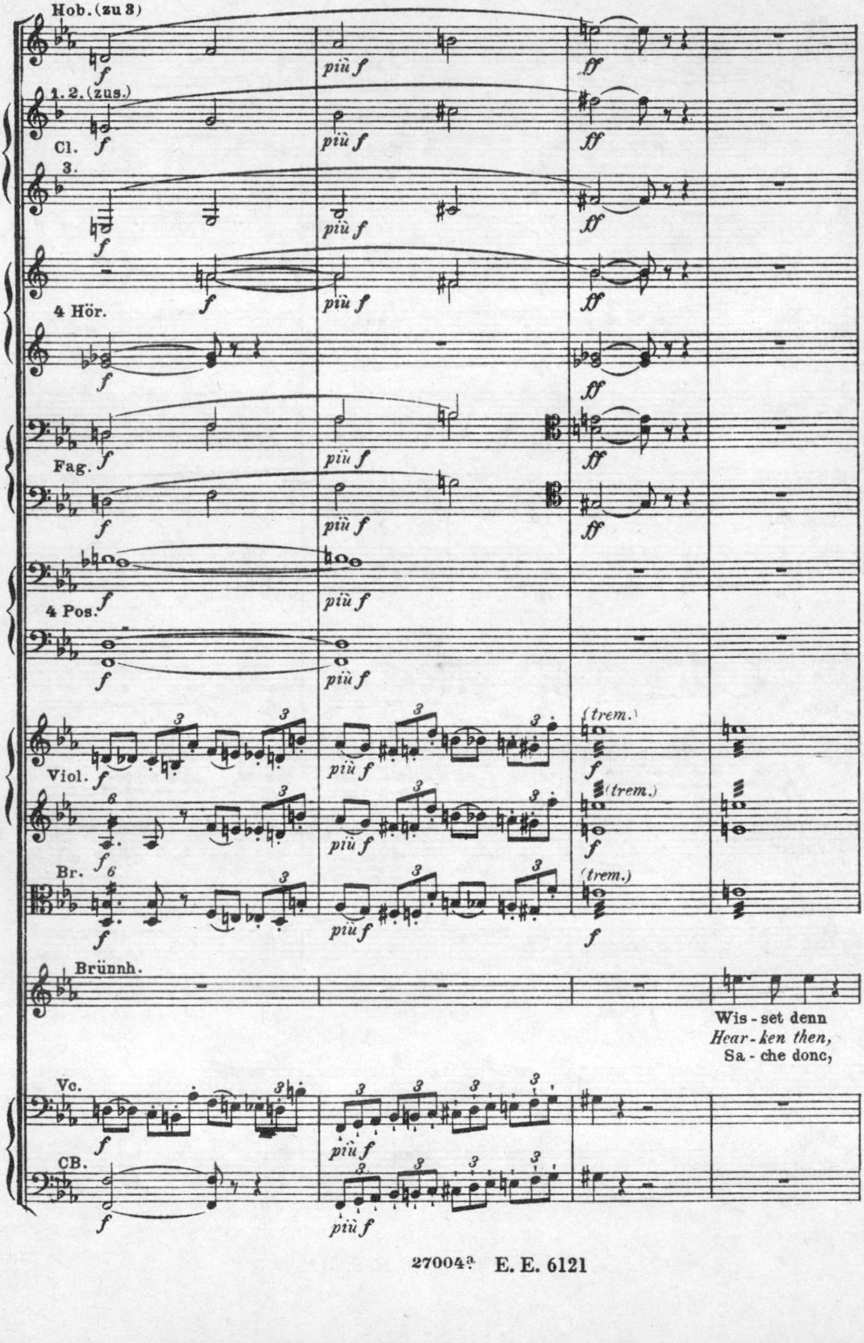
Hob. (zu 3)
1. 2. (zus.)
Cl.
3.
4 Hör.
Fag.
4 Pos.
Viol.
Br.
Brünnh.
Vc.
CB.
più f
ff
(trem.)
Wis - set denn
Hear - ken then,
Sa - che donc,

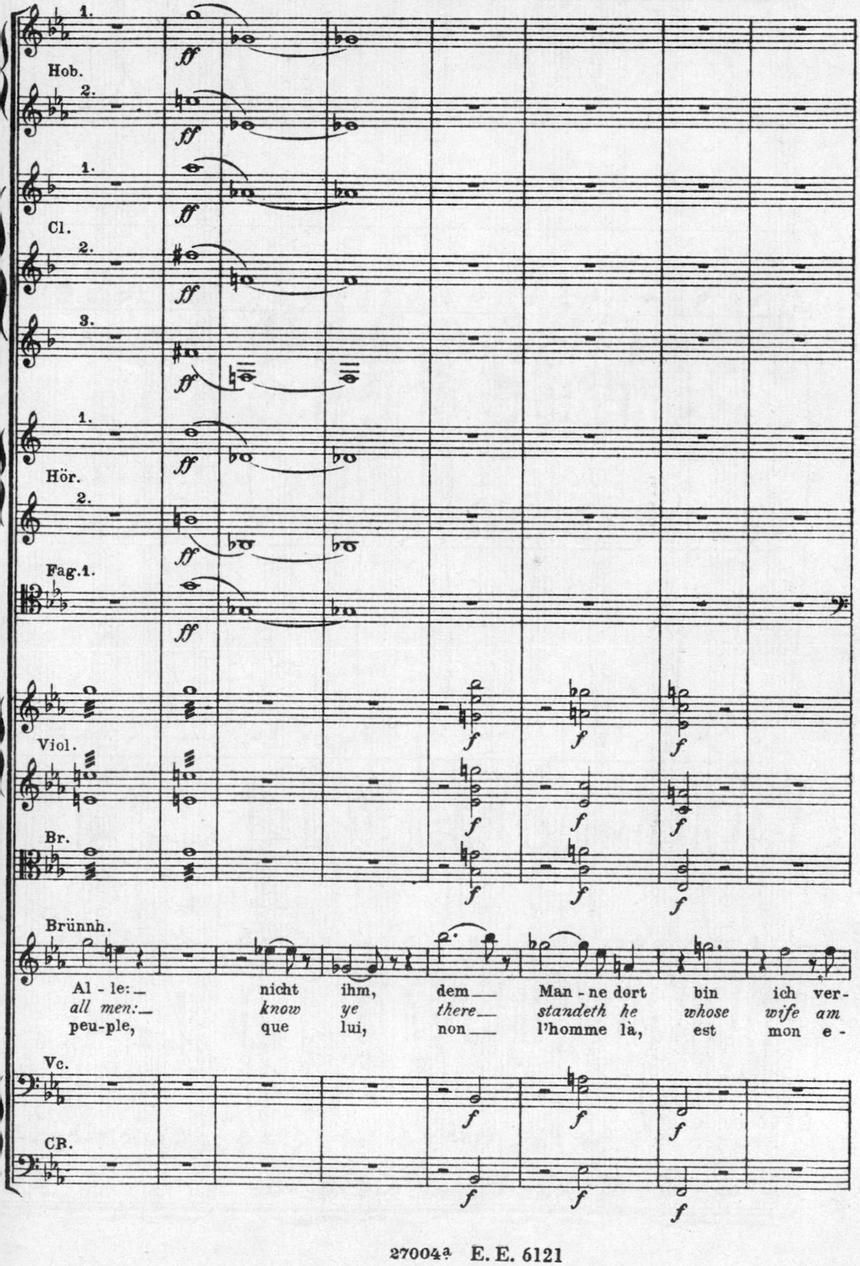
Hob.
Cl.
Hör.
Fag.1.
Viol.
Br.
Brünnh.
Al - le: nicht ihm, dem Man - ne dort bin ich ver-
all men: know ye there standeth he whose wife am
peu-ple, que lui, non l'homme là, est mon e-
Vc.
CB.

Hob. 1. 2. 3.
Cl. 1. 2. 3.
4 Hör.
Fag. 1. 2. 3.
4 Pos.
fp
f
più f
ff
dim.

Viol.
Br.
pizz.
Brünnh.
mählt.
I.
- poux!
Frauen. (Einige)
(Andere)
Sieg - fried? Gut - run's Ge-mahl?
Sieg - fried? Wed - ded to her?
Sieg - fried? De Gu - trun l'é-poux?
Er zwang mir Lust und
He forced de - light and
Il m'a sou - mise au
Gut - - run's Ge - mahl?
Wed - - ded to her?
De Gu - trun l'é - poux?
Mannen.
Gut - - run's Ge - mahl?
Wed - - ded to her?
De Gu - trun l'é - poux?
Gut - - run's Ge - mahl?
Wed - - ded to her?
De Gu - trun l'é - poux?
Vc.
CB.
pizz.

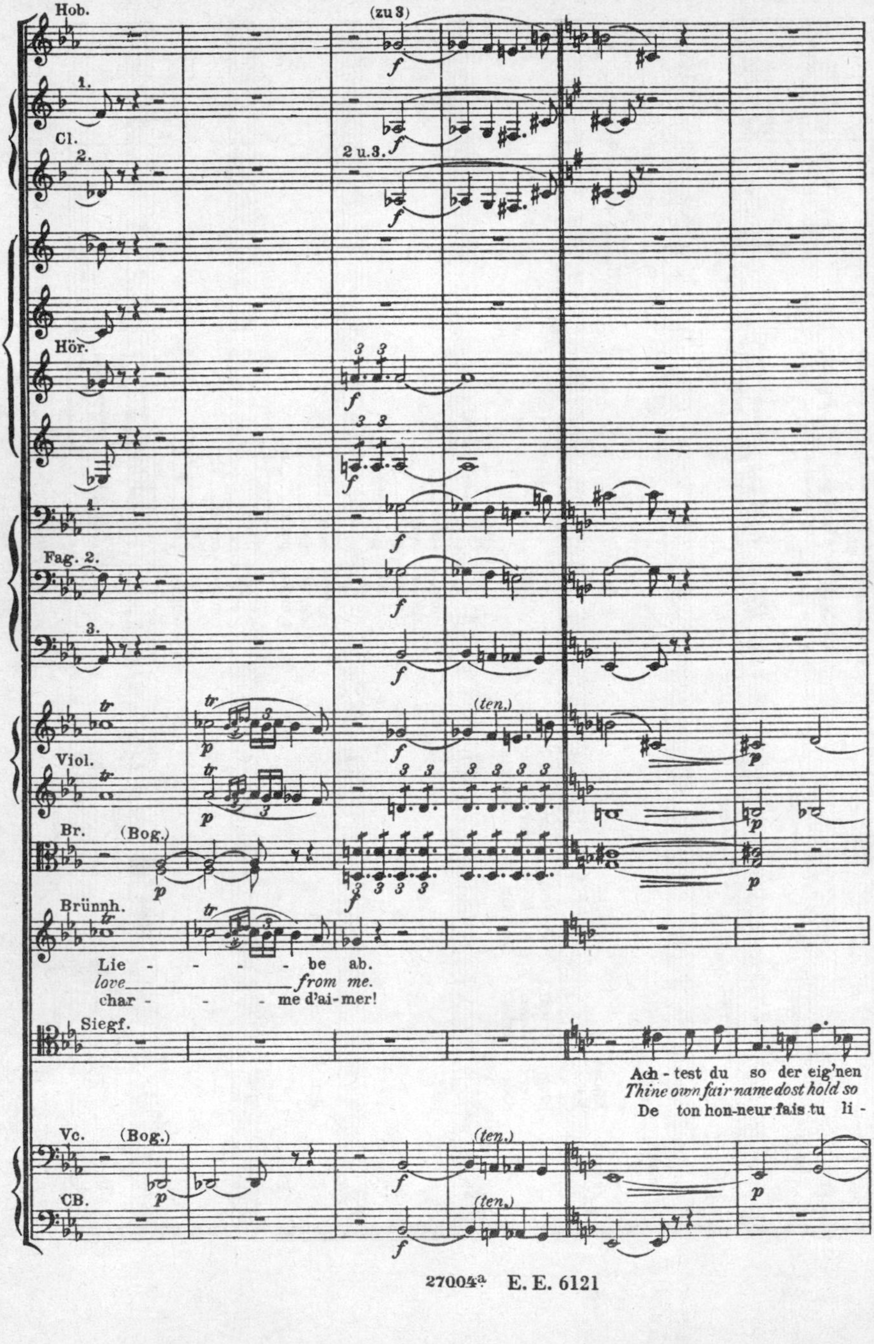
Hob.
(zu 3)
Cl.
1.
2.
2 u. 3.
Hör.
Fag. 1.
2.
3.
Viol.
(ten.)
Br.
(Bog.)
Brünnh.
Lie - - - - be ab.
love from me.
char - - - me d'ai-mer!
Siegf.
Ach - test du so der eig'nen
Thine own fair name dost hold so
De ton hon-neur fais tu li -
Vc.
(Bog.)
(ten.)
CB.
(ten.)

Hob.
1 u. 2.
1.
3 Cl.
2 u. 3.
Horn 3 u. 4.
(F)
Fag.
Viol.
cresc.
Br.
Siegf.
Eh - re? Die Zun - ge, die sie lä - stert, muss
light - ly? The tongue then, that re - viles it must
tiè - re? Ta lan - gue qui m'ac - cu - se, ne
Vc.
CB.

Hob. 1 u. 2.
Cl.
Horn 3 u. 4. (F)
Fag.
(vibr.)
Viol.
Br.
f
mf
Siegf.
ich der Lü - ge sie zei - hen? Hört ob ich Treu - e
I con-vict of its false - hood? Say if I broke my
dois-je i - ci la con - fon - dre? Di - tes si je suis sans
Vc.
CB.

(zu 3)
Fl.
1 u.2.
Hob.
3.
1 u.2.
Cl.
3.
(F)
Hör.
(F)
(Es)
Fag.
Viol.
Br.
Siegf.
brach! Blut - Brü-derschaft hab' ich Gun-ther ge - schwo-ren.
faith! Blood - bro-ther-hood have I plighted to Gun - ther:
foi! Vœu par le sang m'a de Gun-ther fait frè - re
Vc.
CB.

Fl. (zu 3)
Hob. (zu 3)
Cl. (zu 3)
(F)
Hör. (Es)
Fag.
Tromp. 1 (F)
Bsstrp. (Es)
pizz. (Bog.)
Viol.
pizz. (Bog.)
Br. pizz. (Bog.)
Siegf.
No - thung, das wer - - - - - the Schwert, wahr - -
No - thung, my good - - - - - ly sword, guard - -
No - thung, ma bonne é - pée tint
Vc. pizz. (Bog.)
CB.
meno f
mf
dim.

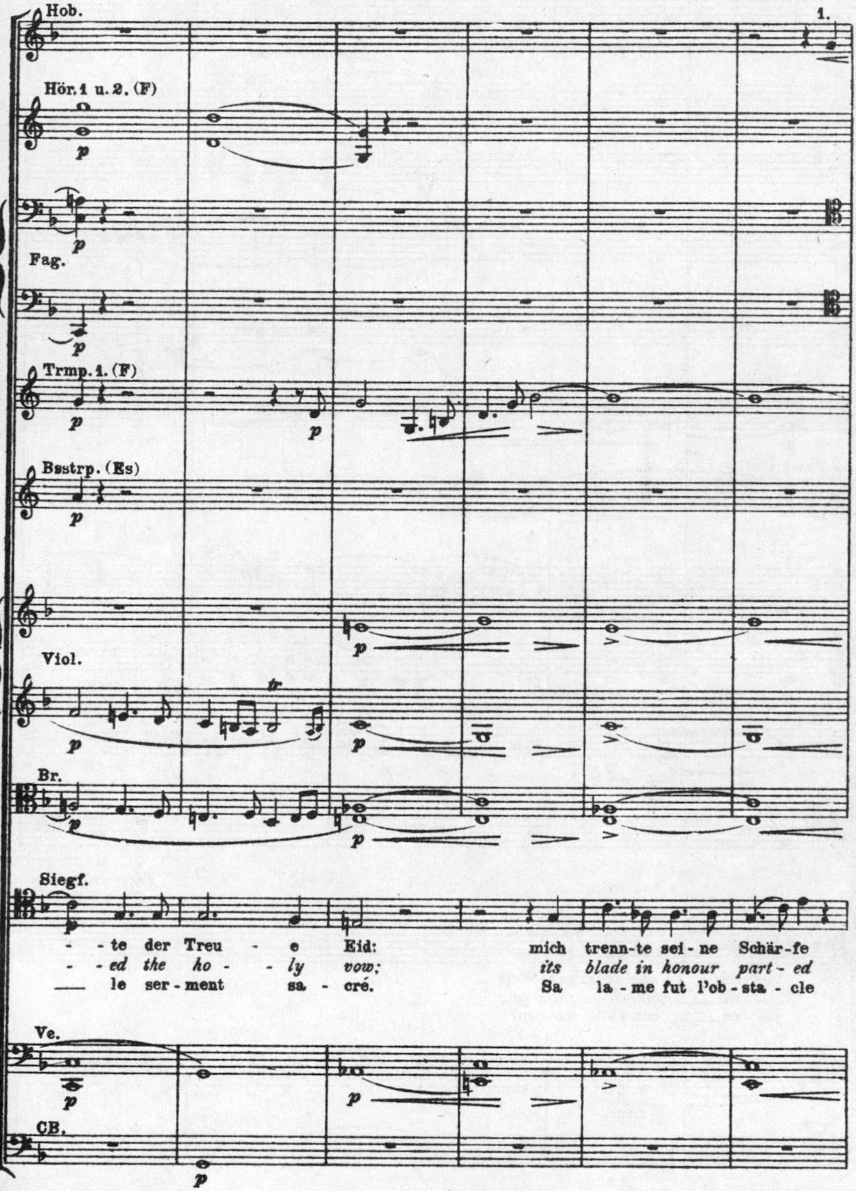
Hob.
1.
Hör. 1 u. 2. (F)
p
Fag.
Trmp. 1. (F)
Bsstrp. (Es)
Viol.
tr
Br.
Siegf.
- te der Treu - e Eid: mich trenn-te sei-ne Schär-fe
- ed the ho - ly vow; its blade in honour part - ed
le ser-ment sa - cré. Sa la-me fut l'ob-sta-cle
Ve.
CB.

Hob. 1.
1 u. 2.
Cl.
3.
(F)
Hör.
(F)
Fag. 1 u. 2.
Trmp. 1.
Viol.
Br.
Brünnh.
Du li-sti-ger
Thou craf - ty
Hé-ros trop ru-
Siegf.
von die - sem traur'gen Weib.
this ill starred bride from me.
pla-cé entre elle et moi.
Vc.
CB.
cresc.
fp

Viol.
fp
cresc.
f
Br.
fp
cresc.
f
Brünnh.
Held, sieh' wie du lüg'st, wie auf dein Schwert du schlecht dich be - ruf'st!
he - ro, see thy lie! Vain - ly thou call'st as wit - ness thy sword!
- sé, com - me tu mens! Mal as - tu pris ton glaive à té - moin!
Vc.
fp
cresc.
f
CB.
fp
cresc.
Tromp. 1.
(F)
p
cresc.
f
dim.
p
Viol. fp
cresc.
f
dim.
p
3
fp
cresc.
f
dim.
p
Br.
fp
cresc.
f
dim.
p
Brünnh.
Wohl kenn' ich sei-ne Schär-fe, doch kenn' auch die Schei - de,
Its bi - ting blade well know I, the sheath too that wards it,
Si j'en connais la la - me, mieux vis - je la gaî - ne
Vc.
fp
cresc.
f
dim.
p
CB.
p

Cl.1 u.2.
p (weich)
Hr.1.(F)
p (weich)
Fag.
d.2. (allein)
p
Trmp.1.
(zart)
più p
Viol.
più p
pp
Br.
più p
Brünnh.
da-rin so won-nig ruht an der Wand No - - - - thung,
where-in as friend re-posed on the wall No - - - - thung
où som-meil - lait si bien sur le mur No - - - - thung,
Vc.
pp
più p
CB.
pizz.
p
(nur 4)
pp
Cl.1 u.2.
poco cresc.
sf
Hr.1.(F)
poco cresc.
sf
Fag.2.
poco cresc.
sf
Trmp.1.
Viol.
pizz.
(Bog.)
Br.
pizz.
(Bog.)
Brünnh.
der treu-e Freund, als die Trau - - te sein Herr sich ge-
the trusty sword, when his true - - love was won by its
fi-dèle a - mie, lors-qu'ai - man te je fus sous ton
Vc.
CB.
(Bog.)

3 Hob. (zu 3)
Cl.
2 u. 3.
più f
5 u. 6. (E) Hör. 7 u. 8. (E)
Fag.
Trmp. 2 u. 3.
(E)
Bsstrmp. (D)
4 Pos.
Viol. 2.
stacc.
Br.
Brunnh.
wann.
lord.
-jong.
(Die Mannen und Frauen treten in lebhafter Entrüstung zusammen.)
Trüb - - te er
Tain - - ted is
Traître à l'hon -
Wie? Brach er die Treu - e? Trüb - - te er
What? Sieg - fried a trai - tor? Tain - - ted is
Quoi? Est-ce un par-ju - re? Traître à l'hon-
Mannen.
Wie? Brach er die Treu - e? Trüb - - te er
What? Sieg - fried a trai - tor? Tain - - ted is
Quoi? Est - il par ju - re? Traître à l'hon-
Trüb - te er Gun - - - ther's
Tain - ted is Gun - - - ther's
Traître à l'honneur de
Vc.
CB.

Fl.
(zu 3)
1.
Hob. 2 u. 3.
1.
Cl. 2 u. 3.
5 u. 6. (E)
Hör.
7 u. 8. (E)
più f
Fag.
Trmp. 2 u. 3.
Bsstrp. (D)
4 Pos.

Viol.
più f
f
ff
12
12
fp
Br
più f
ff
12
12
fp
Frauen.
Brach er die Treu - e?
Sieg - fried a trai - tor?
Est - il par - ju - re?
Gunther.
(zu Siegfried)
Ge-schän - det
My fame were
L'affront m'ac -
Gun - ther's Eh - re?
Gun - ther's hon - our?
- neur de Gun - ther?
Gun - ther's Eh - re?
Gun - ther's hon - our?
- neur de Gun - ther?
Mannen.
Gun - ther's Eh - re?
Gun - ther's hon - our?
- neur de Gun - ther?
Eh - re?
hon - our?
Gun - ther?
Vc.
più f
ff
fp
CB.
più f
ff
fp

Fl.1u.2.
Hob.
Cl.1u.2.
1 u. 2. (F)
Hör.
3 u. 4. (F)
4. p
cresc.
Fag.
dim.
Viol.
Br.
Gunth.
wär' ich, Schmäh - lich be - wahrt, gäb'st du die Re - de nicht ihr zu -
sul - lied, stained with dis - grace, were not her slan - der cast in her
- ca - ble! honte est sur moi si tu n'op - po - ses rien à ses
Vc.
CB.

Fl. 1 u. 2.
f
Hob.
f
Cl. 1 u. 2.
f
f
Hör.
f
Fag.
f
fp
f
dim.
f
fp
f
dim.
Viol.
f
p
f
fp
f
f
dim.
Br.
f
fp
f
f
dim.
Gutrune.
Treu - los,
Faith - less
Four - be
Sieg-fried,
Sieg-fried,
Sieg-fried,
san - nest du
false to thine
est - ce donc
Gunth.
rück!
teeth!
cris!
Vc.
f
fp
f
f dim.
CB.
f
fp
f
f dim.

Hob.
zu 2.
p cresc.
Engl. Hr.
p cresc.
1.
p cresc.
Cl.
2 u. 3 (zus.)
p cresc.
Horn 2.
p
1.
p
Fag.
2.
Viol.
dim.
p
p
3
Br.
p
Gutr.
Trug? Be - zeu - ge, dass Je - ne falsch dich zeih't!
oath? Bear wit - ness that wrong - ly thou art charged!
vrai? Dé - mon - tre qu'à faux elle a par - lé!
Mannen.
Rei - ni - ge dich,
Right thyself now,
Par - le bien haut,
Vc.
p
cresc.
CB.
p
cresc.

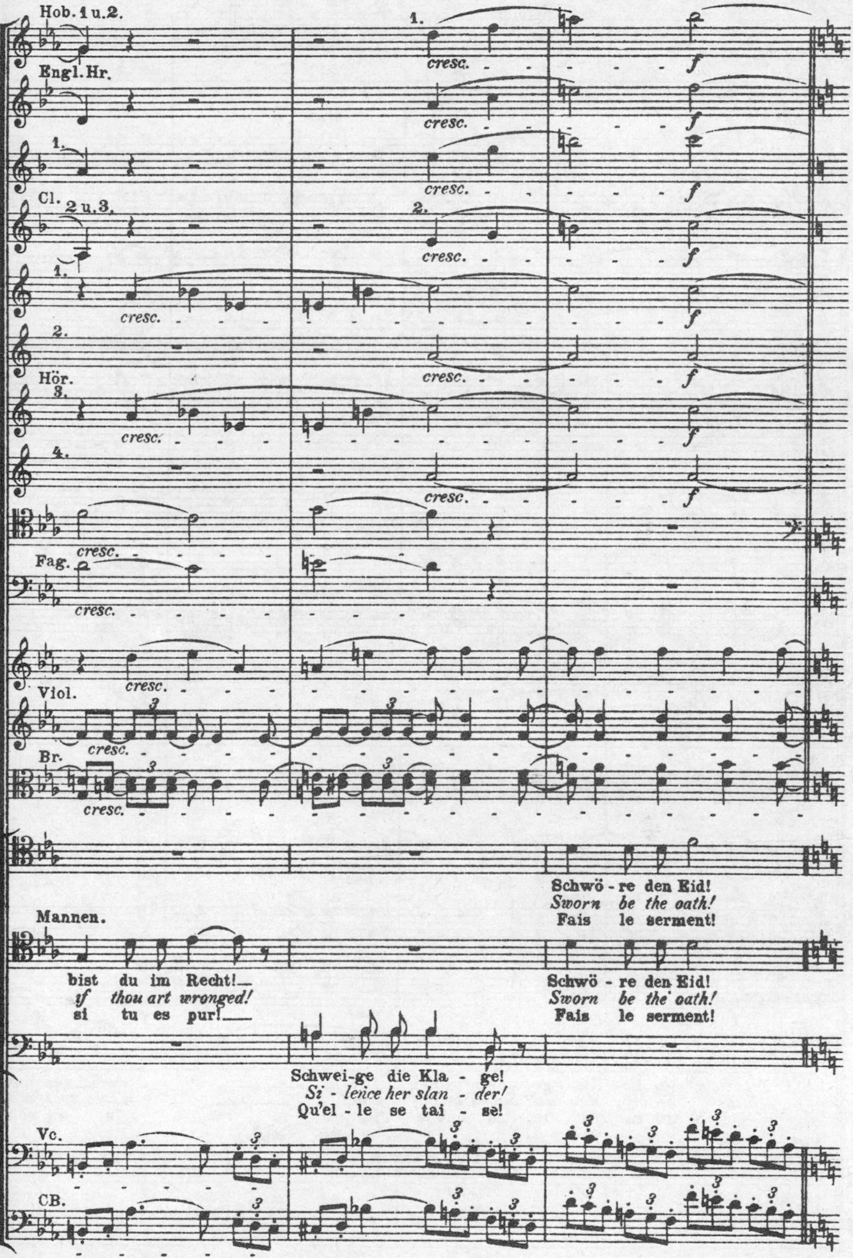
Hob. 1 u. 2.
Engl. Hr.
Cl.
2 u. 3.
Hör.
Fag.
Viol.
Br.
Mannen.
Vc.
CB.
cresc.
f
Schwö - re den Eid!
Sworn be the oath!
Fais le serment!
bist du im Recht!
if thou art wronged!
si tu es pur!
Schwö - re den Eid!
Sworn be the oath!
Fais le serment!
Schwei-ge die Kla - ge!
Si - lence her slan - der!
Qu'el - le se tai - se!

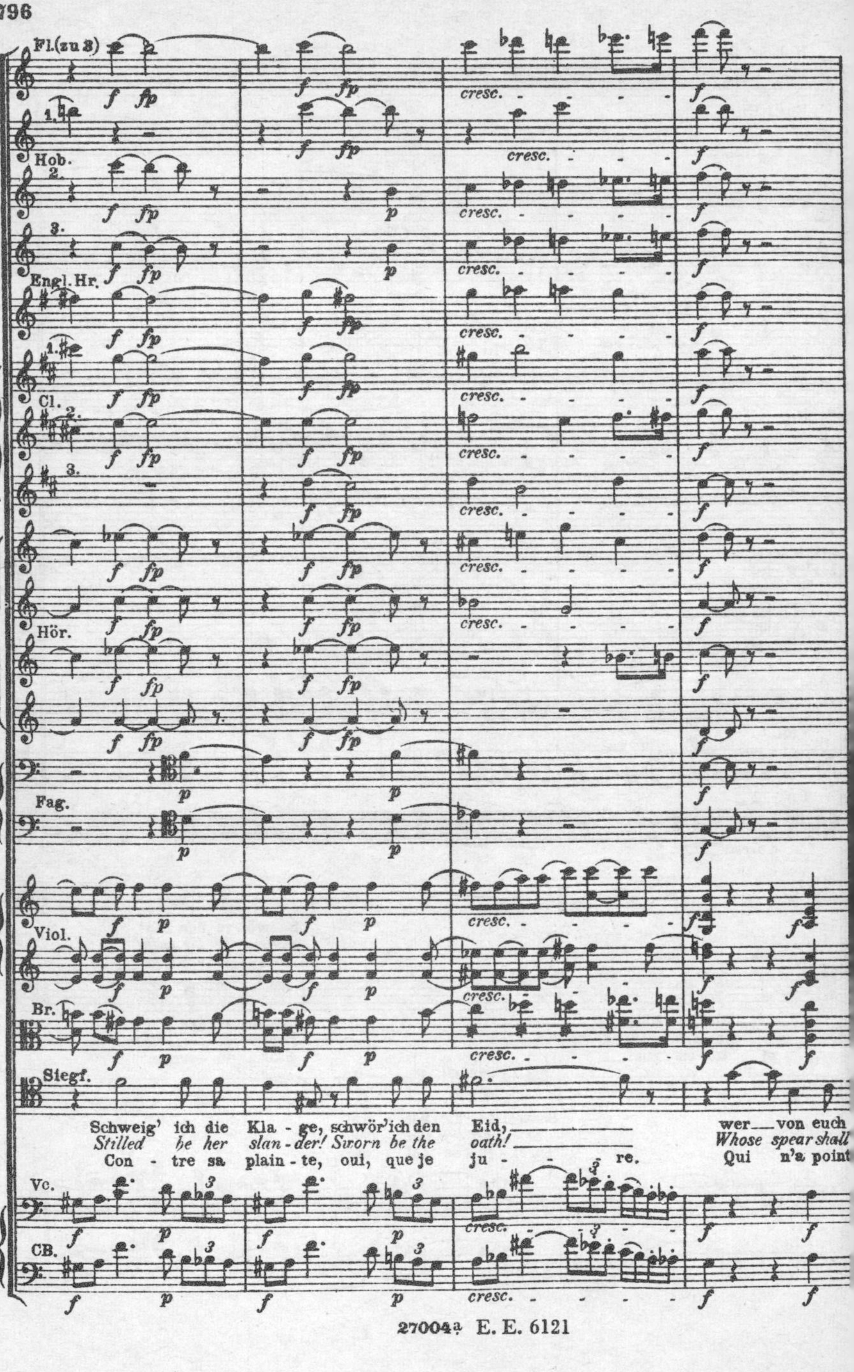
Fl. (zu 3)
Hob.
Engl. Hr.
Cl.
Hör.
Fag.
Viol.
Br.
Siegf.
Schweig' ich die Kla - ge, schwör' ich den Eid, wer von euch
Stilled be her slan-der! Sworn be the oath! Whose spear shall
Con - tre sa plain - te, oui, que je ju - re. Qui n'a point
Vc.
CB.
cresc.

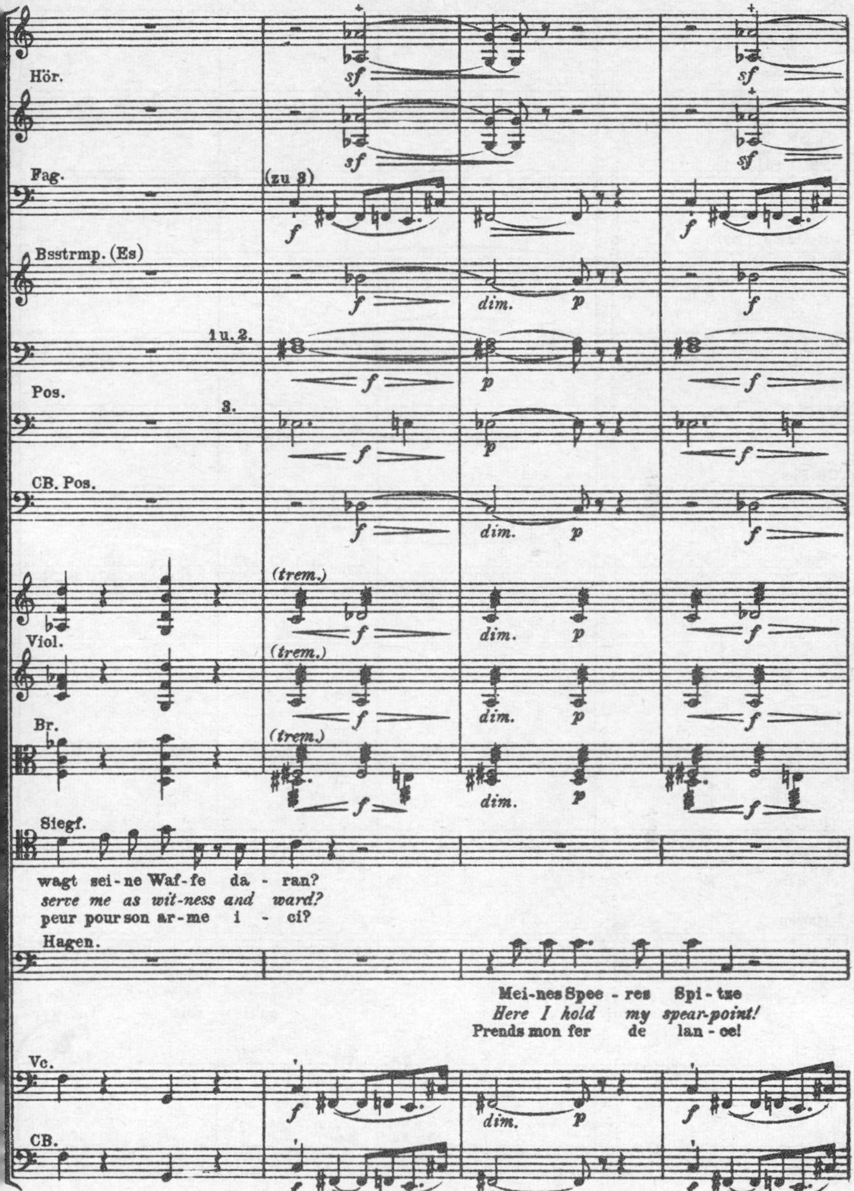
Hör.
Fag.
(zu 3)
Bsstrmp. (Es)
1 u. 2.
Pos.
3.
CB. Pos.
(trem.)
Viol.
Br.
Siegf.
wagt sei-ne Waf-fe da-ran?
serve me as wit-ness and ward?
peur pour son ar-me i-ci?
Hagen.
Mei-nes Spee-res Spi-tze
Here I hold my spear-point!
Prends mon fer de lan-ce!
Vc.
CB.
dim.

Hörn.
Fag. (zu 3)
Bsstrmp. (Es)
dim.
p
f
Pos.
CB. Pos.
Pauk.
(Es As)
3
Viol.
Br.
Hagen.
wag' ich da - ran: sie wahr' in
swear ye there - on: your oath my
j'o - - se l'of - frir; qu'il soit gar-
Vc.
CB.
pizz.

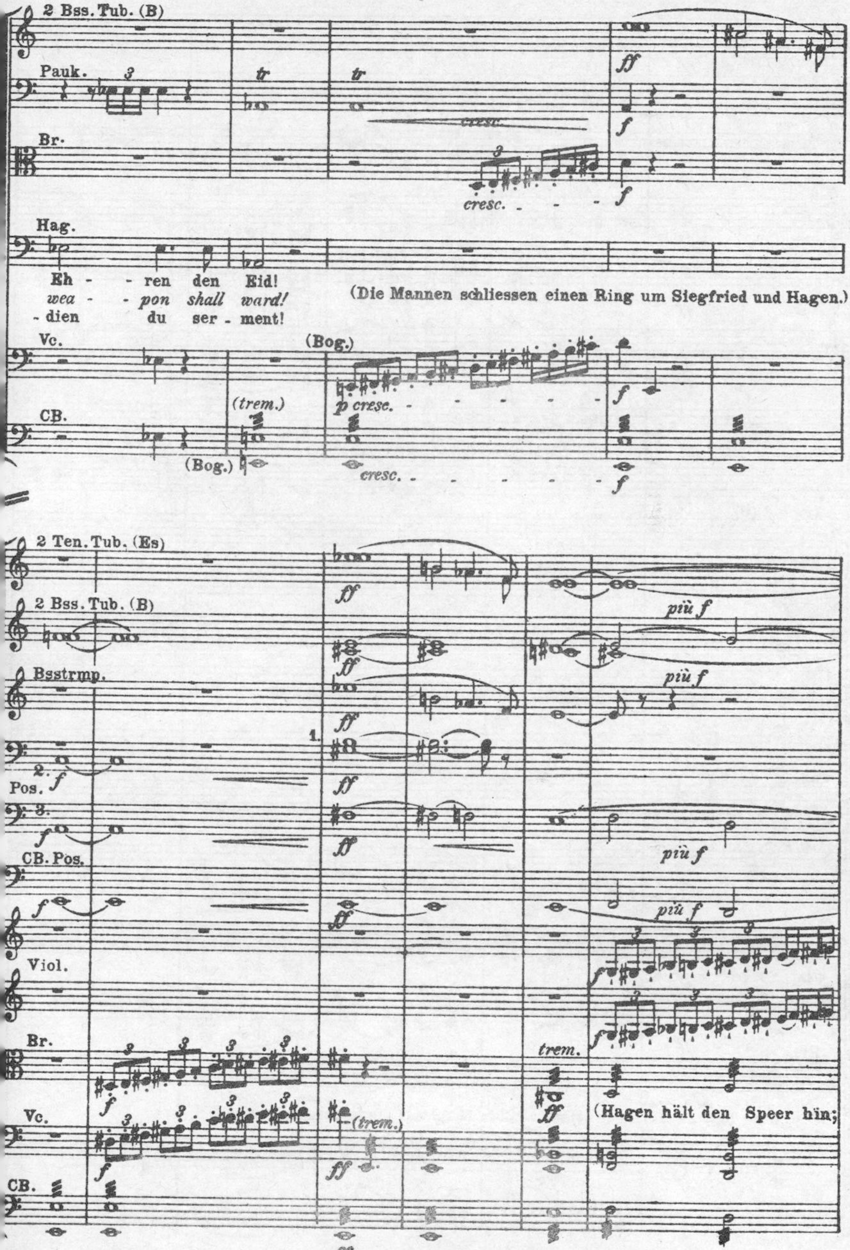
2 Bss. Tub. (B)
Pauk.
Br.
cresc.
Hag.
Eh - ren den Eid!
wea - pon shall ward!
- dien du ser - ment!
(Die Mannen schliessen einen Ring um Siegfried und Hagen.)
Vc.
(Bog.)
p cresc.
(trem.)
CB.
2 Ten. Tub. (Es)
Bsstrmp.
Pos.
CB. Pos.
più f
Viol.
trem.
(Hagen hält den Speer hin;

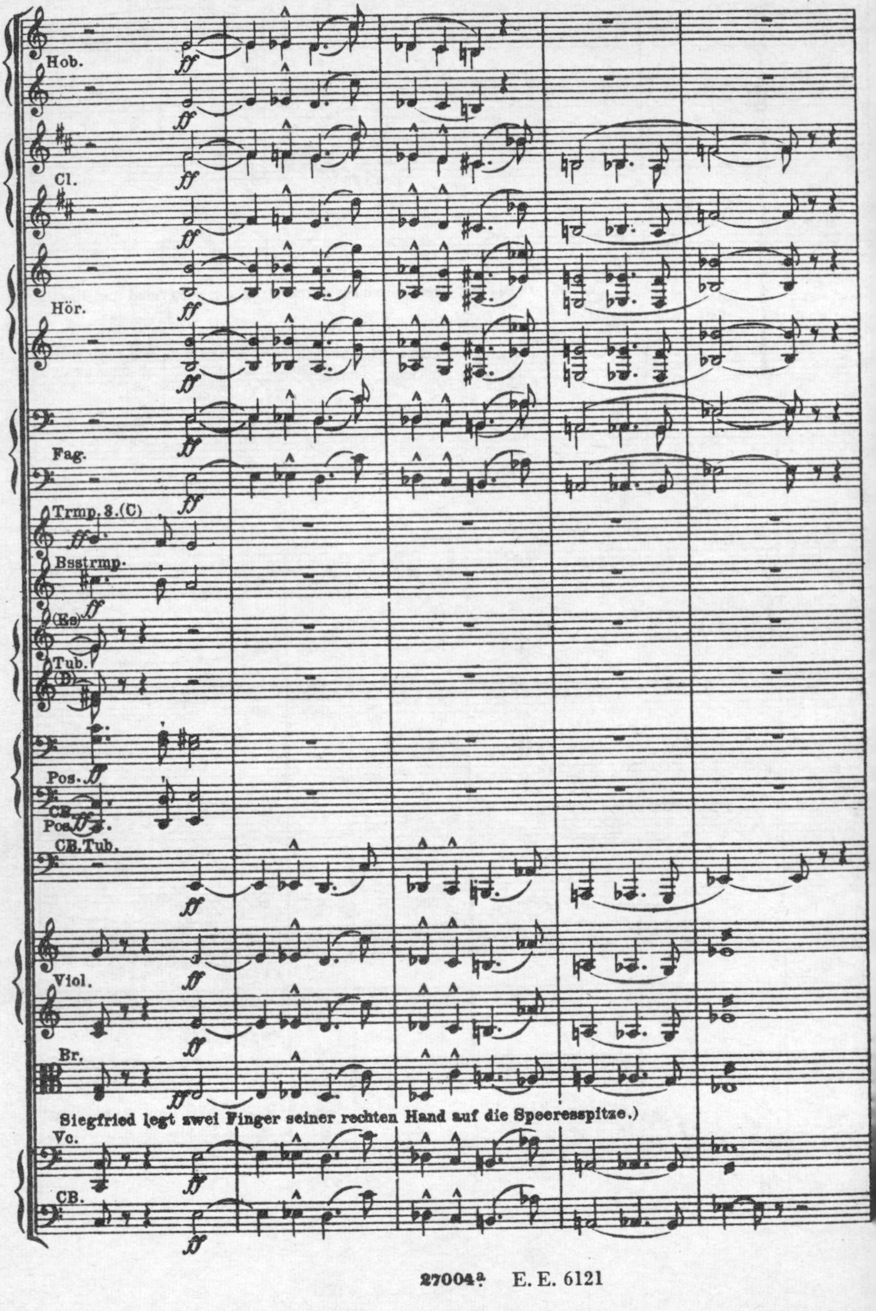
Hob.
Cl.
Hör.
Fag.
Trmp. 3. (C)
Bsstrmp.
(Es)
Tub.
(D)
Pos.
CB. Pos.
CB. Tub.
Viol.
Br.
Siegfried legt zwei Finger seiner rechten Hand auf die Speeresspitze.)
Vc.
CB.

4 Hörn.(F)
Tromp. 3.
4 Tub.
4 Pos.
CB. Tub.
Viol.
Br.
Siegf.
Hel - le Wehr, hei - li-ge Waf - fe: hilf mei - - nem e-wi-gen Ei -
Shin - ing steel, hal - low-ed wea - pon! hold thou my oath in re - mem -
Clair é - pieu, ar - me très sain - te! Fais droit aux jus-tes pa - ro -
Vc.
CB.

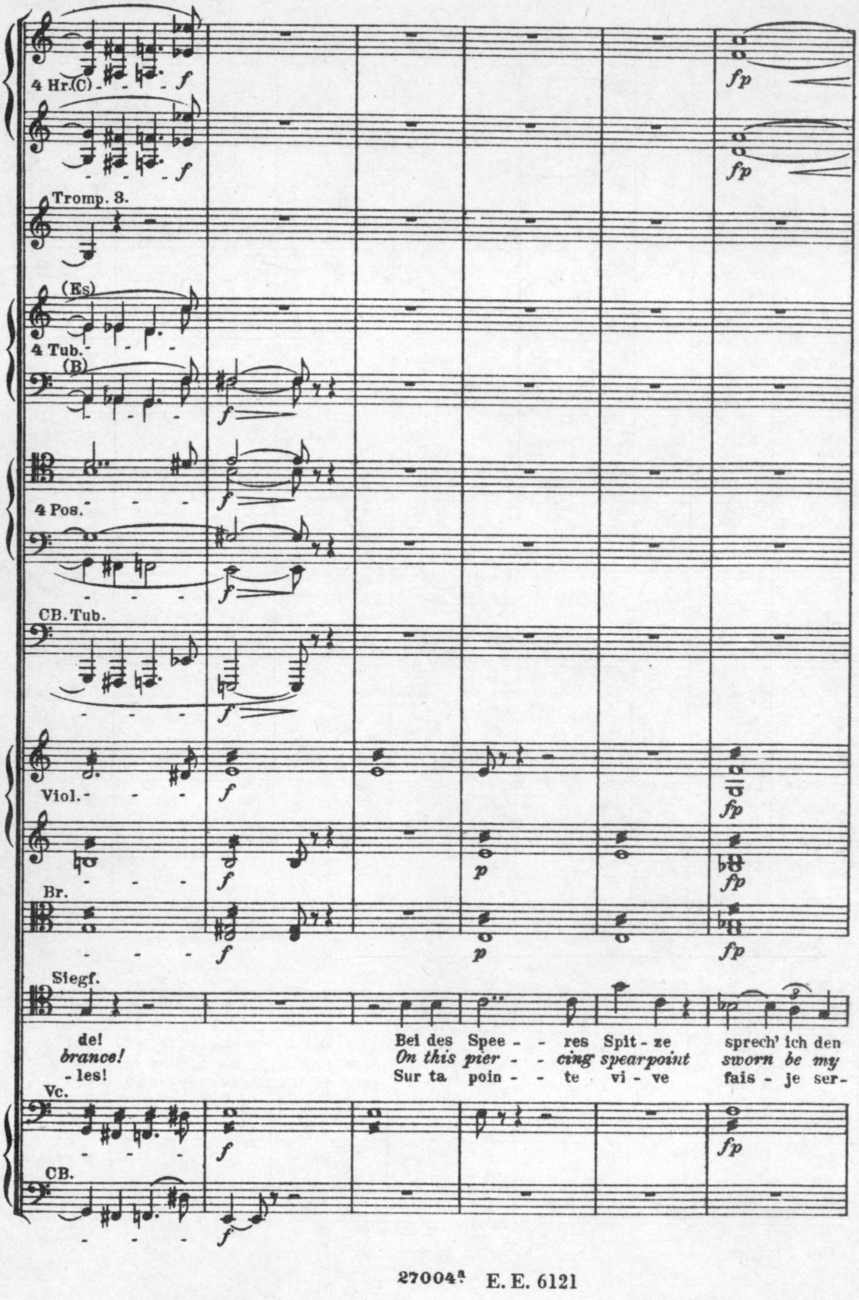
4 Hr.(C)
f
fp
Tromp. 8.
(Es)
4 Tub.
(B)
4 Pos.
CB. Tub.
Viol.
p
Br.
Siegf.
de! brance! les!
Bei des Spee - - res Spit - ze
On this pier - - cing spearpoint
Sur ta poin - - te vi - ve
sprech' ich den
sworn be my
fais - je ser-
Vc.
CB.

4 Hörn.(C)
(zu 2.)
(F)
p cresc.
f
Tromp.
3.(Des)
sf
p
cresc
1.2 u.3.(B)
Bs.Trp.
(Es)
4 Tub.
(Es) (zu 2.)
(B) (zu 2.)
4 Pos.
(zu 8)
(zu 2.)
4. sf
CB.Tub.
Viol.
fp
Br.
Siegf.
Eid: ___ Spit - ze, ach - te des Spruchs! Wo Schar - - - -
oath: ___ spearpoint, wit - ness my word! If wea - - -
ment. ___ Poin - te, sa - cre mon vœu! Ou peut ___
Vc.
CB.

4 Hr.(F)
3 Tromp.(B)
Bs. Trp.(Es)
Tub. 3 u. 4. (B) (zus.)
4 Pos.
CB. Tub.
Viol.
Br.
Siegf.
- fes mich schnei - det, schnei-de du mich; wo der Tod
- pon e'er shall pierce me, thine be the point; whene'er death
— ton fer m'at - tein - dre, per - ce ma chair; où la mort
Vc.
CB.
p cresc.
cresc.

4 Hr. (F)
Tromp. 1 u. 2. (B)
Tub. 3 u. 4. (B) (zus.)
(zu 2.)
4 Pos.
CB. Tub.
Viol.
Br.
Siegf.
mich soll tref - fen, tref - fe du mich: klag - te das Weib dort
comes to strike me, thine be the stroke: if this her tale be
sur moi peut fon - dre, fonds sur mon corps, si cet - te femme dit
Vc.
CB.

3 Fl.
(zu 3.)
1 u. 2.
3 Hob.
3.
1 u. 2.
3 Clar.
3.
4 Hörn. (F)
3 Fag.
(zu 3.)
Tromp. 1 u. 2. (B)
(zu 2.)
4 Pos.
(zu 2.)
(zu 2.)
Viol.
Br.
Siegf.
wahr, brach ich dem Bru - der den Eid.
true, if to my friend I am false!
vrai, si j'ai au pac - te - man - qué!
Vc.
CB.
ff
p
cresc.
f

3 Fl. (zu 3.)
ff
3 Hob.
3 Cl.
4 Hörn. (F)
3 Fag. (zu 3.)
Tromp. 1 u. 2. (B)
(zu 2.)
(zu 2.)
4 Pos.
(zu 2.)
ff
Viol.
ff
Br.
ff
(Brünnhilde tritt wüthend in den Ring, reisst Siegfried's Hand vom Speere hinweg; und fasst dafür mit der ihrigen die Spitze.)
Vc.

3 Hob.
3 Cl.
4 Hr. (F)
3 Fag.
Tromp. 1. (C)
4 Pos.
Viol.
Br.
pizz.
Brünnh.
Hel - le Wehr! Hei - li-ge Waf - fe!
Shin - ing steel! Hal - lowed wea - pon!
Clair é - pieu, Ar - me très sain - te,
Vc.
pizz.

3 Hob.
3 Cl.
4 Hr. (F)
3 Fag.
Tromp. 1. (C)
Viol.
pizz.
Br. (Bog.)
pizz.
Brünnh.
Hilf mei - - - - - nen e - wi-gen
hold thou my oath in re-
fais droit aux jus - tes pa-
(Bog.)
Vc.
pizz.
CB.
cresc.

Fl.1 u.2.
cresc.
più f
3 Hob
3 Cl.
4 Hörn. (F)
3 Fag.
Tromp 1. (C)
Viol.
(Bog.)
Br. (Bog.)
Brünnh.
Ei - - - de!
mem - - - brance!
ro - - - les!
Bei des
On this
Sur ta
Vc. (Bog.)
CB.

Fl.1 u.2.
(zu 2.)
3 Hob.
3 Cl.
4 Hr. (F)
3 Fag.
Tromp.1.(C)
Viol.
Br.
pizz.
Brünnh.
Spee - - res Spit - ze
pier - - cing spear - point
poin - - te vi - - ve
sprech'__ ich den Eid:_
sworn __ be my oath:_
fais - - je ser-ment:
Vc.
pizz.

Fl.1.
Fl.2.
Hob.1.
Hob.2.
Hob.3.
Cl.1.
Cl.2.
Cl.3.
4 Hr. (F)
Fag.1.
Fag.2.
Fag.3.
Tromp.1.(Es)
Viol.
pizz.
Br.(Bog.)
pizz.
Brünnh.
Spit - - ze!
spear - - point!
Poin - - te,
(Bog.)
Vc.
pizz.
CB.

Fl.1.
Fl.2.
Hob.1.
Hob.2.
Hob.3.
Cl.1.
Cl.2.
Cl.3.
4 Hr.(F)
Fag.1.
Fag.2.
Fag.3.
Trp. 1. (Es)
Viol.
(Bog.)
(geth.)
Br.
(Bog.)
Brünnh.
Ach - - - - - - te des Spruch's!
wit - - - - - - ness my word!
sa - - - - - - cre mon vœu!
(Bog.)
Vc.
CB.
cresc.
più f
fp
sf

Fl. 1.
Fl. 2.
Fl. 3.
Hob. 1.
Hob. 2.
Hob. 3.
Cl. 1.
Cl. 2.
Cl. 3.
4 Hr. (F)
Fag. 1.
Fag. 2.
Fag. 3.
Trp. 1 (Es)
4 Pos.
cresc.
Viol.
pizz.
(Bog.)
Br.
Brünnh.
Ich wei - - - - he dei - ne Wucht, dass sie ihn wer - fe!
De-vo - - - - ted be thy might to his un - do - ing!
Je voue - - - - i - ci ton fer pour qu'il le frap - pe!
Vc. u. CB.

Fl.1.
Fl.2.
Fl.3.
Hob.1.
Hob.2.
Hob.3.
Cl.1.
Cl.2.
Cl.3.
4 Hr.(F)
Fag.1.
Fag.2.
Fag.3.
Trp.1.(Es)
4 Pos.
Viol.
pizz.
(Bog.)
Br.
Brünnh.
Dei-ne Schär - - - fe seg-ne ich, dass sie ihn
I pray that by thy point he may
Le tranchant en soit be - ni, pour qu'il l-
Vc.u.CB.

Fl. 1.
Fl. 2.
Fl. 3.
Hob. 1.
Hob. 2.
Hob. 3.
Cl. 1.
Cl. 2.
Cl. 3.
(zu 2.)
4 Hörn. (F)
Fag. 1.
Fag. 2.
Fag. 3.
Trp. 1. (Es)
4 Pos.
Viol.
Br.
Brünnh.
schnei-de! denn, brach
per - ish! for, bro
per - ce, ce - lui
Vc. u. CB.
più f
cresc.

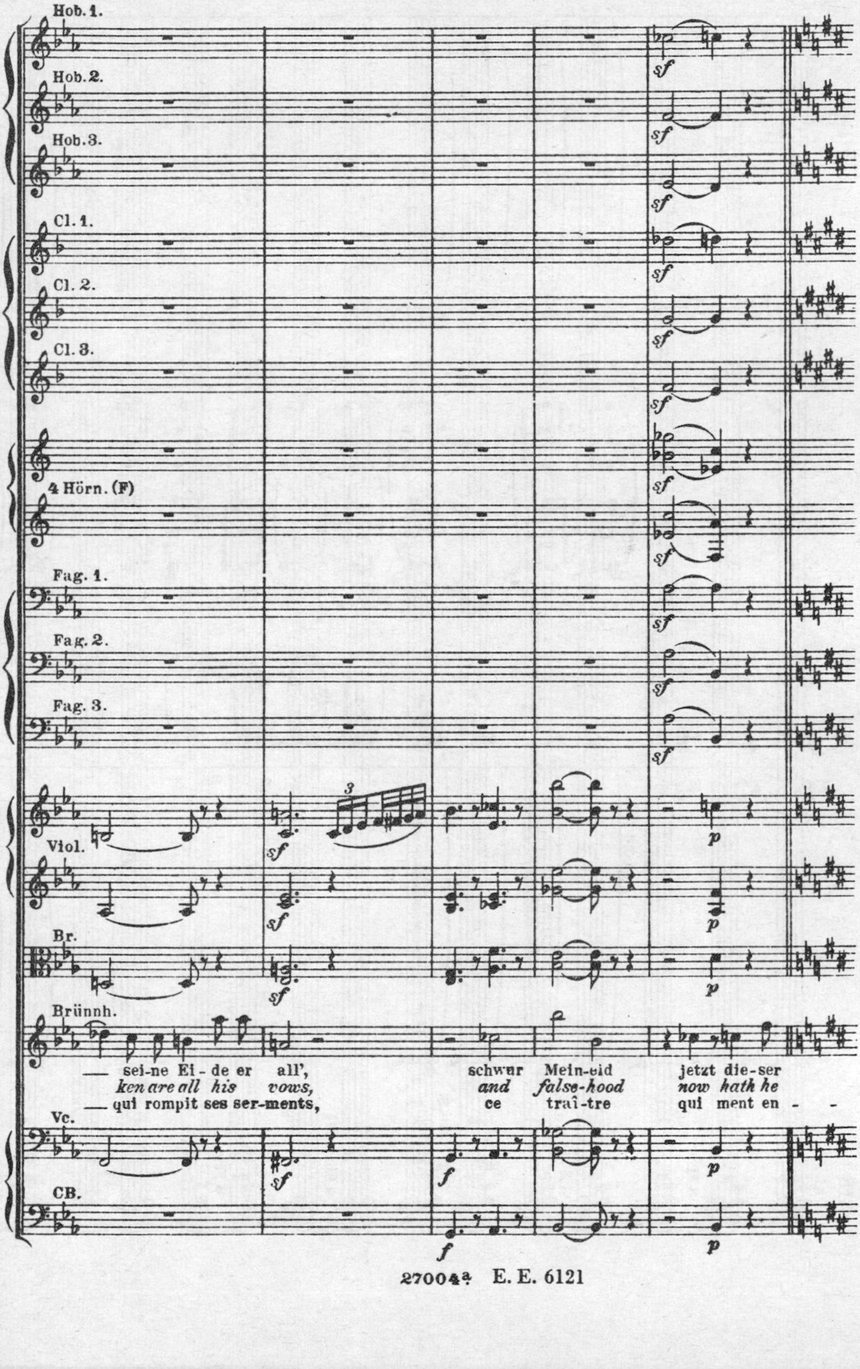
Hob. 1.
Hob. 2.
Hob. 3.
Cl. 1.
Cl. 2.
Cl. 3.
4 Hörn. (F)
Fag. 1.
Fag. 2.
Fag. 3.
Viol.
Br.
Brünnh.
— sei-ne Ei - de er all', schwur Mein-eid jetzt die-ser
ken are all his vows, and false-hood now hath he
— qui rompit ses ser-ments, ce traî-tre qui ment en - -
Vc.
CB.
sf
f
p

kl. Fl.
1.
3 Fl.
2 u. 3.
1.
3 Hob.
2 u. 3.
1.
3 Cl.
2 u. 3.
4 Hörn. (F)
1 u. 2.
3 Fag.
3.
1. (F)
3 Tromp.
4 Pos.

Pauk. 1. (Cis)
Pauk. 2. (H)
Viol.
Br.
Brünnh.
Mann.
sworn.
- cor.
MANNEN.
Mannen.
Mannen.
Les Hommes.
To - - - - se dein
Send - us thy
Rou - - - - le ta
Hilf,
Help,
Viens,
Don - - - ner!
Don - - - ner!
Don - - - ner!
To - - - - se dein
Send us thy
Rou - - - - - le ta
Vc.
CB.

kl. Fl.
3 Fl.
3 Hob.
3 Cl.
(4)
8 Hörn. (E)
(4)
3 Fag.
1. (F)
(In E)

4 Pos.
CB.Tub.
Pauk.(H)
Viol.
Br.
MANNEN.
Vc.
CB.
f
ff
più f
Wet - - - ter! Hilf, Don - - - ner! To - - se dein Wet - - ter, zu schwei - gen die
thun - - der! Help Don - - - ner! Send us thy thun - der, to si - - lence this
fou - - - dre! Viens, Don - - - ner, rou - - le ta fou - - dre! E - touf - - fe leurs
Wet - - - ter! Hilf, Don - - - ner! To - - se dein Wet - - ter, zu schwei - gen die
thun - - der! Help Don - - - ner! Send us thy thun - der, to si - - lence this
fou - - - dre! Viens, Don - - - ner, rou - - le ta fou - - dre! E - touf - - fe leurs

kl. Fl.
3 Fl.
3 Hob.
3 Cl.
8 Hr. (E)
3 Fag.
3 Trp. (E)

CB.Tub.
Pauk.(H)
Viol.
Br.
Siegf.
MANNEN.
Vc.
CB.
ff
(immer f)
Gun - - - ther! Wehr' dei-nem Wei - - be, das scham-los Schan-de dir
Gun - - - ther! Look to the wo - - man, who ly-ing slan-ders thy
Gun - - - ther! Veille à ta fem - - me, qui ment et t'ose in-sul-
wü - - - then-de Schmach!
cry - - - ing dis-grace!
â - - - pres fu-reurs!

3 Hob.
(sehr ausdrucksvoll)
(zu 3)
f
p
cresc.
Engl. Hr.
3 Cl.
(zu 3)
1. (F)
Hr.
3. (F)
3 Fag.
(zu 3)
poco dim.
Viol.
Br.
Siegf.
lügt. Gönn't ihr Weil' und Ruh', der wil-den
name. Grant her rest a - while, the tame-less
-ter. Laisse en paix gué - rir la fau-ve
Vc.
CB.

3 Hob. (zu 3.)
dim.
cresc.
f
dim.
Engl. Hr.
dim.
cresc.
f
dim.
3 Cl. (zu 3.)
dim.
cresc.
f
dim.
Hr. 1.
dim.
Hr. 3.
dim.
3 Fag. (zu 3.)
Viol.
Br.
Siegf.
Fel - - sen-frau, dass ih-re fre-che Wuth sich le-ge,
moun - - tain maid, till her un-brid-led rage be ba-ted,
fil - - le du roc, que sa sau-vage hu-meur s'a-pai-se.
Vc.
CB.

3 Hob.(zu 3.)
Engl. Hr.
3 Cl.(zu 3.)
3 Fag.(zu 3.)
Viol.
Br.
Siegf.
die ei-nes Un-hold's ar - ge List wi-der uns Al-le er-
that by some de-mon's e - vil craft here a-gainst all hath been
Crois qu'un sor-cier, em - pli - de fiel, con-tre tous deux l'ex-ci-
Vc.
CB.
cresc.
3 Hob.(zu 3.)
Engl. Hr.
3 Cl.(zu 3.)
3 Fag. (zu 3.)
Viol.
Br.
Siegf.
regt! Ihr Man-nen, keh-ret euch ab! lasst
roused! Ye vas-sals, turn ye a-way! leave
-ta! Vous, hom-mes loin te-nez-vous, loin
Vc.
CB.

1.
3 Hob.
2 u.3.
Engl. Hr.
1.
3 Cl.
2 u.3.
Hr. 1 u. 2.(E)
1.
3 Fag.
2 u.3.
Viol.
Br.
Siegf.
das Wei - ber-ge - keif! Als Za - ge wei-chen wir gern,
the wo - men to scold! Like cra - vens glad - ly we yield,
des ai - gres cla-meurs! La fui - te vaut beaucoup mieux
Vc.
CB.

Etwas mässiger werdend.
Hob.
1.
2.
p
3 Cl.
1.
2.3.
Hr.
1 u.2.
4.(allein)
3 Fag.
2 u.3.
Viol.
pizz.
Br.
Siegf.
(Er tritt dicht zu Gunther.)
gilt — es mit Zun-gen den Streit.
when —'tis a bat-tle of tongues.
dans — ces ba-tail-les de cris.
Vc.
(Bog.)
CB.

3 Cl.
3 Fag.
Viol.
Br.
Siegf.
Vc.
CB.
p
pizz.
più f
Glaub', mehr zürnt es mich als dich, dass
Sooth, more vexed am I than thou that
Vrai, j'en - ra - ge plus que toi qu'elle
1.
2.
Cl.
più p
(Bog.)
schlecht ich sie ge - täuscht; der Tarn-helm, dünkt mich fast,
ill was she be - guiled; the Tarnhelm, by its spell,
ait mal pris le change. Le Tarn-helm, j'en ai peur,

Cl.
3 Fag.
2 u.3.
Viol.
(ausdrucksvoll)
Br.
Siegf.
hat halb mich nur ge-hehlt. Doch Frau-en-groll frie-det sich
me thinks but hid me half. But wo-men's spite swift-ly is
lais-sa per-cer mes traits... Ran-cœur de femme pas-se bien-
(Bog.)
Vc.
(Bog.)
CB.
(nur 4)
pizz.

(etwas zurückhaltend)
Cl.
più p
Fag.
Br.
Siegf.
bald: dass ich dir es ge-wann, dankt dir ge-wiss noch das
sped: that for thee I have won her, sure-ly will she yet give
tôt; d'être i-ci ton é-pou-se trop heu-reu-se vas-tu la
pizz.
Vc.
pizz.

In etwas mässigerem Zeitmass.

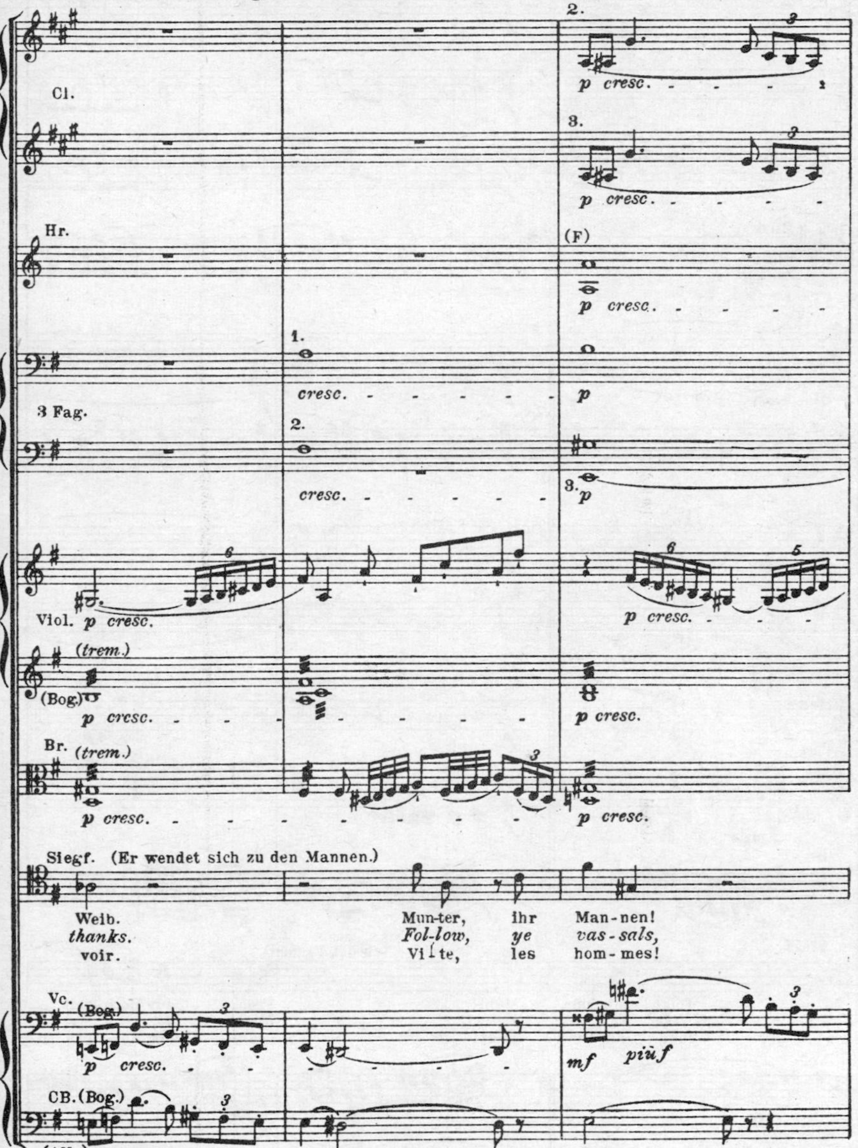

Hob.
3 Clar.
2 u.3.
(F)
4 Hr.
cresc.
(C)
3 Fag.
(zu 2)
Viol.
Br.
Siegf.
(zu den Frauen)
Folgt mir zum Mahl! Froh zur Hoch-zeit
blithe to the feast! Gai - ly, wo - men,
Tous au ban - quet! Leste aux no - ces
Vc.
CB.

Fl.
Hob. 1
Hob. 2
Hob. 3
Cl. 1
Cl. 2
Cl. 3
Hör.
(F)
(C)
Fag. 1.
Fag. 2.
Fag. 3.
Viol.
Br.
Siegf.
hel - fet, ihr Frau - en! Won - ni-ge Lust lache nun
help at the wed - ding! Let ___ your delight laugh now a-
qu'ai - dent les fem - mes! Ri - res joyeux sonnent par
Vc.
CB.
cresc.
p
pizz.
tr

Etwas drängender im Zeitmaass.

Al-len, sollt____ ihr heu-te mich seh'n. Wen die Min -
*light hearts shall ye find me to - day. Ye whom love*
-su - re vont____ me voir au-jour-d'hui. Qui d'a - mour

1.
Fl.
2.
Hob. 1.
Hob. 2.
Hob. 3.
Cl. 1.
Cl. 2.
Cl. 3.
F
Hör.
C
Fag. 1.
Fag. 2.
Fag. 3.
Pauk. (G)
Viol.
Br.
Siegf.
- ne freut, mei - - nem froh - - - - - en
hath blest, gai - ly share my
se charme, sui - ve mon i - vresse ar -
Vc.
pizz.
(Bog.)
CB.
pizz.
p cresc.
cresc.

Fl.
Hob. 1.
Hob. 2.
Hob. 3.
Cl. 1.
Cl. 2.
Cl. 3.
(F) Hör. (C)
Fag. 1.
Fag. 2.
Fag. 3.
Pauk.
(C-G)
Viol.
Br.
Siegf.
Mu - - - - the thu' es der Glückli - che
glad - - - - ness, be ye as blithe some as
-den - - - - te pour m'é - galer en bon-
Vc.
CB.
(Bog.)
cresc.

Fl.
Hob.
Cl.1.
Cl.2.
Cl.3.
(F)
Hör.
(C)
Fag. 1.
Fag. 2.
Fag. 3.
Tromp. C.
Pauk. (C-G)
Viol.
Br
Siegf.
(Siegfried schlingt in ausgelassenem Uebermuth seinen Arm um Gutrune und zieht sie
gleich!
I!
-heur!
Vc.
CB.
più f

Fl.
Hob. 1.
Hob. 2.
Hob. 3.
Cl. 1.
Cl. 2.
Cl. 3.
(F)
Hör.
(C)
Fag. 1.
Fag. 2.
Fag. 3.
Tromp. (C)
4 Pos.
Pauk.
Viol.
Br.
mit sich in die Halle fort. Die Mannen und Frauen, von seinem Beispiele hingerissen, folgen ihm nach.)
Vc.
CB.

Hob. 1.
Hob. 2.
Hob. 3.
Cl. 1.
Cl. 2.
Cl. 3.
(F)
Hör.
(C)
Fag. 1.
Fag. 2.
Fag. 3.
1.
Tromp. (C)
2.
Pauk. (G)
Viol.
Br.
Vc.
CB.
dim.
p
tr

Fl. 1 u. 2.
Hob. 1.
Hob. 2.
Cl. 1.
Cl. 2.
Cl. 3.
(F)
Hör.
(C)
(Es)
Fag. 1.
Fag. 2.
Fag. 3.
1.
Tromp. (C)
2.
Pauk.
più p
Viol.
Br.
(Die Bühne ist leer geworden.
Vc.
CB.
dim.

Immer gemässigteres Zeit-

maass.
Fl. 1 u.2.
Hob.1.
dim.
Hob.2.
dim.
1.
Cl.
dim.
2.
(zu 2.)
(gestopft) (F)
dim.
(markirt)
Hör.
dim.
(H)
1 u. 2.
Fag.
3.
Pauk. (Fis)
tr
(nur 10)
dim.
Viol.
(nur 10)
dim.
Br.
dim.
dergrunde stehend, blickt Siegfried und Gutrune noch
eine Zeitlang schmerzlich nach, und senkt dann das Haupt.)
Vc.
dim.
CB.
dim.

## Fünfte Scene.

Immer mässiger.

Bs.Cl.
1.u.3. (F)
(gestopft)
Hör.
2.u.4. (Es)
Fag.
Pos.
Pauk.(B)
Br.
più p
Vc.
più p
CB.

Fl.
1.u.2.
p
1.
p
Hob.
2.u.3.
più
p
Engl. Hr.
più
p
pp
1.u.2.
p
Cl.
3.
p
Hör. 2.u.4. (E)
Fag.
1.u. 2.
p
(Alle)
più
p
Viol.
(Alle)
più
p
Br.
più
p
Vc.
dim.
pp
CB.
pizz.
(Alle)
p

 Sehr mässig.

Hob. 1.
Engl. Hr.
zögernd
1.
Cl.
2. u. 3.
più p
Bs. Cl.
Fag. 3.
Viol.
Br.
Brünnhilde.
Wel - ches Un-holds List liegt
What de-mon's e - vil craft here
Quelle af-freu-se ruse est
Vc.
Engl. Hr.
1.
Cl.
2. u. 3.
Bs. Cl.
Fag. 3.
Viol.
Br.
Brünnh.
hier ver - ho - len?
li - eth hid - den?
là ca - ché - e?
Wel - ches Zaub'rers
What wizard's hateful
Quel sor-cier per-
Vc.

B.Cl.
p
Viol.
pp
pp
Br.
pp
Brünnh.
Rath reg - te diess auf?
spell stirred up this storm?
-vers a tout con - duit?
Wo ist nun mein
This knot to un -
Où est ma sci -
Vc.
12/8
4/4
pp
pp
cresc.
Viol.
pp
cresc.
Br.
pp
cresc.
Brünnh.
3
Wis-sen, ge-gen diess Wirrsal? Wo sind mei-ne Ru-nen ge-gen diess Räthsel?
ra-vel where is my wisdom? Where shall I dis - co-ver runes for this riddle?
-en - ce con-tre tel trouble? Que peuvent mes Ru-nes dans cette é - nigme?
Vc.
pp
cresc.
CB.
(Bog.)
pp cresc.

Hob.
cresc.
Cl.
cresc.
cresc.
Viol.
(trem.)
dim.
cresc.
Br. (trem.)
Brünnh.
Ach Jam - mer! Jam - mer! Weh' ach We - he!
O sor - row! Sor - row! Woe's me! Woe's me!
Ah! Lar - mes! Lar - mes! Las! Ah! Las!
Vc.
CB.
Allmählich belebter.
Fag.
All' mein Wis - sen wies ich ihm
All my wis - dom gave I to
Tou - te sci - en - ce je lui don -

1.
Hob.
2.
p cresc.
p cresc.
fp cresc.
Cl.
1.
p cresc.
f
fp cresc.
2.u.3.
p cresc.
Hr.(F) (offen)
1.
2.
p cresc.
Fag.1.
Viol.
Br.
Brünnh. (immer gesteigert)
zu! In seiner Macht hält er die Magd; in seinen Banden
him! He holds the maid fast by his might; he holds the booty
na! En son pouvoir ser-ve je suis; En ses li-ens il
Vc.u.CB.
p cresc. f fp cresc.

hält er die Beu - te, die jam - mernd ob ih - rer
*fettered in bond - age, whom, wail - ing for her dis-*
tient la cap-ti - ve que, blê - me, pleurant de

1u.2.
Fl.
Hob.
Cl.
Hör.
1.
Fag.
2.u.3.
Viol
Br.
Brünnh.
Schmach, jauchzend der Rei-che ver-
grace, gaily he giv-eth a-
hon - - - - te, enjoi-e le maî-tre cé-
Vc.
CB.
più f
f
ff

Wild.
Fl.
(zu 3.)
ff
Hob.
(zu 3.)
Cl.
(zu 3.)
(zu 4.)
Hör.
(zu 4.)
1.u.2.
Fag.
3.
Tromp. (Es)
1.u.2.
Pos.
Viol.
Br.
Brünnh.
schenkt!
way!
-da!
Vc.
CB.

Fl. (zu 3)
Hob. (zu 3)
Cl. (zu 3)
(zu 4)
Hör.
(zu 4)
(nur 2)
Fag.
Tromp. 1 u. 2.
Pos.
Viol.
Br.
Brünnh.
Wer bie - - tet mir nun das
Who lend - - eth me now the
Qui m'offre ______ à pré-sent son
Vc.
CB.
ff
p
fp

3 Hob. (zu 3)
3 Cl.
(zu 3)
(zu 4)
Hör.
(zu 2)
Viol. 2.
Br.
Brünnh.
Schwert, mit dem ich die Ban - de zer -
sword, where with I may se - ver the
fer, a fin de tran - cher mes li -
Vc.
CB.
cresc.
Langsamer.
Hob. (zu 3)
Cl. (zu 3)
(zu 4)
Hör.
(zu 2)
Fag. (zu 3)
(ausdrucksvoll)
meno f
Viol.
(geth.)
Br.
Brh.
schnitt?
bonds?
- ens?
(dicht an Brünnhilde herantretend)
Hagen.
Ver - trau - e mir, be - trog - ne Frau!
Give me thy trust, be - tray - ed wife!
Es - père en moi, ô pauv - re femme!
Vc.
CB.
dim.

Fag. (zu 3)
Bs.Cl.
Viol.
Br.
Brünnh.
(matt sich umblickend)
An wem?
On whom?
Sur qui?
Hagen.
Wer dich ver - rieth, das rä - che ich.
I will a - venge thy wrong on him.
L'ac - te fè - lon je veux ven - ger.
CB. pizz.
poco f
dim.
più p
pp
Engl. Hr.
Cl.
Fag. (zu 3)
Bs.Cl.
Viol.
Br. (geth.)
Brünnh.
(bitter lächelnd)
An Sieg - fried? du?
On Sieg - fried? thou?
Sur Sieg - fried? toi?
Ein einz'- ger
One sin - gle
Un seul re -
Hagen.
An Siegfried, der dich be - trog.
On Siegfried, traitor to thee.
Sur Siegfried qui te trom - pa.
Vc.
CB.
poco f
poco sf
dim.

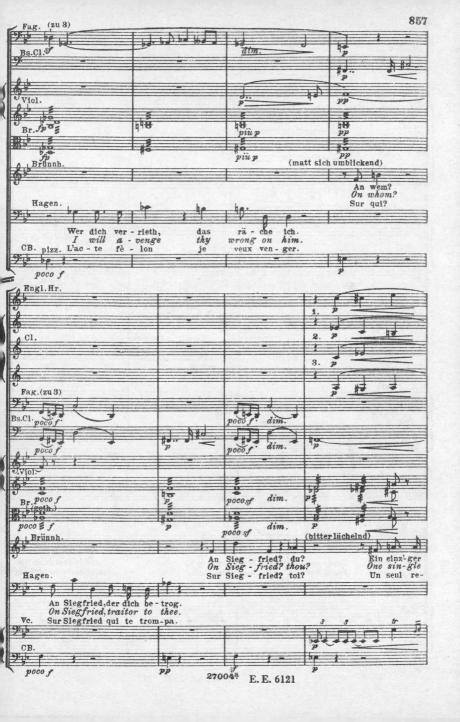

Engl.Hr.
Cl.
1.u.2.(F)
(gedämpft)
3.u.4. (F)
Hör.
Fag.
3. (allein)
Bs.Cl.
più p
pizz.
Viol.
più p
Br.
più p
Brünnh.
Blick sei - nes blit - zen - den Au - ges, das selbst durch die
flash from his eye on thee glan - cing such as e'en through his
-gard de ses yeux pleins de flam - mes dont, même au vi-
Vc.
tr
CB.
pizz.

Hob.
1. (zart)
p cresc. f dim.
Engl.Hr.
p f
Cl.
1.
p cresc. f
2.
p cresc. f
Hör.
1.(F)
poco f dim.
Bs.Cl.
cresc. sf
Viol.
(Bog.)
sf dim.
(zus.) pizz. (Bog.)
pp p sf dim.
Br.
(zus.) pizz. (Bog.)
pp p f dim.
Brünnh.
(etwas gedehnt)
Lü-gen-gestalt leuch - tend strahlte zu mir, __ dei-nen bes - ten Muth mach-te er
ly-ing disguise loom - ing glittered on me, straight would cast dis-may o-ver thy
-sa-ge d'emprunt,put __ l'éclair m'é-blou - ir, __ à né - ant mettrait tou-te ta
Vc.
più p cresc. f

Hob. 1.
Engl. Hr.
(ten.)
mf dim. p
1.
Cl.
2.
Hr. 1. (F)
Fag.
(zu 3.)
Bs. Cl.
cresc.
Viol.
poco f
Br
Brünnh.
bangen!
daring!
for-ce!
Eid, und
Truth and
Foi, par-
Hagen.
Doch meinem Speere spart ihn sein Mein-eid?
But on my spear-point sworn was his false-hood?
Pour-tant ma lan - ce tient son par - ju - re?
Vc.
CB.
pizz.

Hob. 1u.2.
Engl.Hr.
1.
Cl.
2.u.3.
Bs.Cl.
(ten.)
(bestimmt)
2.(F)
cresc.
Hör.
4.(C)
cresc.
Viol.
Br.
Brünnh.
Meineid, müs-si-ge Acht! Nach Stärk'-rem späh' dei-nen Speer zu waffnen
false-hood, use-less are words! With strong-er spells seek to arm thy weapon,
ju-re, qu'importe i-ci! Plus fort que toi doit bran-dir ta lan-ce,
Vc.
CB

Hob. 1 u. 2.
p
cresc.
f
Engl. Hr.
cresc.
p
cresc.
f
Cl.
p cresc.
f
cresc.
f
Bs. Cl.
p cresc.
f
1.
sf
Hör.
4 (C)
p cresc.
(zu 3.)
f
Fag.
f
dim.
p
2. u. 3.
sf
dim.
Pos.
4.
sf
dim.
Viol.
6
cresc.
sf
f
dim.
p
Br.
f
dim.
p
Brünnh.
willst du den Stärk - sten be - steh'n?
when at the strong - est thou strik'st!
pour s'at - ta - quer au hé - ros!
Hagen.
Wohl kenn' ich Sieg - fried's
Well know I Sieg - fried's
Bien sais - je Sieg - fried
Vc.
3
cresc.
f
dim.
p
CB.
(Bog.)
f
dim.
p

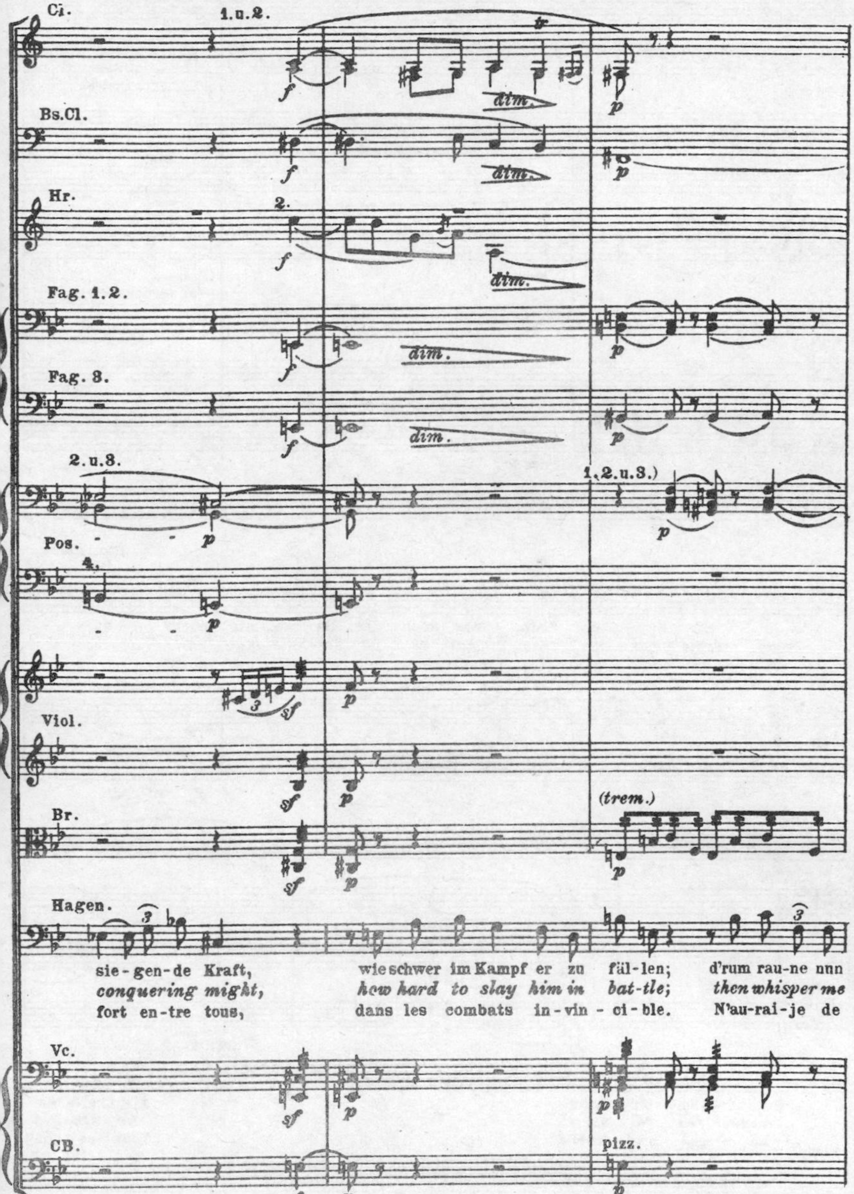
Cl.
1.u.2.
tr
dim.
Bs.Cl.
dim.
Hr.
2.
dim.
Fag. 1.2.
dim.
Fag. 3.
dim.
2.u.3.
1.2.u.3.)
Pos.
4.
Viol.
Br.
(trem.)
Hagen.
sie-gen-de Kraft, wie schwer im Kampf er zu fäl-len; d'rum rau-ne nun
conquering might, how hard to slay him in bat-tle; then whisper me
fort en-tre tous, dans les combats in-vin-ci-ble. N'au-rai-je de
Vc.
CB.
pizz.

Cl. 1.u.2.
1.u.2.
Fag. 3.
Bs.Cl.
3 Pos.
cresc.
(ausdrucksvoll)
Viol.
Br.
Brünnh.
O Un-dank!
O, thankless,
Traî-tri-se!
Hagen.
du mir gu-ten Rath, wie doch der Re-cke mir wich?
now some good-ly rede that he be-fore me may fall?
toi un bon a-vis pour en pou-voir tri-om-pher?
Vc.
CB.
(Bog.)
Fag. 1.
dim.
sf
p
(weich)
Schänd-lich-ster Lohn!
shame-ful re-turn!
Lâ-che mar-ché!
Nicht ei-ne
No sin-gle
Tout ce que

Fag.1.
Tromp. 2. (B)
(zart)
cresc.
poco cresc.
Viol.
poco f
Br.
Brünnh.
Kunst war mir be - kannt, die zum Heil nicht half sei - nem
art to me was known, but his life is safe through its
l'art put m'en-seig - ner, à l'a - bri du mal mit son
Vc.
Fl. 1. u. 2.
p (zart)
Hob. 1. u. 2.
p (dolce)
Cl. 1. u. 2.
1. u. 2. (F)
Hör.
4. (F)
Fag.
Trp. 2. (B)
1. (in E)
Brünn.
Leib: Un - wis - send zähmt' ihn mein
spell: Un - wit - ting he walks, by my
corps. Sans qu'il s'en dou - te mes
CB.
pizz.

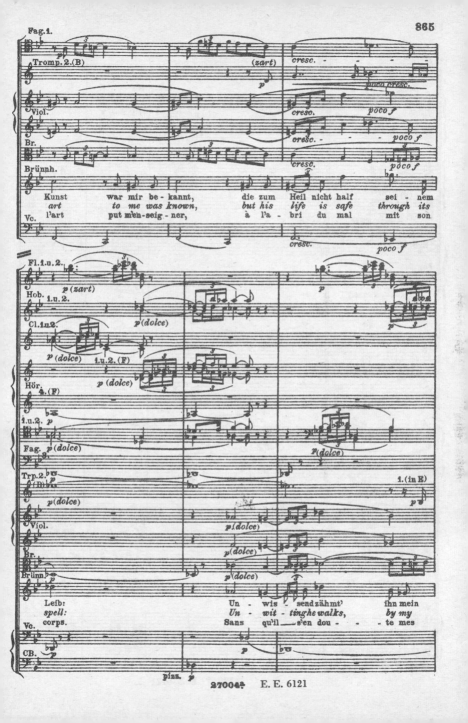

Fl. 1.u.2.
p (dolce)
Hob.
molto cresc.
Hör.
(F)
(E)
p (dolce)
Fag. 1.
Fag. 2.
Fag. 3.
Bs. Cl.
Trp. 1.
Viol.
Br.
Brünnh.
Zau - ber Spiel, das ihn vor Wun - den
charms en - wound, and now they hold him
char - mes sûrs de toute at - tein - te
Vc.
CB.
(Bog.)
pizz.
sf dim.
più p
cresc.

Hob.
Cl.
Hör.
(E)
Fag. 1.
Fag. 2.
Fag. 3.
Bs. Cl.
Viol.
Br.
Brünnh.
nun ge-wahrt.
safe from harm.
le font sauf.
Hag.
So kann kei - ne Wehr ihm schaden?
Then no weapon's point can pierce him?
A-lors nul ne peut l'at-teindre?
Vc.
CB.

poco riten.
a tempo
Cl. 1.
Cl. 2.
Bs. Cl.
Hör.
1.
4.
(Es)
(gestopft)
Fag. 1.
Fag. 2.
Fag. 3.
Pos. 1.
Pos. 2.
Pos. 3.
Viol.
Br.
Brünnh.
Im Kampfe nicht!
In bat-tle, none;
En lut-te, non!
Doch –
yet –
Mais
Vc.
CB.
poco riten.
a tempo

Cl.1.(B)
p cresc.
f
dim.
Cl.2.(B)
p cresc.
Cl.3. (A)
p cresc.
Bs.Cl.
p cresc.
Hr.4.
fp
sf
Brünn.
träf'st du im Rü-cken ihn. –
if at his back thou strike!
frappe, au con traire, au dos!
Vc.
cresc.
p
Cl.1.
più p
Cl.2.
Cl.3.
p (dolce)
Bs.Cl.
1.u.2. (E)
p (weich)
Hör.
Viol.
pp
Br.
Brünnh.
Nie - mals das wusst' ich
Ne - ver.. that knew I
Onc - ques il n'a fui
Vc.

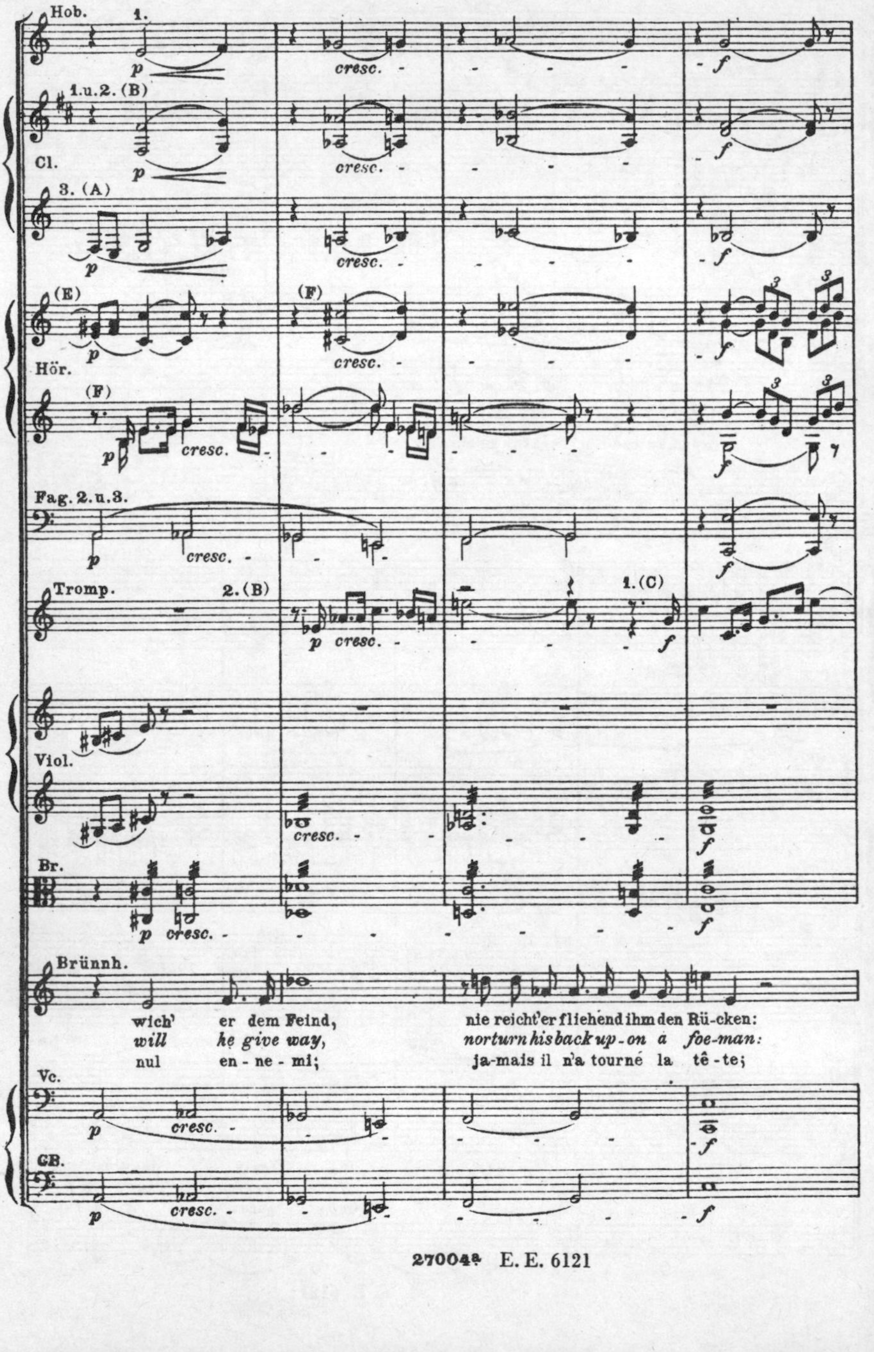
Hob.
1.
cresc.
1.u.2. (B)
Cl.
3. (A)
(E)
(F)
Hör.
Fag. 2.u.3.
Tromp.
2. (B)
1. (C)
Viol.
Br.
Brünnh.
wich' er dem Feind, nie reicht' er fliehend ihm den Rü-cken:
will he give way, nor turn his back up-on a foe-man:
nul en-ne-mi; ja-mais il n'a tourné la tê-te;
Vc.
CB.

Fl. 1. 2.
(ten.)
p dolce
Cl. 1. 2.
p
Fag. 1.
dim.
p
Trp. 1. (weich)
Viol.
dim.
p
Brünnh.
dim.
an ihm d'rum spart' ich den Se - gen.
and there I gave him no bless - ing.
son dos est hors de mes char - mes.
Vc.
dim.
p
Beschleunigend.
Lebhaft.
Hob. 1. u. 2.
f
meno
Cl. 1. u. 2.
Bs. Cl.
Hör.
(F)
ff
Fag. 1.
2. u. 3.
Viol.
sf
molto cresc.
Br.
cresc.
(Er wendet sich rasch von Brünn -
Hag.
Und dort trifft ihn mein Speer! - Auf, Gun - ther,
And there strik - eth my spear! - Up Gun - ther,
Et là vais - je frap - per! - Eh! Gun - ther,
Vc.
cresc.
CB.
p cresc.

Hob. 1.u.2.
più f
ff
1.
Cl.
più f
ff
2.
più f
ff
Bs.Cl.
più f
ff
p
1.u.2.
f
p
Hör.
4.
più f
f
Fag.
2.u.3.
f
p
Viol.
cresc.
f
p
Br.
cresc.
f
p
hilde ab zu Gunther.)
Hag.
ed-ler Gi-bi-chung!
no-ble Gi-bichung!
no-ble Gi-bi-chung!
Hier steht dein star-kes
Here stands thy val-iant
Là est ta for-te
Vc.
cresc.
f
CB.
cresc.
f

Bs.Cl.
fp
f
meno f
1. u. 2.
sf
Hör.
3. u. 4.
sf
p
sf
1.
sf
Fag.
2. u. 3.
fp
f
Viol.
f
p
f
Br.
f
p
f
Hag.
(Gunther, leidenschaftlich auffahrend.)
Weib: was häng'st du dort in Harm?
wife: why giv'st thou way to grief?
femme. Que res-tes-tu en pleurs?
Vc.
6
f
6
f
CB.
p
f
fp
f

Hob.
(zu 3)
sf
più f
Cl.
(zu 3)
sf
più f
più f
Hör.
sf
più f
f
Tromp. (C)
1.
f
Bs. Cl.
f
più f
1.
sf
Fag.
2. u. 3.
f
più f
f
6
6
3
f
più f
Viol.
mf
f
più f
Br.
mf
f
più f
Gunth.
O Schmach!
O shame!
O honte!
O Schan - de!
O sor - row!
Op-pro - pre!
Vc.
f
più f
CB.
f
più f

Hob. (zu 3)
1. u. 2.
Cl.
(zu 3)
Hör.
Tromp. 1.
Bs. Cl.
Fag.
Viol.
Br.
Gunth.
We - - - he mir, dem jam - mer-voll - sten
Woe is me, of all men liv - ing the
Deuil sur moi, le plus na - vré des
Vc.
CB.
ff
sf
dim.
pizz.

Hob.
1. u. 2.
Cl.
1. u. 2.
Hör.
Bs.Cl.
Fag. 1.
(Bog.)
Viol.
(trem.)
(Bog.)
Br.
(trem.)
(Bog.)
(zu Gunther)
Brünnh.
O fei - ger
O cra - ven
O lâche et
Hag.
In Schan - de liegst du, leug'n ich das?
In shame thou li - est; truth to tell?
L'af-front t'é - touf - fe; n'est - ce pas?
Gunth.
Manne!
saddest!
hommes!
Vc.
(Bog.)
CB.
(Bog.)

Hob. 1.u.2.
Cl. 1.u.2.
Hör.
Bs.Cl.
Fag.
Viol.
Br.
Brünnh.
Mann! Fal - scher Ge - noss! Hin - ter dem Hel - den hehl - test du
man! fals - est of friends! Hid - den be - hind the he - ro wert
vil, faux — com - pa - gnon! L'om - bre d'un bra - ve est ton a -
Vc.
C.B.
pizz.
(Bog.)
cresc.
dim.
tr

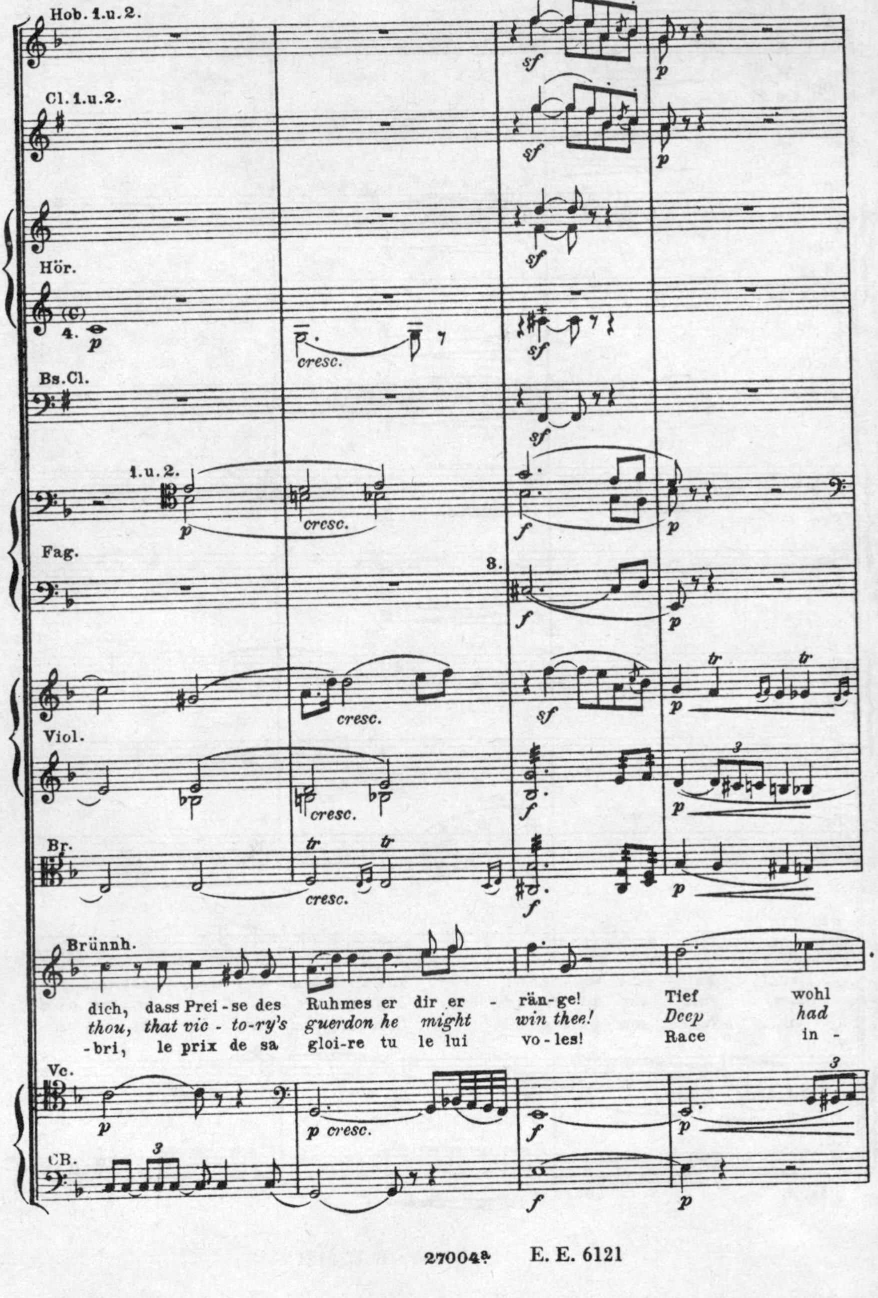
Hob. 1.u.2.
sf
p
Cl. 1.u.2.
Hör.
4.
cresc.
Bs.Cl.
1.u.2.
Fag.
8.
f
Viol.
tr
Br.
Brünnh.
dich, dass Prei-se des Ruhmes er dir er - rän-ge! Tief wohl
thou, that vic - to-ry's guerdon he might win thee! Deep had
-bri, le prix de sa gloi-re tu le lui vo-les! Race in -
Vc.
p cresc.
CB.
3

Hob.
1.u.2.
Cl.
3. (B)
(F)
Hör.
(F)
Bs. Cl.
Fag.
Viol.
Br.
Brünnh.
sank das theu - re Ge-schlecht, das sol - che Za - gen ge - zeugt.
sunk the glo - ri - ous race that bore such faint - hearts as thou!
- di - gne, basse a ja - mais qui d'un tel lâ - che s'ac - crut!
Vc.
CB.

Hob. 1. u. 2.
Cl.
Hör.
Bs. Cl.
Fag.
Viol.
Br.
Gunth. (ausser sich)
Be-trü - ger ich und be - tro - gen! Ver-rä -
De-ceived am I and de - cei - ver! Betrayed
Un four - be, moi, moi, qu'on trom-pe! Un traî -
Vc.
CB.

Hob. 1 u. 2.
cresc.
sf
1 u. 2.
zu 2
cresc.
sf
p
Cl. 8.
cresc.
sf
p
(F)
Hr.
(F)
cresc.
f
p
Bs Cl.
p cresc.
f
p
Fag.
p cresc.
p cresc.
f
p
Viol.
sf
p
cresc.
f
sf
p
Br.
cresc.
f
sf
p
Gunth.
- - ther ich - und ver - ra - then!
— am I and be tray - er!
- - tre, moi, moi, vic - ti - me!
Zer - malmt mir das
Now crushed be my
Rom - pus soient mes
Vc.
p cresc.
f
sf
p
CB.
p cresc.
f
sf
p

Hob.
(zu 3.)
Engl.Hr.
(zu 2)
1 u.2.
Cl.
3.
Hr.
Bs.Cl.
Fag.
Pos.
Viol.
Gunth.
Mark! zer-brecht mir die Brust! Hilf,
bones, and bro - ken my heart! Help,
os! Bro-yé soit mon cœur! Toi,
Vc.
CB.

Hob. (zu 3)
Engl. Hr.
1 u. 2.
Cl
3.
Hr.
Bs.Cl.
Fag.
Pos.
Viol.
Br.
Gunth.
— Ha - gen! Hilf meiner Eh - - re! Hilf— dei-ner Mut - ter,
— Ha - gen! Help for my hon - - our! Help— for thy mo - ther,
— Ha - gen, sau-ve ma gloi - - re! Pense à ta mè - re:
Vc.
pizz.
CB.
p sf ff dim. f

Hob.
1u.2.
Engl. Hr.
3 Cl.
(E)
Hr.
(E)
Bs. Cl.
Fag.
pizz.
Viol.
pizz.
(Bog.)
(Bog.)
Br.
pizz.
(Bog.)
Gunth.
die mich auch ja ge-bar!
for thee too did she bear!
tous deux sommes ses en-fants!
Hag.
Dir hilft kein Hirn, dir hilft keine
Here helps no brain, here helps not a
Au-cun con-seil, n'attends nul se-
Vc.
(Bog.)
CB.
2700a

rallent.
Hob. 1 u. 2.
3 Cl.
Hr. 3 u. 4. (C)
Fag.
1 u. 3.
4 Pos.
2 u. 4.
Viol.
Br.
(trem.)
Hag.
Hand, dir hilft nur Sieg-fried's Tod!
hand, nought helps but Sieg-fried's death!
-cours, un fait seul; Sieg-fried meure!
Vc.
CB.

a tempo
4 Hr.
1 u. 2. (F)
3 u. 4. (F)
f
più f
Fag.
(zu 3.)
4 Pos.
1 u. 3.
2 u. 4.
p
Viol. 2.
Br.
(zurückhaltend.)
Gunth. (von Grausen erfasst.)
Sieg - fried's Tod!.....
Sieg - fried's death!...
Sieg - fried meure!....
Hag.
Nur der sühnt dei-ne
Nought else pur - ges thy
Sa mort ven - ge l'af-
Vc.
CB.

Hr. 1 u. 2.
(getragen.)
Hr. 3 u. 4.
(Es)
Hr. 5 6 7 u. 8. (Es.)
(zu 4.)
ff (sehr getragen)
dim.
Fag. (zu 3.)
3. (allein)
p (gehalten.)
Pos 1.
f
dim.
Pos. 2 u. 3.
f (gehalten.)
dim.
p
Pos. 4.
f (gehalten.)
dim.
p
(trem.)
ff
dim.
p
Viol.
(trem.)
ff
dim.
p
Br.
(trem.)
ff
dim.
p
Gunth. (vor sich hinstarrend:)
Blut - brü-der-schaft schwu-ren wir
Blood - bro-ther-hood tru - ly we
Vœu qui rend frères règne en - tre-
Hag.
Schmach!
shame!
-front!
Vc. (trem.)
ff
dim.
p
CB. (gehalten.)
ff
dim.
p
p

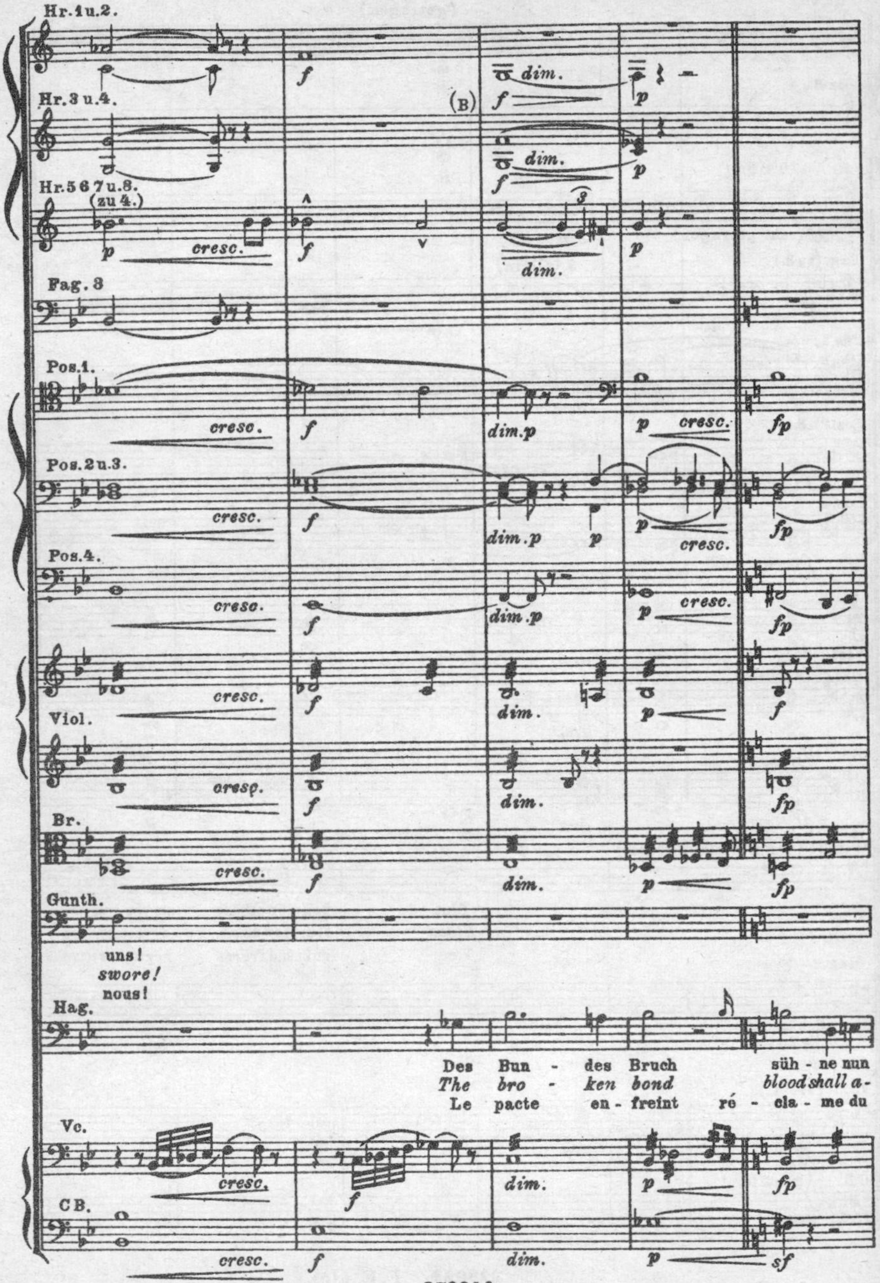
Hr. 1 u. 2.
(B)
Hr. 3 u. 4.
Hr. 5 6 7 u. 8.
(zu 4.)
Fag. 3
Pos. 1.
Pos. 2 u. 3.
Pos. 4.
Viol.
Br.
Gunth.
uns!
swore!
nous!
Hag.
Des Bun - des Bruch süh - ne nun
The bro - ken bond blood shall a-
Le pacte en - freint ré - cla - me du
Vc.
CB.

Cl.
(zu 3.)
Hr. 5 6 7 u. 8.
(Es.)
(zu 4.)
Pos. 1.
Pos. 2 u. 3.
Pos. 4.
Viol.
Br.
Gunth.
Brach er den Bund?
Broke he the bond?
L'a - t'il en- freint?
Hag.
Blut!
tone!
sang!
Vc.
CB.

3 Clar. (zu 3)
Hr. 1 u. 2. (F)
Hr. 3 u. 4. (F)
Hr. 5 6 7 u. 8. (Es) (zu 4)
Fag.
Pos. 1.
Pos. 2 u. 3.
Pos. 4.
Viol.
Br.
Gunth.
Ver-rieth er mich?
Am I be-trayed?
M'a-t'il tra-hi?
Hag.
Da er dich ver - rieth!
In be-tray-ing thee!
Puis-qu'il t'a tra - hi!
Vc.
(trem.)
CB.
cresc.

Hob.
Lebhaft.
2 u. 3.
fp
cresc.
Clar.
2 u. 3.
fp
cresc.
1 u. 2.
fp
cresc.
sf
Hr
3 u. 4.
fp
cresc.
sf
Fag.
2. u. 3.
fp
cresc.
Tromp. 1. (E)
f
Pos. 1.
f
f
Pos. 2 u. 3.
f
f
Pos. 4.
f
f
(marc.)
p
cresc.
f
(marc.)
p
cresc.
Viol.
f
fp
cresc.
f
fp
cresc.
Br.
f
fp
cresc.
sf
fp
cresc.
Brünnh.
Dich ver rieth er, und mich ver-rie - thet ihr
He be-trayed thee; and me ye all are be -
Il t'est traî - - tre; et moi, que tous ont tra-
Vc.
f
f
p cresc.
sf
sf
p cresc.
CB.
f
fp
sf
fp

Hob. 2 u. 3.
Cl 2 u. 3.
Hr. 1 u. 2. (F)
Hr. 3 u. 4. (E)
Fag. 2 u. 3.
Tromp. 1. (E)
Pos. 1.
Pos. 2 u. 3.
Pos. 4.
Viol.
Br.
Brünnh.
Al - le! Wär' ich ge - recht, al-les Blut der
tray - ing! Were I but just, all the blood of the
-hi - e, dans mon plein droit, tout le sang hu -
Vc.
CB.
cresc.
fp
sf
p cresc.

Hob. 2.u.3.
più cresc.
Cl 2u.3.
cresc.
(F)
molto cresc.
Hr.
(F)
cresc.
Fag. 2u.3.
molto cresc.
Tromp. 1u.2. (F)
Pos. 1.
Pos. 2u.3.
Pos. 4.
cresc.
Viol.
dim.
(trem.)
fp cresc.
Br.
dim.
(trem.)
fp cresc.
Brünnh.
Welt büss - te mir nicht eure Schuld! Doch des
world could not a-tone for your guilt! But the
main mal paierait vo-tre for fait! Mais qu'un
Vc.
molto cresc.
CB.
molto cresc.

Hob 2 u. 3.
1.
Cl.
2 u. 3.
Hr.
Fag. 2 u. 3.
Pos.
Viol.
(trem.)
Br.
Brünnh.
Ei - - nen Tod taugt mir für Al-le.
death of one now shall content me.
seul en mou-rant paie pour les au-tres!
Vc.
CB.
dim.
più p
pp

Hob.
(zu 3)
1.
Cl.
2u.3.
Hr.
1.
Fag.
2u.3.
Pos.
Viol.
Br.
Brünnh.
Sieg - - - - - - - - fried fal - le zur Sühne für
Sieg - - - - - - - - fried fall - eth a - tonement for
Sieg - - - - - - - - fried meu - re, pu - ni pour lui-
Vc.
CB.
cresc.
dim.
(trem.)

Cl. 2 u. 3.
(E)
Hr.
(H)
Fag. 1 u. 2.
Viol.
(trem.)
Br.
Brünnh.
sich und euch!
guilt of all!
même et vous!
Hag. (zu Gunther gewendet)
(heimlich.)
Er fal-le
His down fall
Qu'il meu-re
dir zum Heil!
brings thee gain!
pour ton bien!
Vc.
CB.
pizz.
Cl. 1 u. 2.
Hr 3 u. 4. (H)
Fag. 1 u. 2.
Pos.
Hag.
Un-ge-heu're Macht wird dir,
Might o'er all the world were thine,
Quel pou-voir se-ra le tien
gewinn'st von ihm du den
if thou from him win the
ayant con-quis son an-
(Bog.)

Etwas zurückhaltend.
Cl.1.u.2.
Hör.
4.
1.u.2.
3 Fag.
3.
p
cresc.
pp
4 Pos.
Viol.
cresc.
Br.
Gunth.
(leise)
Brünnhilde's Ring?
Brünnhilde's ring?
DeBrünnhild'l'anneau?
Hag.
Ring, den der Tod ihmwohl nur ent-reisst. Des
ring that but deathwillwrest from his hand. The
- neau, par sa seu-le mort tu l'au-ras. Du
Vc.
CB.

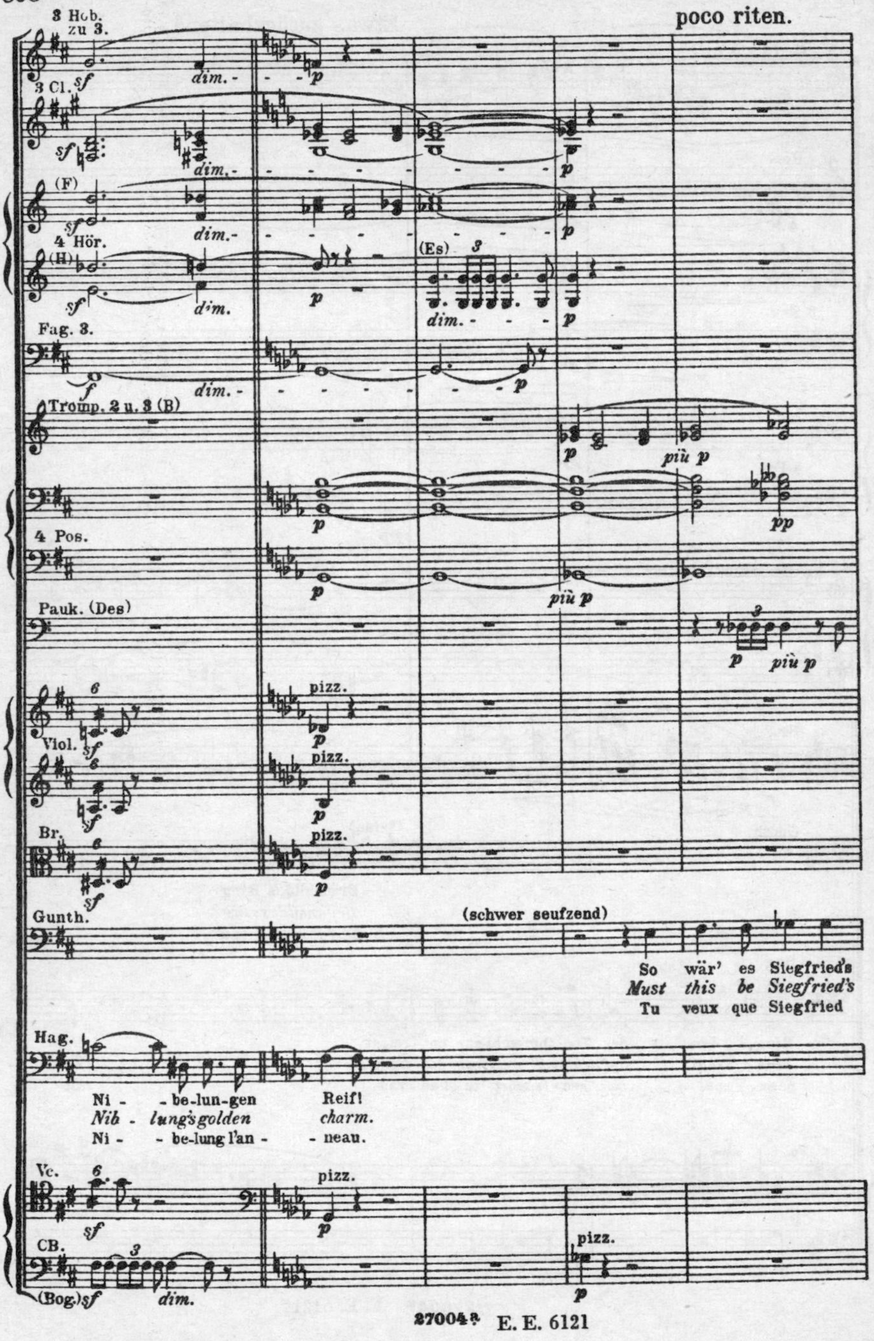
poco riten.
3 Hob. zu 3.
3 Cl.
(F)
4 Hör.
(H)
(Es)
Fag. 3.
Tromp. 2 u. 3 (B)
4 Pos.
Pauk. (Des)
Viol.
Br.
pizz.
Gunth.
(schwer seufzend)
So wär' es Siegfried's
Must this be Siegfried's
Tu veux que Siegfried
Hag.
Ni - be-lun-gen Reif!
Nib - lung's golden charm.
Ni - be-lung l'an - neau.
Vc.
CB.
(Bog.)
dim.
più p
pp

Etwas belebend.
4 Hör.
p (weich)
Fag. 2 u. 3.
4. (Es)
zu 2
dim.
Pos. 2 u. 3. (allein)
Viol. 2. (Bog.)
Br. (Bog.)
pp
Gunth.
En - de!
down fall?
Hag.-meu-re!
Uns Al - - len frommt sein Tod!
His death will serve us all.
Pour tous il faut sa mort.
Vc. (Bog.)
CB. (Bog.)
Hob. 1. Mässig.
p (sehr ausdrucksvoll)
(F)
4 Hör. (Es)
p (ausdrucksvoll)
Fag. 2 u. 3.
(Bog.)
Viol.
Br.
Gunth.
Doch Gu-tru-ne, ach! der ich ihn gönn-te! Straf-ten den Gat-ten wir so, wie be-
Yet Gu-tru-ne, ah! whom he has wed-ded! How should we stand before her, with his
Mais Gu-tru-ne? ah! el-le l'é-pou-se! Si son é-poux par nous meurt, pour-rons-
Vc.
(ausdrucksvoll)
CB.

3 Fl.
zu 3.
Hob. 1.
dim.
1 u. 2.
Hob. 2 u. 3.
3.
Cl. 1 u. 2.
Cl. 3.
Hr. 1 (F)
Hr. 3 u. 4 (E)
(F)
Fag. 1.
Fag. 2 u. 3.
Tromp. 1 (F)
Pos. 1.
Viol.
Br.
Brünnhilde (wüthend auffahrend.)
Was rieth' mir mein Wissen?
What redes have told me,
Qu'a dit ma sci - en - ce?
Gunth.
stün - den wir vor ihr?
blood up - on our hands?
nous bra - ver son deuil?
Vc.
CB.

3 Fl.
zu 3.
1. u. 2.
p
cresc.
Hob. 1 u. 2.
Hob. 3.
Cl. 1 u. 2.
Cl. 3.
(F)
4 Hör.
4. (E)
Fag. 1.
1. u. 2.
Fag. 2 u. 3.
3. (allein)
Viol.
(trem.)
Br.
fp
Brünnh.
Was wie-sen mich Ru-nen? Im hilf-lo-sen E - - - lend ah-net mir's
what ru-nes have shewn me through heart-breaking an - - - guish shin-eth now
Que di-sent les Ru-nes? En tel-le mi-sè - - - re tout s'é-clair-
Vc.
pizz.
(Bog.)
CB.

Fl. 1 u. 2.
(zu 2)
Hob. 1.
Hob. 2 u. 3.
Cl. 1.
Cl. 2 u. 3.
(F)
4 Hör.
(C)
Fag. 1 u. 2.
Fag. 3.
2. u. 3.
Viol.
Br.
Brünnh.
hell: Gut - - - - - - - - ru - ne
*clear:* *Gut* - - - - - - - - *ru - ne*
- cit: Gut - - - - - - - - ru - ne
Vc.
CB.

Fl. 1 u. 2.
(zu 2.)
tr
6
sf
Hob. 2 u. 3.
p cresc.
fp
Cl. 1.
fp
Cl. 2 u. 3.
p cresc.
fp
(F)
fp
cresc.
cresc.
4 Hör.
(C)
fp
p
Fag. 3.
cresc.
fp
cresc.
6
fp (ausdrucksvoll)
cresc.
f
Viol.
p cresc.
fp
cresc.
f
Br.
p cresc.
fp
cresc.
f
(leidenschaftlich)
Brünnh.
3
heisst der Zau - - - - - - - - - - ber, der den Gat-ten mir ent-
is the spell where-by my he-ro was be-
fut le char - - - - - - - - - - me par qui Siegfried me fut ra-
Vc.
tr
6
cresc.
f
CB.
fp cresc.
f

(zu 3)
Nicht eilen.
3 Fl.
Hob. 1.
Hob. 2 u. 3.
Cl. 1.
Cl. 2 u. 3.
4 Hör.
(F)
4. (D)
3 Fag.
(zu 3)
Viol.
Br.
Brünnh.
rückt. Angst tref - fe sie.
guiled. Ill - - fate be hers!
- vi. Deuil sur son cœur!
(Hagen zu Gunther.)
Hag.
Muss sein
If this
Si sa
Vc.
CB.

Hr. 1 (F)
Hr. 4 (D)
2. (F)
Fag. 3.
4 Pos.
Viol.
Br.
Hag.
Tod sie be-trü - - ben, ver-hehlt sei ihr die That. Auf munt'res
dole must be dealt her, then hid-den be the deed. We hie to-
mort la dé-so - - le, que l'ac-te soit ca-ché. Joy-eux, en
Vc.
CB. pizz.
Hr. 1 u. 2.
Hr. 3.
(F)
4 Pos.
poco cresc.
Viol.
Br.
cresc.
Hag.
Ja-gen zie-hen wir morgen; der Ed-le braust uns vor-
mor-row mer-ri-ly hunting; the he-ro, struck by a
chas-se l'au-be nous trou-ve; sa fou-gue loin nous lais-
Vc.
CB.

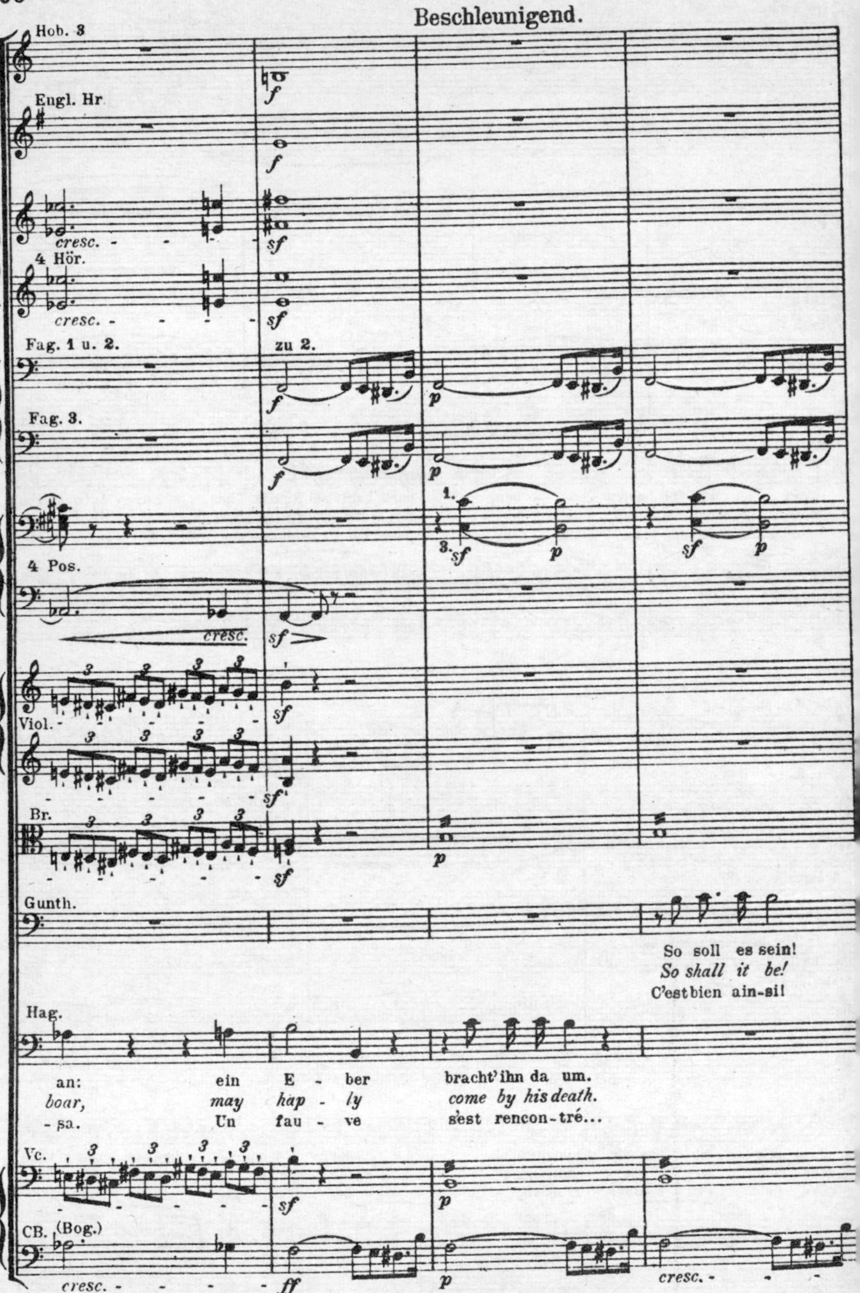
Beschleunigend.
Hob. 3
Engl. Hr.
4 Hör.
cresc.
Fag. 1 u. 2.
zu 2.
Fag. 3.
4 Pos.
Viol.
Br.
Gunth.
So soll es sein!
So shall it be!
C'est bien ain-si!
Hag.
an: ein E - ber bracht' ihn da um.
boar, may hap - ly come by his death.
-sa. Un fau - ve s'est rencon - tré...
Vc.
CB. (Bog.)

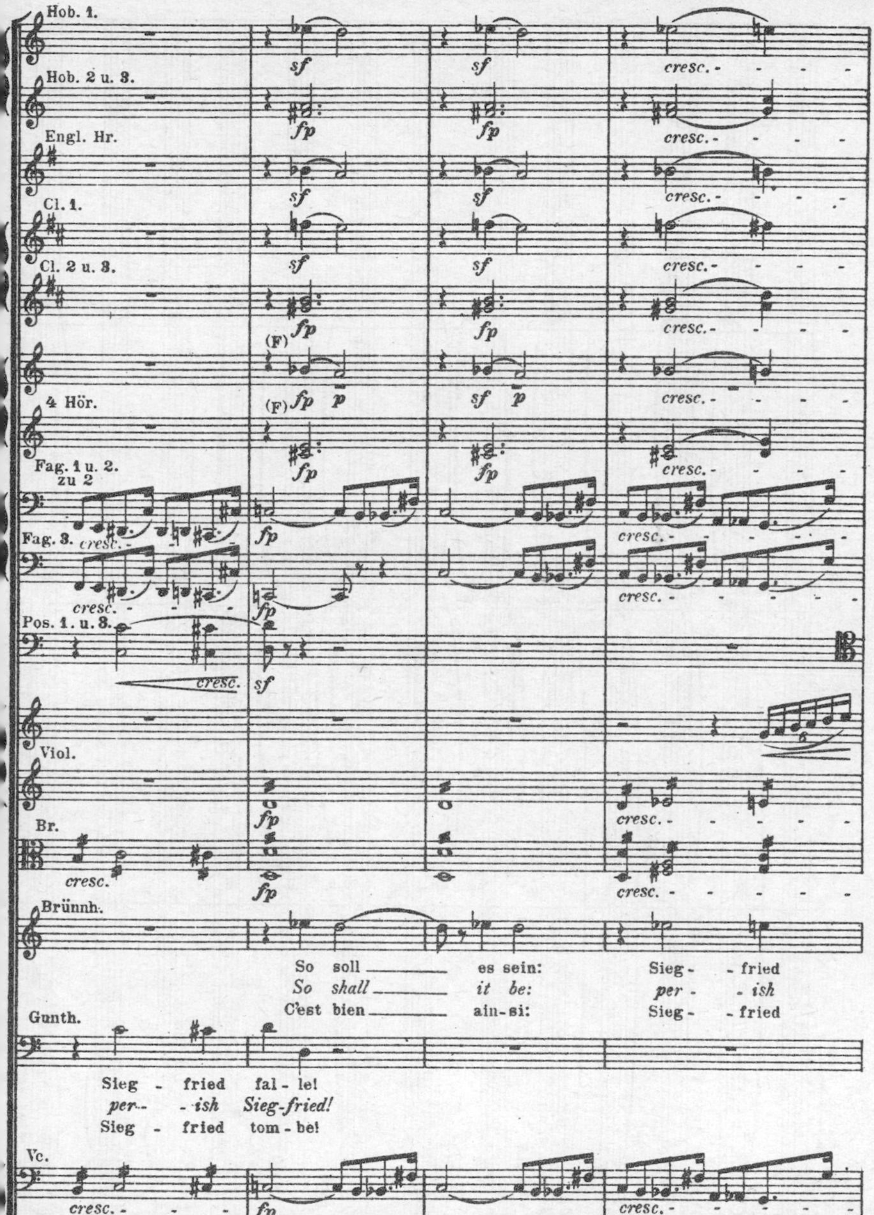
Hob. 1.
Hob. 2 u. 3.
Engl. Hr.
Cl. 1.
Cl. 2 u. 3.
4 Hör.
Fag. 1 u. 2.
zu 2
Fag. 3.
Pos. 1. u. 3.
Viol.
Br.
Brünnh.
So soll es sein: Sieg - fried
So shall it be: per - ish
C'est bien ain-si: Sieg - fried
Gunth.
Sieg - fried fal - le!
per- - ish Sieg-fried!
Sieg - fried tom - be!
Vc.
CB.
sf
fp
p
(F)
cresc.

3 Fl.
zu 3
Hob. 1.
Hob. 2 u. 3.
zu 2.
Engl. Hr.
Cl. 1.
Cl. 2 u. 3.
Bs. Cl.
4 Hör.
Fag. 1 u. 2.
Fag. 3.
Tromp. 2 u. 3 (C)
cresc.

Pauk.
(G)
tr
p
f
Viol.
p cresc.
cresc.
Br.
Brünnh.
fal - le!
Sieg - fried!
tom - be!
Sühn' er die
Purged be the
Cè - - de l'af -
Gunth.
Sühn' er die Schmach, die er mir schuf!
Purged be the shame cast by his crime!
Cè - - de l'af - front que je lui dus!
Hag.
Sterb' er da - hin der strah - len - de
So shall he fall_ the he - ro so
Meu - - re par nous le bra - ve rayon-
Vc.
CB.

3 Fl.
zu 3.
Hob. 1.
Hob. 2 u. 3.
zu 2.
Engl. Hr.
3 Cl.
Bs. Cl.
4 Hör.
Fag. 1 u. 2.
cresc.
Fag. 3.
cresc.
Tromp. 2 u. 3 (C)
(Es)
4 Pos.

Pauk.
tr
f
Viol.
p
cresc.
Br.
Brünnh.
Schmach, die er mir schuf!
shame cast by his crime!
-front que je lui dus!
Gunth.
Des
The
O
Hag.
Held! Mein ist der Hort, mir muss er ge-
famed! Mine is the hoard, my hand aye shall
nant Seul du tré - sor je dois ê - tre
Vc.
CB.

3 Fl.
zu 3.
f
Hob. 1.
f
Hob. 2 u. 3.
(zu 2)
f
Engl. Hr.
f
Cl. 1.
f
Cl. 2 u. 3.
f
Bs. Cl.
f
f
4 Hör. (F)
f
f
3 Fag.
f
f
f
Tromp. 2 u. 3. (Es)
f

Pauk. (B)
dim.
Viol.
Br.
dim.
Brünnh.
Eid - - - - - - treu - e hat er ge - tro - gen: mit sei-nem Blut
Ho - - - - - - li - est vows hath he bro - ken: and with his blood
Foi sain - te qu'il a tra - hi - e, que tout son sang
Gunth.
Ei - - des - - treu - - - - e hat er ge - tro - gen: mit sei-nem Blut
oath of bro - - - - ther hood hath he bro - ken: and with his blood
foi ju - - ré e qu'il a tra - hi - e, que tout son sang
Hag.
hö - ren. Mir muss er ge - hö - ren, d'rum sei der
hold it. My hand aye shall hold it: from him the
maî - tre. Seul dois - je ê - tre maî - tre; Donc, que la
Vc.
(marc.)
CB.
(marc.)
dim.

3 Fl.
8
f
3 Hob.
f
f
Engl. Hr.
f
3 Cl.
f
f
Bs Cl.
f
4 Hör. (in F)
p
molto cresc.
f
p
molto cresc.
f
3 Fag.
p
molto cresc.
ff
ff
p
molto cresc.
ff
ff
3 Tromp. (in C)
f
Pos.
f
mf

Pauk.
(in G)
tr
cresc.
Viol.
cresc.
Br.
cresc.
Brünnh.
büss' er die Schuld! All - - - rau - - ner, rä - chen - der
let him a - tone! All - - - see - - ing god of re-
la - ve le crime! Dieu sa - - ge, Dieu qui pu-
Gunth.
büss' er die Schuld! All - rau - ner, rä - chender
let him a - tone! All - see - ing god of re-
la - ve le crime! Dieu sa - ge, Dieu qui pu-
Hag.
Reif ihm ent - ris-sen! Al - ben - va - ter, ge-fall' - ner
ring shall be wrested! Hearken, fa - ther, thou fal - len
ba - gue soit re - pri-se! Pè-re des Al - fes, o Roi dé-
Vc.
CB.
cresc.
(zus.)

3 Fl.
3 Hob.
Engl. Hr.
3 Cl.
Bs Cl.
4 Hör. (in F)
3 Fag.
3 Tromp.
3.
3. (in F)
Pos.

Pauk.
tr
cresc.
f
Viol.
più f
Br.
Brünnh.
Gott!
venge!
- nis!
Schwur - - wis - sen - der Ei - des - hort!
Oath - - wit - ness and lord of vows!
Toi qui ju - ges nos ser - ments!
Gunth.
Gott!
venge!
- nis!
Schwur - wis - sen - der Ei - des - hort!
Oath - wit - ness and lord of vows!
Toi qui ju - ges nos ser - ments!
Wo - tan!
Wo - tan!
Wo - tan!
Hag.
Fürst!
prince!
- chu!
Nacht - hü - ter
Night - ward - er!
Noir prin - ce!
Nib - lungen - herr!
Ni - belung lord!
Ni - blung har - di!
Al -
Al -
Al -
Vc.
CB.

Fl.
3 Hob.
Engl. Hr.
3 Cl.
Bs Cl.
4 Hör.
3 Fag.
3 Tromp.
Pos.
1.(in C)
1.(in Es)
1.u.2.

Pauk.
2. (in Des)
tr
pp
Viol.
(immer f)
Br.
Brünnh.
Wo - tan! Wen-de dich her! Wei - se die schrecklich hei - li-ge
Wo - tan! Turn thee to me! Call on thine aw-ful hea - ven-ly
Wo - tan! daigne nous voir! fais que l'ar-mé-e sain - te des
Gunth.
Wen-de dich her! Wo-tan! Wei - se die schreck - lich hei - li-ge
Turn thee to me! Wo-tan! Call on thine aw - ful hea - ven-ly
Daigne nous voir! Wo-tan! Fais que l'ar-mé - e sain - te des
Hag.
- - berich! Ach - te auf mich! Wei - se von Neu-em der Nib - lun-gen
- - berich! Look thou on me! Call now a-new on the Ni - be-lung
- - berich! comp - te sur moi! Fais que se lè-vent des Ni - blungsnom-
Vc.
sf
CB.
pizz.
p

Noch etwas bewegter.
kl.Fl.
gr.Fl.
(zu 3)
1.u.2.
3 Hob.
Engl.Hr.
3 Cl.
Bs Cl.
4 Hör. (in F)
3 Fag.
Tromp.
p cresc.
meno f
cresc.
dim.
ff
f
sf

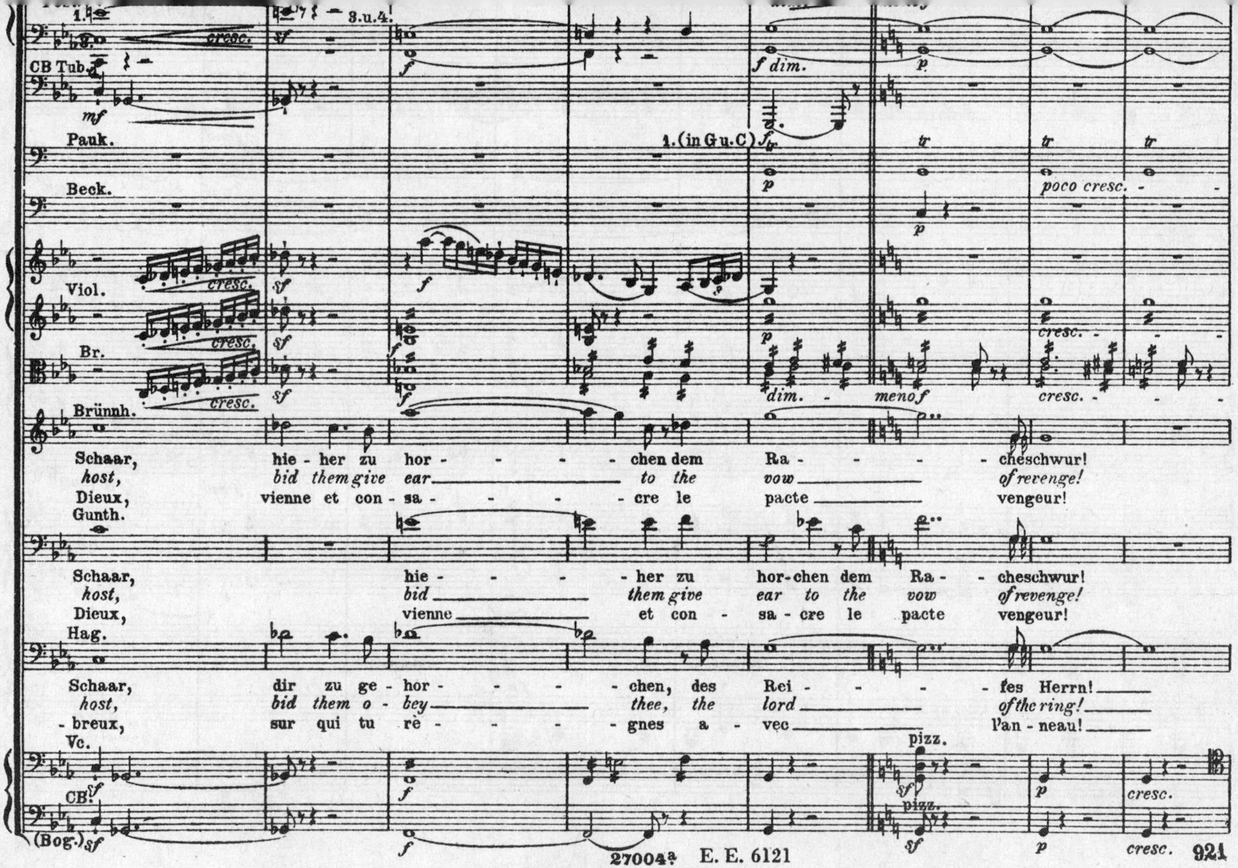

1.
3.u.4.
cresc.
CB Tub.
Pauk.
1.(in G u.C)
Beck.
poco cresc.
Viol.
Br.
cresc.
dim.
meno f
Brünnh.
Schaar, hie - her zu hor - - - - chen dem Ra - - - - cheschwur!
host, bid them give ear to the vow of revenge!
Dieux, vienne et con - sa - - - - cre le pacte vengeur!
Gunth.
Schaar, hie - - - her zu hor-chen dem Ra - cheschwur!
host, bid them give ear to the vow of revenge!
Dieux, vienne et con - sa - cre le pacte vengeur!
Hag.
Schaar, dir zu ge - hor - - - - chen, des Rei - - - - fes Herrn!
host, bid them o - bey thee, the lord of the ring!
-breux, sur qui tu rè - - - - gnes a - vec l'an - neau!
Vc.
pizz.
CB.
(Bog.)
cresc.

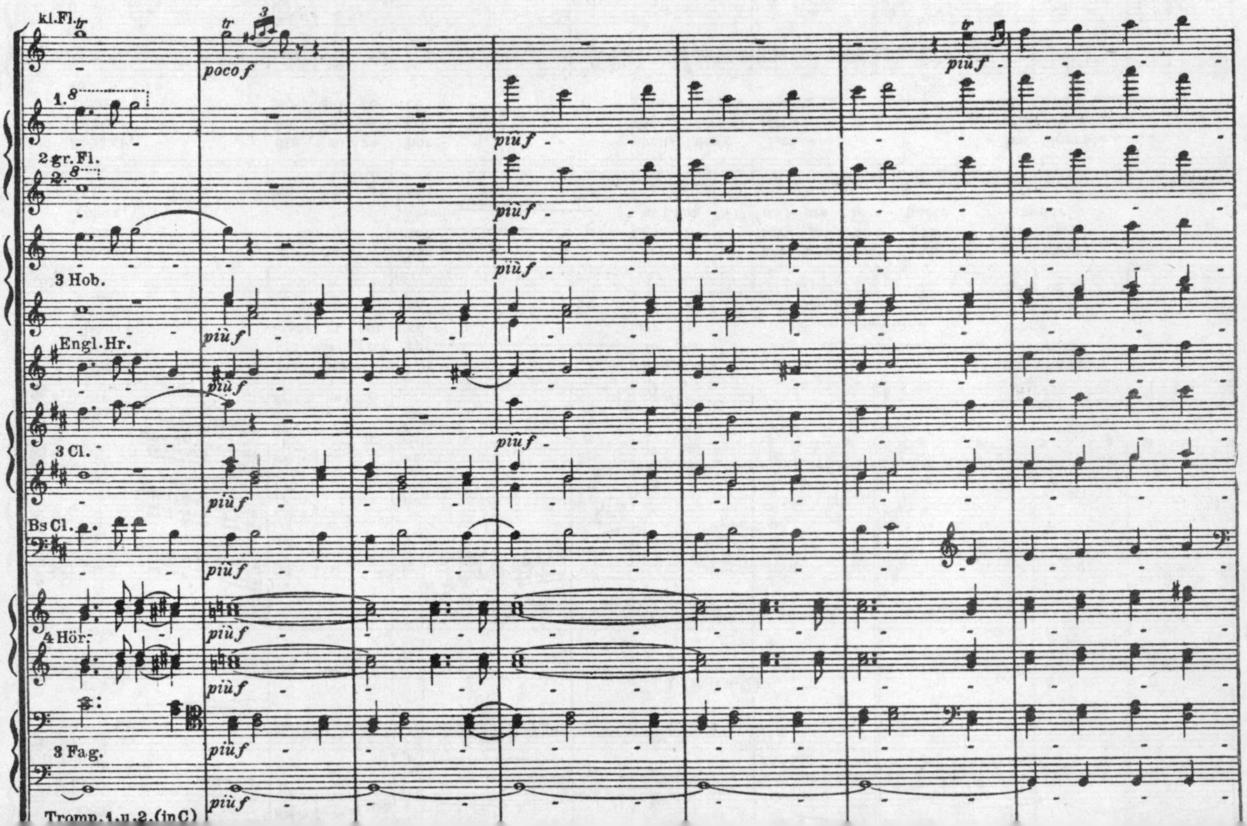
kl.Fl.
tr
poco f
più f
1.
2 gr. Fl.
2.
più f
3 Hob.
più f
Engl.Hr.
3 Cl.
Bs Cl.
4 Hör.
3 Fag.
Tromp. 1. u. 2. (in C)

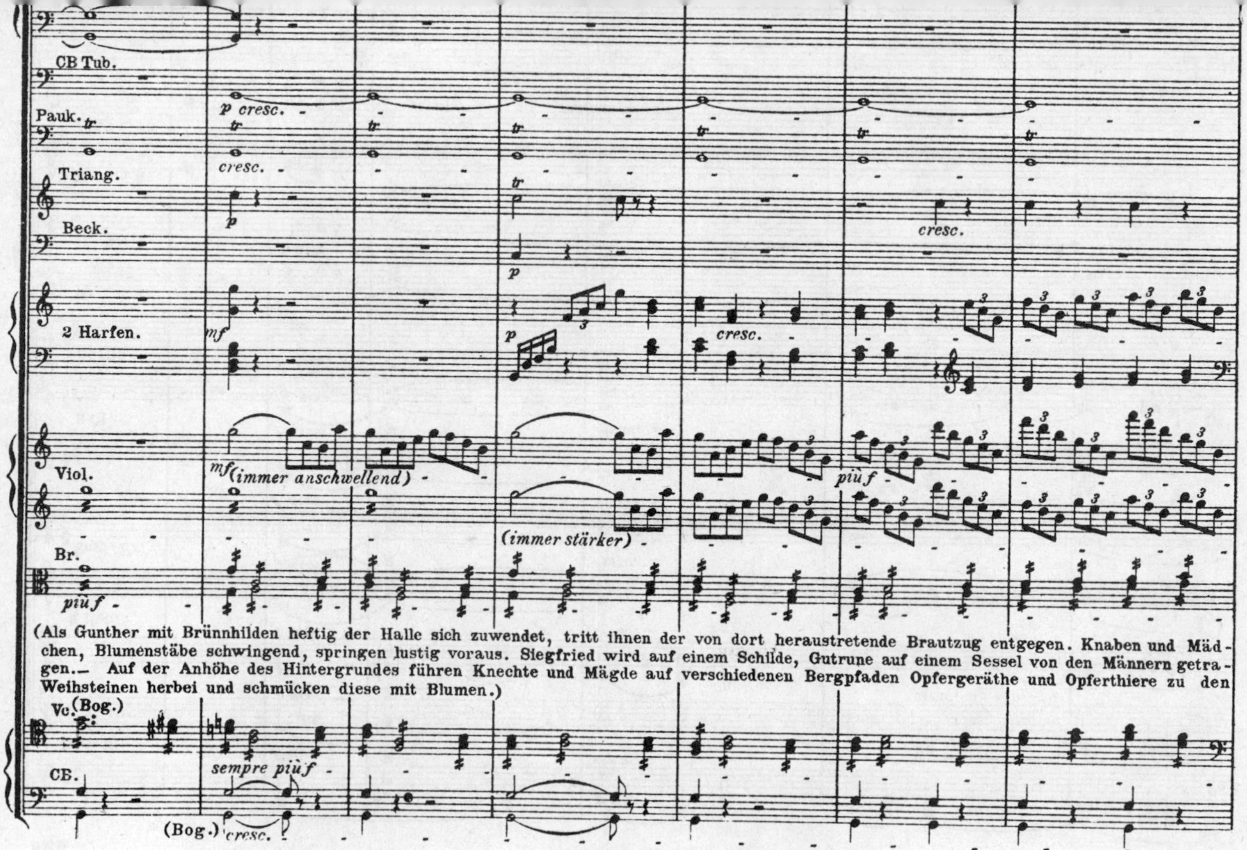
CB Tub.
Pauk.
tr
p cresc.
Triang.
cresc.
Beck.
p
cresc.
2 Harfen.
mf
p
cresc.
Viol.
mf (immer anschwellend)
(immer stärker)
più f
Br.
più f
(Als Gunther mit Brünnhilden heftig der Halle sich zuwendet, tritt ihnen der von dort heraustretende Brautzug entgegen. Knaben und Mädchen, Blumenstäbe schwingend, springen lustig voraus. Siegfried wird auf einem Schilde, Gutrune auf einem Sessel von den Männern getragen.— Auf der Anhöhe des Hintergrundes führen Knechte und Mägde auf verschiedenen Bergpfaden Opfergeräthe und Opferthiere zu den Weihsteinen herbei und schmücken diese mit Blumen.)
Vc. (Bog.)
sempre più f
CB.
(Bog.)
cresc.

1.
2 gr. Fl.
2.
3 Hob.
Engl. Hr.
3 Cl.
Bs Cl.
Hr. 1. u. 2.
Hr. 3. u. 4.
Hr. 5. u. 6.
Hr. 7. u. 8.
3 Fag.
f dim.
p
cresc.
f

Pos.
Pauk.
dim.
più p
2 Harf.
cresc.
Viol.
(heftig)
p cresc.
più f
Br.
p cresc.
Hörner auf dem Theater (vervielfacht)
(in F)
(Siegfried und die Männer blasen auf ihren Hörnern den Hochzeitsruf.)
(Die Frauen fordern Brünnhilde auf, an Gutrune's Seite sie zu geleiten. — Brünnhilde blickt starr zu Gutrune auf, welche ihr mit freundlichem Lächeln zuwinkt.)
Vc.
molto cresc.
CB.
(Bog.) cresc.

3 gr.Fl.
3 Hob.
Engl. Hr.
3 Cl.
Bs Cl.
Hr. 1. u. 2.
Hr. 3. u. 4.
Hr. 5. u. 6.
Hr. 7. u. 8.
3 Fag.
più f
ff
f
1. u. 2.
3.

2.
Pos.
CB Tub.
Pauk. 2 (in Es)
cresc.
f2 Harf.
Viol.
più f
Br.
(Als Brünnhilde heftig zurücktreten will, tritt Hagen rasch dazwischen und drängt sie an Gunther, der jetzt von Neuem ihre Hand erfasst, worauf er selbst von den Männern sich auf einen
Vc.
CB.

kl. Fl.
1.u.2.(zu 2)
2 gr. Fl.
3.
1.u.2.
3 Hob.
3.
Engl. Hr.
3 Cl.
Bs Cl.
Hr. 1.u.2.
Hr. 3.u.4.
Hr. 5.6.7.u.8.
(verdoppelt)
3 Fag.
più f
ff

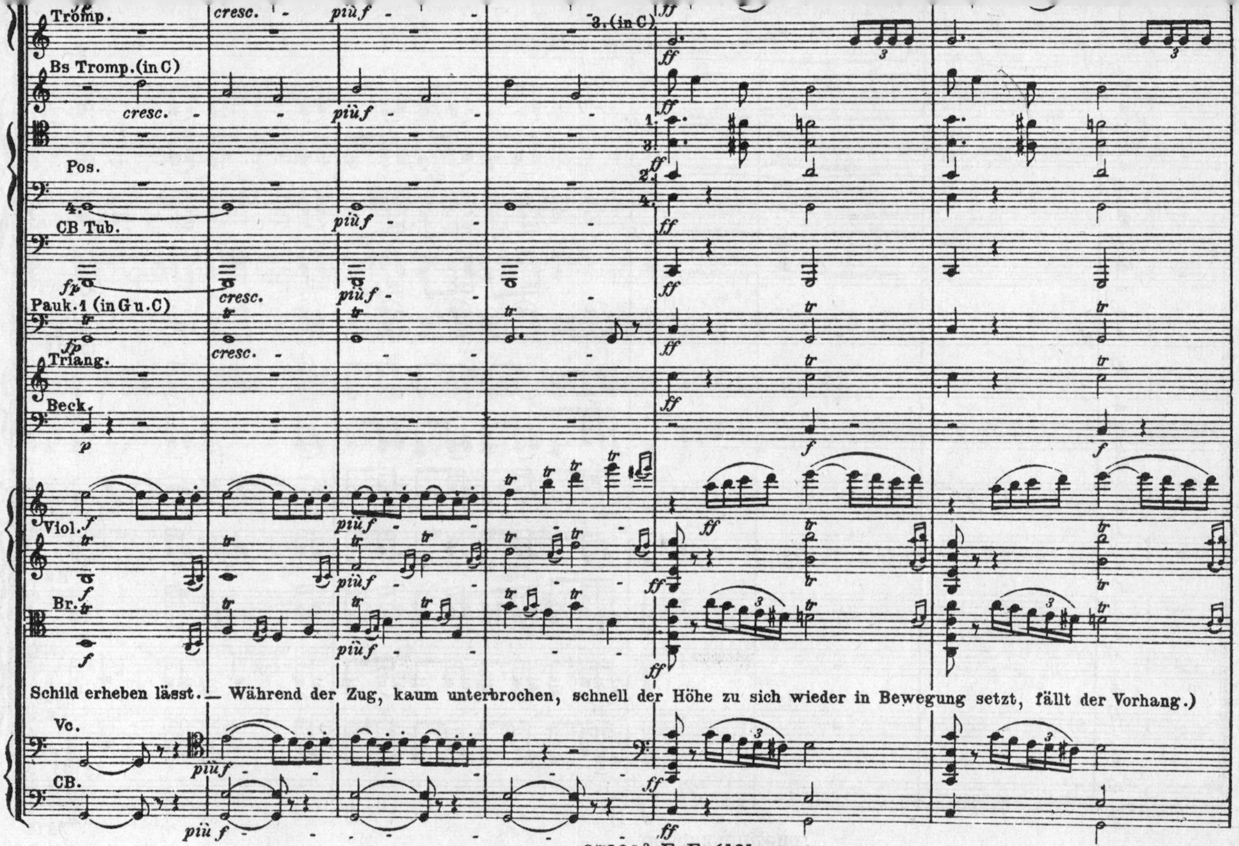
Tromp.
cresc.
più f
3. (in C)
ff
Bs Tromp. (in C)
cresc.
più f
Pos.
CB Tub.
fp
Pauk. 1 (in G u. C)
Triang.
Beck.
p
Viol.
Br.
Schild erheben lässt. — Während der Zug, kaum unterbrochen, schnell der Höhe zu sich wieder in Bewegung setzt, fällt der Vorhang.)
Vc.
CB.
più f

Beschleunigend.

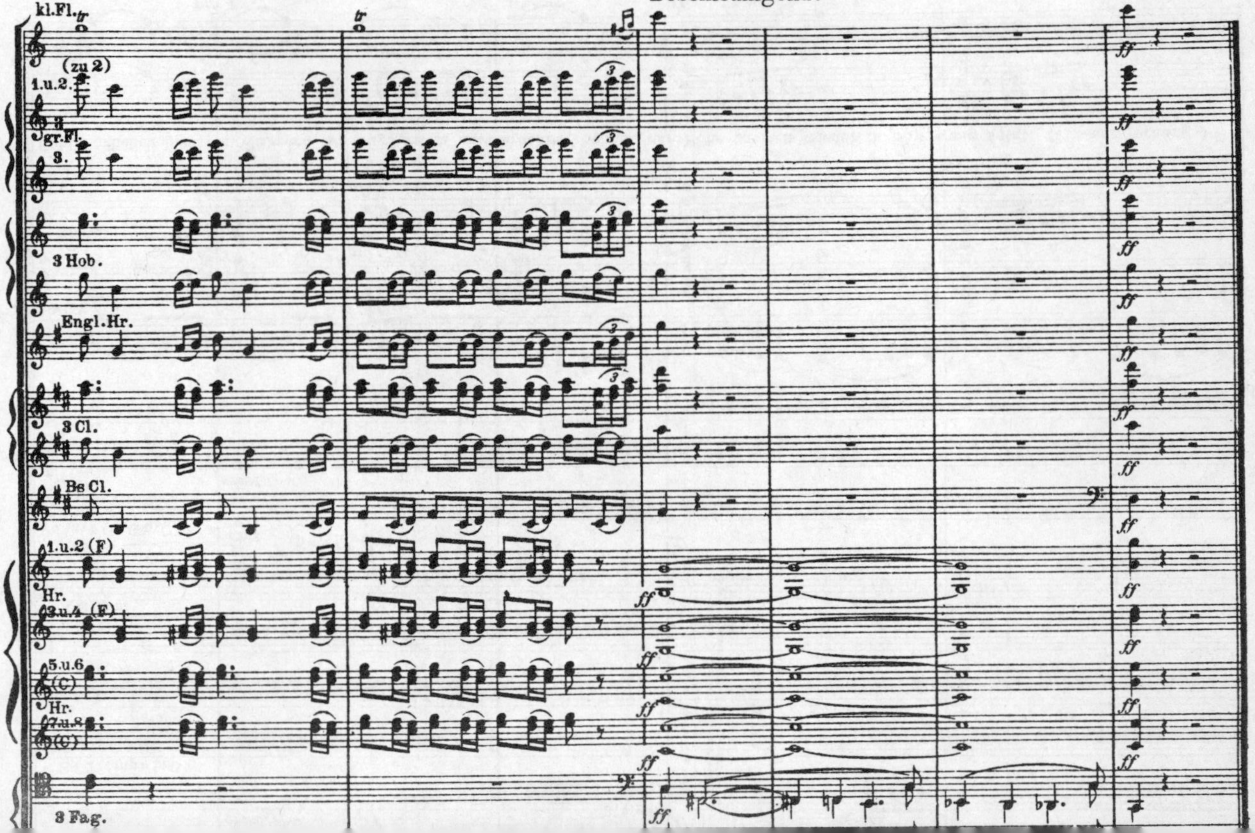

Ende des II. Aufzuges.

# Dritter Aufzug.

## Vorspiel und erste Scene.

Lebhaft, doch mässig im Zeitmass.

27004 ♮ E. E. 6121

Hr. 1. (F)
Hr. 2. (F)
pp
Hr. 3.
(F)
pp
Hr. 4.
(F)
pp
Hr. 5.
(F)
pp
CB.
1.
poco cresc.
2.
poco cresc.
3.
poco cresc.
4.
poco cresc.
Hör.
5.
poco cresc.
6.
pp
poco cresc.
7.
pp
poco cresc.
8.
p poco cresc.
CB.

Hob. 1 u. 2.
Cl. 1 u. 2. (B)
8 Hör.
Fag. 3.
Viol.
Br.
Vc.
CB.
p
tr
dim.

Hob. 1 u.2.
più p
Cl. 1 u.2.
più p
1.
più p
2.
più p
3.
più p
4.
più p
8 Hör.
5.
più p
pp
6.
più p
pp
7.
più p
pp
8.
più p
pp
Fag. 3.
p
tr
più p
Viol.
p
tr
più p
Br.
tr
p
tr
più p
Vc.
CB.

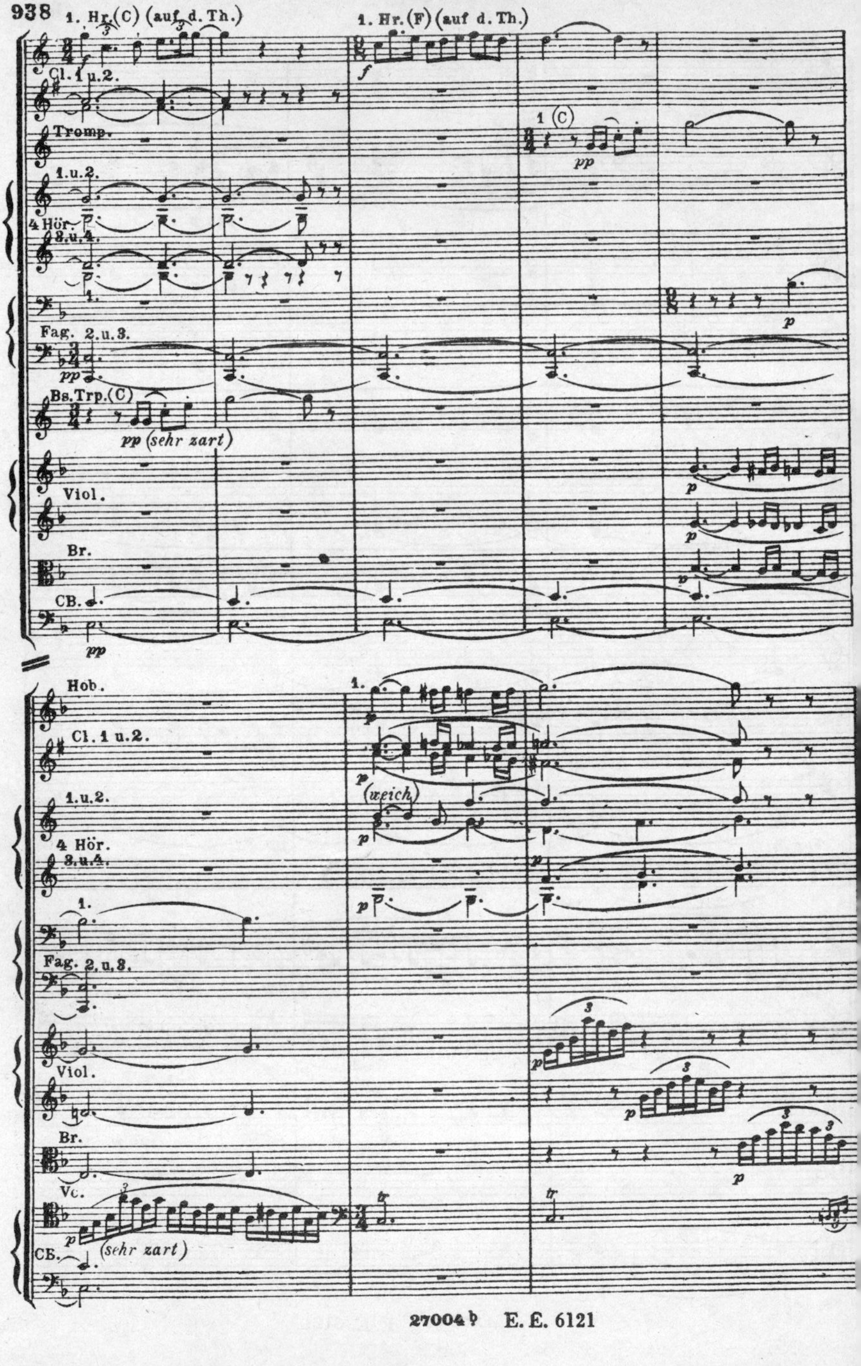
1. Hr. (C) (auf d. Th.)
1. Hr. (F) (auf d. Th.)
Cl. 1 u. 2.
Tromp.
1 (C)
1. u. 2.
4 Hör.
3. u. 4.
1.
Fag. 2. u. 3.
Bs. Trp. (C)
pp (sehr zart)
Viol.
Br.
CB.
Hob.
Cl. 1 u. 2.
(weich)
Vc.
(sehr zart)

Viol. più p
più p
Br.
più p
Vc.u.CB.
più p
Der Vorhang geht auf.
(Wildes Wald- und Felsenthal
Cl.
1.
p
poco cresc.
Viol. sempre più p
Br. sempre più p
Vc.u.CB. sempre più p
sempre più p
am Rheine, welcher im Hintergrunde an einem steilen Abhange vorbei fliesst. – Die drei Rheintöchter (Woglinde, Wellgunde und Flosshilde) tauchen aus der Fluth auf und schwimmen, wie im Reigentanze, im Kreise umher.)
Cl. 1.
p
Cl. 2. (weich und ausdrucksvoll)
p
Cl. 3.
p
Hör. 2. u. 4.
p
Viol.
pp
pp
Br.
pp
Vc.u.CB.
pp

Cl. 1.
Cl. 2.
Cl. 3.
Hr. 2.
Viol.
Br.
Vc. u. CB.
Cl. 1.
Cl. 2.
Cl. 3.
Hör. 1. u. 2.
Viol.
Br.
Vc. pizz.
CB. pizz.

Cl. 1.
Cl. 2.
Cl. 3.
4. Hör.
Viol.
Br.
Vc.
CB.
p
dim.
tr
2.
4.
pizz.
poco cresc.

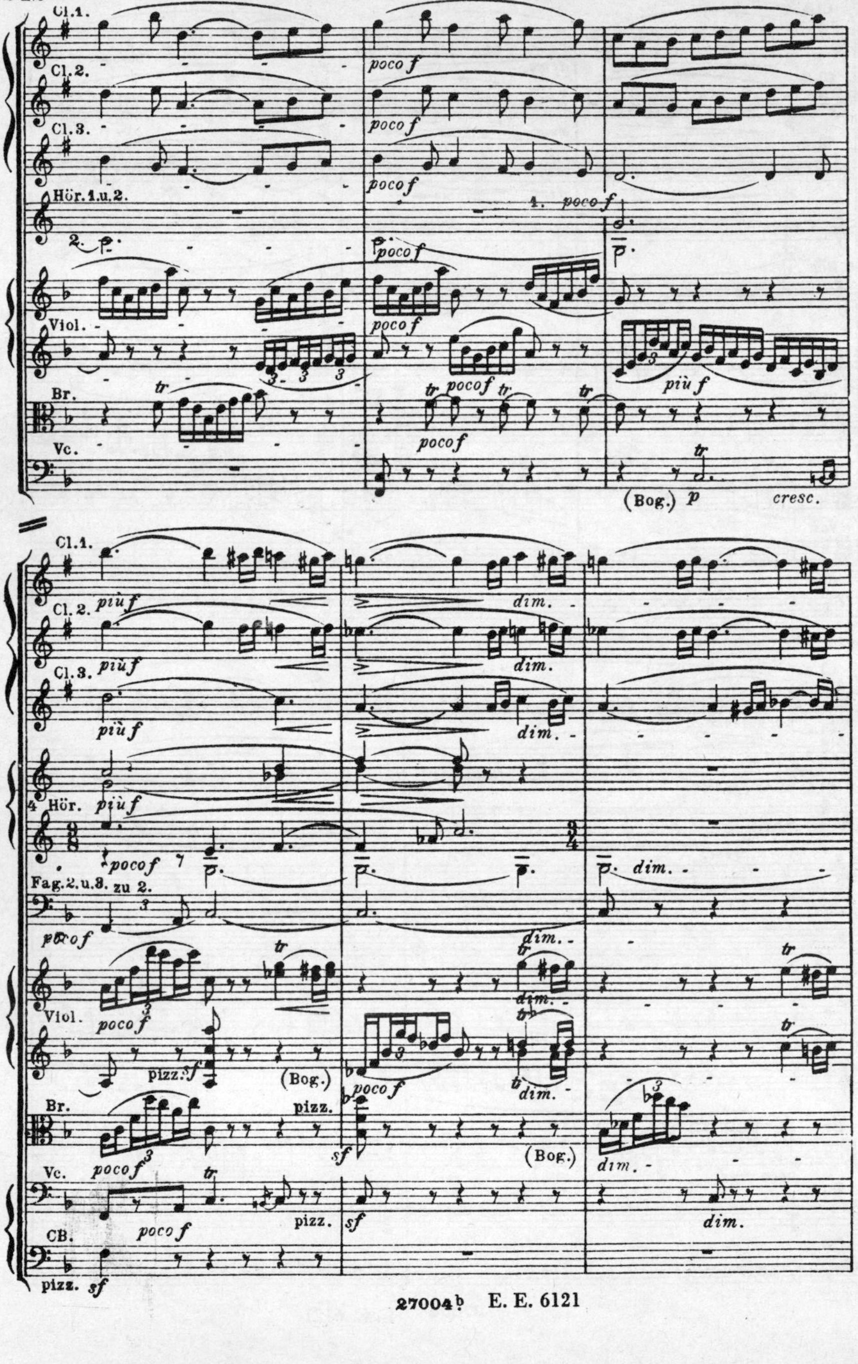
Cl. 1.
poco f
Cl. 2.
poco f
Cl. 3.
poco f
Hör. 1. u. 2.
1. poco f
2.
poco f
Viol.
poco f
poco f
più f
Br.
tr
poco f
Vc.
tr
(Bog.)
p
cresc.
Cl. 1.
più f
dim.
Cl. 2.
più f
dim.
Cl. 3.
più f
dim.
4 Hör.
più f
poco f
dim.
Fag. 2. u. 3. zu 2.
poco f
dim.
Viol.
poco f
tr
dim.
pizz.
sf
(Bog.)
poco f
dim.
Br.
poco f
pizz.
sf
(Bog.)
dim.
Vc.
tr
poco f
pizz.
sf
dim.
CB.
pizz.
sf

Cl. 1.
Cl. 2.
Cl. 3.
Hr. 4.
tr
Viol.
tr
p
Br.
3
Woglinde.
Frau
Fair
So -
(Die drei Rheintöchter im Schwimmen mässig einhaltend)
Wellgunde.
Frau
Fair
So -
Flosshilde.
Frau
Fair
So -
Vc.
p

Cl. 1.
Cl. 2.
Cl. 3.
Bs. Cl. (B)
1 u. 2. (F)
Hör.
3 u. 4. (F)
1. u. 2.
Fag.
3.
Viol.
pizz.
Br.
pizz.
Wogl.
Son - ne sen - det lich - te Strah -
sun - light send - eth rays of splen -
-leil jo-yeux luit en vi - ves flam -
Wellg.
Son - ne sen - det lich - te Strah -
sun - light send - eth rays of splen -
-leil jo-yeux luit en vi - ves flam -
Flossh.
Son - ne sen - det lich - te Strah -
sun - light send - eth rays of splen -
-leil jo-yeux luit en vi - ves flam -
Vc. u. CB.
pizz.

2.
Cl.
3.
Bs. Cl. (B)
p
p
p
Hör.
Fag.
Viol.
p
Br.
Wogl.
len;
dour;
- mes!
Nacht
night
L'ombre
liegt
lies
est
Wellg.
len;
dour;
- mes!
Nacht
night
L'ombre
liegt
lies
est
Flossh.
len;
dour;
- mes!
Nacht
night
L'ombre
liegt
lies
est
Vc.

2.
Cl.
3.
Bs. Cl.
Hr. 1.
p (weich)
Fag.
1.
p
tr
Viol.
più p
pizz.
pp
Br.
pizz.
pp
Wogl.
in der Tie - - fe:
in the wa - - ters.
dans l'a - bî - - me,
Wellg.
in der Tie - - fe:
in the wa - - ters.
dans l'a - bî - - me,
Flossh.
in der Tie - - fe:
in the wa - - ters.
dans l'a - bî - - me,
Vc.
pizz.
p

Cl.
2.
3.
Bs. Cl. (B)
Hör.
1.
2.
3.
4.
Fag. 1.
p
Harfe
Viol.
Br.
Wogl.
einst war sie hell, da heil und
Bright were they once when through the
qui tant bril - lait quand, saint et
Wellg.
einst war sie hell, da heil und
Bright were they once when through the
qui tant bri - lait quand, saint et
Flossh.
einst war sie hell, da heil und
Bright were they once when through the
qui tant bri - lait quand, saint et
Vc.

Hör.
cresc.
cresc.
Tromp. (C)
1.
(sehr zart)
cresc.
Harfe
p
cresc.
Viol.
Br.
pizz. p
Wogl.
hehr des Va - ters Gold noch in ihr glänz - - - -
waves the ra - diant sun gleamed on the Rhine - - - -
pur aux on - des l'or régnait splen - di - - - -
Wellg.
hehr des Va - ters Gold noch in ihr glänz - - - -
waves the ra - diant sun gleamed on the Rhine - - - -
pur aux on - des l'or régnait splen - di - - - -
Flossh.
hehr des Va - ters Gold noch in ihr glänz - - - -
waves the ra - diant sun gleamed on the Rhine - - - -
pur aux on - des l'or régnait splen - di - - - -
Vc.
pizz. p

Cl. 1.
tr
cresc.
f
Hör.
fp
f
3
Tromp. 1. (C.)
Harf.
3
f
Viol.
tr
cresc.
(Bog.)
Br.
(Bog.)
fp cresc.
Wogl.
- te, Rhein - gold, kla - res
- gold. Rhine - gold, shin - ing
- de! Rhein - gold, or de
Wellg.
- te, Rhein - gold, kla - res
- gold. Rhine - gold, shin - ing
- de! Rhein - gold, or de
Flossh.
- te, Rhein - gold, kla - res
- gold. Rhine - gold, shin - ing
- de! Rhein - gold, or de
Vc. Bog.
p cresc.

Cl.1.
dim.
Hör.
dim.
p
dim.
Harf.
dim.
p
Viol.
pizz.
p
Br.
dim.
p
Wogl.
Gold, wie hell du ein-stens strahl-
gold, how bright was once thy lus-
feu, si claire é-tait ta flam-
Wellg.
Gold, wie hell du ein-stens strahl-
gold, how bright was once thy lus-
feu, si claire é-tait ta flam-
Flossh.
Gold, wie hell du ein-stens strahl- test,
gold, how bright was once thy lus- tre
feu, si claire é-tait ta flam- me
Vc. pizz.
dim.
p

Cl.
1.
2 u. 3.
Hör.
3.
Bs. Cl.
1. Harf.
2. Harf.
Viol.
Br.
Wogl.
- - - test, heh-rer Stern der Tie - - - - - -
- - - tre, beauteous star of the wa - - - - - -
- - - me, as-tre saint des on - - - - - -
Wellg.
- - - test, heh-rer Stern der Tie - - - - - -
- - - tre, beauteous star of the wa - - - - - -
- - - me, as-tre saint des on - - - - - -
Flossh.
heh - - - rer Stern der Tie - - - - - -
beau - - - teous star of the wa - - - - - -
as - - - tre saint des on - - - - - -
Vc. u. CB.
(zus.)
(Bog.)

Cl.
Hör.
3.
4.
Bs.Cl.
1. Harf.
2. Harf.
Viol.
Br.
Wogl.
fe! Wei - a - la - - - - - la,
ters! Wei - a - la - - - - - la,
des! Waï - a - la - - - - - la,
(Sie schliessen wieder den Schwimmreigen.)
Wellg.
fe! Wei - a - la - - - - - la,
ters! Wei - a - la - - - - - la,
des! Waï - a - la - - - - - la,
Flossh.
fe! Wei - a - la - - - - - la,
ters! Wei - a - la - - - - - la,
des! Waï - a - la - - - - - la,
Vc. u. CB.

Hr. 4.
1. Harf.
2. Harf.
Viol.
p
Br.
tr
p
Wogl.
wei - a la - - la lei - a lei - a wal - la - la la
wei - a la - - la hei - a lei - a wal - la - la la
waï - a la - - la laï - a laï - a wal - la - la la
Wellg.
wei - a la - - la lei - a lei - a wal - la - la la
wei - a la - - la hei - a lei - a wal - la - la la
waï - a la - - la laï - a laï - a wal - la - la la
Flossh.
wei - a la - - la lei - a lei - a wal - la - la la
wei - a la - - la hei - a lei - a wal - la - la la
waï - a la - - la laï - a laï - a wal - la - la là
Vc.

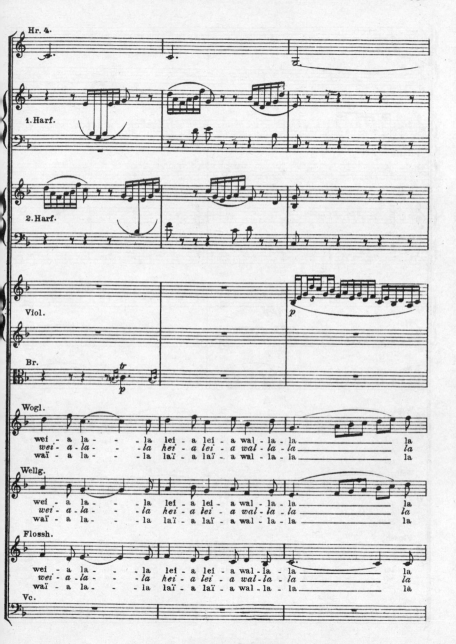

2.
Hör.
4.
1. Harf.
2. Harf.
Viol.
Br.
Wogl.
lei - - - a la la lei - - - la la la
hei - - - a la la lei - - - la la la
laï - - - a la la laï - - - la la la
Wellg.
lei - - - a la la lei - - - la la la
hei - - - a la la lei - - - la la la
laï - - - a la la laï - - - la la la
Flossh.
lei - - - a la la lei - - - la la la
hei - - - a la la lei - - - la la la
laï - - - a la la laï - - - la la la
Vc.
pizz.
più p
tr
p

2.
Hör.
4.
Harf.
Harf.
tr
pp
Viol
tr
pp
Br.
Wogl.
la la
la la
la la
Wellg.
la la
la la
la la
Flossh.
la lei - a la
la lei - a la
la laï - a la
Vc.

Auf dem Theater.
1 u. 2.
4 Harf.
3 u. 4.
2.
Hör.
4.
Wogl.
lei, wal-la la la la wei- - -a la wal-la la
lei, wal-la la la la wei- - -a la wal-la-la
laï, wal-la la la la waï- - -a la wal-la la
Wellg.
lei, wal-la la la la wei- - -a la wal-la la
lei, wal-la la la la wei- - -a la wal-la-la
laï, wal-la la la la waï- - -a la wal-la la
Flossh.
lei, wal-la la la la wei- - -a la wal-la la
lei, wal-la la la la wei- - -a la wal-la-la
laï, wal-la la la la waï- - -a la wal-la la
1
2 Harf.
2.

1 u.2.
4 Harf.
3 u.4.
Hr. 2.
p
Wogl.
wei - a la la la wal - la - la la la
wei - a la la la wal - la - la la la
waï - a la la la wal - la - la la la
Wellg.
wei - a la la la wal - la - la la la
wei - a la la la wal - la - la la la
waï - a la la la wal - la - la la la
Flossh.
wei - a la la la wal - la - la la la
wei - a la la la wal - la - la la la
waï - a la la la wal - la - la la la
1 u.2.
4 Harf.
3 u.4.
Hr. 2.
Wogl.
lei - a lei - a lei - a lei - a la la
lei - a lei - a lei - a lei - la la la
laï - a laï - a laï - a laï - a la la
Wellg.
lei - a lei - a lei - a lei - a la la
lei - a lei - a lei - a lei - la la la
laï - a laï - a laï - a laï - a la la
Flossh.
lei - a lei - a lei - a la la
lei - a lei - a lei - a la la
laï - a laï - a laï - a la la

Auf dem Theater.
1 u. 2.
4 Harf.
3 u. 4.
2.
Hör.
4.
Wogl.
la!
la!
la!
Wellg.
la!
la!
la!
Flossh.
la!
la!
la!
1 Horn. (F.)
auf dem Theater.
1 Horn. (C.)
(Rechts, fern.)
(Im Echo links.)
Auf dem Theater.
1 u. 2.
4 Harf.
3 u. 4.
2.
Hör.
4.
Wogl.
Wellg.
(Sie lauschen.)
Flossh.

Hob.
Cl.
Hör.
Fag. 1.u.2.
Viol.
pizz.
Br.
Wogl.
(Sie schlagen jauchzend das Wasser.)
Wellg.
Flossh.
Vc. pizz.
CB. pizz.

Hob.
Cl.
Hör.
Fag.
Viol.
Br.
Wogl.
Wellg.
Flossh.
Vc.
CB.
f
sf
3
Frau
Fair
So -
Frau
Fair
So -
Frau
Fair
So -

Hör.
Fag.
Viol.
cresc.
dim.
Br.
(Bog.)
cresc.
dim.
Wogl.
Son - - ne, sen - - de uns den Hel - - - - den,
sun - - light, send us now the he - - - - ro,
-leil joyeux mon - - tre-nous le bra - - - - ve,
Wellg.
Son - - ne, sen - - de uns den Hel - - - - den,
sun - - light, send us now the he - - - - ro,
-leil joyeux mon - - tre-nous le bra - - - - ve,
Flossh.
Son - - ne, sen - - de uns den Hel - - - - den,
sun - - light, send us now the he - - - - ro,
-leil joyeux mon - - tre-nous le bra - - - - ve,
Vc.
(Bog)
cresc.
dim.
CB.
pizz.
(Bog)

Hör.
dim.
Fag.
Viol.
Br.
p
Wogl.
der das Gold uns
who a - gain our
qui doit ren - dre
Wellg.
der das Gold uns
who a - gain our
qui doit ren - dre
Flossh.
der das Gold uns
who a - gain our
qui doit ren - dre
Vc.
Hr.
1. (allein)
wie - der ge - be!
gold shall give us!
l'or au fleu - ve!

Hör.
2 Harf.
Viol.
Br.
Wogl.
Liess' er es uns;
Let it be ours,
S'il nous le rend,
Wellg.
Liess' er es uns,
Let it be ours,
S'il nous le rend,
Flossh.
Liess' er es uns,
Let it be ours,
S'il nous le rend,
Vc.
Tromp.
1 (C.)
Hör.
2 Harf.
Wogl.
dein lich-tes Au-ge nei-de-ten dann wir nicht
then thy bright eye no more will a-wa-ken our
ton œil splen-di-de ne nous doit plus faire en-
Wellg.
dein lich-tes Au-ge nei-de-ten dann wir nicht
then thy bright eye no more will a-wa-ken our
ton œil splen-di-de ne nous doit plus faire en-
Flossh.
dein lich-tes Au-ge nei-de-ten dann wir nicht
then thy bright eye no more will a-wa-ken our
ton œil splen-di-de ne nous doit plus faire en-

Hob. 1.2.
cresc.
Cl. 1.2.
cresc.
Tromp. 1.
cresc.
cresc.
Hör.
cresc.
2 Harf.
cresc.
Viol.
Br.
cresc.
Wogl.
län - - - ger!
long - - - ing!
vi - - - e!
Wellg.
län - - - ger!
long - - - ing!
vi - - - e!
Flossh.
län - - - ger!
long - - - ing!
vi - - - e!
Vc.
pizz.
p

Hob.1 u.2.
fp
Cl.1 u.2.
fp
f
Trp.1.
fp
Hör.
fp
f
dim.
fp
f
dim.
Fag.3.
f
dim.
Hör.
f
p
dim.
pizz.
Viol.
sf
pizz.
sf
Br.
tr
fp
cresc.
fp
dim.
Wogl.
Rhein - gold! Kla - res Gold, wie
Rhine - gold! Shin - ing gold, how
Rhein - gold! Or de feu si
Wellg.
Rhein - gold! Kla - res Gold, wie
Rhine - gold! Shin - ing gold, how
Rhein - gold! Or de feu si
Flossh.
Rhein - gold! Kla - res Gold, wie
Rhine - gold! Shin - ing gold, how
Rhein - gold! Or de feu si
Vc.
sf
sf

Hör.
Fag. 8.
2 Harf.
Viol.
Br.
Wogl.
froh du dann strahl- - - - - test, frei-er
fair then thy lus - - - - - tre, glo-rious
claire é-tait ta flam- - - - - me, as-tre
Wellg.
froh du dann strahl- - - - - test, frei-er
fair then thy lus - - - - - tre, glo-rious
claire é-tait ta flam- - - - - me, as-tre
Flossh.
froh du dann strahl - - test, frei - - er
fair then thy lus - - tre, glo - - rious
claire e-tait ta flam - - me, as - - tre
Vc.
pizz.

Fl.1u.2.
Hob.1u.2.
Cl.1u.2.
Hör.
Fag.2u.3.
2.
3.
Harf.
cresc.
(Bog.)
Viol.
(Bog.)
Br.
tr
Wogl.
Stern der Tie - fel.
star of the wa - ters!
fier des on - des!
Wellg.
Stern der Tie - fel.
star of the wa - ters!
fier des on - des!
Flossh.
Stern der Tie - fel.
star of the wa - ters!
fier des on - des!
Vc.u.CB.
(Bog.)

Fl. 1 u. 2.
Hob. 1 u. 2.
Cl. 1 u. 2.
Hr. 2.
Hr. 4.
Fag. 2 u. 3.
Viol.
Br.
Vc. u. CB.
2 Fl.
2 Hob.
2 Cl.
Hr. 1.
Hr. 4.
3 Fag.
Viol.
Br.
1 Horn. (auf dem Theater)
(näher als zuvor)
Wogl.
Ich hö - re sein
I hear now his
Son cor re - ten-
Vc.
(allein)
pizz.

Fl.1u.2.
Hob.1u.2.
Cl.1u.2.
Hr.1.
Hr.4.
3 Fag.
Viol.
Br.
Wogl.
Horn-
horn-
-tit.
Wellg.
Der Hel - de naht.
The he - ro comes.
Le brave ap - pro - che!
Flossh.
Lasst uns be -
Let us take
Que l'on a -
Vc.

Fl. 1 u. 2.
cresc.
Hob. 1 u. 2.
3 Cl. cresc.
cresc.
Hr. p cresc.
cresc.
Viol.
pizz.
Br. pizz.
pizz.
(Sie tauchen alle drei schnell unter.)
Flossh.
ra - then!
coun - sel!
- vi - se!
Vc.
Fl. 1 u. 2.
Hob. 1 u. 2.
Cl. 1 u. 2.
Hör.
Fag.
1 u. 2.
Viol.
dim.
Br.
(Bog.) dim.
Vc.
(Bog.) dim.

Viol.
più p
p
(Bog.)
tr
Br.
più p
p
(Siegfried erscheint auf dem Abhange in vollen Waffen.)
Vc.
più p
p
CB.
pizz.
p
Hr. 2. (F)
(ten.)
p
Viol.
p
tr
p
Br.
p
Siegf.
Ein Al - be führ - te mich irr,
Some elf hath led me a - stray,
Un Elfe é - ga - re mes pas;
Vc.
p
CB.
p

3 Cl.
Hr.
2. (D) (gestopft)
Viol.
pizz.
(Bog.)
Br.
Siegf.
dass ich die Führ - te ver - lor.
and now the track I have lost.
je fais ma chasse au ha - sard.
He!
Hey
Hé
Vc.
CB.
(nur 4)
(alle)
pizz.
Hr. 3.
3 Fag.
Viol.
cresc.
Br.
Siegf.
Schelm!
rogue!
drô - le!
In welchem Ber - ge bargst du so schnell mir das
What rock-y cave has hid - den so quick-ly my
dans quels ro - chers se ca - che par toi mon gi -
Vc.
CB.
cresc.

Fl.1.
Fl.2.
Fl.3.
Hob.1.
Hob.2.
Hob.3.
Engl.Hr.
Cl.1.
Cl.2.
Cl.3.
1.
Hör. 2 u.3.
Fag. 1.
Fag. 2.
Viol.
Br.
Siegf.
(Die drei Rheintöchter tauchen wieder auf und schwimmen im Reigen.)
Wild?
game?
-bier?
Vc.
CB.
pizz.
più f

Fl. 1.
Fl. 2.
Fl. 3.
Hob. 1.
Hob. 2.
Hob. 3.
Engl. Hr.
Cl. 1.
Cl. 2.
Cl. 3.
Hr.
Fag. 1.
Fag. 2.
Viol.
Br.
Wogl.
Sieg -
Sieg -
Sieg -
Wellg.
Sieg -
Sieg -
Sieg -
Flossh.
Sieg -
Sieg -
Sieg -
Vc.

Fl. 1.
Fl. 2.
Fl. 3.
Hob. 1.
Hob. 2.
Engl. Hr.
Cl. 1.
Cl. 2.
Cl. 3.
2. (F)
Hör. 3 u. 4. (F)
Fag. 1.
1.
2 Harf.
2.
Wogl.
- - fried!
- - fried!
- - fried!
Wellg.
- - fried!
- - fried!
- - fried!
Flossh.
- - fried!
- - fried!
- - fried!
Was schilt'st du so in den
Why scold'st thou so at the
Qui gron - des - tu dans le
Vc.

Fl.1.
Fl.2.
Fl.3.
Hob.1.
Hob.2.
Hob.3.
Engl.Hr.
Cl.1.
Cl.2.
Cl.3.
2.
Hör.
3 u.4.
Fag.1.

1.
2 Harf.
2.
Viol.
Br.
pizz.
Wogl.
Hat dich ein Ni-cker ge-neckt?
Or hath an elf played thee false?
Est-ce qu'un gnô-me t'en veut?
Sag' es,
Tell us,
Dis - le,
Wellg.
Welchem Al - ben bist du gram?
Hath a fair - y roused thine ire?
A quel El - fe en as - tu?
Sag' es,
Tell us,
Dis - le,
Flossh.
Grund?
rocks!
val?
Sag' es,
Tell us,
Dis - le,
Vc.
pizz.
CB.
pizz.

Fl.1.
Fl.2.
Fl.3.
Hob.1.
Hob.2.
Hob.3.
Engl.Hr.
Cl.1.
Cl.2.
Cl.3.
2.
Hör.
4.
dim.
p

Harfe 1 u. 2.
tr
tr
Viol.
più p
più p
Br.
(Bog.) p
Wogl.
Sieg - fried, sag' es uns.
Sieg - fried, speak to us.
Sieg - fried, dis - - - le nous!
Wellg.
Sieg - fried, sag' es uns.
Sieg - fried, speak to us.
Sieg - fried, dis - - - le nous!
Flossh.
Sieg - fried, sag' es uns.
Sieg - fried, speak to us.
Sieg - fried, dis - - - le nous!
Vc.
(Bog.) p
CB.
pizz. p

Siegfr. (sie lächelnd betrachtend.)

Ent-zück-tet ihr zu euch den zot - ti - gen Ge - sel - len, der mir ver-
*Have ye then lured a - way the shag - gy - hi - ded fel - low whom I have*
*Fut - il sé - duit par vous le fau - ve com-pag-non qui vient de me*

Fl.1.
Fl.2.
Fl.3.
Hob.1.
Hob.2.
Hob.3.
Engl.Hr.
Cl.1.
Cl.2.
Cl.3.
2.(allein.)
Hör.
Fag.
Viol.
pizz.
Br.
Siegf.
schwand? Ist's eu - er Frie-del, euch lu - sti-gen Frau-en lass ich ihn
lost? Is he your sweet-heart? then, fro-lic some maids, I leave him to
fuir? S'il vous en - chan-te, ô fem-mes ri-eu - ses, qu'il soit à
Vc.
CB. pizz.

Fl.1.
Fl.2.
Hob.1.
Hob.2.
Engl.Hr.
Cl.1.
Cl.2.
Cl.3.
Hr.3 u.4. (D.)
(zus.)
Fag.1.
Viol.
Br.
Siegf.
(Die Mädchen lachen.)
gern.
you.
vous!
Vc.
(Bog.)
CB.
pizz.

Fl.1.
Fl.2.
Hob.1.
Hob.2.
Engl.Hr.
Cl.1.
Cl.2.
Cl.3.
Fag.1.
Viol.
Br.
più f

Fl. 1 u. 2.
Hob. 1 u. 2.
Engl. Hr.
Cl.
Hr. 4.
(allein.)
Fag. 1.
Viol.
pizz.
Br.
Wogl.
Sieg - fried, was
Sieg - fried, what
Sieg - fried, que
Vc.
Hob. 1 u. 2.
Cl.
Hr. 4.
Fag.
1 u. 2.
Viol.
(Bog.)
pizz.
Br.
Wogl.
giebst du uns, wenn wir das Wild dir gön - nen?
giv'st thou us, if we thy game should grant thee?
don-nes - tu si l'on te rend ta chas - se?
cresc.
Vc.
CB.
nur 4.
pizz. p

Fl. 1 u. 2. (zus.)
1.
Hob.
2 u. 3. (zus.)
1 u. 2.
Cl.
3.
1. (F)
Hör.
4. (D.)
Fag. (zus.) 1 u. 2.
Viol. pizz.
(Bog.)
Br. pizz.
(Bog.)
Siegf.
Noch bin ich beu - te - los; so bit - tet, was ihr be - gehrt!
Nought have I won to - day: so ask of me what ye will!
Je n'ai rien pris en - cor; donc di - tes ce qui vous plaît!
Vc.

1 u. 2.
Fl.
3.
1 u. 2.
Hob.
3.
1 u. 2.
Cl.
3.
Hr. 1 u. 3. (F.)
(zus.)
Bs. Tromp. (C.)
Viol.
Br.
Wellg.
Ein gold'-ne
A gold - en
Ton doigt fa
pizz.
Ve.
ff
f
dim.
sf

1u.2.
Fl.
3.
Hob.
1u.2.
3.
Cl.
1u.2.
3.
Hr. 1u.3. (zus.)
Viol. 2.
Br.
cresc.
Wogl.
Den gieb' uns!
That give us!
Oh! don-ne!
Wellg.
Ring glänzt dir am Fin-ger: den gieb' uns!
ring gleams on thy fin-ger: that give us!
voir l'or d'u-ne ba-gue. Oh! don-ne!
Flossh.
Den gieb' uns!
That give us!
Oh! don-ne!
Vc.

1 u. 2.
Fl.
3.
1 u. 2.
Hob.
3.
1 u. 2.
Cl.
3.
Hr. 1 u. 3. (zus.)
Fag. 2 u. 3.
(zus.)
Viol.
Br.
Siegf.
Ei - nen Rie - sen-wurm erschlug ich um den
From a dra - gon fierce I gained the ring in
D'un dra - gon gé - ant la mort me la li -
Vc. u. CB.
(Bog.)
(alle)
Fag. 2 u. 3. (zus.)
Viol.
Br.
Siegf.
Reif, für ei - nes schlech-ten Bä - ren Ta - tzen böt' ich ihn nun zum
fight, and for a worth-less bear-skin shall I give it you now as
- vra; pour de mau-vai - ses pat - tes d'ours, fe - rai - je pa-reil mar-
Vc. u. CB.
dim.

Fl. 1 u. 2.
(zus.)
1.
Hob.
2.
Engl. Hr.
Hr. 2. (E.)
Fag. 1.
Viol.
pizz.
(Bog.)
Br.
pizz.
(Bog.)
Wogl.
Bist du so karg?
Art thou so mean?
Si peu don-nant?
Wellg.
So gei-zig beim
So mi-ser-ly,
A-vare à ce
Siegf.
Tausch?
price?
-ché?
Vc. u. CB.

Fl.1 u.2.(zus.)
1.
Hob.
2.
Engl. Hr.
Hr. 2. (E.)
Fag.1 u.2.
pizz.
(Bog.) tr
Viol.
pizz.
(Bog.) tr
Br.
Wellg.
Kauf?
too?
point?
Flossh.
Frei - ge - big soll - test Frau - - en du
Free - hand - ed aye with maids shouldst thou
Sa - che mieux faire aux fem - - mes leur
Vc.
CB.
pizz.

Fl. 1 u. 2. (zus.)
Hob.
Engl. Hr.
Hr. 1 u. 2. (E.)
Fag. 1.
Viol.
Br.
Flossh.
sein!
be!
part!
Siegf.
Ver - zehrt' ich an euch mein Gut, dess'
On you if I waste my goods be -
Pour vous si je suis pro - di - gue, ma
Vc.
CB.
sf
dim.
p
tr

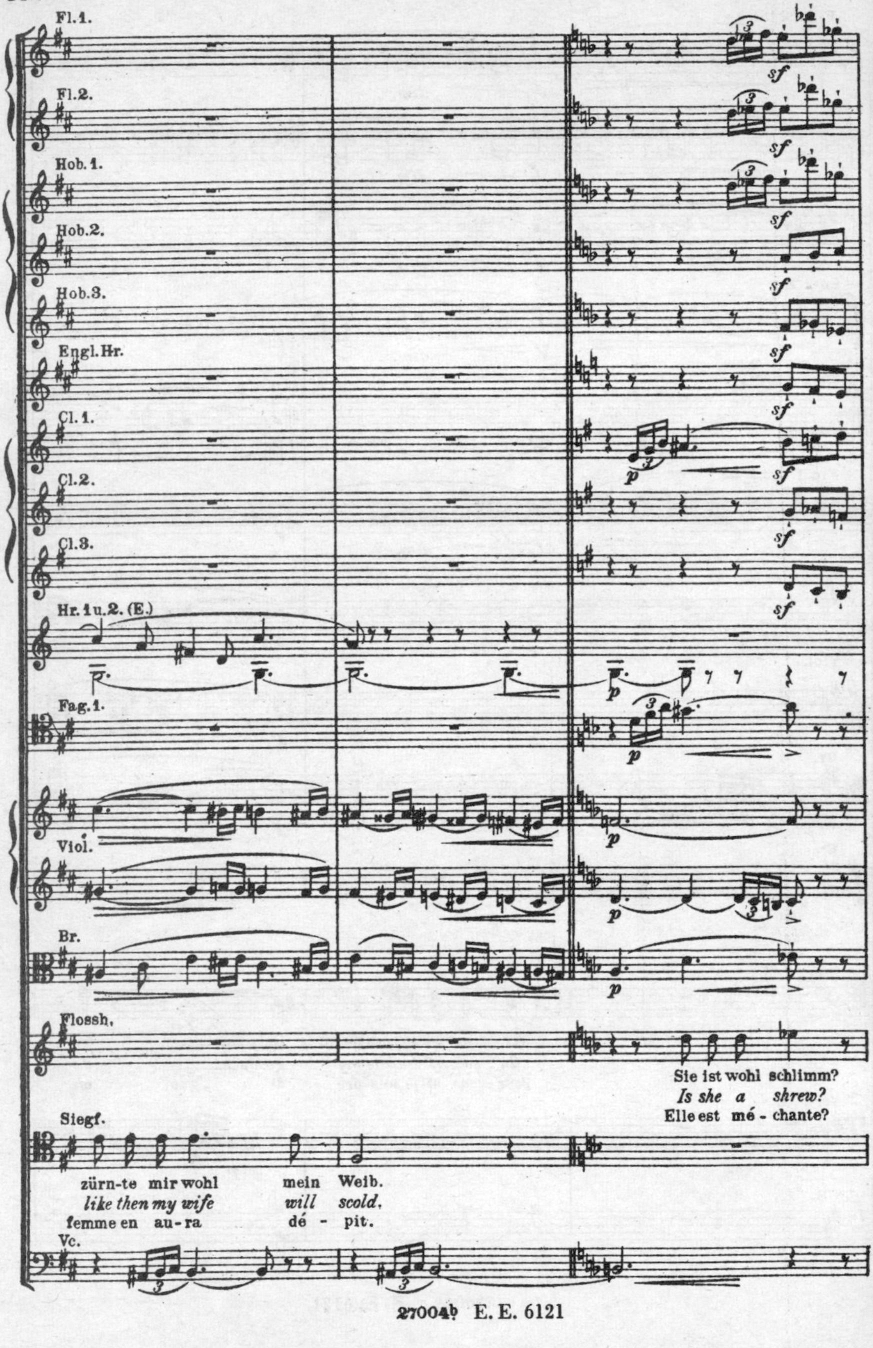
Fl. 1.
Fl. 2.
Hob. 1.
Hob. 2.
Hob. 3.
Engl. Hr.
Cl. 1.
Cl. 2.
Cl. 3.
Hr. 1 u. 2. (E.)
Fag. 1.
Viol.
Br.
Flossh.
Sie ist wohl schlimm?
Is she a shrew?
Elle est mé - chante?
Siegf.
zürn-te mir wohl mein Weib.
like then my wife will scold.
femme en au-ra dé - pit.
Vc.

Fl. 1.
Fl. 2.
Hob. 1.
Hob. 2.
Hob. 3.
Engl. Hr.
Cl. 1.
Cl. 2.
Cl. 3.
Hör.
(F.) (gestopft)
(F.) (gestopft)
Fag. 1.
Viol.
Br.
Wogl.
Ih-re Hand fühlt — schon der Held!
Hath the he - ro — felt her hand?
Le hé-ros croit — le sen - tir!
(Sie lachen unmässig.)
Wellg.
Sie schlägt dich wohl?
She strikes perchance?
Son bras est lourd?
Vc.
pizz.

Fl.1.
ff
Fl.2.
ff
Hob.1.
ff
Hob.2.
ff
Hob.3.
ff
Engl. Hr.
ff
Cl.1.
ff
Cl.2.
ff
Cl.3.
ff
(offen) 1 u. 2. (zus.)
ff
Hör.
3.
ff
Fag.1.
ff
3
Viol.
ff
pizz.
ff
Br.
ff
pizz.
ff
Siegf.
3/4
Nun lacht nur lu - stig
Now laugh ye gai - ly
Ri - ez à vo - tre
Vc.
ff

Fl.1.
Fl.2.
Hob.1.
Hob.2.
Hob.3.
Cl.1.
Cl.2.
Cl.3.
Hör.
4.
1.
Fag.
2.
Viol.
(Bog.)
Br.
(Bog.)
Siegf.
zu! In Harm lass' ich euch
on! In grief will ye be
gré! Al - lez, vous n'au - rez
Vc. (Bog.)
CB. (Bog.)
pizz.

Cl.1.
Cl.2.
Hr.4.
cresc.
Fag. 1u.2.
cresc.
Viol.
p
cresc.
cresc.
Br.
cresc.
Siegf.
doch denn giert ihr nach dem
left: the ring ye fond - ly
rfen l'An - neau qui vous sé -
Vc.
cresc.
CB. pizz.
Hr. 2 u. 4.
Fag.
1u.2.
f
p
Viol.
Br.
Siegf.
Ring, euch Ni - ckern geb' ich ihn
crave your mack - ing ne - ver shall
- duit, mo - queu - ses, n'est pas pour
Vc.
CB. pizz.

Fag. 1 u. 2.
cresc.
sf
Hr. 4.
cresc.
sf
3
Viol.
cresc.
Br.
tr
cresc.
Siegf.
nie!
win!
vous!
Vc.
cresc.
CB.
p
Viol.
tr
più f
Br.
più f
Flossh. (Die Rheintöchter haben sich wieder zum Reigen gefasst.)
So
So
Si
CB.

Hob. 1 u. 2.
Engl. Hrn.
Cl.
Hr. 2 u. 4.
2.
Fag.
Viol.
pizz.
(Bog.)
Br.
Wogl.
So gehrenswerth!
So wor-thy love!
D'a-mour si digne!
Wellg.
So stark!
So strong!
Si fort!
Flossh.
schön!
fair!
beau!
Vc.
CB. pizz.

Fl.
1.
1 u. 2.
Hob.
Engl. Hrn.
Cl.
2.
Hör.
4.
1 u. 2.
3 u. 4.
(zu 2)
Fag.
Viol.
pizz.
Br.
Wogl.
Wie Scha-de, dass er gei- - - zig ist!
How sad that he a mi- - - ser is!
Dom-ma-ge d'être a-vare ain-si!
Wellg.
Wie Scha-de, dass er gei- - - zig ist!
How sad that he a mi- - - ser is!
Dom-ma-ge d'être a-vare ain-si!
Flossh.
Wie Scha-de, dass er gei- - - zig ist!
How sad that he a mi- - - ser is!
Dom-ma-ge d'être a-vare ain-si!
pizz.
Vc.
C B. (Bog.)
pizz.

Fl. 1 u. 2.
Hob. 1 u. 2.
Engl. Hrn.
Cl.
Hör.
Fag.
f
Viol.
f
Br.
f
(Sie lachen und tauchen unter.)
Vc.
pizz.
f
CB.
f

Fl. 1 u. 2.
Hob. 1 u. 2.
Engl Hrn.
Cl.
Hr 2 u. 4.
(zus.)
f
dim.
Fag. 2 u. 3.
f
dim.
dim.
Viol.
dim.
Br.
(Bog.)
dim.
CB.
f pizz.
Hr. 2 u. 4.
(zu 2)
più p
pp
p
più p
pp
Viol.
p
più p
pp
Br.
p
più p
pp
(Siegfried steigt tiefer in den Grund hinab.)
Vc.
(Bog.)
3
p
CB.
pizz.
p

Cl.
Fag. 1 u. 2.
Fag. 3.
Viol.
Br.
Siegf.
(trem.)
pizz.
Was leid' ich doch das kar-ge
Why must I brook their i-dle
Pour-quoi souf-frir pa-reil re-
Vc.
CB.
Hob.
Engl. Hrn.
2. u. 3.
Hör. (C)
(gestopft)
Lob? Lass' ich so mich schmäh'n?
mocks? Shall I bear this shame?
nom? N'est-ce pas hon-teux?
Kämen sie wieder zum
Let them but come to the
Si vers la ri-ve leur
(Bog.)

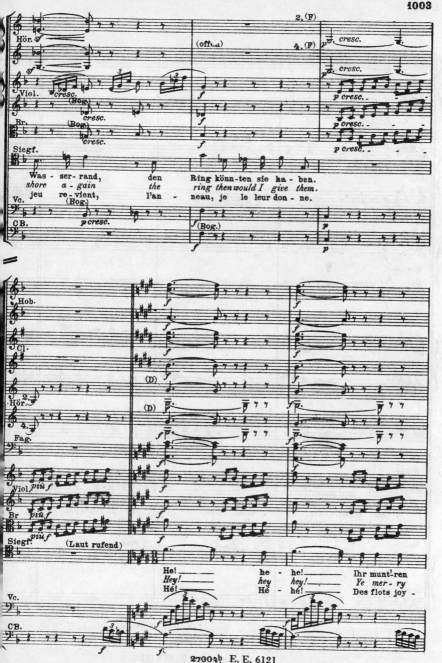

Hör.
2. (F)
(offen)
4. (F)
cresc.
Viol.
(Bog.)
Br.
Siegf.
Was - ser-rand, den Ring könn-ten sie ha - ben.
shore a-gain the ring then would I give them.
jeu re-vient, l'an - neau, je le leur don - ne.
Vc.
p cresc.
CB.
Hob.
Cl.
(D)
Fag.
più f
(Laut rufend)
He! he - he! Ihr munt'-ren
Hey! hey hey! Ye mer - ry
Hé! Hé - hé! Des flots joy -

Hob.
Cl.
Hör. (D)
1.
3.
Viol.
Br.
Siegf.
Was-ser-min-nen!
wa-ter-maid-ens!
-eu-ses fil-les!
Kommt rasch!
Come now!
Ve-nez!
Ich schenk'euch den
I grant you the
Vous au-rez l'an-
Vc.
pizz.
CB.

Fl.1u.2.
(zus.)
Hob.
Engl. Hrn.
Cl.
(C)
Hör.
(C)
Fag.
Viol.
più f
Br.
Flossh.
Be-
Then
Con-
(Er hat den Ring vom Finger gezogen und hält ihn in die Höhe. Die Rheintöchter tauchen wieder auf.)
Siegf.
Ring?
ring?
-neau!
Vc.
pizz.
CB.

Fl. 1 u. 2. (zus.)
p
dim.
Fl. 3.
p
Hob.
p
dim.
Engl. Hrn.
p
Cl.
p
dim.
sf
(F)
1. u. 3.
poco f dim.
Hör.
p
sf
(E) (gestopft)
2. u. 4. (zus.)
Fag.
p
Bstrp.
(C)
p
Flossh.
(Sie zeigen sich ernst und feierlich.)
halt ihn, Held, und wahr' ihn wohl, bis du das Un - heil — er-
keep it still and ward it well, till thou the ill - fate — hast
-ser-ve-le et veil-les - y; mais des dé - tres - ses — ins-
Vc.

Fl.1 u.2. (zus.)
Fl.3.
Hob.1 u.2.
Hob.3.
Engl. Hrn.
Cl.1 u.2.
Cl.3.
Hr.1 u.3. (F)
(gestopft)
Hr.2 u.4. (E) (zus.)
Wogl.
das in dem Ring du heg'st, froh fühl'st du dich, be-
that in the ring lies hid, fain wilt thou then be
qu'en lui tu fais ger - mer prompt tu nous viendras joy -
Wellg.
das in dem Ring du heg'st, froh fühl'st du dich, be-
that in the ring lies hid, fain wilt thou then be
qu'en lui tu fais ger - mer prompt tu nous viendras joy -
Flossh.
räth'st, froh fühl'st du dich dann,
found, right fain wilt thou then
-truit, prompt tu nous vien - dras,
Vc.

Fl. 1 u. 2. (zu 2)
poco f
dim.
p
Fl. 3.
Hob.
Engl. Hrn.
Cl. 1 u. 2.
Cl. 3.
Hr. 1 u. 3. (gestopft)
(F)
sf
Hr. 2 u. 4. (E)
Bscl.
(A)
Viol. 1.
Br.
pizz.
Wogl.
frei'n wir dich von dem Fluch
freed by us from the curse.
-eux, li - vrer l'or fa - tal.
Wellg.
frei'n wir dich von dem Fluch
freed by us from the curse.
-eux, li - vrer l'or fa - tal.
Flossh.
be-frei'n wir dich von dem Fluch
be freed by us from the curse.
joy-eux, li - vrer l'or fa - tal.
Vc.

Bs Cl. (A)
Viol.
Br.
(Bog.)
(Siegfried steckt gelassen den Ring wieder an seinen Finger.)
Siegf.
So singet, was ihr wis'st.
Then sing me what ye know.
Eh! di-tes ce se-cret.
Vc.
pizz.
CB.
pizz.
cresc.

Fl.1.
Fl.2.
Fl.3.
Hob.1.
Hob.2.
Hob.3.
Engl.Hrn.
Cl.1.
Cl.2.
Cl.3.
Fag.1.
Fag. 2.
Fag.3.
Bs Cl.
Viol.
Wogl.
Sieg - fried! Sieg - fried! Sieg - fried!
Sieg - fried! Sieg - fried! Sieg - fried!
Sieg - fried! Sieg - fried! Sieg - fried!
Wellg.
Sieg - fried! Sieg - fried! Sieg - fried!
Sieg - fried! Sieg - fried! Sieg - fried!
Sieg - fried! Sieg - fried! Sieg - fried!
Flossh.
Sieg - fried! Sieg - fried! Sieg - fried!
Sieg - fried! Sieg - fried! Sieg - fried!
Sieg - fried! Sieg - fried! Sieg - fried!
Vc.
pizz.
C B.
pizz.
più f

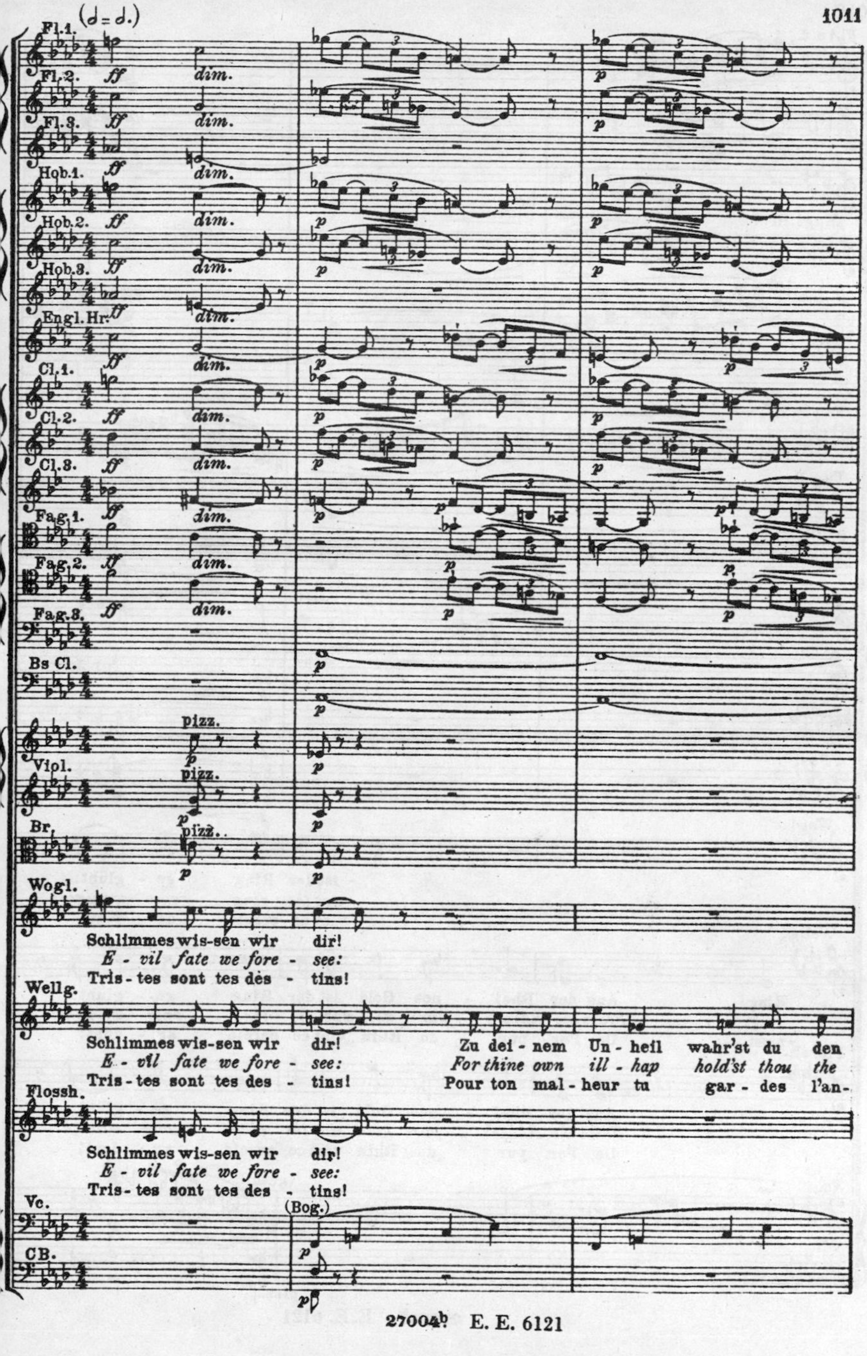
(𝅗𝅥 = 𝅗𝅥.)
Fl. 1.
Fl. 2.
Fl. 3.
Hob. 1.
Hob. 2.
Hob. 3.
Engl. Hr.
Cl. 1.
Cl. 2.
Cl. 3.
Fag. 1.
Fag. 2.
Fag. 3.
Bs Cl.
Viol.
Br.
pizz.
Wogl.
Schlimmes wis-sen wir dir!
E - vil fate we fore - see:
Tris - tes sont tes des - tins!
Wellg.
Schlimmes wis-sen wir dir! Zu dei - nem Un - heil wahr'st du den
E - vil fate we fore - see: For thine own ill - hap hold'st thou the
Tris - tes sont tes des - tins! Pour ton mal - heur tu gar - des l'an-
Flossh.
Schlimmes wis-sen wir dir!
E - vil fate we fore - see:
Tris - tes sont tes des - tins!
Vc.
(Bog.)
CB.
ff
dim.
p

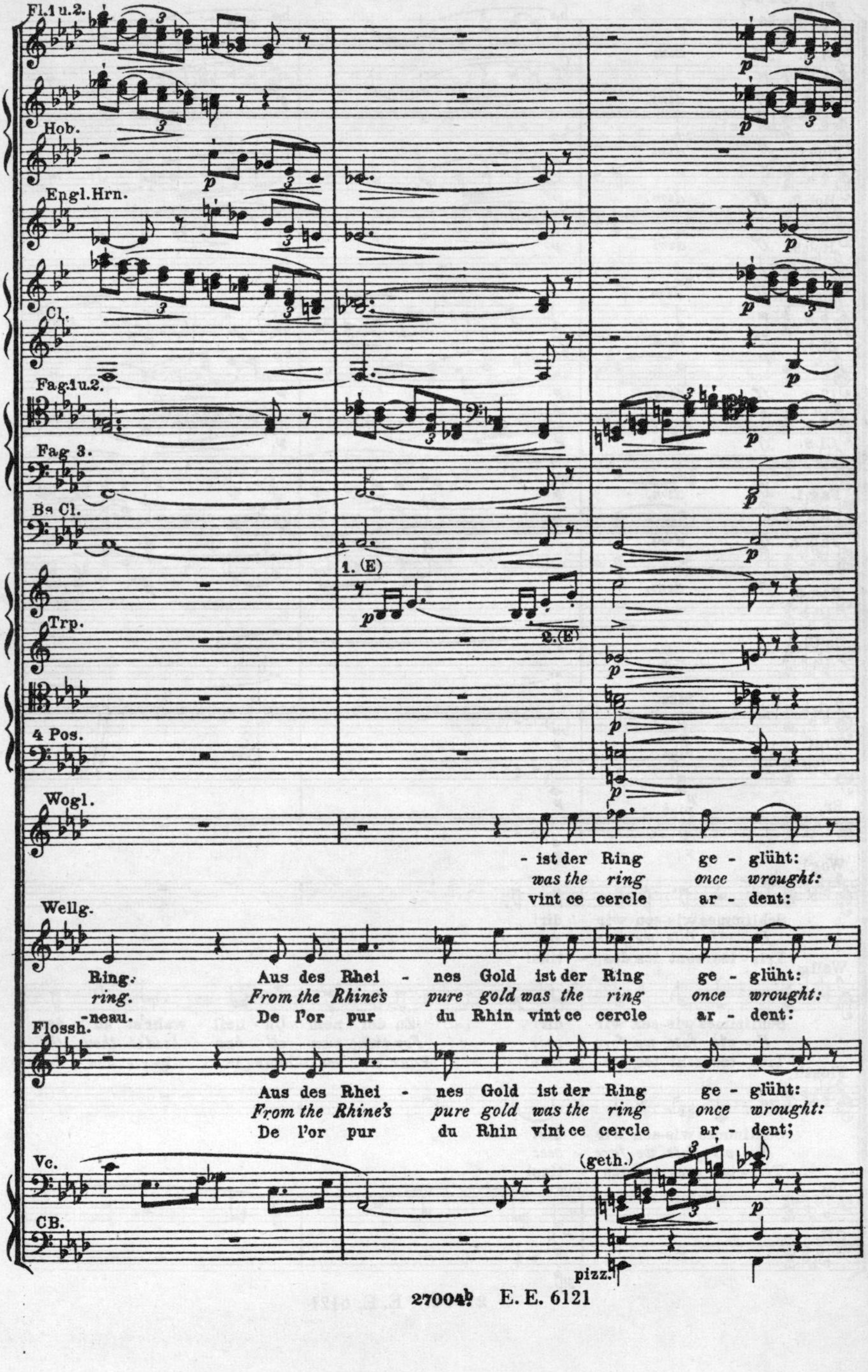
Fl. 1 u. 2.
Hob.
Engl. Hrn.
Cl.
Fag. 1 u. 2.
Fag. 3.
Bs Cl.
1. (E)
2. (E)
Trp.
4 Pos.
Wogl.
- ist der Ring ge - glüht:
was the ring once wrought:
vint ce cercle ar - dent:
Wellg.
Ring. Aus des Rhei - nes Gold ist der Ring ge - glüht:
ring. From the Rhine's pure gold was the ring once wrought:
-neau. De l'or pur du Rhin vint ce cercle ar - dent:
Flossh.
Aus des Rhei - nes Gold ist der Ring ge - glüht:
From the Rhine's pure gold was the ring once wrought:
De l'or pur du Rhin vint ce cercle ar - dent;
Vc.
(geth.)
CB.
pizz.

Fl. 1 u. 2.
cresc.
1 u. 2.
Hob.
3.
p cresc.
Engl. Hr.
Cl.
Fag.
Bs. Cl. (A)
Trp.
3. (E)
(Bog.)
Viol.
pizz. p
(Bog.)
p cresc.
Br.
(Bog.)
Wogl.
und schmählich ver-lor,
and lost it in shame,
et qui l'a per-du,
der ver
laid a
l'a mau-
Wellg.
der ihn li - stig ge-schmie-det
he who craft-i-ly shaped it—
qui le fit en sa ru - se
Vc.
p cresc.

Fl. 1 u. 2.
3 Hob.
Engl. Hr.
Cl.
Fag.
Bs. Cl. (A)
Trp. 3.
2. (C)
Bs. Trp.
(C)
4 Pos.
Pk. (Fis)
mf dim.
Viol.
dim.
sf (trem.)
fp (trem.)
Br.
Wogl.
fluch - te ihn, in fern - ster Zeit zu zeu - gen den Tod dem der ihn
curse there - on for time to come, that doom - eth its lord sure - ly to
- dit ja - dis, et, par les siè - cles, voue à la mort qui le dé -
Wellg.
fluch - te ihn, in fern - ster Zeit zu zeu - gen den Tod dem der ihn
curse there - on for time to come, that doom - eth its lord sure - ly to
- dit ja - dis, et, par les siè - cles, voue à la mort qui le dé -
Flossh.
in fern - ster Zeit zu zeu - gen den Tod dem der ihn
for time to come, that doom - eth its lord sure - ly to
et, par les siè - cles, voue à la mort qui le dé -
Vc.
(trem.)
C.B.
(Bog.)
pizz.

Hob.
1u.2. (zus.)
Cl.
Bs.Cl.(A)
Fag.
Trp.
3.(E)
Bs.Trp.
Pauk.
Viol.
(geth.)
Br.
Wogl.
trüg'.
death.
-tient.
Und
and
et
Wellg.
trüg'.
death.
-tient.
So fällst auch du, und
shalt thou be slain, and
tu vas mou-rir, et
Flossh.
trüg'.
death.
-tient.
Wie den Wurm du fäll-test, so fällst auch du, und
As thou slew'st the dra-gon shalt thou be slain, and
Comme est mort le mon-stre tu vas mou-rir, et
Vc.
CB. (Bog.)
pizz.
cresc.
sf
p

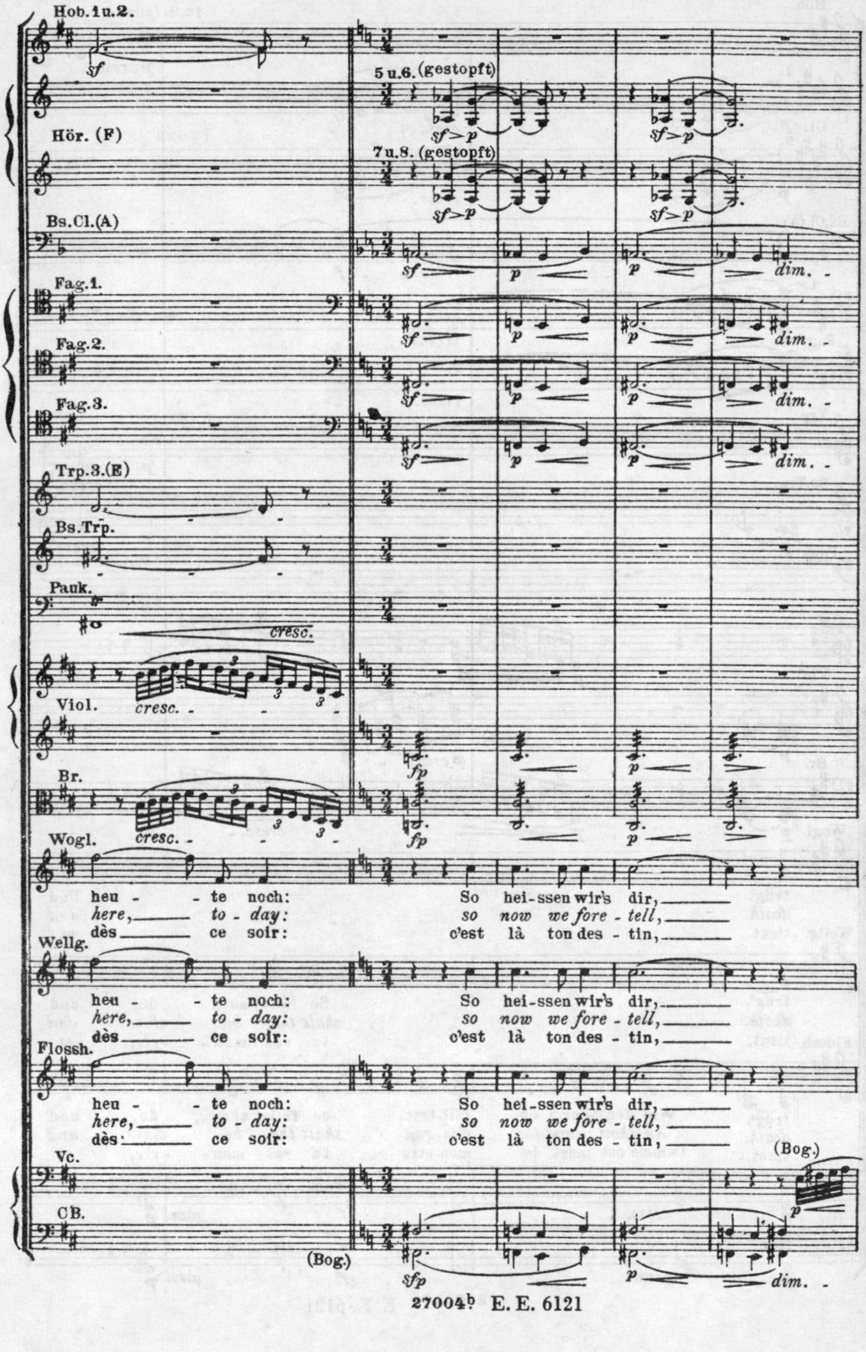
Hob. 1 u. 2.
Hör. (F)
5 u. 6. (gestopft)
7 u. 8. (gestopft)
Bs. Cl. (A)
Fag. 1.
Fag. 2.
Fag. 3.
Trp. 3. (E)
Bs. Trp.
Pauk.
Viol.
Br.
Wogl.
heu - te noch: So heissen wir's dir,
here, to - day: so now we fore - tell,
dès ce soir: c'est là ton des - tin,
Wellg.
heu - te noch: So heissen wir's dir,
here, to - day: so now we fore - tell,
dès ce soir: c'est là ton des - tin,
Flossh.
heu - te noch: So heissen wir's dir,
here, to - day: so now we fore - tell,
dès ce soir: c'est là ton des - tin,
Vc.
(Bog.)
CB.
(Bog.)
sf
sf>p
p
dim.
fp
sfp
cresc.

Hob. 2. 3.
Engl.Hr.
Cl.1. 2. 3.
Hör. 1 u.2.(F) 3 u.4.(C) (offen)
Bs.Cl.(A)
Fag.1. 2. 3.
Viol.2. pizz.
Br.
Wogl.
tau-schest den Ring du uns nicht;
if thou the ring wilt not yield,
si tu ne li-vres l'an-neau,
Wellg.
tau-schest den Ring du uns nicht, im tie-fen
if thou the ring wilt not yield, to rest for
si tu ne li-vres l'an-neau, a-fin qu'au
Flossh.
tau-schest den Ring du uns nicht, im tie-fen
if thou the ring wilt not yield, to rest for
si tu ne li-vres l'an-neau, a-fin qu'au
Vc.
CB.

Cl.
1.
p
2.
p
1u.2.
poco cresc.
p
Hör.
3u.4.
poco cresc.
5.
(offen)
poco cresc.
6.
p
Fag.
3.
p
Wogl.
Nur sei - ne
This stream a -
Seul peut le
Wellg.
Rhein ihn zu ber - gen: nur — sei - ne
aye in the wa - ters, this stream a -
gouffre il re - vien - ne. Seul peut le
Flossh.
Rhein ihn zu ber - gen: nur — sei - ne
aye in the wa - ters, this stream a -
gouffre il re - vien - ne. Seul peut le
Vc.
p
poco cresc.
p
CB.
poco cresc.
p

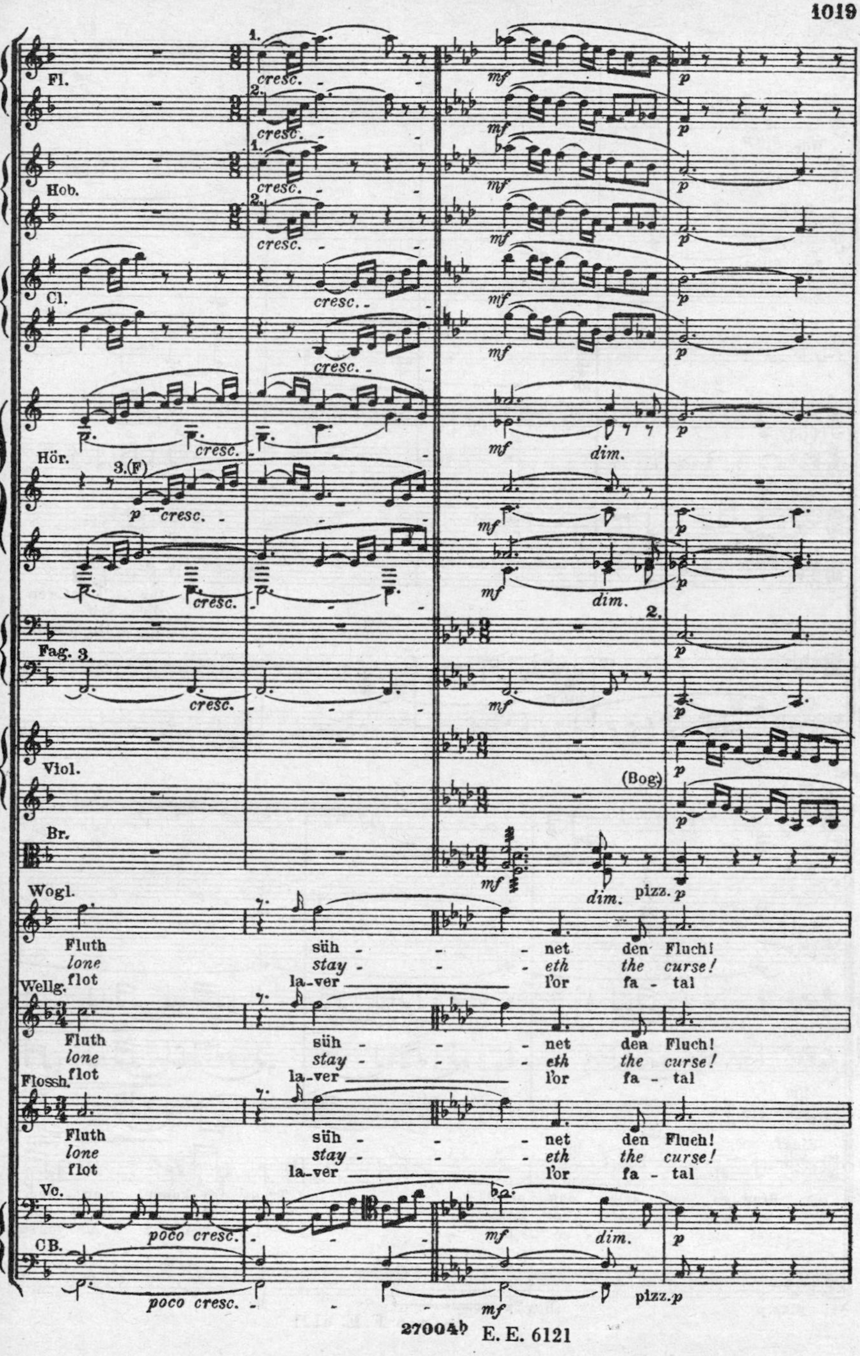
Fl.
Hob.
Cl.
Hör.
Fag.
Viol.
Br.
Wogl.
Fluth süh - net den Fluch!
lone stay - eth the curse!
flot la-ver l'or fa - tal
Wellg.
Fluth süh - net den Fluch!
lone stay - eth the curse!
flot la-ver l'or fa - tal
Flossh.
Fluth süh - net den Fluch!
lone stay - eth the curse!
flot la-ver l'or fa - tal
Vc.
CB.

Cl.
1.
Hör.
piu p
3 u.4.(Es)
5 u.6.
Fag.
3.
Pos.
3 u.4.
pp
Viol.
Br.
(Bog.)
Siegf.
Ihr li-sti-gen
Ye wi-ly
Ma-li-gnes don-
Vc.
piu p
CB.
pizz. p
Cl. 1.
Hr. 4.
Fag. 3.
Frau-en, lass't das sein! Traut' ich kaum eu-rem
wo-men, hold your peace! If your craft could not
-zel-les, qu'est ce-la? Si je fus froid à vos sou-
tr
(Bog.)

Fl.
1.
fp
2 u. 3.
fp
Hob.
1.
fp
2 u. 3.
fp
Cl.
1.
fp
2 u. 3.
fp
Hör.
1 u. 2. (F)
fp
4.
cresc.
3 u. 4. (Es)
fp
Fag.
1 u. 2.
fp
3.
cresc.
fp
4 Pos.
fp
fp
Viol.
p
cresc.
f
p
Br.
p
cresc.
f
p
Wogl.
Sieg - fried!
Sieg - fried!
Sieg - fried!
Wellg.
Sieg - fried!
Sieg - fried!
Sieg - fried!
Flossh.
Sieg - fried!
Sieg - fried!
Sieg - fried!
Siegf.
Schmeicheln, eu - er Dro - nen schreckt mich noch min - der!
catch me, by your threats still less will ye fright me!
- ri - res, vos me - na - ces font moins en - co - re.
Vc.
tr
p
(trem.)
cresc.
f
CB.
p
f

Fl.
1.
2 u. 3.
Hob.
Cl.
1 u. 2. (F)
Hör.
3 u. 4. (Es)
(F)
Fag. 1 u. 2.
Viol.
pizz.
Br.
(Bog.)
cresc.
Wogl.
Sieg - fried! Wir wei - sen dich wahr.
Sieg - fried! We coun - sel thee well.
Sieg - fried! suis no - tre con - seil!
Wellg.
Sieg - fried! Wir wei - sen dich wahr.
Sieg - fried! We coun - sel thee well.
Sieg - fried! suis no - tre con - seil!
Flossh.
Sieg - fried! Wir wei - sen dich wahr.
Sieg - fried! We coun - sel thee well.
Sieg - fried! suis no - tre con - seil!
Vc.
C.B.
pizz.

Fl. 1u.2.
1u.2.
Hob.
3.
1u.2.
Cl.
3.
1u.2.(F)
Hör.
3u.4.
(Es)
1u.2.
Fag.
3.
4 Pos.
Viol.
(Bog.)
Br.
cresc.
Wogl.
Wei - che! Wei - che dem Fluch! Ihn floch-ten
Turn thee! Turn from the curse! By Norns at
Cè - de! Fuis l'a - na - thè - me! Les Nor - nes
Wellg.
Wei - che! Wei - che dem Fluch! Ihn floch-ten
Turn thee! Turn from the curse! By Norns at
Cè - de! Fuis l'a - na - thè - me! Les Nor - nes
Flossh.
Wei - che! Wei - che dem Fluch! Ihn floch-ten
Turn thee! Turn from the curse! By Norns at
Cè - de! Fuis l'a - na - thè - me! Les Nor - nes
Vc.
CB.
(Bog.)

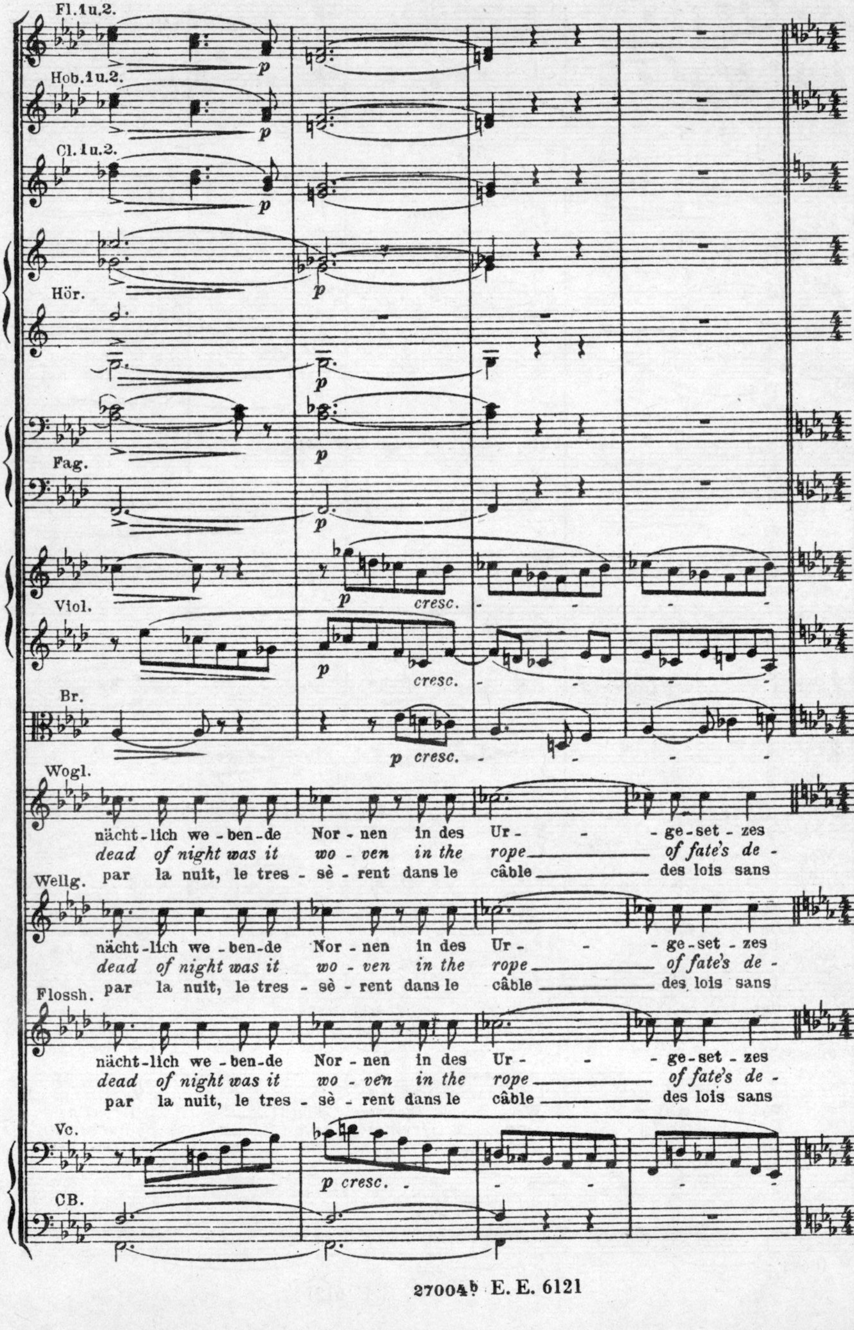
Fl. 1 u. 2.
Hob. 1 u. 2.
Cl. 1 u. 2.
Hör.
Fag.
Viol.
Br.
Wogl.
nächt-lich we-ben-de Nor-nen in des Ur- - ge-set-zes
dead of night was it wo-ven in the rope of fate's de-
par la nuit, le tres-sè-rent dans le câble des lois sans
Wellg.
nächt-lich we-ben-de Nor-nen in des Ur- - ge-set-zes
dead of night was it wo-ven in the rope of fate's de-
par la nuit, le tres-sè-rent dans le câble des lois sans
Flossh.
nächt-lich we-ben-de Nor-nen in des Ur- - ge-set-zes
dead of night was it wo-ven in the rope of fate's de-
par la nuit, le tres-sè-rent dans le câble des lois sans
Vc.
CB.
p
cresc.

Lebhaft. (o = d.)
1 u. 2.
Hob.
3.
1 u. 2.
Cl.
3.
2 u. 3.
Hör.
1 u. 2.
Fag.
3.
1 u. 2.
4 Pos.
3.
4.
3.
Viol.
Br.
Wogl.
Seil!
crees!
fin.
Wellg.
Seil!
crees!
fin.
Flossh.
Seil!
crees!
fin.
Siegf.
Mein Schwert zerschwang ei-nen Speer:
My sword once shat-tered a spear:
Mon fer rom-pit un é-pieu:
Vc.
CB.
dim.
dim.

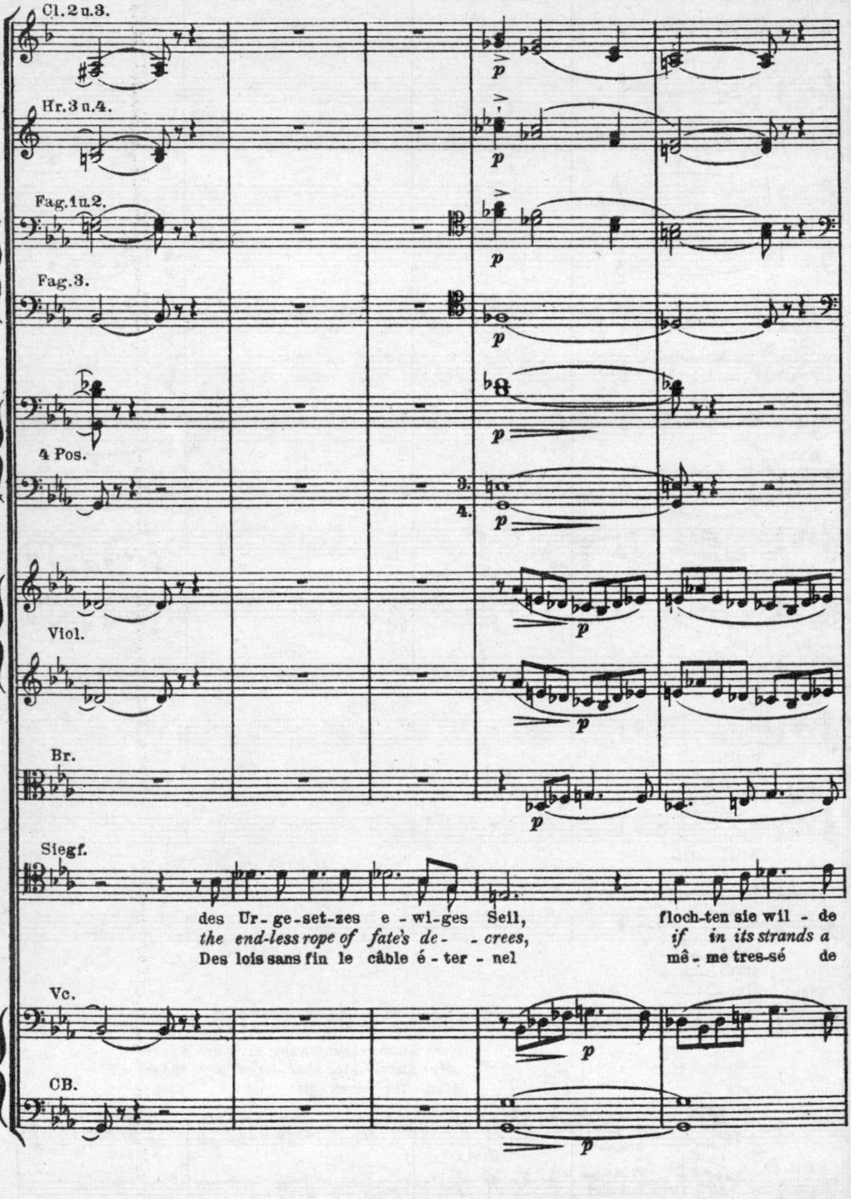
Cl. 2 u. 3.
Hr. 3 u. 4.
Fag. 1 u. 2.
Fag. 3.
4 Pos.
Viol.
Br.
Siegf.
des Ur-ge-set-zes e-wi-ges Seil,
the end-less rope of fate's de-crees,
Des lois sans fin le câble é-ter-nel
floch-ten sie wil-de
if in its strands a
mê-me tres-sé de
Vc.
CB.

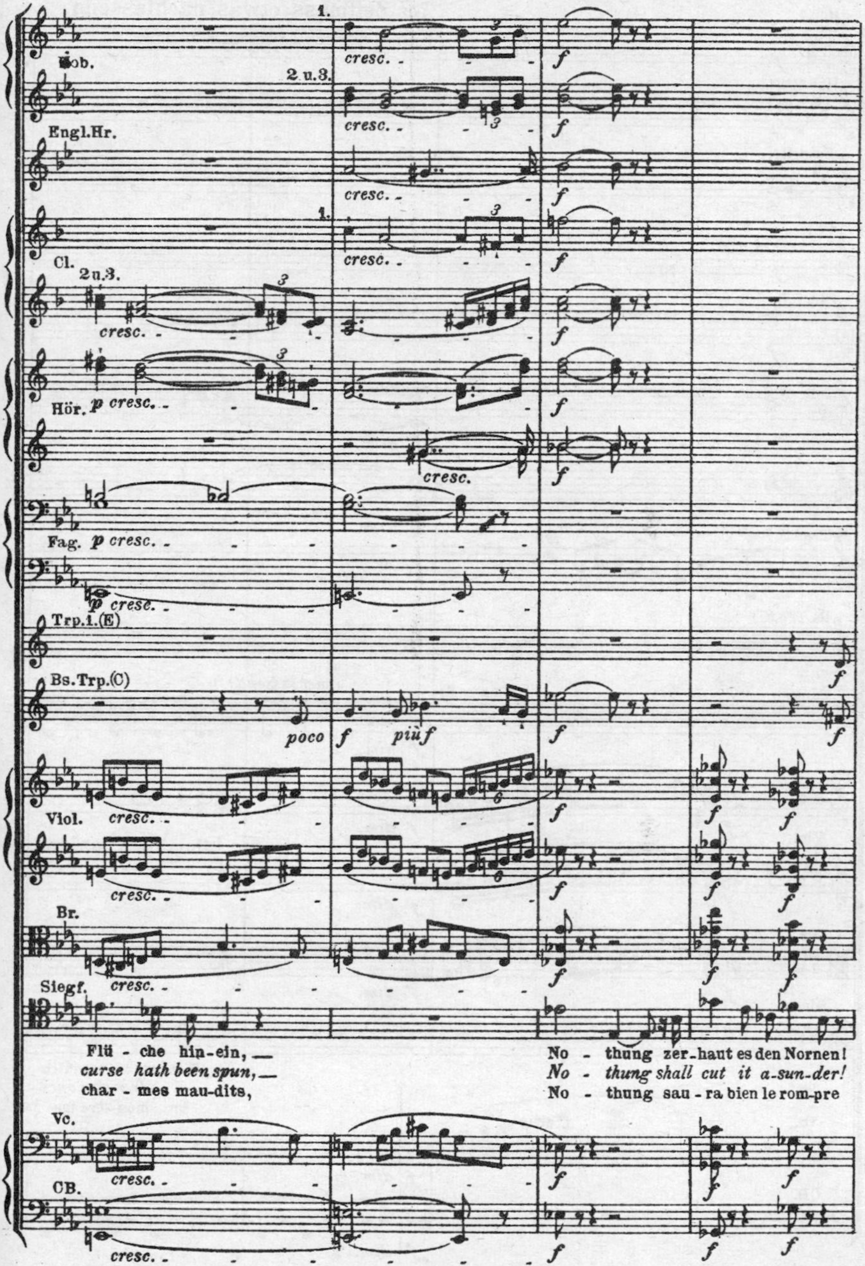
1.
Hob.
2 u.3.
Engl.Hr.
1.
Cl.
2 u.3.
Hör.
Fag.
Trp.1.(E)
Bs.Trp.(C)
poco f
più f
Viol.
Br.
Siegf.
Flü - che hin-ein, —
curse hath been spun, —
char - mes mau-dits,
No - thung zer-haut es den Nornen!
No - thung shall cut it a-sun-der!
No - thung sau - ra bien le rom-pre
Vc.
CB.
cresc.
p cresc.
f

Im Zeitmass etwas nachlassend.
Hob.1.
Hob.2 u.3.
Engl.Hr.
Cl.1.
Cl.2 u.3.
Hör.
Trp.1.(E)
ten.
Bs.Trp.(C)
Pauk.
(Ces u.F)
(nachlassend)
Viol.
Allmählich ruhiger.
Br.
Siegf.
Wohl warn-te mich
A dra-gon once
Un mon-stre me
Vc.
CB.
f
dim.
p

Sehr mässig.
Engl. Hr.
Cl. 3.
Fag. 1 u. 2.
Pauk.
Viol. 2.
Br.
Siegf.
einst vor dem Fluch ein Wurm, doch das Fürch - ten lehrt' er mich
warned me to flee the curse, but yet fear he brought not to
- dit l'a - na - thème, un jour. saus pou - voir m'ap - pren - dre la
Vc.
(gestossen.)
CB.
(gestossen.)
più p
Hob. 1 u. 2.
Engl. Hr.
1 u. 2.
Cl.
3.
(F)
Hr.
(B)
1 u. 2.
Fag.
3.
Pos.
Viol.
pizz.
Br.
Siegf.
(Er betrachtet den Ring.)
nicht.
me.
peur.
Vc.
CB.
pizz.
cresc.

Etwas gedehnt.
3 Hob.
Engl. Hr.
Cl.
(gestopft.)
Hr.
(gestopft.)
Fag.
Pos.
Viol.
Br.
pizz.
Siegf.
(gedehnt.)
Der Welt Er - be ge-wän-ne mir ein Ring: für der
The world's wealth hath a ring on me be - stowed: for the
Le mon- -de me fût-il é - chu par cet an - neau, pour les
Vc.
CB.
(Bog.)
dim.
più p

(F) (offen)
Hr.
H (offen)
Fag. 3.
Viol.
Br.
pizz.
Siegf.
Min-ne Gunst miss' ich ihn gern,
grace of love had it been yours,
joies d'a-mour j'en fe-rais don;
Vc.
CB.
pizz.
Cl. 1.
Cl. 2.
Cl. 3.
Hr.
Fag. 3.
cresc.
Viol.
Br.
(Bog.)
Siegf.
ich geb' ihn euch, gönnt ihr mir Gunst. Doch be-
and by your grace yet were it gained. But when
il vous re-vient, si vous m'ai-mez. Mais on
Vc.
pizz.
cresc.
CB.
(Bog.)

Belebend.
3 Fl.
(zu 3.)
cresc.
3 Hob.
(zu 3.)
p
cresc.
3 Cl.
(zu 3.)
p
cresc.
Hr. 2.
f
dim.
p
(F)
cresc.
Fag. 1 u. 2.
f
dim.
3.
Pos. 1 u. 2.
3.
Pauk. (C)
tr
Viol.
dim.
(geth.)
Br.
Siegf.
droht ihr mir Le - ben und Leib, fasste er nicht ei - nes Fin - gers Werth, den
limbs ye — threat - en and life, e'en tho' a fin - ger out - weigh its worth, from
veut pour mes jours m'effray - er, n'eût - il, dès lors, pas le moin - dre prix, l'an-
Vc.
CB.

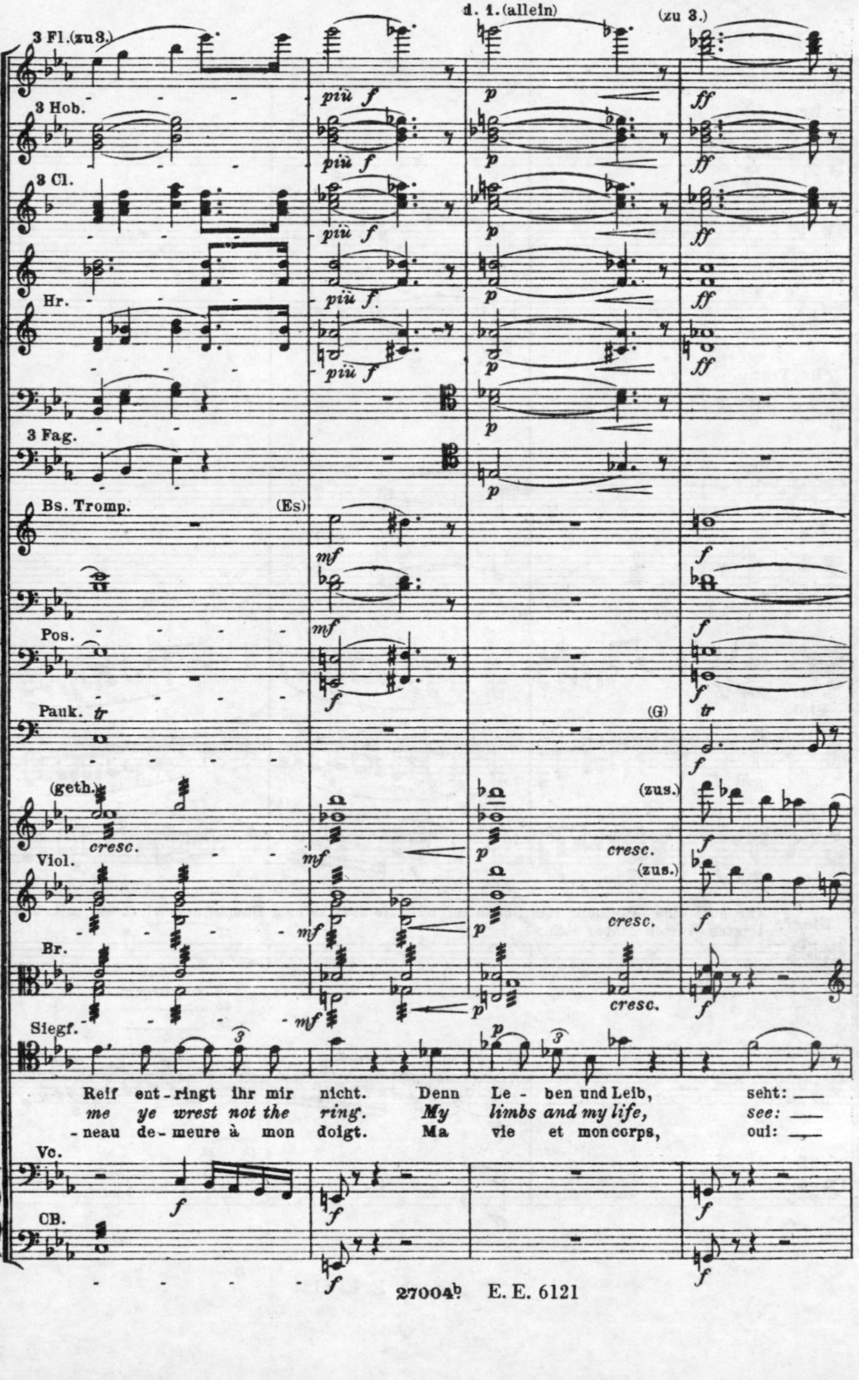
3 Fl.(zu 3.)
d. 1. (allein)
(zu 3.)
3 Hob.
3 Cl.
Hr.
3 Fag.
Bs. Tromp.
(Es)
Pos.
Pauk.
(G)
(geth.)
(zus.)
Viol.
(zus.)
Br.
Siegf.
Reif ent-ringt ihr mir nicht. Denn Le - ben und Leib, seht:
me ye wrest not the ring. My limbs and my life, see:
-neau de-meure à mon doigt. Ma vie et mon corps, oui:
Vc.
CB.
più f
cresc.

Hr.
ff
1.
Fag.
2 u.3.
ff
Bs. Tromp.
Pos.
f
Viol.
più f
Br.
(zus.)
Siegf.
(Er hebt eine Erdscholle vom Boden auf, hält sie über seinem Haupte, und wirft sie mit den letzten Worten hinter sich.)
so
so
tels,
Vc.
CB.

Fl. 1 u. 2.
Hob. 1 u. 2.
Cl. 1 u. 2.
Hr.
Fag. 2 u. 3.
(zus.)
Viol.
Br.
Siegf.
werf' ich sie weit von mir!
free - ly I fling a - - way!
moi, je les jette au loin!
Vc.
CB.

Fl. 1 u.2.
Hob. 1 u.2.
Cl. 1 u.2.
Hr.
Fag. 2 u. 3. (zus.)
Viol.
Br.
Wogl.
Kommt, Schwe - stern!
Come, sis - ters!
Soeurs, vi - te!
Wellg.
Kommt, Schwe - stern!
Come, sis - ters!
Soeurs, vi - te!
Flossh.
Kommt, Schwe - stern!
Come, sis - ters!
Soeurs, vi - te!
Vc.
CB.

Fl. 1 u. 2.
ff
Hob. 1 u. 2.
ff
Cl. 1 u. 2.
ff
Hr.
ff
ff
Fag. 2 u. 3. (zus.)
f
Viol. più f
più f
Br.
più f
tr
Wogl.
Schwin-det dem Tho - ren!
Speed from the mad - man!
Loin d'un tel sim - ple!
So
Though
Si
Wellg.
Schwin-det dem Tho - ren!
Speed from the mad - man!
Loin d'un tel sim - ple!
Flossh.
Schwin-det dem Tho - ren!
Speed from the mad - man!
Loin d'un tel sim - ple!
Vc.
più f
CB.
più f

Viol.
p
p
cresc.
cresc.
Br.
cresc.
Wogl.
wei - se und stark ver- wähnt sich der Held, so
val - iant and wise he seems to him-self, though
sage et si fort se croit le Hé-ros, si
Wellg.
So wei - se und stark ver-wähnt sich der Held, so
Though val-iant and wise he seems to him-self, though
Si sage et si fort se croit le Hé - ros, si
Flossh.
So wei - se und stark so wei - se, so
Though val-iant and wise though valiant, though
Si sage et si fort, si sa - ge, si
Vc.
Viol.
Br.
Wogl.
wei - se und stark verwähnt sich der Held, als ge - bun - den und blind er doch
val - iant and wise he seems to him - self, yet in bonds and in blind-ness is
sage et si fort se croit le Hé - ros lors-qu'il n'est qu'un a - veu - gle cap -
Wellg.
wei - se und stark verwähnt sich der Held, als ge - bun - den und blind er doch
val - iant and wise he seems to him - self, yet in bonds and in blind-ness is
sage et si fort se croit le Hé - ros lors-qu'il n'est qu'un a - veu - gle cap -
Flossh.
wei - se und stark verwähnt sich der Held, als ge - bun - den und blind er doch
val - iant and wise he seems to him - self, yet in bonds and in blind-ness is
sage et si fort se croit le Hé - ros lors-qu'il n'est qu'un a - veu - gle cap -
Vc.

Viol.
f
Br.
f
f
Wogl.
ist!
he!
-tif!
(Sie schwimmen, wild aufgeregt, in weiten Schwenkungen dicht an das Ufer heran.)
Wellg.
ist!
he!
-tif!
Flossh.
ist!
he!
-tif!
Vc.
Viol.
più f
più f
Br.
più f
Wogl.
Ei - - - - de schwur
Oaths he plight - -
Maints ser - ments
Wellg.
Ei - - - - de schwur
Oaths he plight - -
Maints ser - ments
Flossh.
Ei - - - - de schwur
Oaths he plight - -
Maints ser - ments
Vc.

3 Hob.
3 Cl.
Hr. 1 u. 2. (F)
(zu 2.)
tr
cresc.
Viol.
Br.
Wogl.
er, ed, forts
und and lui
Wellg.
er, ed, forts
und and lui
Flossh.
er, ed, forts
und and lui
Vc.
CB.
Hr. 1 u. 2. (zus.)
Viol.
più f
Br.
più f
Wogl.
ach - - tet sie nicht!
head - - eth them not!
sont en ou - bli!
(Wieder heftige Bewegung.)
Wellg.
ach - - tet sie nicht!
head - - eth them not!
sont en ou - bli!
Flossh.
ach - - tet sie nicht!
head - - eth them not!
sont en ou - bli!
Vc.
CB.

Viol.
Br.
Wogl.
Ru - - nen weiss
Runes he read
Main - - tes ru
Wellg.
Ru - - nen weiss
Runes he read
Main - - tes ru
Flossh.
Ru - - nen weiss
Runes he read
Main - - tes ru
Vc.
1 u.2.(zus.)
2 Fl.
3 Hob.
1.
Cl.
2 u.3.
Hr. 1 u.2.
(zu 2.)
tr
f
Viol.
Br.
Wogl.
er, und
eth, and
nes le
Wellg.
er, und
eth, and
nes le
Flossh.
er, und
eth, and
nes le
Vc.
CB.

3 Fl.
poco rall.
2 u. 3.
3 Hob.
Cl.
1.
tr
2 u. 3.
2. (allein)
dim.
p (sehr weich.)
(sehr weich.)
1 u. 2. (zus.)
Hr.
(F)
Viol.
Br.
Wogl.
räth ___ sie nicht!
recks ___ them not!
trou - vent sourd!
Wellg.
räth ___ sie nicht!
recks ___ them not!
trou - vent sourd!
Flossh.
räth ___ sie nicht!
recks ___ them not!
trou - vent sourd!
Ein hehr - - - - stes
A glo - - - - rious
Un no - - - - ble
Vc.
CB.
pizz.

Fl. 2 u.3.
Hob.
1.(allein)
(ausdrucksvoll.)
Cl.
Hr.
Fag. 2 u.3.
Viol.
Br.
Wogl.
Ein hehr - - - - stes Gut ward ihm gegönnt:
A glo - - - rious gift once was his own:
Un no - - - ble bien lui fut don-né:
Flossh.
Gut ward ihm ge - gönnt:
gift once was his own:
bien lui fut don - né:
Vc.
CB.

3 Fl.
(zu 3.)
Hob. 1 u. 2.
(zu 2.)
Cl.
Hr.
1.
Fag. 2 u. 3.
Viol.
Br.
cresc.
Wogl.
dass er's ver - wor-fen, weiss er nicht;
that he has lost it knows he not;
il y re - non-ce sans sa - voir;
Wellg.
dass er's ver - wor-fen, weiss er nicht; der zum Tod ihm
that he has lost it knows he not; that will deal him
il y re - non-ce sans sa - voir; où sa morts'ins-
Flossh.
dass er's ver - wor-fen, weiss er nicht; nur den Ring,
that he has lost it knows he not; but the ring,
il y re - non-ce sans sa - voir; mais l'anneau.
Vc.
pizz.
(Bog.)
CB. pizz.

2 Fl.
2 Hob.
2 Cl.
Hör.
Fag. 1.
Viol.
Br.
Wogl.
den Reif nur will er sich wah - ren! Leb'
the ring he will not sur - ren - der! Fare -
l'an - neau fa - tal, il le gar - de! A -
Wellg.
taugt, den Reif nur will er sich wah - ren! Leb'
death, the ring he will not sur - ren - der! Fare -
-crit, l'an - neau fa - tal, il le gar - de! A -
Flossh.
den Reif nur will er sich wah - ren! Leb'
the ring he will not sur - ren - der! Fare -
l'an - neau fa - tal, il le gar - de! A -
Vc.

Fl.
Hob.
Cl.
Hör.
2 Fag.
Viol.
Br.
Wogl.
wohl!
well!
dieu!
Sieg - - fried!
Sieg - - fried!
Sieg - - fried!
Wellg.
wohl!
well!
dieu!
Sieg - - fried!
Sieg - - fried!
Sieg - - fried!
Flossh.
wohl!
well!
dieu!
Sieg - - fried!
Sieg - - fried!
Sieg - - fried!
Vc.

Fl.
1. (immer f)
2. (immer f)
Hob.
1. (immer f)
2. (immer f)
Cl.
1. (immer f)
2. (immer f)
Hör. (immer f)
(immer f)
Fag. 1 u. 2. (immer f)
Viol. (immer f)
(immer f)
Br. (immer f)
Wogl.
Ein stol - - - zes Weib wird noch
A wo - - - man proud will this
La fiè - - - re fem - - me, tout - à
Wellg.
Ein stol - - - zes Weib wird noch
A wo - - - man proud will this
La fiè - - - re fem - - me, tout - à
Flossh.
Ein stol - - - zes Weib wird noch
A wo - - - man proud will this
La fiè - - - re fem - - me, tout - à
Vc. (immer f)

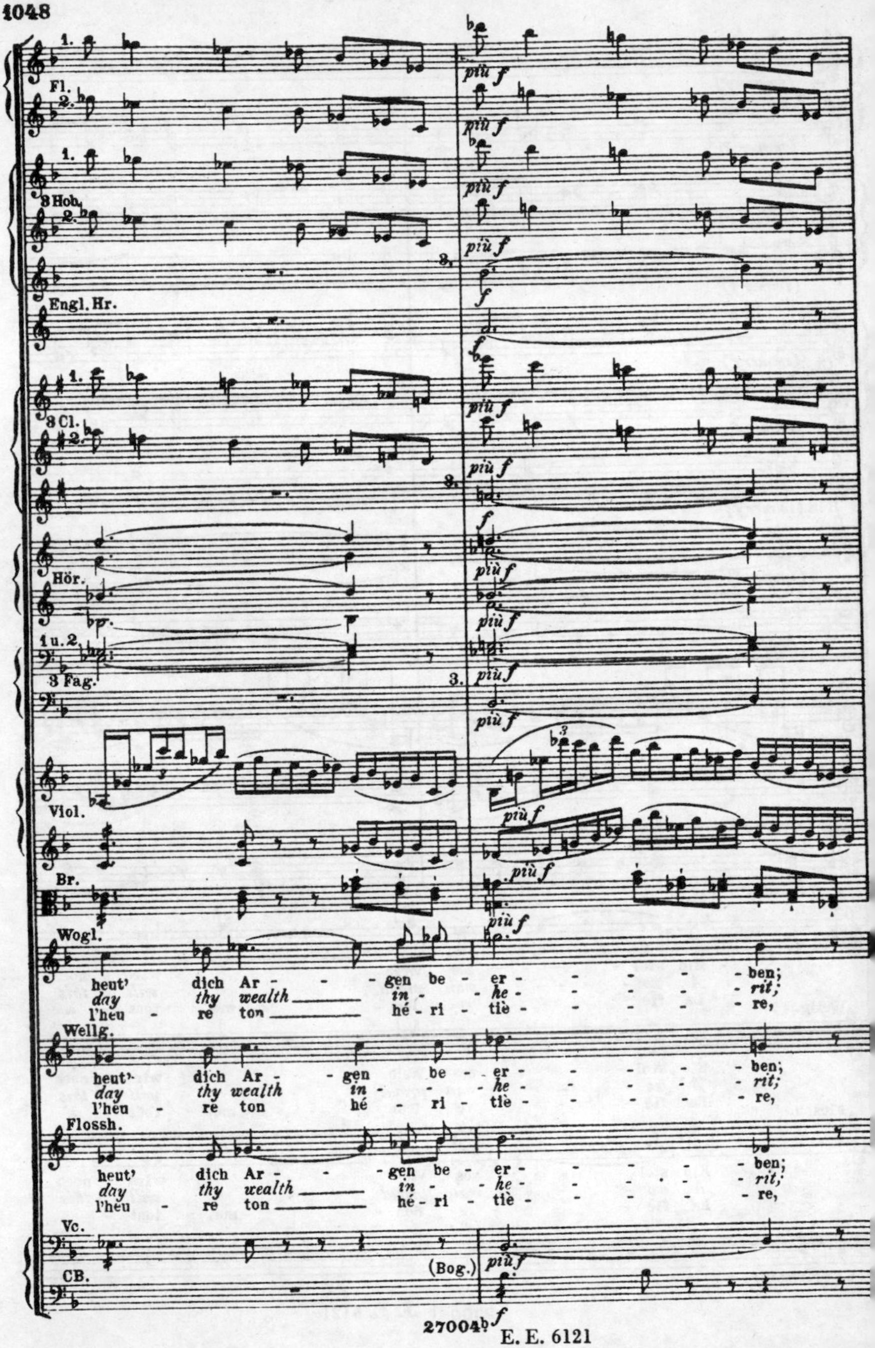
Fl.
Hob.
Engl. Hr.
Cl.
Hör.
Fag.
Viol.
Br.
Wogl.
heut' dich Ar - - - gen be - er - - - - - - ben;
day thy wealth in - he - - - - - - rit;
l'heu - re ton hé - ri - tiè - - - - - - re,
Wellg.
heut' dich Ar - gen be - er - - - - - - ben;
day thy wealth in - he - - - - - - rit;
l'heu - re ton hé - ri - tiè - - - - - - re,
Flossh.
heut' dich Ar - - gen be - er - - - - - - ben;
day thy wealth in - he - - - - - - rit;
l'heu - re ton hé - ri - tiè - - - - - - re,
Vc.
(Bog.)
CB.
più f

1.
Fl.
2.
Hob.
più f
Engl. Hr.
più f
Cl.
più f
Hör.
Fag.
3
Viol.
Br
Wogl.
sie beut uns bess' - - - - - - res Ge -
our prayer by her will be
nous va bien mieux faire ac -
Wellg.
sie beut uns bess' - - - - res Ge -
our prayer by her will be
nous va bien mieux faire ac -
Flossh.
sie beut uns bess'-res Ge -
our prayer by her will be
nous va bien mieux faire ac -
Vc.
CB.
più f

3 Fl.
ff
tr
Hob.
più f
Engl. Hr.
Cl.
Trp. 1 u. 2. (C)
f
Hör.

Fag. ff
ff
Viol. ff
Br. ff
ff
Wogl.
hör: heard: -cueil.
zu to Vers
ihr! her! elle!
Wellg.
hör: heard: -cueil.
zu to Vers
ihr! her! elle!
Flossh.
hör: heard: -cueil.
zu to Vers
ihr! her! elle!
Vc.
CB. ff
ff

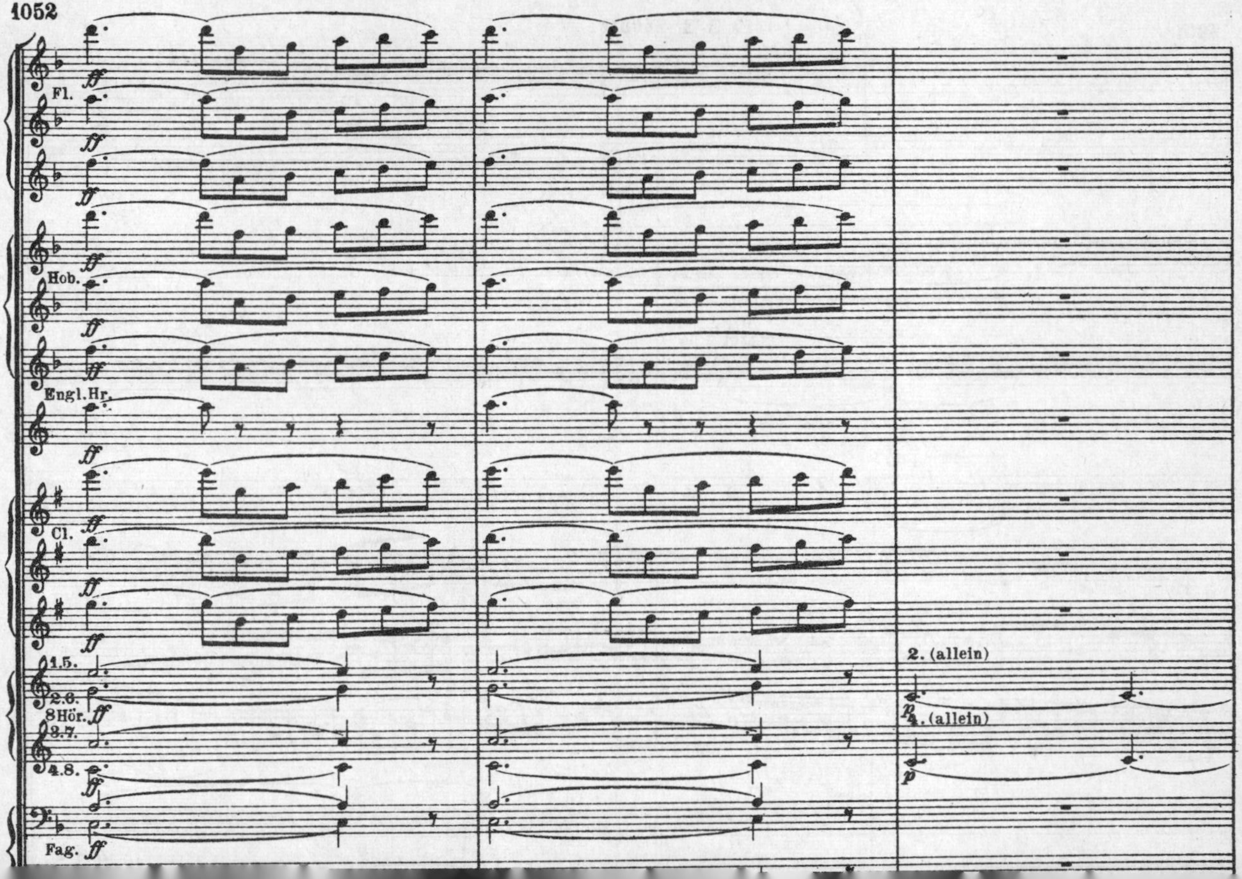
Fl.
Hob.
Engl. Hr.
Cl.
1.5.
2.6.
8 Hör.
3.7.
4.8.
Fag.
ff
2. (allein)
4. (allein)
p

1.2. ff
4 Harf. (Orch.)
3.4. ff
Viol.
ff
Br.
ff
Wogl.
(Sie wenden sich schnell zum Reigen, mit welchem sie gemächlich, dem Hintergrunde zu, fortschwimmen.)
Wei - a - la - - - la
Wei - a - la - - - la
Wai - a - la - - - la
Wellg.
Wei - a - la - - - la
Wei - a - la - - - la
Wai - a - la - - - la
Flossh.
Wei - a - la - - - la
Wei - a - la - - - la
Wai - a - la - - - la
Vc.
CB.
pizz.

2.
Hör.
4.
1.2.
4 Harf. (Orch.)
3.4.
p
Viol.
tr
p
Br.
pizz.
Wogl.
wei - a - la la lei - a lei - a wal - la la la
*wei - a - la la lei - a lei - a wal - la la la*
Wai - a - la la lai - a lai - a wal - la la la
Wellg.
wei - a - la la lei - a lei - a wal - la la la
*wei - a - la la lei - a lei - a wal - la la la*
Wai - a - la la lai - a lai - a wal - la la la
Flossh.
wei - a - la la lei - a lei - a wal - la la la
*wei - a - la la lei - a lei - a wal - la la la*
Wai - a - la la lai - a lai - a wal - la la la
(Siegfried sieht ihnen lächelnd nach, stemmt ein Bein auf ein Felsstück
Vc.
pizz.

2.
Hör.
4.
p
1.2.
4 Harf. (Orch.)
3.4.
Viol.
tr
Wogl.
lei la la la lei la la la la, la
lei la la la lei la la la la, la
lai la la la lai la la la la, la
Wellg.
lei la la la lei la la la la, la
lei la la la lei la la la la, la
lai la la la lai la la la la, la
Flossh.
lei la la la lei la la la la, la
lei la la la lei la la la la, la
lai la la la lai la la la la, la
am Ufer, und verweilt mit auf die Hand gestütztem Kinne.)
Vc.

2.
Hör.
4.
p
(fern)
1.2.
più p
4 Harf. (Orch.)
2 Harf. (a. d. Th.)
3.4.
Viol.
tr
più p
Br.
(Bog.)
Wogl.
(immer ferner)
la lei, wal-la la la la wei - a la wal-la la
la lei, wal-la la la la wei - a la wal-la la
la lai, wal-la la la la laï - a la wal-la la
Wellg.
la lei, wal-la la la la wei - a la wal-la la
la lei, wal-la la la la wei - a la wal-la la
la lai, wal-la la la la laï - a la wal-la la
Flossh.
la la la lei, wal-la la la la wei - a la wal-la la
la la la lei, wal-la la la la wei - a la wal-la la
la la la lai, wal-la la la la laï - a la wal-la la
Siegf.
Im Was - ser wie am Lan - de
A like on land and wa - ter
Dans l'onde, et sur la ter - re
Vc.
(Bog.)
CB.
pizz.

2.
Hör.
4.
1.
2 Harf. (a. d. Th.)
2.
Viol.
Br.
Wogl.
wei - a la la lei wal - la la la la lei - a lei - a lei - a
wei - a la la lei wal - la la la la lei - a lei - a lei - a
waï - a la la lai wal - la la la la laï - a laï - a laï - a
Wellg.
wei - a la la lei wal - la la la la lei - a lei - a lei - a
wei - a la la lei wal - la la la la lei - a lei - a lei - a
waï - a la la lai wal - la la la la laï - a laï - a laï - a
Flossh.
wei - a la la lei wal - la la la la lei - a lei - a lei - a
wei - a la la lei wal - la la la la lei - a lei - a lei - a
waï - a la la lai wal - la la la la laï - a laï - a laï - a
Siegf.
lern - te nun ich Wei - ber Art: wer nicht ihrem Schmeicheln
wo - men's ways I now have learned: the man who de - ties their
bien pa - reil - - les sont les fem - mes. Qui fuit leurs jo - lis pro -
Vc.
CB.

Hör.
Fag.
2 Harf. (a.d.Th.)
Viol.
Br.
Wogl.
lei - a la la la
lei - a la la la
laï - a la la la
Wellg.
lei - a la la la
lei - a la la la
laï - a la la la
Flossh.
la la la
la la la
la la la
Siegf.
traut, den schre - cken sie mit Dro - hen;
smiles, they seek by threats to fright - en;
-pos ren - con - tre leurs me - na - ces;
Vc.
CB.

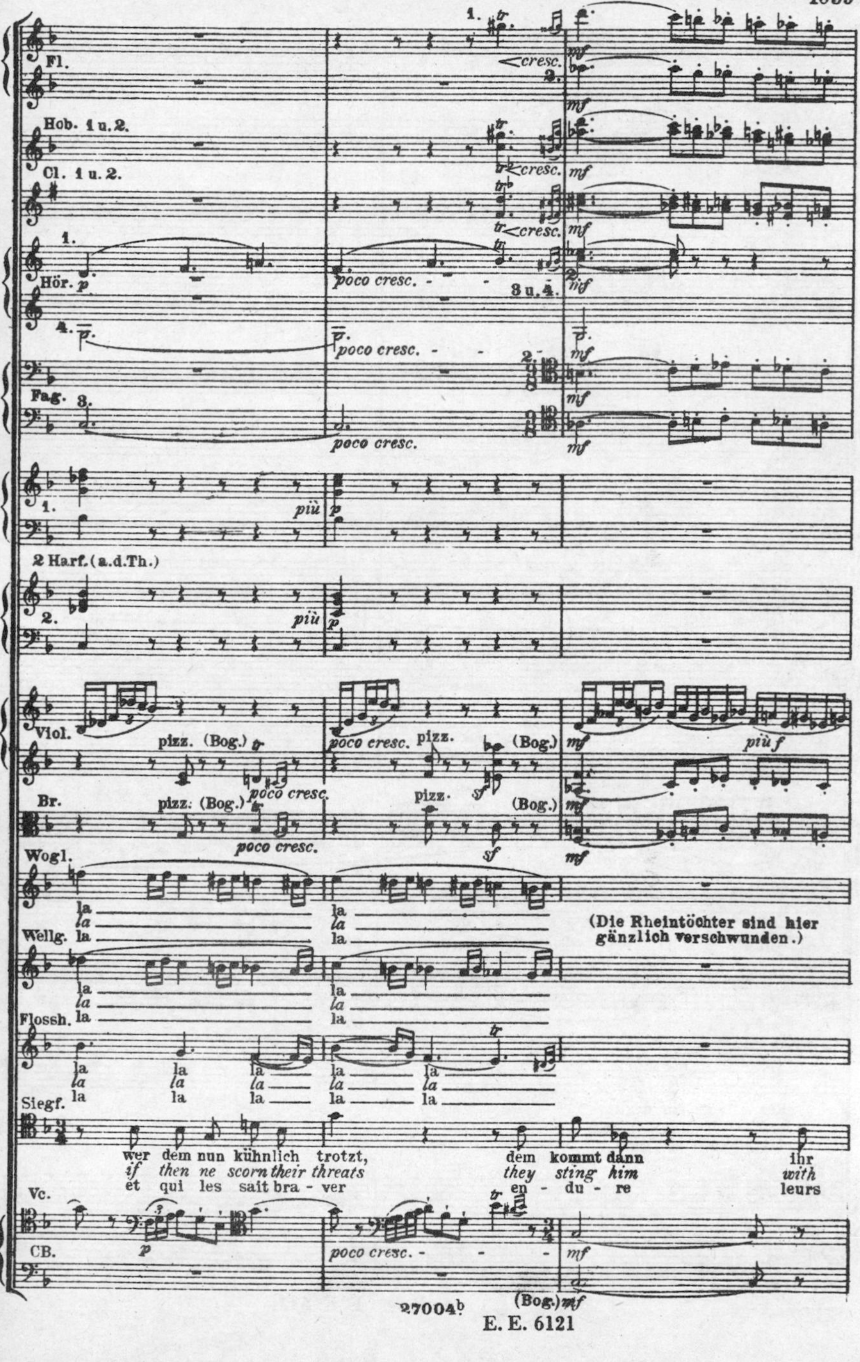
Fl.
Hob. 1 u. 2.
Cl. 1 u. 2.
Hör.
Fag.
2 Harf. (a.d.Th.)
Viol.
Br.
Wogl.
Wellg.
Flossh.
Siegf.
Vc.
CB.
cresc.
poco cresc.
più
pizz. (Bog.)
più f
la
(Die Rheintöchter sind hier gänzlich verschwunden.)
wer dem nun kühnlich trotzt, dem kommt dann ihr
if then ne scorn their threats they sting him with
et qui les sait bra - ver en - du - re leurs

1. tr
più f
Fl.
2. tr
più f
1. tr
più f
Hob.
2. tr
più f
1.
Cl.
più f
2.
più f
Hör.
più f
mf
dim.
2.
Fag.
più f
3.
più f
Viol.
più f
dim.
più f
dim.
Br.
più f
dim.
Siegf.
Kei - fen dran!
scold - ing tongues!
cris ai - gus!
Vc.
più f
CB.
più f

Hör.
Viol.
Br
Siegf.
Und doch, — trüg' ich nicht
And yet, — but for my
Pourtant, si Gu - trun' n'a -
Vc.
pizz.
Hör.
Viol.
Br.
Wogl.
(Die Rheintöchter werden aus grösserer Entfernung nur gehört.)
La — la!
La — la!
La! — la!
Wellg.
La — la!
La — la!
La! — la!
Flossh.
La — la!
La — la!
La! — la!
Siegf.
Gu - trun' Treu', — der
plight - ed oath, — of
-vait ma foi, — gen -
Vc.

Cl.
Hör.
Viol.
Br.
Sieg.
zie - - - ren Frau - - - - en ei - ne
these so win - - - - some maids full
til - - - les fem - - - - mes, l'u - ne de
Vc. u. CB.
pizz.
poco cresc.
(pizz.)
(Bog.)
Fl. 1. u. 2.
Hob. 1. u. 2.
p cresc.
zu 2.
Fag.
hätt' ich mir frisch ge - zähmt!
sure had one soon been mine!
vous se - rait vite à moi!
(Er blickt ihnen unverwandt nach.)

Fl. 1 u. 2. (zu 2)
Hob.
Cl.
Hör.
Fag.
Viol.
più f
più f
Br.
tr
Vc.
tr
CB.

(zu 2)
Fl. 1 u. 2.
più f
ff
Hob. 1 u. 2.
più f
ff
Cl.
più f
ff
più f
ff
Hör.
ff
Fag.
più f
ff
ff
3
3
3
Viol.
ff
3
3
3
ff
Br.
più f
ff
Vc.
più f
ff
CB.
ff

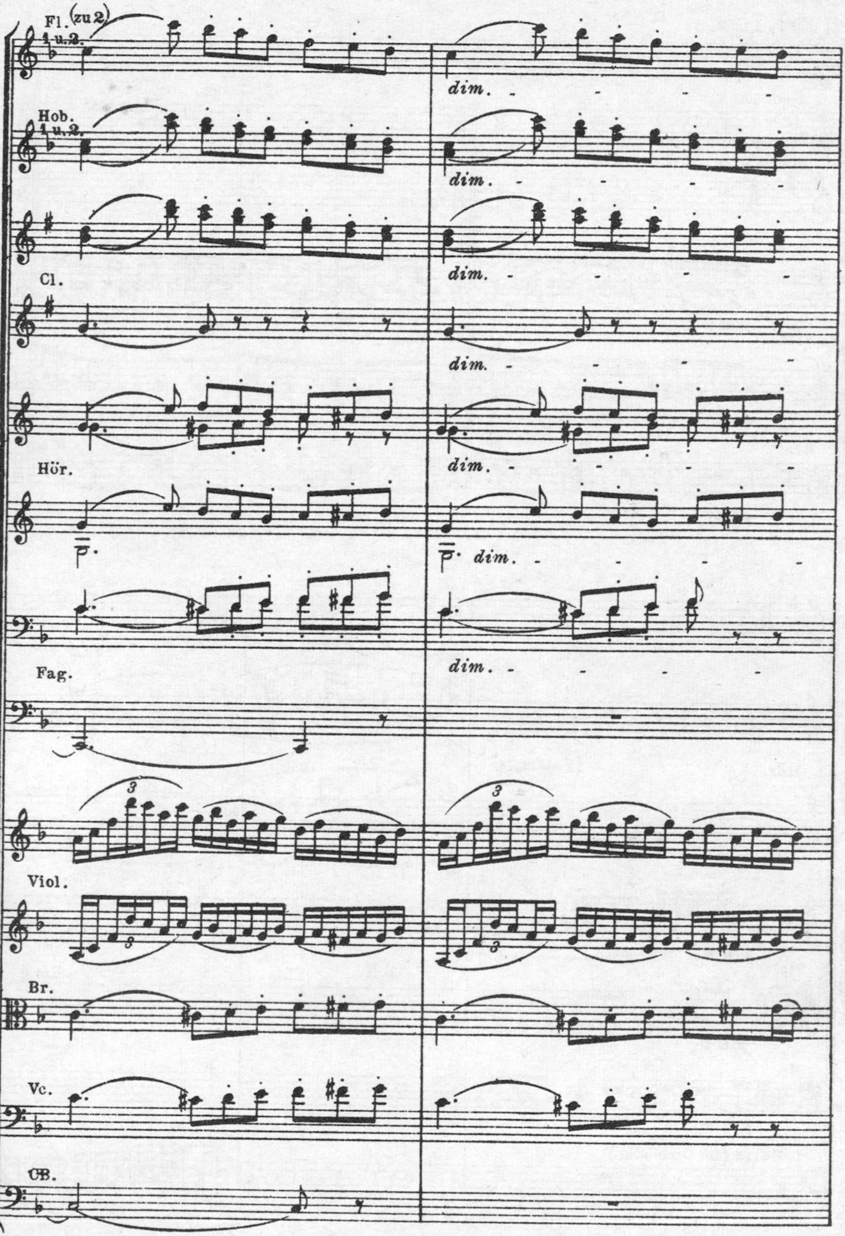
Fl. (zu 2)
1 u. 2.
Hob.
1 u. 2.
Cl.
Hör.
Fag.
Viol.
Br.
Vc.
CB.
dim.
3

Fl. 1 u. 2.
Hob. 1 u. 2.
Cl. 1 u. 2.
dim.
Viol.
dim.
Br.
tr
dim.
Cl
1.
pp
Hör.
(gedämpft)
pp
pp
più p
Viol.
pp
più p
Br.
più p
1. Harfe (im Orchester)
p
pp

Cl.1
più p
più p
Hör.
più p
Pos.
1.
pp
Viol.
pp
pp
Br.
pp
pp
Hör. 3.4.5. u.6. (F)
(gedämpft)
sf p
sf p
1.
Pos.
2.u.3.
pp
4.
pp
Hag.
(Hagen's Stimme von fern.)
Hoiho!
Hoiho!
Hoiho!
Hörner (auf dem Theater) 1.(C)
(Aus dem Hintergrunde.)
f
CB.
pp

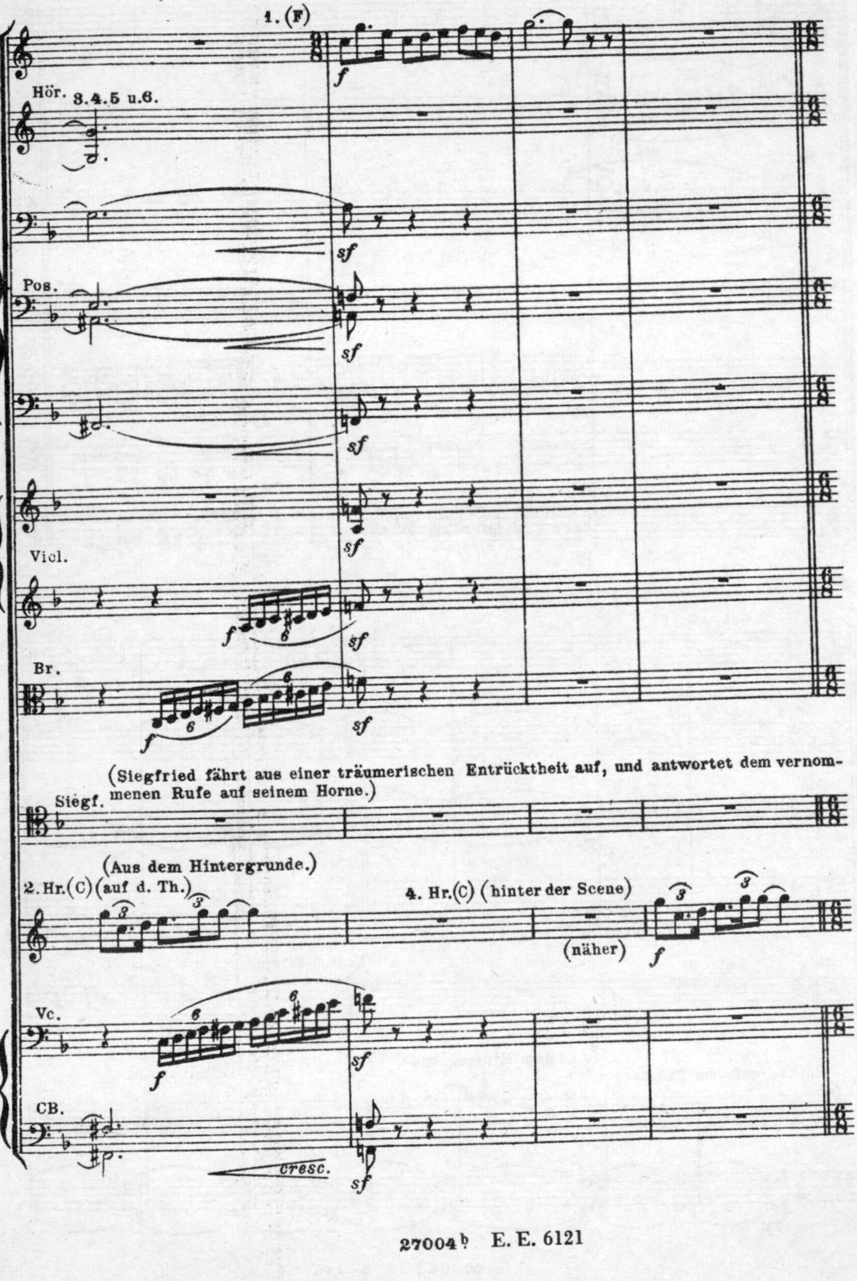
1. (F)
Hör.
3.4.5 u.6.
Pos.
Viol.
Br.
(Siegfried fährt aus einer träumerischen Entrücktheit auf, und antwortet dem vernommenen Rufe auf seinem Horne.)
Siegf.
(Aus dem Hintergrunde.)
2. Hr. (C) (auf d. Th.)
4. Hr. (C) (hinter der Scene)
(näher)
Vc.
CB.
cresc.

# Zweite Scene.

(sehr ausdrucksvoll)
1.
Cl.
2.
Hör.
3.u.4.
Fag. 3.
Viol.
Br.
Siegf.
Kommt herab!
Come ye down!
Des-cendez!
Hier
Here
Là
Vc.
CB.
poco cresc.
cresc.
(F)
(B)
(E)
1.u.2.
6.u.8.
stacc. cresc.
(Die Mannen kommen alle auf der Höhe an und steigen nun,
ist frisch und
'tis fresh and
l'ombrage est
kühl!
cool!
frais!
stacc.
pizz.

Fl. 1 u. 2.
(zu 2)
Hob.
1.
Cl.
2. u. 3.
1. u. 2.
Hör.
3. u. 4.
5. u. 8.
Fag.
Viol
stacc.
stacc.
Br.
Hagen.
mit Hagen und Gunther herab.)
Hier
Here
Res -
Vc.
CB.
(Bog.)

Fl. (zu 2)
1. u. 2.
1.
Hob.
2. u. 3
1.
Cl.
2. u. 3.
3.
Tromp. 1. u. 2. (C)
1. u. 2. (E)
(F)
Hör.
3. u. 4. (E)
(F)
6. u. 8. (E)
5.6.7.8.
(F)
Fag.
Pos.
4. (allein)
Viol.
più f
Br.
Hag.
ra - sten wir,
rest we now;
tons i - ci,
und rü - sten das
make rea - dy the
pen - sons au re -
Mahl!
meal!
- pas!
Vc.
CB.

(zu 2)
Fl. 1 u. 2.
tr
più f
Hob.
Cl.
Tromp. 1 u. 2. (C)
1. u. 2.
3
f
Hör. 3. u. 4.
5. u. 6.
7. u. 8.
Fag.
Pos. 4.
Vicl.
Br.
Vc. (Jagdbeute wird zu Hauf gelegt.)
CB.

Fl. 1 u. 2.
1.
Hob.
2. u. 3.
1. u. 2.
Cl.
3.
1. 2. 3. 4.
(nur 2. u. 3.)
8 Hör.
5. 6. 7. 8.
(nur 5. u. 6.)
1. u. 2.
Fag.
3.
Viol.
Br.
Hag.
Lasst ruh'n die Beu - te,
Lay down the boo - ty,
Lais - sez vos char - ges,
Vc.
CB.

1.
Fl.
2.u.3.
1.
Hob.
2.u.3.
1.2.3.4.
Hör.
5.6.7.8.
1.u.2.
Fag.
3.
Viol.
Br.
Hag.
und bie - tet die Schläu - che!
and bring out the wine - skins!
qu'on don - ne les ou - tres!
Vc.
CB.

Fl. (zu 3)
Hob. (zu 3)
Cl. (A) (zu 3)
(zu 4)
8 Hör. (E)
(zu 4)
Fag. (zu 3)
Tromp. (E)
Pos.
Pauk. (H)
Viol.
Br.
(Schläuche und Trinkhörner werden hervorgeholt.)
(Alles lagert sich.)
Vc.
CB.

Fl. (zu 3.)
Hob. (zu 3.)
Cl.
(zu 3.)
(zu 4.)
8 Hör. (E)
(zu 4.)
Fag. (zu 3.)
(zu 3.)
Trp. (E.)
1 (E.)
1.
3.
Pos.
2.
4.
Pk. (H.)
Viol.
(immer ff)
Br.
Vc.
CB.

Hob. (zu 3.)
ff
Cl. (zu 3.)
ff
(zu 4.)
ff
8 Hör.
(zu 4.)
ff
Fag. (zu 3)
ff
Trp. 1. (E.)
ff
Pos.
2.
4.
ff
Pk.
tr
3
Viol.
ff
Br.
ff
Vc. u. CB. (zus.)
ff
(immer ff)

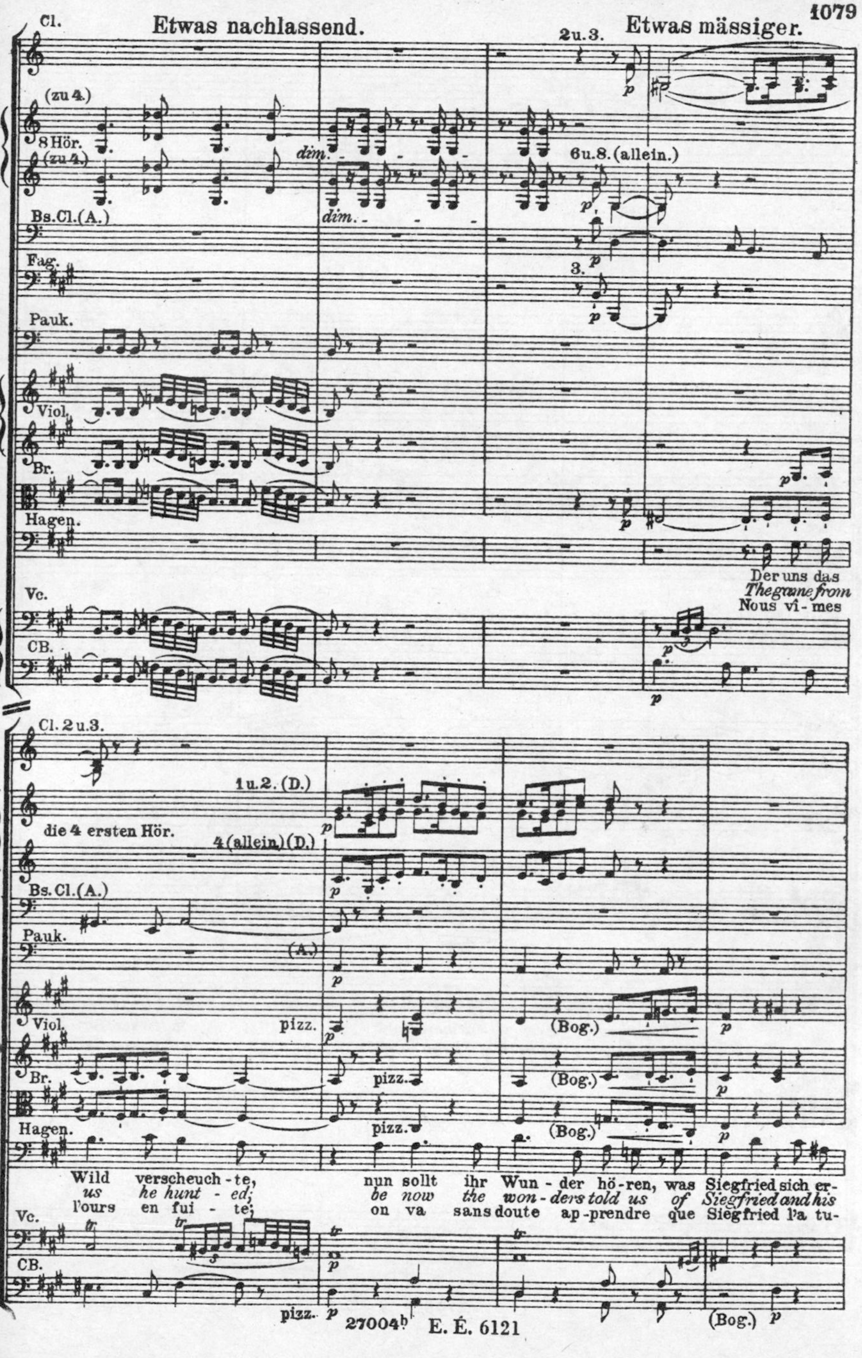
Cl.
Etwas nachlassend.
2u.3.
Etwas mässiger.
(zu 4.)
8 Hör.
(zu 4.)
dim.
6u.8.(allein.)
Bs.Cl.(A.)
Fag.
3.
Pauk.
Viol.
Br.
Hagen.
Der uns das
The game from
Nous vî - mes
Vc.
CB.
Cl. 2u.3.
1u.2.(D.)
die 4 ersten Hör.
4(allein)(D.)
Bs.Cl.(A.)
Pauk.
(A.)
pizz.
(Bog.)
Wild verscheuch - te, nun sollt ihr Wun - der hö - ren, was Siegfried sich er-
us he hunt - ed; be now the won - ders told us of Siegfried and his
l'ours en fui - te; on va sans doute ap - prendre que Siegfried l'a tu-

Hob. 1u.2.
Cl.
Hör.
(E.)
1u.2.
(D.)
4.
Fag.
Pauk. (D)
Viol.
pizz.
Br.
Siegf.
Schlimm steht es um mein Mahl: von eu-rer Beu-te
Ill fares it with my meal: to share your boo-ty
Maigre vois-je mon re-pas: de vo-tre chas-se
Hag.
jagt.
chase.
-é.
Vc.u.CB.(zus.)
pizz.

1.
Hob.
2 u.3.
p
Cl.1.
Cl.2.
Cl.3.
(E.)
Hör.
(D.)
4.
Fag.
Pauk.
Viol.
Br.
Siegf.
bit - te ich für mich.
e'en must I now beg.
fai - tes-moi ma part!
Auf
For
J'ai
Hag.
Du beu - te - los?
No boo - ty thine?
Toi, sans gi - bier?
Vc.
(Bog.)
pizz.
CB.
(Bog.)

Fl.
Hob.
Cl.
Hör.
Fag.
Viol.
Br.
Siegf.
Vc.
CB.
1.
2 u. 3.
1 u. 2. (E.)
6. (C.)
4. (E.)
3. (E.)
4.
pizz.
(Bog.)
cresc.
Wald - jagd zog ich aus, doch Was-ser-wild zeig-te sich
wood - game went I forth, but wa-ter-fowl on-ly I
fait chasse en fo-rêt, gi-bier des eaux seul s'est mon-

Hob.
Cl.
Hör.
(D.)
Fag.
Viol.
Br.
Siegf.
Vc.
CB.
p
cresc.
tr
pizz.
nur: war ich da - zu recht be - ra - then, drei wil - de
found: yet had I been fit - ly fur - nished, a brood of
-tré. Si j'a - vais su mieux m'y pren - dre, de trois oi-

Hob.
Cl.
p stacc.
Hör.
8 u. 4. (E.)
6. (D.)
cresc.
Fag.
Viol.
pizz.
Br.
Siegf.
Was - ser - vö - gel hätt' ich euch wohl ge - fan - gen, die dort
wa - ter-birds to you had I brought as boo - ty who sang
-seaux des on - des j'au-rais bien fait ma proi - e, qui là,
Vc.
CB.

Hob.
Cl.
1.(F.)
Hör.
2.(F.)
3u.4.(E.)
(F.)
3.5.
4.6.
Fag.
3 Pos.
Viol.
Br.
pizz.
(Bog.)
(trem.)
(Gunther erschrickt und blickt düster auf Hagen.)
Siegf.
auf dem Rhein mir san - gen, er - - schla-gen würd' ich noch
to my ears ill ti - dings, that slain_ to-day should I
dans les flots m'ap - - pri - rent, mon meur - tre pour au-jour-
Vc.
CB.
(Bog.)

Hör. (F.)
3.5.
4.6.
Fag. 3.
3 Pos.
Br.
Siegf.
heut'.
be.
-d'hui!
(Er lagert sich zwischen Gunther und Hagen.)
Hagen.
Das wä - re üb' - - le
That were an ill - - starred
La tris - te chas - - se, vrai-
Vc.
CB.
p (marc.)
Ruhig.
Hr. 2. (D.)
Fag. 3.
Viol.
p (weich
Br.
Siegf.
Mich dür-stet!
I thirst now!
A boi-re!
Hagen.
Jagd, wenn den Beu-te-lo-sen selbst ein lauernd Wild er - leg-te.
chase, if a lurk-ing beast should charge to slay the luck-less - hun-ter.
-ment, où, chasseur, on est chas-sé par son gi-bier lui - mê-me!
Vc.
CB.

Cl.
1. (A.)
pp
Viol.
und ausdrucksvoll)
Br.
(indem er für Siegfried ein Trinkhorn füllen lässt und es diesem dann darreicht.)
Hagen.
Ich hör-te sa-gen, Siegfried, der Vö-gel San-ges-spra-che
I heard it rumoured, Sieg-fried, that when the birds are sing-ing
Cer-tains as-su-rent, Siegfried, que quand l'oiseau ga-zouil-le,
Vc.
CB.
Hob.
1. (zart.)
p
Cl. 1.
(zart)
più p
Viol.
più p
più p
Br.
più p
Siegf.
Seit
Their
Bel
Hagen.
ver-stün-dest du wohl:
their speech thou dost know:
tu sais ce q'uil dit:
so wä-re das wahr?
can that be the thruth?
se-rait-ce donc vrai?
Vc.
più p

Hob. 1.
1 u. 2.
Cl.
(zu 3.)
1 u. 2. (F.)
(D.)
Hör.
3 u. 4. (D.)
(D.)
1 u. 2.
Fag.
3.
Viol.
Br.
Siegf.
(Er fasst das Trinkhorn und wendet sich damit zu Gunther.)
lan - ge acht' ich des Lallens nicht mehr.
sing - ing long have I needed no more.
â - ge que j'ou - bli - ai sa chan - son.
Vc.
CB.

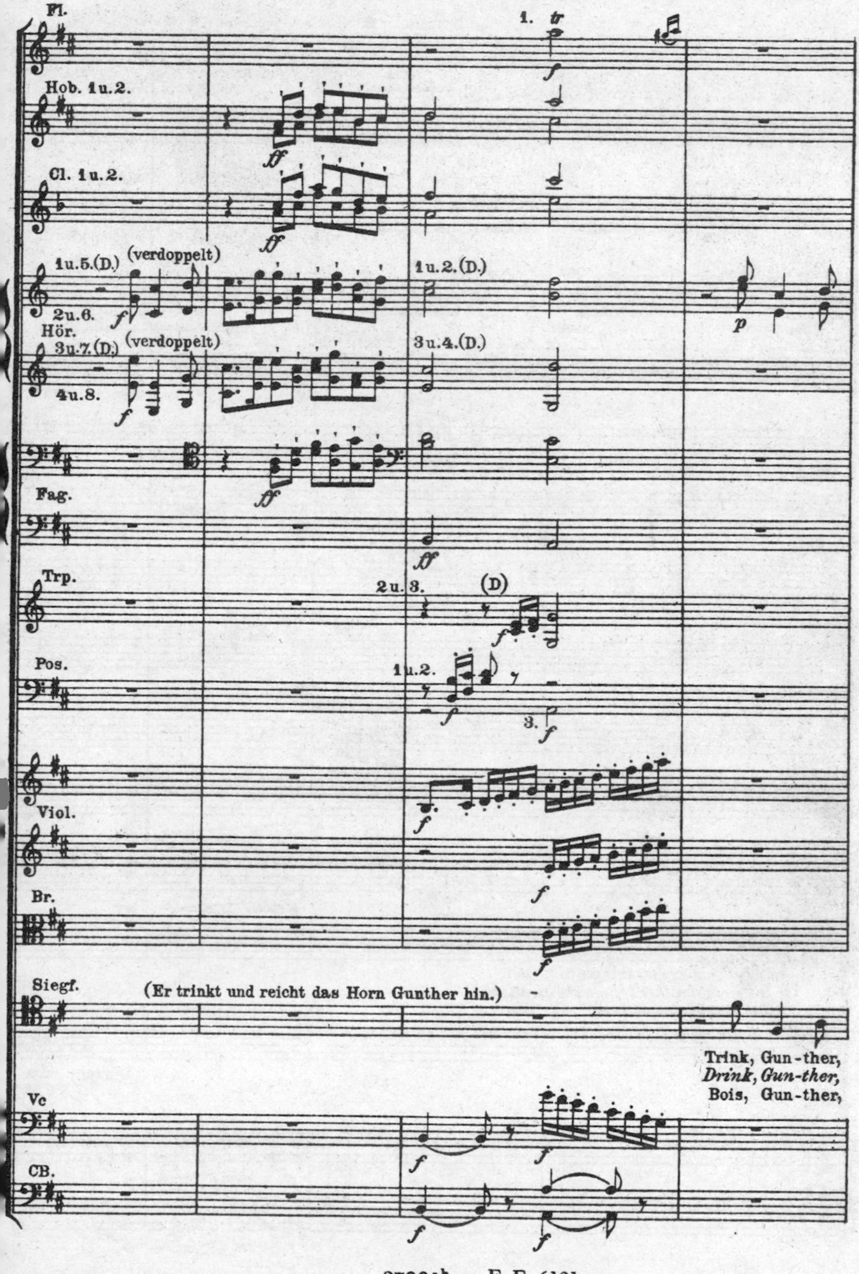
Fl.
1.
Hob. 1 u. 2.
Cl. 1 u. 2.
1 u. 5. (D.)
(verdoppelt)
2 u. 6.
Hör.
3 u. 7. (D.)
(verdoppelt)
4 u. 8.
1 u. 2. (D.)
3 u. 4. (D.)
Fag.
Trp.
2 u. 3.
(D)
Pos.
1 u. 2.
3.
Viol.
Br.
Siegf.
(Er trinkt und reicht das Horn Gunther hin.)
Trink, Gun-ther,
Drink, Gun-ther,
Bois, Gun-ther,
Vc
CB.

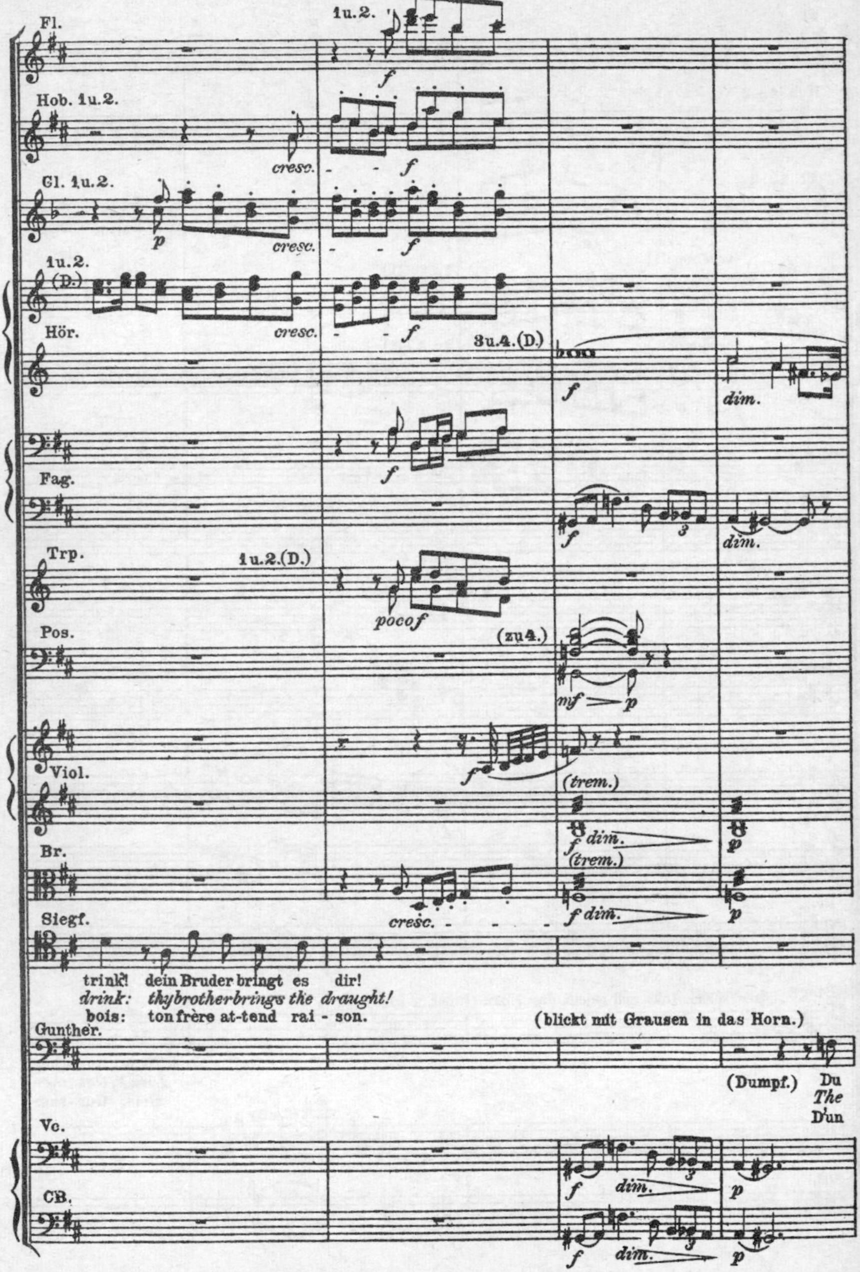
Fl.
1u.2.
Hob. 1u.2.
Gl. 1u.2.
1u.2.
(D.)
Hör.
3u.4.(D.)
Fag.
Trp.
1u.2.(D.)
poco f
Pos.
(zu4.)
Viol.
(trem.)
Br.
Siegf.
trink! dein Bruder bringt es dir!
drink: thy brother brings the draught!
bois: ton frère at-tend rai - son.
(blickt mit Grausen in das Horn.)
Gunther.
(Dumpf.)
Du
The
D'un
Vc.
CB.

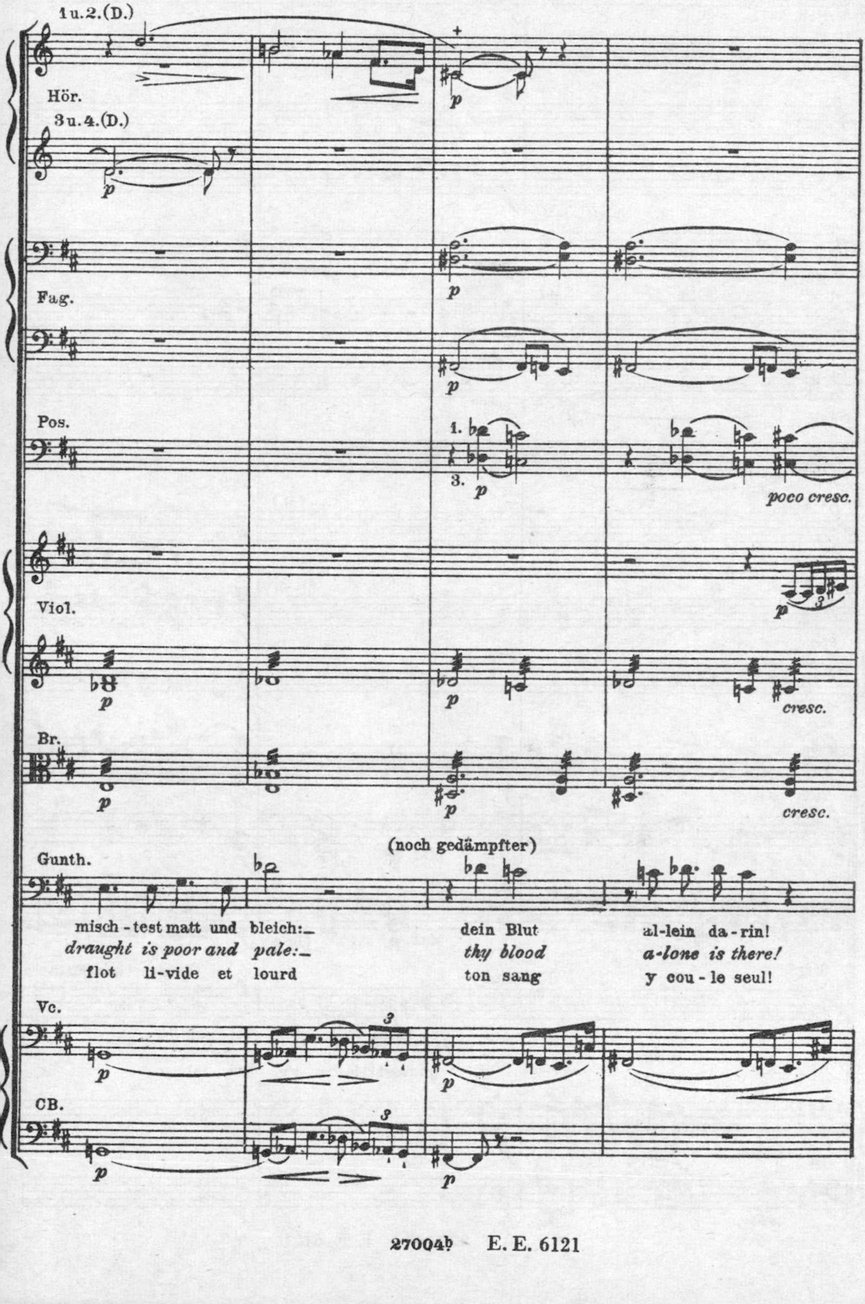
1 u. 2. (D.)
Hör.
3 u. 4. (D.)
Fag.
Pos.
1.
3.
poco cresc.
Viol.
cresc.
Br.
cresc.
(noch gedämpfter)
Gunth.
misch - test matt und bleich:
draught is poor and pale:
flot li-vide et lourd
dein Blut
thy blood
ton sang
al-lein da - rin!
a-lone is there!
y cou - le seul!
Vc.
CB.

Hob.
Cl.
nach (B.)
(D.)
Hör.
(D.)
Fag.
cresc.
cresc.
Trp.
(D.)
1.
2.
1.
1u.2.
Pos.
3.
Viol.
cresc.
pizz.
Br.
pizz.
(Bog.)
Siegf.
(lachend)
(Er giesst aus Gunther's
So misch' es mit dem dei - nen!
Then let our blood be mingled!
Qu'aussi le tien s'y mê - le!
Vc.
cresc.
pizz.
CB.
cresc.

Fl. 1 u. 2.
3 Hob.
(zu 3.)
(D)
4 Hörn.
(E)
1 u. 2.
3 Fag.
3.
Trp. 1 u. 2.
1 u. 2.
3 Pos.
3.
Viol.
(Bog.)
Br.
Siegf.
Horn in das seinige, so dass dieses überläuft.)
Nun floss ge - mischt
Now mixed the wine
Tous deux, u - nis
Vc.
(Bog.)
CB.
(Bog.)

Fl. 1.
poco f
3 Hob.
1.
p cresc.
2 u. 3.
Cl. 1.
(allein)
f (sehr ausdrucksvoll)
4 Hr.
(D)
(E)
(F)
cresc.
3 Fag.
Trp. 2. (F)
p cresc.
mf
3 Pos.
Viol.
p
Br.
Siegf.
— es ü - - - - ber:
— runs o - - - - ver:
— dé - bor - - - - dent.
der Mut - - ter
to earth, our
La Ter - - re
Vc.
CB.
cresc.
f

Eewegter.
Fl.1 u.2.
(zus.)
3 Hob.
dim.
1.
3 Cl.(B)
2 u.3.
4 Hr.(F)
3 Fag.
Viol.
f stacc.
Br.
pizz.
(Bog.)
Siegf.
Er - de lass' das ein Lab - sal sein!
mo - ther, a cor - dial let it be!
mè - re, en ait aus - si sa part!
Vc.
CB.

Etwas zurückhaltend.
Fl. 1 u. 2. (zus.)
più f
3 Hob.
3 Cl. (B)
4 Hr. (F)
4. (C)
p
(zu 2)
3 Fag.
1.
2 u. 3.
Viol.
Br.
(mit einem heftigen Seufzer)
Gunther.
Du ü - - - ber fro - - - her Held!
Thou o - - - ver joy - - - ous man!
Hé - ros tou - jours joy - eux!
Vc.
fp
CB.

3 Cl.
Hr. 4.(C)
3 Fag.
Viol.
più p
Br.
più p
Siegf. (leise zu Hagen.)
Ihm macht Brünn-hil-de Müh'?
His mirth Brünn-hil-de mars!
Ain-si, Brünn-hild' le rend?
Vc.
CB. più p
più p
3 Cl.
4 Hr.
1 u. 2. (F)
3. (C)
(weich)
Viol.
più p
(weich und ausdrucksvoll)
Br.
Hagen. (leise zu Siegfried.)
Verstünd' er sie so gut, wie du der Vö-gel Sang!
Her voice is not so clear as song of birds to thee!
La puis-se-t'il com-pren-dre com-me toi les chants d'oi-seaux!
Vc.
più p
CB.
(nur 4.)
(weich)

Fl. 1.
Clar.
1.
p (sehr weich)
2.
4 Hr.
(F)
(C)
(E)
(D)
più f
più p
pp
Viol.
Br.
Siegf.
Seit Frau - - - - - - en ich sin - - gen hör - te, ver-
Since wo - - - - - - men their songs have sung me, the
Des fem - - - - - - mes le chant su - a - ve aux
Vc.
(sehr zart)
CB.
(alle)
1.(allein)
(sehr ausdrucksvoll)
weich
(sich lebhaft zu Gunther wendend)
gass ich der Vög - lein ganz.
birds have I clean for - got.
chants de l'oiseau fit tort.
Hei!
Hei
Hé
Gunther.
Doch einst ver-nahmst du sie?
Yet once thou heard'st them well?
Pourtant, tu les com-pris?

poco riten. Mässig.
Hr. 3. (C)
Viol.
Br.
Siegf.
Gun-ther, gräm-li-cher Mann.
Gun-ther, gloom-y man!
Gun-ther, homme assom-bri,
Dank'st du es mir,
Give me thy thanks,
si tu le veux
Vc.
f
sf dim.
p
Clar.
1.
2.
Hr. 3. (C)
sf
pizz.
Viol.
Br.
Siegf.
so sing' ich dir Mäh-ren aus mei-nen jun-gen Ta- - - gen.
and tales of the days of my boy-hood will I tell thee.
je t'of-fre l'his-toi-re des jours de ma jeu-nes- - - se.
Vc.
sf dim.
CB. pizz.

Hob. 1.
Cl.
Hr. 1 u. 2. (F)
Hr. 3. (C)
Fag. 1 u. 2.
(Bog.)
Viol.
Br.
(Alle lagern sich nahe um Siegfried, welcher allein aufrecht sitzt, während die Andern tiefer gestreckt liegen.)
Gunther.
Sie hör' ich gern.
My thanks be thine.
J'y suis tout prêt.
Vc.
CB.
più p
Cl. 1 u. 2.
Fag. 1. 2.
Viol. 1.
Hagen.
So sin-ge, Held!
Now sing to us!
Commence a-lors!

Etwas breit.
Hr. 1 u. 2. (F)
f (stacc.)
Viol. 1.
(stacc.)
tr
p
Viol. 2.
f
Br.
Siegf.
Mi - me hiess ein mür - ri - scher
Mi - me, know ye then, was a
Mi - me fut un gnô - me har
Vc.
CB.
Cl. 1 u. 2.
p cresc.
poco f
Fag. 1 u. 2.
cresc.
(stacc.)
Viol
p cresc.
pizz.
(Bog.)
Br.
pizz.
(Bog.)
cresc
p cresc
Siegf.
Zwerg; in des Nei - des Zwang zog er mich auf, dass einst das Kind, wann
dwarf: he had fos - tered me, driven by greed, that, grown to strength, for
-neux: par l'en - vie pous - sé, il m'e - lé - va, a - fin qu'un jour l'en -
Vc.
cresc.
pizz.
CB.
p cresc.

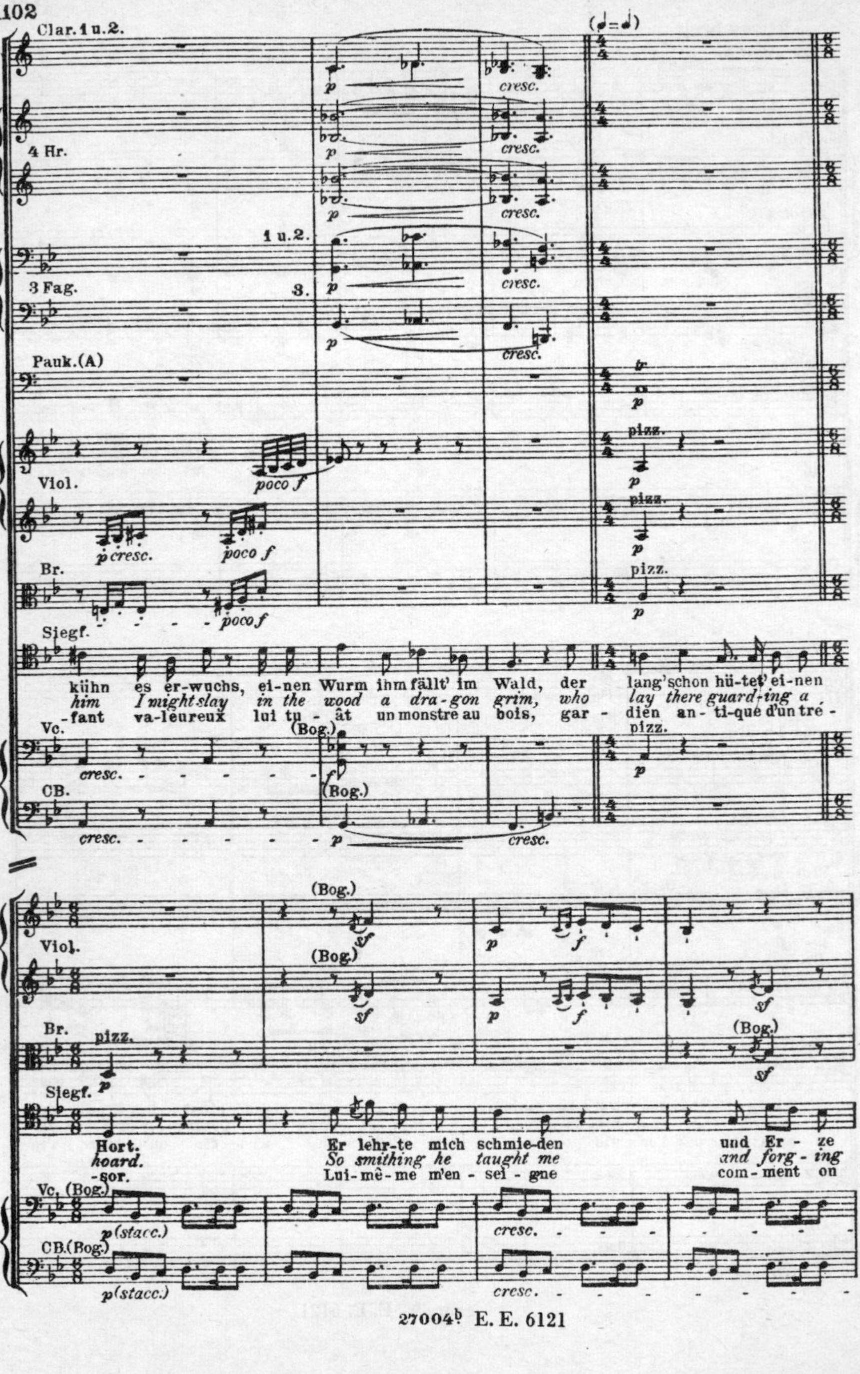
Clar. 1 u. 2.
4 Hr.
1 u. 2.
3 Fag.
3.
Pauk. (A)
Viol.
Br.
Siegf.
kühn es er-wuchs, ei-nen Wurm ihm fällt' im Wald, der lang'schon hü-tet' ei-nen
*him I might slay in the wood a dra-gon grim, who lay there guard-ing a*
-fant va-leureux lui tu-ât un monstre au bois, gar-dien an-ti-que d'un tré-
Vc.
CB.
(Bog.)
pizz.
cresc.
poco f
p cresc.
(♩=♩)
Hort.
*hoard.*
-sor.
Er lehr-te mich schmie-den und Er-ze
*So smithing he taught me and forg-ing*
Lui-mê-me m'en-sei-gne com-ment on
Vc. (Bog.)
CB. (Bog.)
p (stacc.)
sf
f

Cl. 2 u. 3.
Fag. 2 u. 3.
Viol. 2.
pizz.
Br.
Siegf.
schmel-zen; doch was der Künst-ler sel-ber nicht konnt', des Lehr-lings
sword-blades; the task the crafts-man ne'er could a-chieve, the learn-ers
for-ge; mais où le maî-tre n'a ré-us-si, l'é-lè-ve
Vc.
pizz.
CB.
pizz.
Hob. 2 u. 3.
p cresc.
Cl. 2 u. 3.
4 Hr. (F)
1 u. 2.
Fag. 2 u. 3.
3.
Viol.
(Bog.)
cresc.
Br.
Siegf.
Mu-the musst' es ge-lin-gen: ei-nes zerschlag'-nen Stah-les Stücken
cun-ning yet had to mas-ter: out of a shat-tered wea-pon's splinters,
fier a su fai-re l'œu-vre: des deux tronçons bri-sés d'un glai-ve,
Vc.
(Bog.)
CB.
(Bog.)
p cresc.

Hob. 2.u.3.
(zu 3)
Cl.
(zu 3)
Tromp. 1.(C)
4 Hr.
3 Fag.
Viol.
Br.
Siegf.
neu zu schmieden zum Schwert. Des Va- ter's Wehr
new to fash - ion a sword. My fa - ther's blade
fondre un glai - ve nou - veau. Le fer du père
Vc.u.CB. (zus.)
Hob.
Cl.
2 u.3.
Tromp. 1.(C)
4 Hr.
pizz.
Viol.
cresc.
Br.
Siegf.
fügt' ich mir neu, na - gel - fest schuf ich mir No - thung.
forged I a - new. Ne'er was steel stronger than No - thung.
est re - for - gé. Forte et dure, j'ai re - fait „No - thung"
Vc.u.CB.

Cl. 2 u. 3.
(zu 2.)
Hr. 1 u. 2.
Fag. 1 u. 2.
(zu 2.)
Viol.
pizz.
(Bog.)
Br.
pizz.
(Bog.)
Siegf.
Tüch-tig zum Kampf dünkt' er dem Zwerg; der führ-te mich nun zum
Fit for the fight then it was deemed; to-geth-er we sought the
Bonne au com-bat Mi-me la sent; le nain me con-duit au
Vc.
CB.
Mässig. (𝅗𝅥 = 𝅗𝅥)
Cl. 2 u. 3.
p cresc.
Fag. 1 u. 2.
p cresc.
Bs. Cl. (A)
Viol. 2.
Br.
Siegf.
Wald: dort fällt' ich Faf-ner, den Wurm.
wood: there slew I Faf-ner, the foe.
bois. J'y frap-pe Faf-ner, le monstre.
Vc.
CB.

Fl. 1.
1.
p
Hob. 1.
pp
Engl. Hr.
pp
Cl. 1. (A)
(ausdrucksvoll und weich)
p
Cl. 2. (B)
Cl. 3. (B)
1.
pp
3 Fag.
2 u. 3
pp
Bs. Cl. (A)
Viol.
pp
pp
Br.
Siegf.
Jetzt a-ber merkt wohl auf die Mähr':
Now let your ears heed well my tale:
Or, suivez bien tout mon ré - cit:
Vc. u. CB.

1. tr
più p
3 Fl.
2 u. 3.
p
1.
3 Hob.
2 u. 3.
pp
Cl. 1. (A)
p
pp
Cl. 3. (B)
pp
più p
3 Fag.
più p
Bs. Cl. (A)
p
più p
Viol.
Br.
pp
Siegf.
Wun - der muss ich euch mel-den.
mar - vels have I to tell you.
maint pro-di-ge s'y mon-tre.
Von des Wur - mes Blut mir
From the dra - gon's blood my
Sur mes doigts le sang du
Vc. u. CB.

3 Fl. più p
più p
Cl. 1 (A)
più p
Cl. 2. (B)
(ausdrucksvoll)
p
Cl. 3. (B)
più p
Bs. Cl. (A)
più p
(nur 8)
pp
Viol.
pp
(nur 8)
(nur 6)
pp
Br.
Siegf.
brann-ten die Fin-ger; sie führt ich küh-lend zum Mund:
fin-gers were burn-ing; I raised them straight to my mouth:
mons-tre me brû-le; je porte aux lè-vres ma main:...
Vc.
Fl. 1.
pp
Fl. 2.
pp
Fl. 3.
pp
Hob. 1.
p>
(ausdrucksvoll)
pp
Engl. Hr.
p>
Cl. 2. (B)
(nach A)
(8)
Viol. (8)
Br. (6)
Siegf.
kaum netzt' ein we-nig die Zun-ge das Nass, was da die Vög-lein
but when the blood scarce had wet-ted my tongue, then what the birds were
Du sang à pei-ne ma langue a goû-te, Ce que l'oi-seau ga-
Vc.

Fl. 1.
pp
Fl. 2.
pp
Fl. 3.
pp
1.
poco sf
dim.
pp
Hob.
2.
pp
Engl. H.
p
(ausdrucksvoll)
1. (A)
Cl.
dim.
3. (B)
p
(nach A)
(8)
Viol.
(8)
Br.
(6)
Siegf.
san - gen, das konnt' ich flugs ver-steh'n.
sing - ing I seemed to hear like speech.
- zouil - le, sou-dain j'e l'ai com-pris.
Vc.

Fl. 1.
Fl. 2.
Fl. 3.
Hob.
Cl. 1. (A)
Viol.
(8)
(stacc.)
(8) II. Hälfte
Br.
(6)
(6) II. Hälfte
Vc.
(nur 6)
p
(8) II.
(6) II.
Siegf.
Auf den Aes - - - ten sass es und
On a branch one sat there and
Aux ra - meaux il chan - te, et
Vc. (6)

Hor. 1. (E)
Viol. 1.
(8) II.
I.
p
pp
più p
Viol. 2.
(8) II.
Br.
(6) II.
Siegf.
sang:
*sang:*
dit:
Hei!
*"Hei!*
„Hé!
Vc. (6)
Hor. 1.
Viol. 1.
Viol. 2.
Br.
tr
Siegf.
9 : 6
Siegfried ge-hört nun der Nib-lun-gen Hort!
*Siegfried now own-eth the Ni-belung's hoard,*
Siegfried pos-sède à pré-sent le tré-sor!
Oh!
*if*
Oh!
Vc.

Hor.1.(E)
Viol.1.
Viol.2.
Br.
tr
p
pp
Siegf.
fand in der Höh - le den Hort er jetzt!
hid in the ca - vern the hoard he finds!
si dans cet antre il dé - cou - vre l'or!
Wollt' er den Tarnhelm ge -
Let him but win him the
S'il y veut ra - vir le
Vc.
Hor.1.(E)
Viol. 1.
Viol. 2.
Br.
Siegf.
winnen, der taugt ihm zu won-ni-ger That!
Tarnhelm, 'twill serve him for deeds of re-nown:
heau-me, pro-pice aux exploits en - i - vrants,
doch wollt' er den
but should he dis -
Et si de l'an -
Vc.

Hör. 1. u. 2.
poco cresc.
poco f
dim.
Viol. 1.
Viol. 2.
Br.
Siegf.
Ring sich gewinnen, der macht' ihn zum Walter der Welt!
co-ver the ring it would make him the lord of the world!"
Hag. - neau il s'empa-re qui doit lui don-ner l'u-ni-vers!"
Ring und
Ring and
Bague et
Hör. 1. u. 2.
Viol. 1.
Viol. 2.
(trem.)
cresc.
p
p cresc.
Hag.
Tarnhelm trug'st du nun fort?
Tarn-helm took'st thou a-way?
Tarnhelm, tu les a pris?
Das Vög-lein hör-test du wie-der?
A-gain then heard'st thou the wood-bird?
Ton gui-de plus rien n'a-jou-te?
(nur 6)
p cresc.

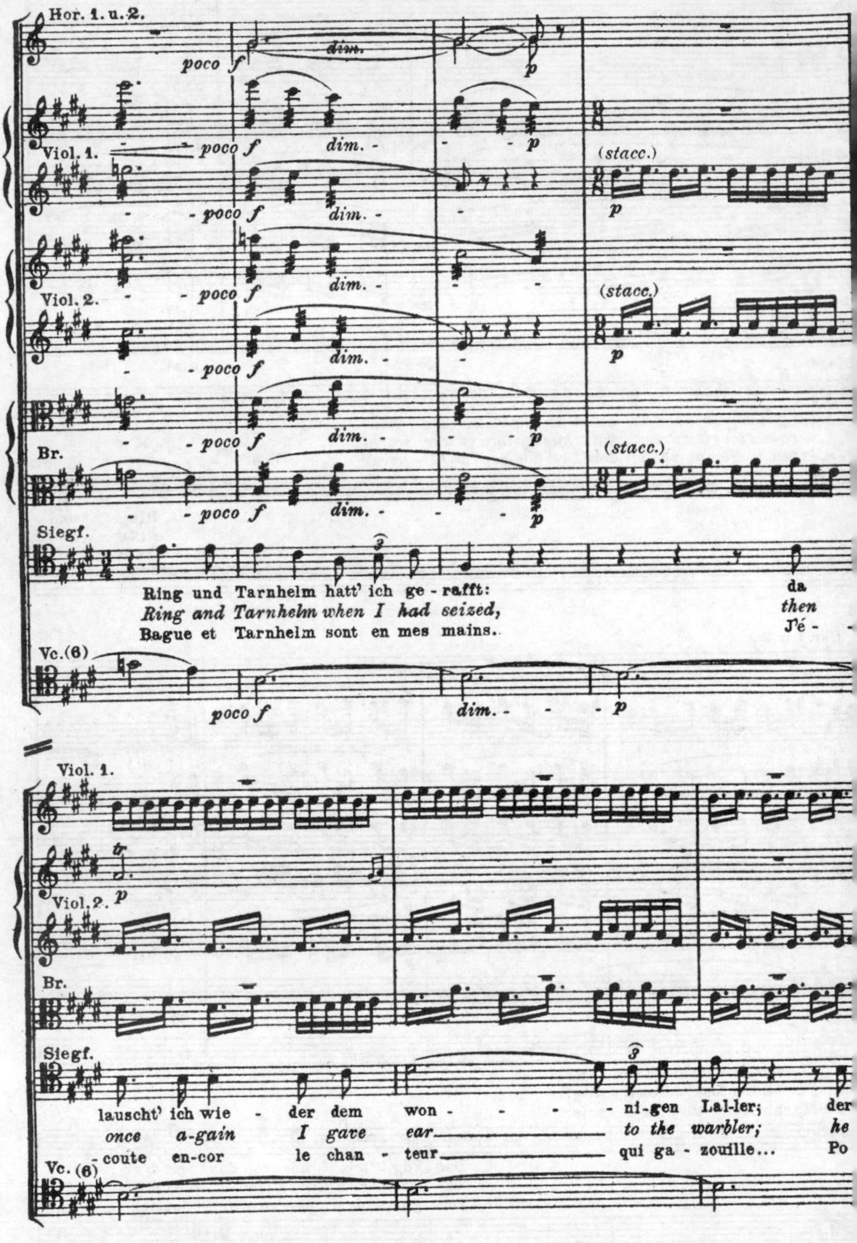
Hor. 1. u. 2.
poco f
dim.
p
Viol. 1.
(stacc.)
Viol. 2.
Br.
Siegf.
Ring und Tarnhelm hatt' ich ge - rafft: da
Ring and Tarnhelm when I had seized, then
Bague et Tarnhelm sont en mes mains. J'é -
Vc. (6)
tr
lauscht' ich wie - der dem won - - - - ni-gen Lal-ler; der
once a-gain I gave ear to the warbler; he
-coute en-cor le chan - teur qui ga - zouille... Po

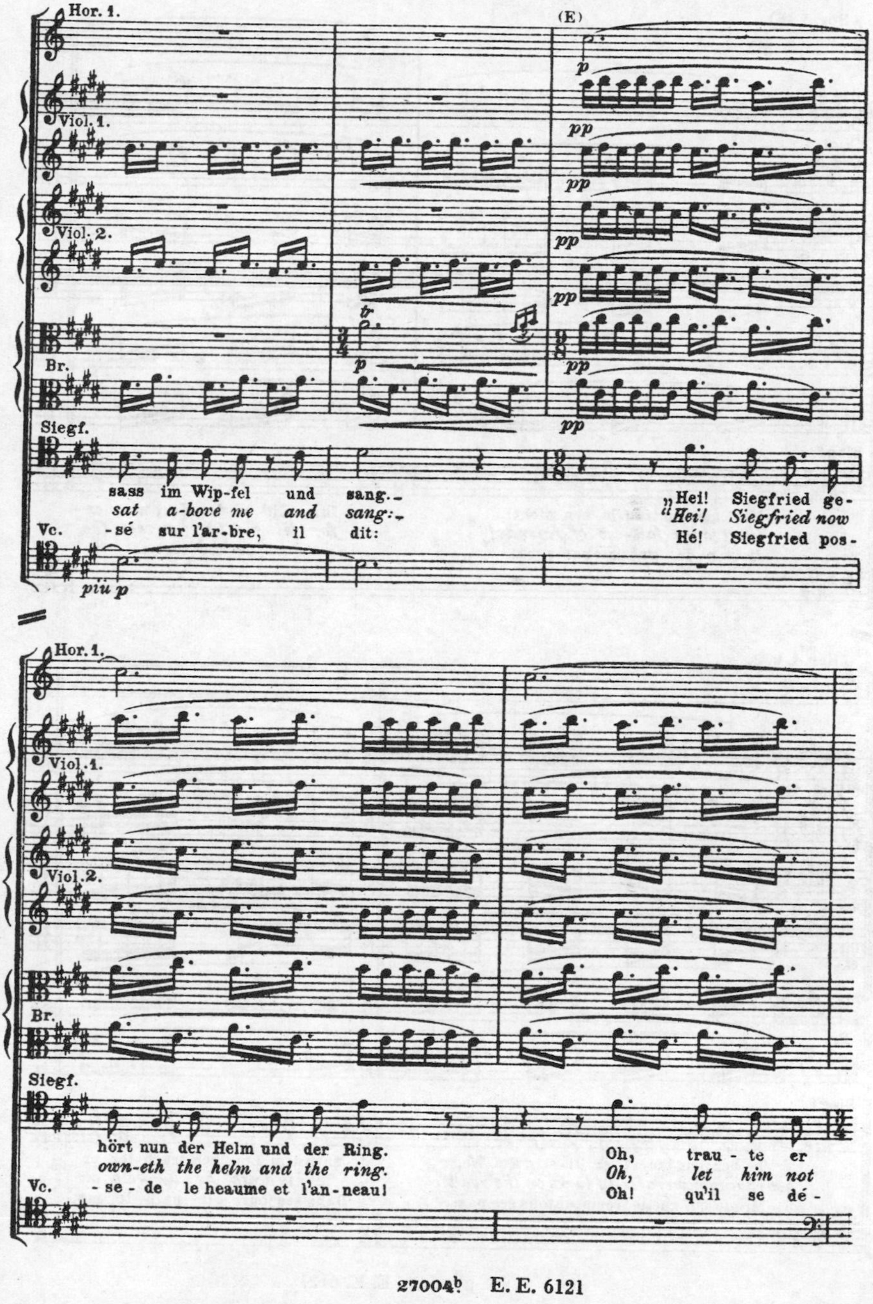
Hor. 1.
(E)
Viol. 1.
Viol. 2.
Br.
Siegf.
Vc.
sass im Wip-fel und sang.
sat a-bove me and sang:
-sé sur l'ar-bre, il dit:
„Hei! Siegfried ge-
Hei! Siegfried now
Hé! Siegfried pos-
piu p
p
pp
tr
hört nun der Helm und der Ring.
own-eth the helm and the ring.
-se-de le heaume et l'an-neau!
Oh, trau-te er
Oh, let him not
Oh! qu'il se dé-

Hor. 1. (E)
Viol. 1.
Viol. 2.
Br.
Siegf.
Mi - me dem treu-lo-sen nicht!
trust to the fals-est of friends!
-fi - e du gnô-me per-vers!
Ihm sollt' er den Hort nur er -
for Mi - me too co-vets the
Sans quoi le tré-sor est à
Vc.
Hor. 1. u. 2.
p
he-ben; nun lauert er li-stig am Weg;
hoard; and now crafti-ly lurks on the road:
Mi-me qui guette, trompeur, tous ses pas.
nach dem Le - ben trach-tet er
to his death he lur-eth on
Dans ses jours le nain le me -

Hor. 1. u. 2.
Bs. Cl. (A)
p (ausdrucksv.)
Viol. 1.
Viol. 2.
Br.
(6)
Siegf.
Siegfried: oh, trau-te Siegfried nicht Mi-me!
Siegfried: let Siegfried trust not in Mi-me!"
-na-ce.. Oh! Veil-le, Siegfried, à Mi-me!"
Vc.
(6)
pp
Cl. 1. (A)
ausdrucksvoll
p
sf
dim.
Hor. 1. u. 2. (E)
(gestopft)
Bs. Cl. (A)
cresc.
poco f
Br.
(alle)
Hag.
Es mahn-te dich gut?
The warning was good?
L'a-vis é-tait bon?
4 Mannen.
Ver-gal - test du Mi-me?
Got Mi - me his payment?
Ton bras pay-a Mi-me?
Vc.
(Alle)
poco cresc.
CB.
pp

Cl. 1. (A)
Hör.
1.u.2. (E)
Bs.Cl.(A)
Viol. 1.
Viol. 2.
Br.
Siegf.
Mit tödt - li - chem Tran - ke trat er zu
With mur - der - ous drink he came to my
D'un phil - tre mor - tel il veut m'a - breu -
Vc.
CB.
p
Viol.
Br.
Siegf.
mir; bang und stotternd ge-stand er mir Bö - ses:
side; shy and shaking, he told me his false-ness:
- ver; lâ-che, il tremble, fait voir sa trai - tri - se...
Vc.
CB.
cresc.
p cresc.

Viol.
Br.
pizz.
(Bog.)
Siegf.
No-thung streckte den Strolch!
*No-thung paid him his wage!*
No-thung tom-be sur lui!
(grell lachend)
Hag.
Was nicht er ge-schmie-det schmeckte doch
*He forged not the sword yet soon did he*
Ce fer qu'il ne fit, pour-tant il en
Vc.
CB.
Hör.
(F)
(D)
dim.
Viol.
pizz.
Br.
Hag.
(Er lässt ein Trinkhorn füllen und träufelt den Saft eines Krautes hinein.)
Mi-me!
*feel it!*
goû-te!
Vc.
CB.
dim.

(zart)
(dolce)
Hör.
Bs.Cl. (A)
p (zart)
Viol. 1.
Br.
Ein anderer Manne.
Was wies das Vög-lein dich wie-der?
What more didst hear from the wood-bird?
Que dit l'oi-seau par la sui-te?
Ein Manne.
Was wies das Vög-lein dich wie-der?
What more didst hear from the wood-bird?
Que dit l'oi-seau par la sui-te?
Vc.
CB.
pizz.
Hor. 1.
Bs.Cl.
Viol.
più p
Br.
Hag.
Trink' erst, Held, aus mei-nem Horn: ich würz-te dir hold
Drink first, he-ro, from my horn: I mixed thee a no-
Bois donc, brave, et prends ma corne: j'ai fait ce breu-va-ge

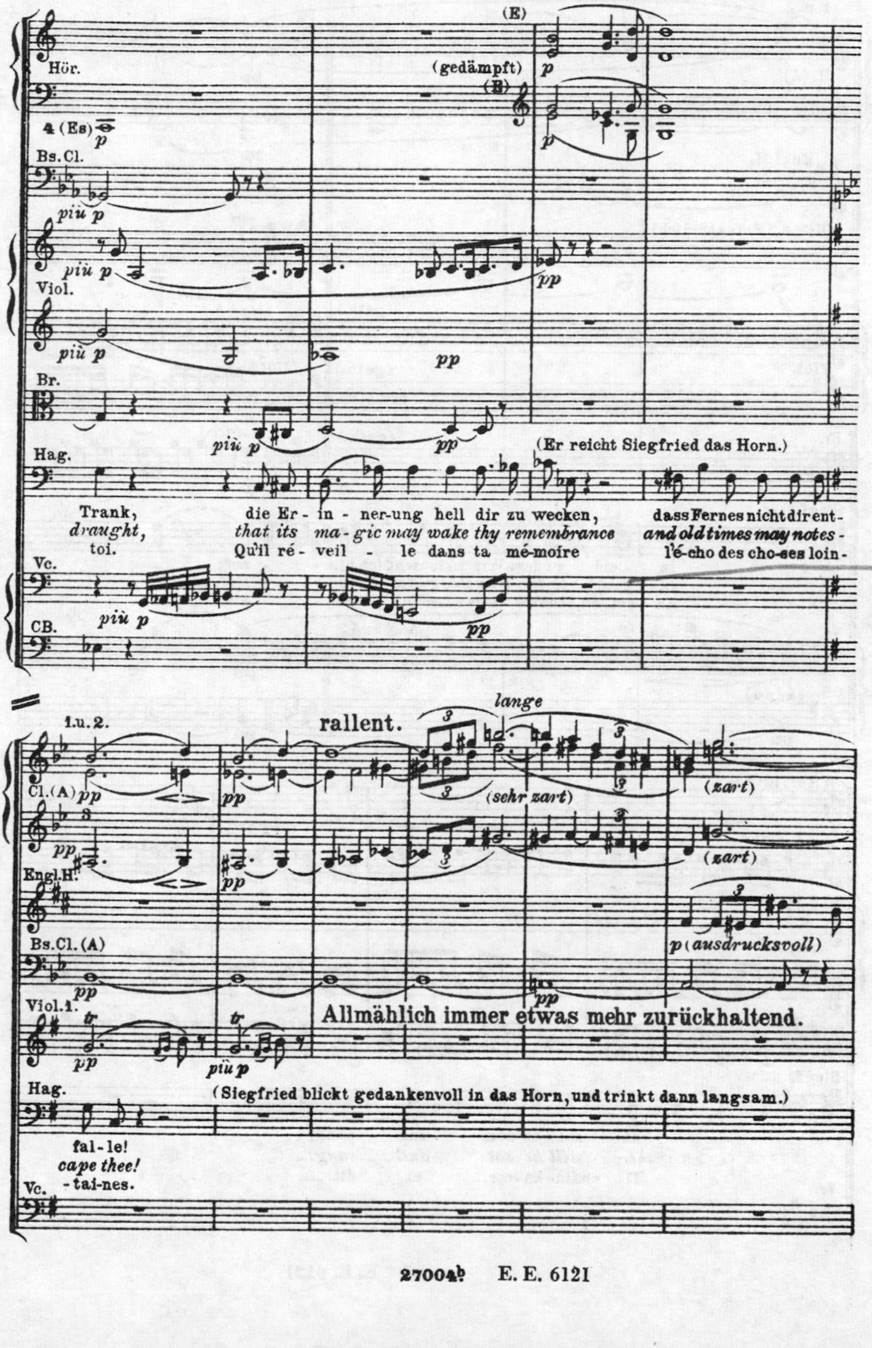
(E)
Hör.
(gedämpft)
(E)
4 (Es)
p
Bs. Cl.
più p
Viol.
più p
pp
Br.
più p
pp
(Er reicht Siegfried das Horn.)
Hag.
Trank, die Er - in - ner-ung hell dir zu wecken, dass Fernes nicht dir ent-
draught, that its ma-gic may wake thy remembrance and old times may not es-
toi. Qu'il ré - veil - le dans ta mé-moire l'é-cho des cho-ses loin-
Vc.
CB.
rallent.
lange
1.u.2.
Cl.(A)
(sehr zart)
(zart)
Engl.H.
p (ausdrucksvoll)
Bs.Cl.(A)
Viol.1.
Allmählich immer etwas mehr zurückhaltend.
(Siegfried blickt gedankenvoll in das Horn, und trinkt dann langsam.)
fal-le!
cape thee!
-tai-nes.

1. u. 2.
Cl. (A)
3.
più p
pp
Engl. H.
Hör. 4. (E) (natürlich)
3. u. 4.
geth.
stacc.
Viol.
Br.
Siegf.
In Leid_ zu dem Wip-fel lauscht'ich hin - auf;
In grief_ to the branches gazed I a - loft;
En pei - ne, sous les verts rameaux j'é - pi - ais.
Vc.
CB. (nur 4)
Hor. 3. (E)
Viol. 1.
Viol. 2.
da sass es noch und sang:
there still he sat and sang:
Il chante en-cor, et dit:

Hor. 3.
Viol. 1.
più p
(stacc.)
pp
Viol. 2.
Br.
Siegf.
„Hei! Siegfried er-schlug nun den schlimmen Zwerg!
„Hei! Siegfried hath struck down the e - vil dwarf!
„Hé! Siegfried frap-pa le plus lâ-che des nains!
Vc.
Hör. 3. u. 4.
sf
Jetzt wüsst' ich ihm noch das herrlichste Weib; auf ho-hem Fel - sen sie schläft,
Now know I for him a glo-ri-ous bride: on rock-y fast - ness she sleeps,
Or, pour lui je sais la femme sans prix. Au roc al - tier el - le dort,

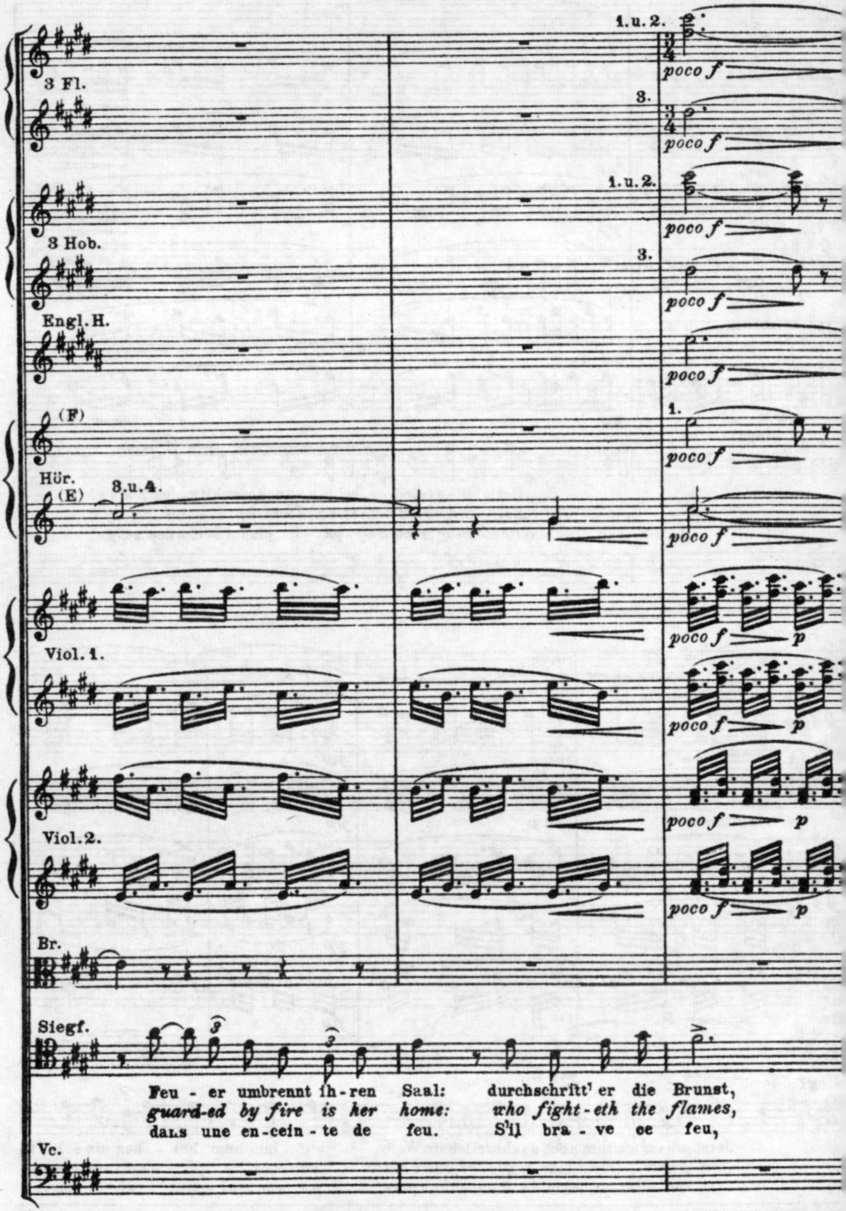
3 Fl.
1. u. 2.
3.
poco f
3 Hob.
Engl. H.
(F)
Hör.
(E)
3. u. 4.
1.
Viol. 1.
Viol. 2.
p
Br.
Siegf.
Feu - er umbrennt ih - ren Saal: durchschritt' er die Brunst,
guard-ed by fire is her home: who fight-eth the flames,
dans une en-cein - te de feu. S'il bra - ve ce feu,
Vc.

Fl. 1 u. 2.
p
poco f
p
zu 2.
Fl. 3.
p
poco f
p
Hob. 1 u. 2.
poco f
zu 2.
Hob. 3.
poco f
Engl. Hr.
p
poco f
p
Hr. 1. (F)
poco f
Hr. 3 u. 4. (E)
p
poco f
p
cresc.
1.
mf
p
cresc.
Viol.
2.
mf
p
cresc.
Siegf.
weckt er die Braut,
wakens the maid,
s'il la ré - veille,
Brünn-hil - de ___ wä - re dann sein!"
Brünn-hil - de ___ wins for his own!"
Brunn-hilde a - lors est à lui!"
Vc.
(alle)
CB.
(alle)

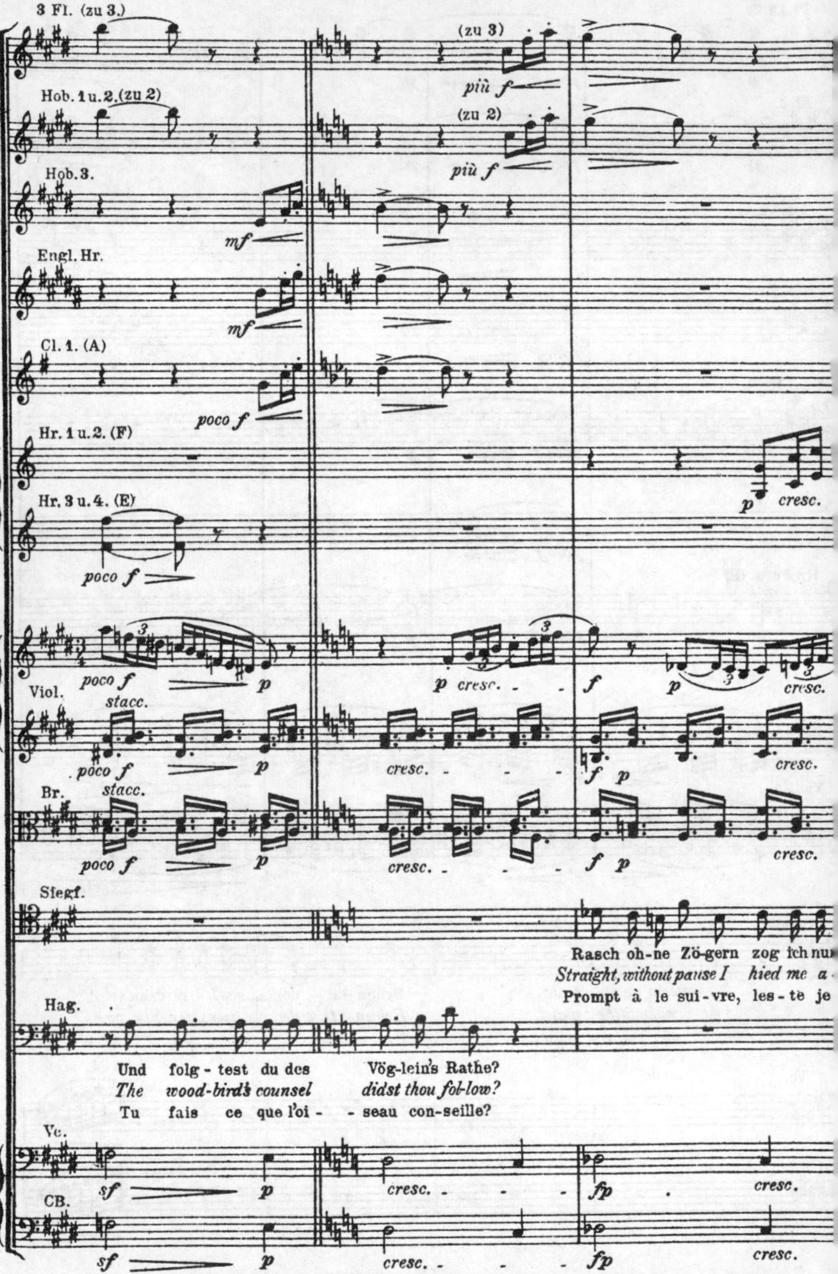
3 Fl. (zu 3.)
(zu 3)
più f
Hob. 1 u. 2. (zu 2)
(zu 2)
più f
Hob. 3.
mf
Engl. Hr.
mf
Cl. 1. (A)
poco f
Hr. 1 u. 2. (F)
p cresc.
Hr. 3 u. 4. (E)
poco f
Viol.
poco f
p
p cresc.
f
p
cresc.
stacc.
poco f
p
cresc.
f p
cresc.
Br.
stacc.
poco f
p
cresc.
f p
cresc.
Siegf.
Rasch oh-ne Zö-gern zog ich nu
Straight, without pause I hied me a-
Prompt à le sui-vre, les-te je
Hag.
Und folg-test du des Vög-lein's Rathe?
The wood-bird's counsel didst thou fol-low?
Tu fais ce que l'oi- -seau con-seille?
Vc.
sf
p
cresc.
fp
cresc.
CB.
sf
p
cresc.
fp
cresc.

Fl. 1.
Fl. 2.
Hob. 1 u. 2.
zu 2.
Engl. Hr.
Cl. 2. (B)
Cl. 3. (B)
Hr. 1 u. 2. (F)
Hr. 3 u. 4. (F)
p cresc.
Viol.
Br.
Siegf.
aus:
way:
pars:
(Gunther hört mit immer grösserem Erstaunen zu.)
Vc.
CB.

1.
Fl.
2.
Hob. 1 u. 2.
(zu 2)
Engl. Hr.
p
Cl. 2. (B)
p
Cl. 3. (B)
p
Hr. 1 u. 2. (F)
p
Hr. 3 u. 4. (F)
p
Viol.
tr
p
Br.
tr
p
Siegf.
Bis den feu - - - - ri - gen
Till the flam - - - - ing
Jus - qu'aux rou - - - ges feux du
Vc. pizz.
f
CB. pizz.
f

Etwas beschleunigend.
Hob. 1.
Hob. 2 u. 3.
Engl. Hr.
Cl. 1. (A)
Cl. 2. (B)
Cl. 3. (B)
Hr. 1 u. 2. (F)
Hr. 3 u. 4. (F)
Hr. 5 u. 6. (E)
Hr. 7 u. 8. (E)
Fag. 3.
Viol.
Br.
Siegf.
Fels ich traf: die
fell I reached I
roc je vais! Aux
Vc.
(Bog.)
CB.
(Bog.)
cresc.
fp
f
p
tr

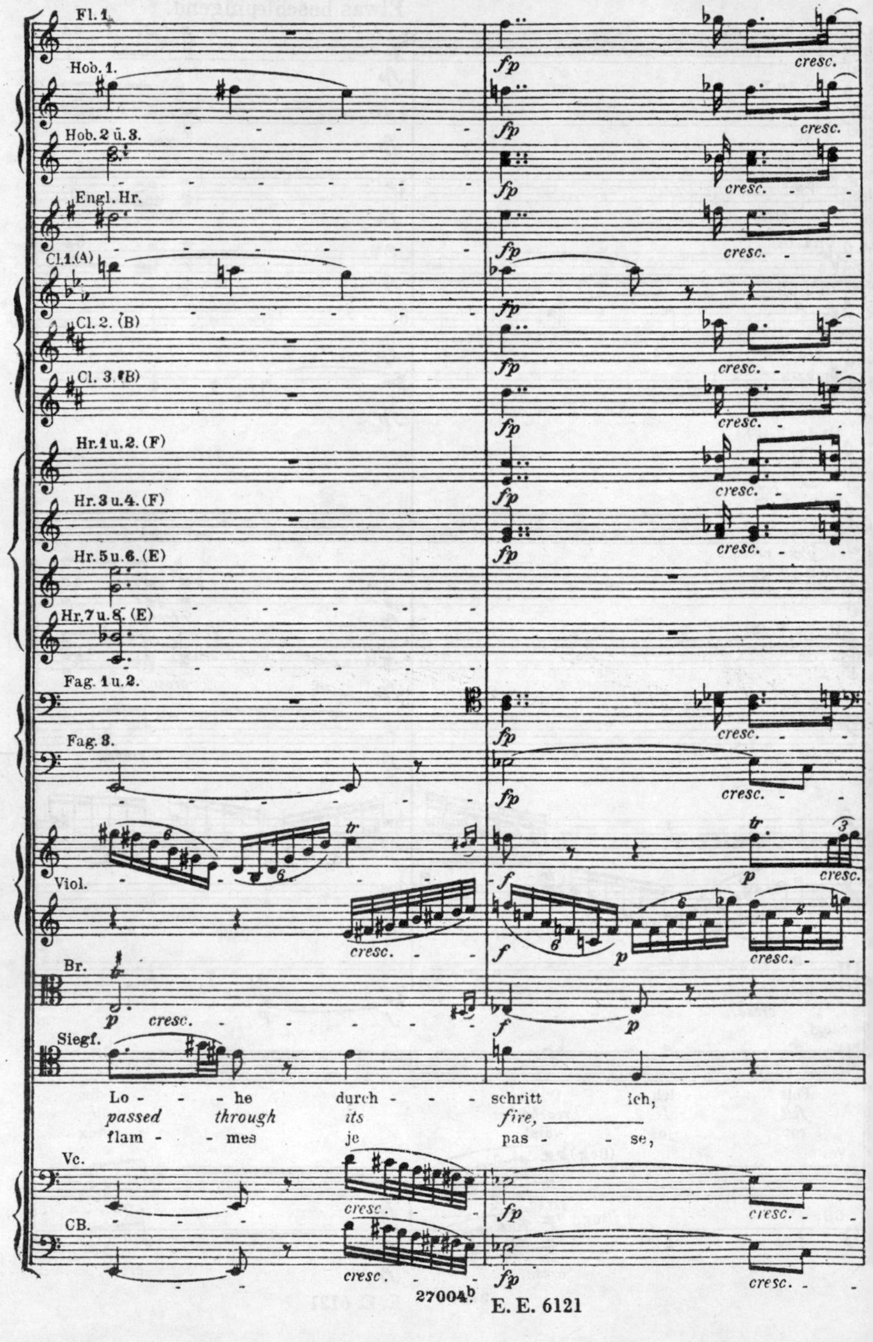
Fl. 1.
Hob. 1.
Hob. 2 u. 3.
Engl. Hr.
Cl. 1. (A)
Cl. 2. (B)
Cl. 3. (B)
Hr. 1 u. 2. (F)
Hr. 3 u. 4. (F)
Hr. 5 u. 6. (E)
Hr. 7 u. 8. (E)
Fag. 1 u. 2.
Fag. 3.
Viol.
Br.
Siegf.
Lo - - he durch - - - schritt ich,
passed through its fire,
flam - - mes je pas - se,
Vc.
CB.

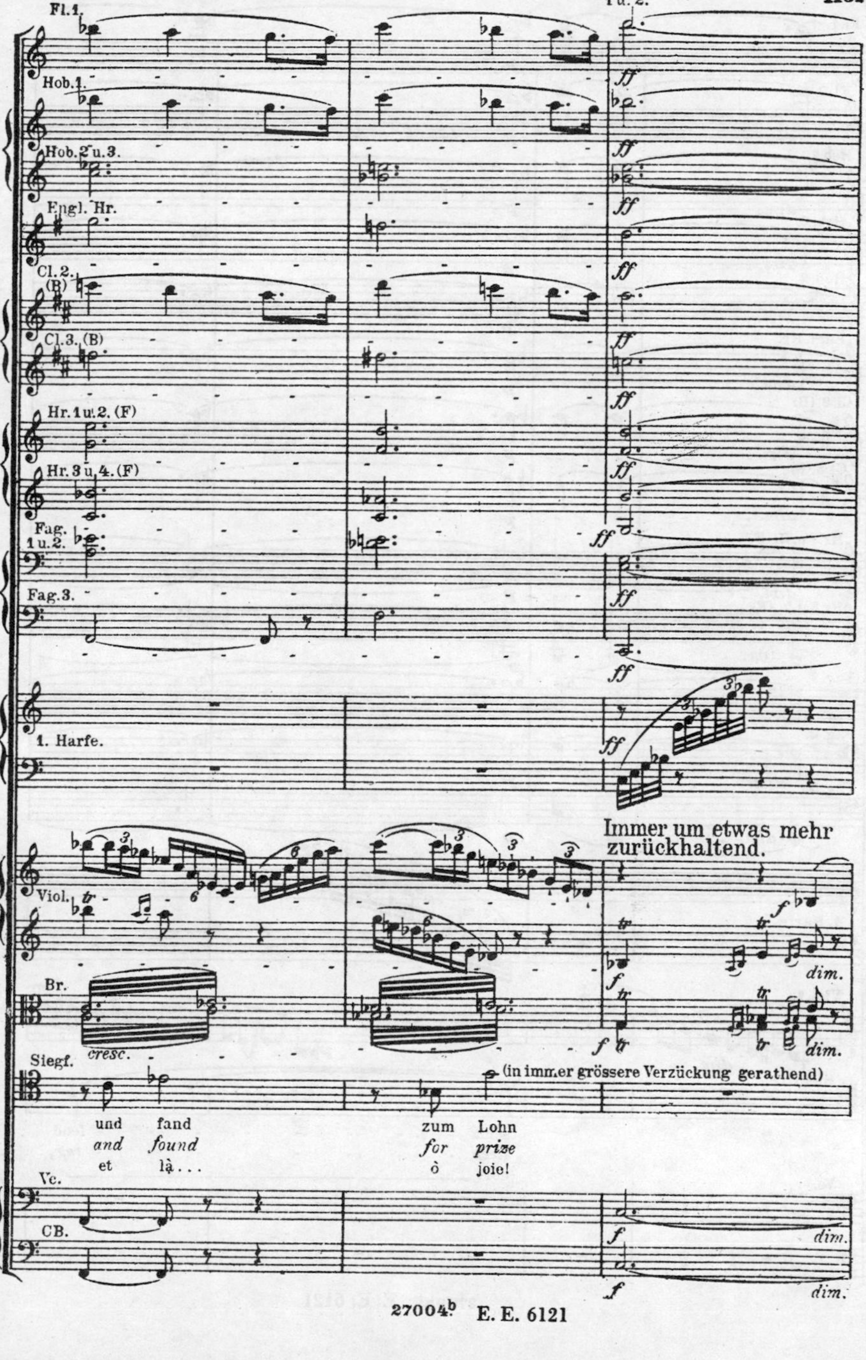
Fl. 1.
1 u. 2.
ff
Hob. 1.
Hob. 2 u. 3.
Engl. Hr.
Cl. 2. (B)
Cl. 3. (B)
Hr. 1 u. 2. (F)
Hr. 3 u. 4. (F)
Fag. 1 u. 2.
Fag. 3.
1. Harfe.
Immer um etwas mehr zurückhaltend.
Viol.
Br.
cresc.
f
dim.
Siegf.
(in immer grössere Verzückung gerathend)
und fand
and found
et là...
zum Lohn
for prize
ô joie!
Vc.
CB.

Fl. 1.
dim.
p
Fl. 2.
dim.
p
Hob. 1.
dim.
p
Hob. 2.
dim.
p
Hob. 3.
dim.
p
Engl. Hr.
dim.
p
Cl. 2. (B)
dim.
p
Cl. 3. (B)
dim.
p
Hr. 1 u. 2. (F)
dim.
p
Hr. 3 u. 4. (F)
dim.
p
Fag. 1.
dim.
p
Fag. 2.
dim.
p
Fag. 3.
dim.
p
1. Harfe.
dim.
Viol. 1.
dim.
p
Siegf.
schla - - - - - - - - - fend
sleep - - - - - - - - - ing,
dort
Vc.
CB.

Fl. 1.
più p
Fl. 2.
più p
Hob. 1.
più p
Hob. 2.
più p
Hob. 3.
più p
Engl. Hr.
più p
Cl. 1. (A)
p
più p
Cl. 2.
(B)
Cl. 3.
(B)
Hr. 1 u. 2. (F)
più p
Hr. 3 u. 4. (F)
più p
Fag. 1.
più p
Fag. 2.
più p
Fag. 3.
più p
Pauk. (E)
tr
pp
1. Harfe.
p
Viol. 1.
più p
Siegf.
ein won - ni-ges
a wo - man
la fem - me éni -
Vc.

Gemächlich im Zeitmaass.

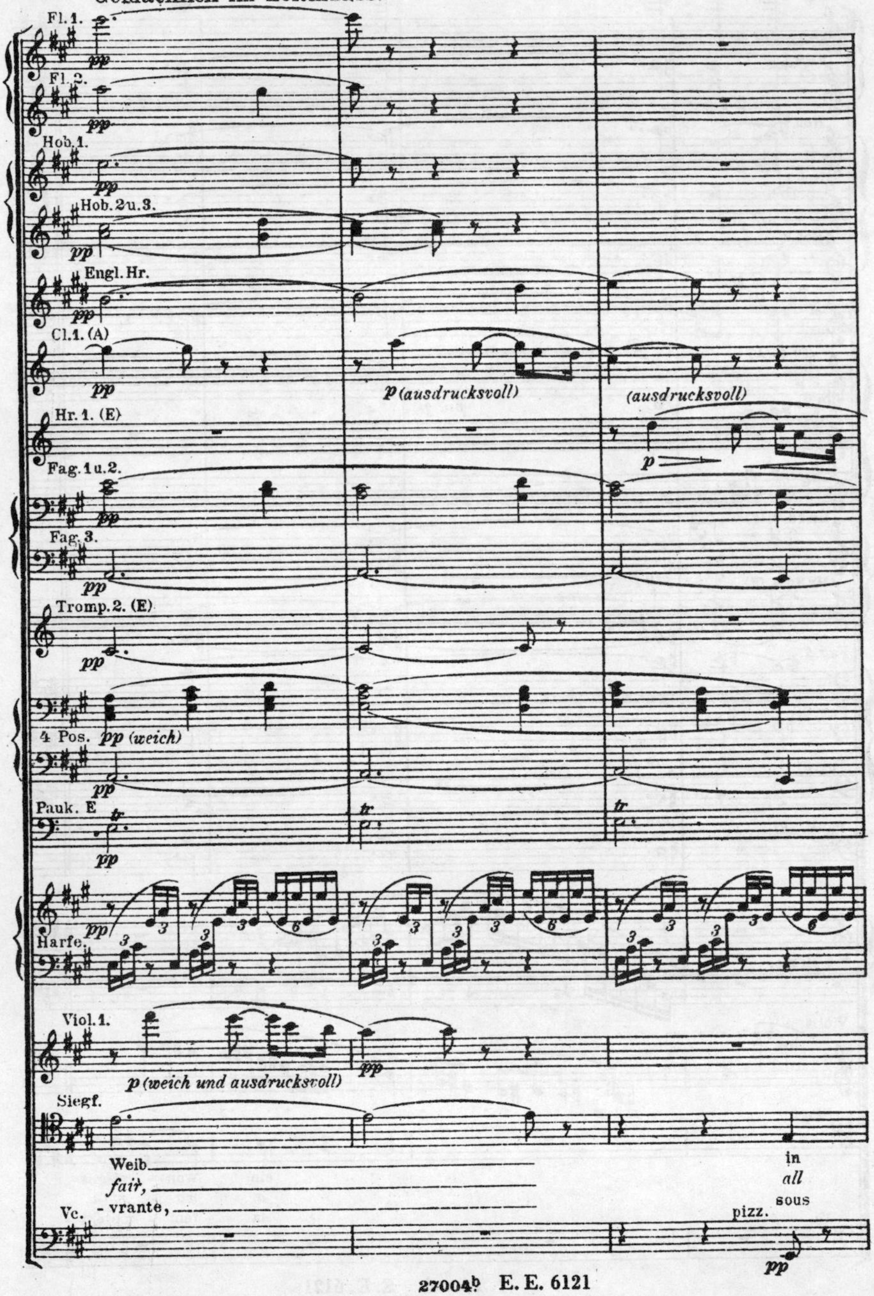

Hob. 1.
(ausdrucksvoll)
Engl. Hr.
(ausdrucksvoll)
Cl. 1. (A)
Hr. 1. (E)
Hr. 3 u. 4. (E)
Hr. 5 u. 7. (E)
Hr. 6 u. 8. (E)
zu 2.
Fag. 1 u. 2.
Fag. 3.
Trp. 2. (E)
(zart)
4 Pos.
Harfe.
Viol.
(trem.)
Br.
(trem.)
Siegf.
lich - ter Waf - fen Ge - wand.
clad in glit - ter - ing mail.
une ar - mu - re qui luit.
Den Helm löst ich der
The helm I loosed from the
Du heau - me lourd j'af - fran -
Vc.
CB.
pizz. pp

Fl. 1.
Fl. 2 u. 3.
Hob. 1.
Hob. 2 u. 3.
Engl. Hr.
Cl. 1. (A)
Cl. 2. (B)
Cl. 3. (B)
Hr. 1. (E)
Hr. 3 u. 4. (E)
Hr. 5 u. 7. (E)
Hr. 6 u. 8. (E)
(zus.)
Fag. 1 u. 2.
(zu 2) (in C)
cresc.
p
fp
f

4 Pos.
Pauk. (C)
Harf.
Viol.
Br.
Siegf.
herr - li-chen Maid; mein Kuss er - - weck - - te sie kühn: oh!
glo - ri-ous maid, my kiss a - - woke her from sleep: ah,
- chis son beau front; mon bai - ser l'é - - veil - - le, vain - queur! Oh!
Vc.
CB.
(Bog.)
(Bog.)
poco f
p
mf
dim.
fp
cresc.
f

Fl. 1.
p
Fl. 2 u. 3.
p
Hob. 1
p
Engl. Hr.
cresc.
f
Cl. 1. (A)
p
cresc.
f
Cl. 2. (B)
cresc.
f
Cl. 3. (B)
p
cresc.
cresc.
f
Hr. 1 u. 2. (F)
p cresc.
f
Hr. 3 u. 4. (F)
p cresc.
f
Hr.
5 u. 6. (C)
p cresc.
f
Hr. 6 u. 8.
(zu 2)
p
7 u. 8. (C)
p
cresc.
f
Fag. 1 u. 2.
p
cresc.
f
Fag. 3.

4 Pos.
poco f
Pauk. (C)
poco f
Harfe.
cresc.
Viol.
p cresc.
dim.
più p
Br.
Siegf.
Wie mich brünn-stig da um - schlang der schö - - - - - nen Brünn-hil - - - de
then like flames of fire en - fold-ed the beau - - - - - teous Brünn-hil - - - de's
A - vec quelle ar-deur m'é - treint la bel - - - - - le Brunn-hild', en ses
Vc.
pizz.
(Bog.)
(Gunther, in höchstem Schrecken aufspringend)
CB.
(Bog.)

Lebhaft.
1.
3 Hob.
2.u.3.
(zus.)
Engl.Hr.
Cl.1.(in A)
Cl.2.(in B)
Cl.3.(in B)
Bs Cl.(in A)
Hr.1.u.2.(in F)
(gestopft)
Hr.3.u.4.(in F)
(gestopft)
Hr.5.u.6.(in C)
(gestopft)
Hr.7.u.8.(in C)
(gestopft)
ff
sf

Viol.
Br.
Siegf.
(Zwei Raben fliegen aus einem Busche auf, kreisen über Siegfried, und fliegen dann, dem Rheine zu davon.)
Arm!
arms!
bras!
Gunth.
Was hör' ich!
What saith he?
Qu'entends-je?
Hag.
Er-räth'st du auch die - ser
Those ra - ven's speech! canst thou
Sais - tu aus - si ce qu'ont
Vc.
CB.

Fl. (zu 3)
ff
Hob. ff
(allein)
(nach B)
3 Cl.
Hr. 1. u. 2. (in F)
(offen)
Hr. 3. u. 4. (in F)
(offen)
ff
più f
Hr. 5. u. 6. (in C)
(offen)
Hr. 7. u. 8. (in C)
(offen)
3 Fag.
2. u. 3. ff
Bs Tromp. (in C)
1. u. 3.

CB Tub.
Pauk. (in C)
(in Fis)
cresc.
Viol.
più f
Br.
(trem.)
Siegf.
(Siegfried fährt heftig auf, und blickt, Hagen den Rücken zukehrend, den Raben nach.)
Gunth.
(Gunther und die Mannen stürzen sich über Hagen.)
Hag.
(Hagen stösst seinen Speer in Siegfried's Rücken.)
Ra - ben Geraun'? Rache riethen sie mir!
read it a-right? Vengeance is their de - cree!
dit ces corbeaux? „Frappe!" tel est leur cri!
Vc.
CB.

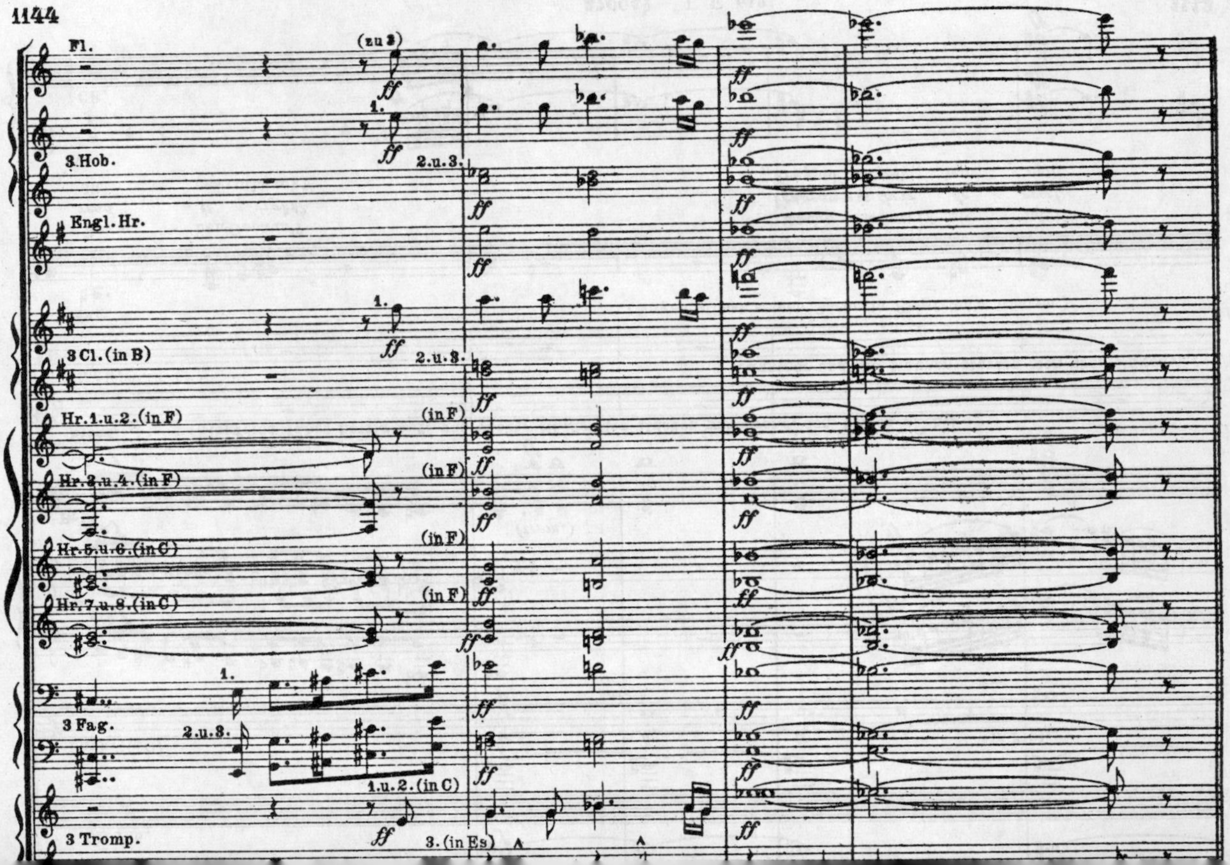
Fl.
(zu 3)
1.
3 Hob.
2.u.3.
Engl. Hr.
3 Cl. (in B)
Hr. 1.u.2. (in F)
(in F)
Hr. 3.u.4. (in F)
Hr. 5.u.6. (in C)
Hr. 7.u.8. (in C)
3 Fag.
1.u.2. (in C)
3 Tromp.
3. (in Es)
ff

1.u.3.
3 Pos.
CB Pos.
CB Tub.
Pauk. (in C)
Viol.
Br.
Vc.
CB.
1.u.2.
3.
più f
(schwer) più f
(Siegfried schwingt mit beiden Händen seinen Schild hoch empor, um ihn nach Hagen zu werfen: die Kraft verlässt ihn; der Schild entsinkt ihm rückwärts; er selbst stürzt über dem Schild zusammen.)

 Mässig langsam.

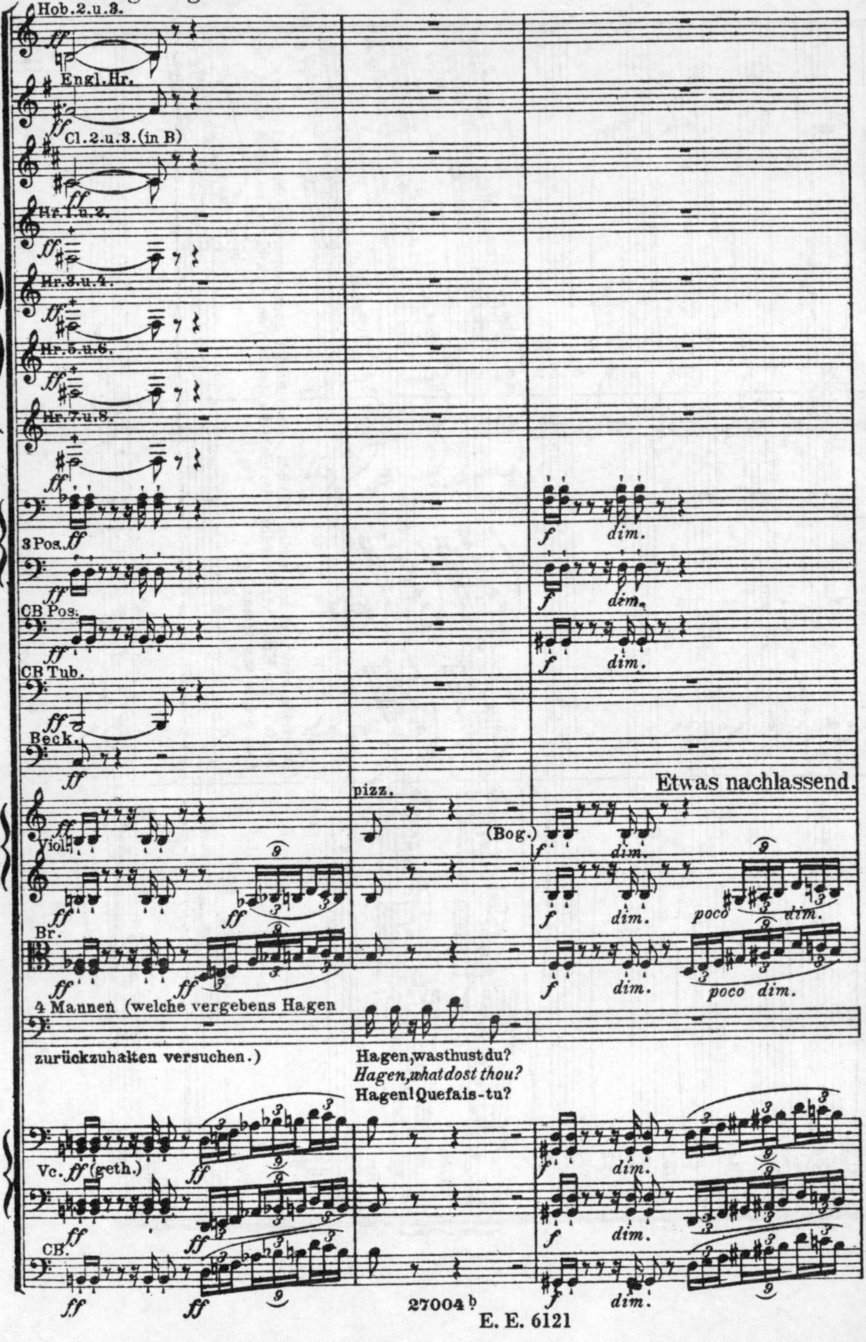

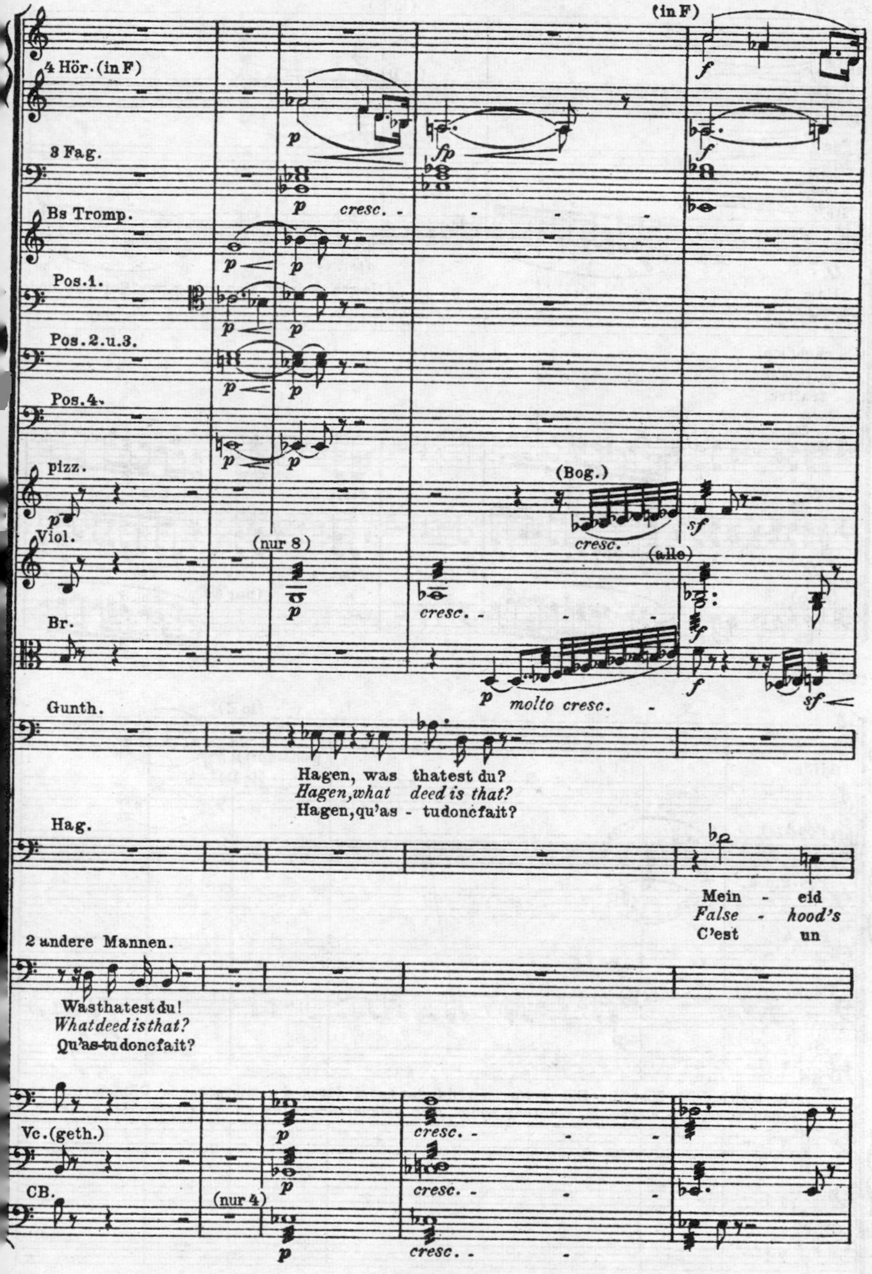
(in F)
4 Hör. (in F)
3 Fag.
Bs Tromp.
Pos. 1.
Pos. 2. u. 3.
Pos. 4.
pizz.
(Bog.)
Viol.
(nur 8)
(alle)
Br.
molto cresc.
Gunth.
Hagen, was thatest du?
Hagen, what deed is that?
Hagen, qu'as - tu donc fait?
Hag.
Mein - eid
False - hood's
C'est un
2 andere Mannen.
Was thatest du!
What deed is that?
Qu'as-tu donc fait?
Vc. (geth.)
CB.
(nur 4)
cresc.

(F)
4 Hör.
(F)
3 Fag.
Br.
(in E)
(in D)
Hag.
rächt' ich!
payment!
traître!
(Hagen wendet sich ruhig zur Seite ab, und
Vc.
CB.
(alle)
(nur 4)
dim.
4 Hör.
(gedämpft)
Pos. 1.
Pos. 2. u. 3.
Pos. 4.
Pauk.
(in H)
più p
Br.
verliert sich dann über die Höhe, wo man ihn langsam durch die anbrechende Dämmerung von dannen schreiten sieht. — Gunther beugt sich schmerzergriffen zu Siegfried's Seite nieder.
Vc.
CB.

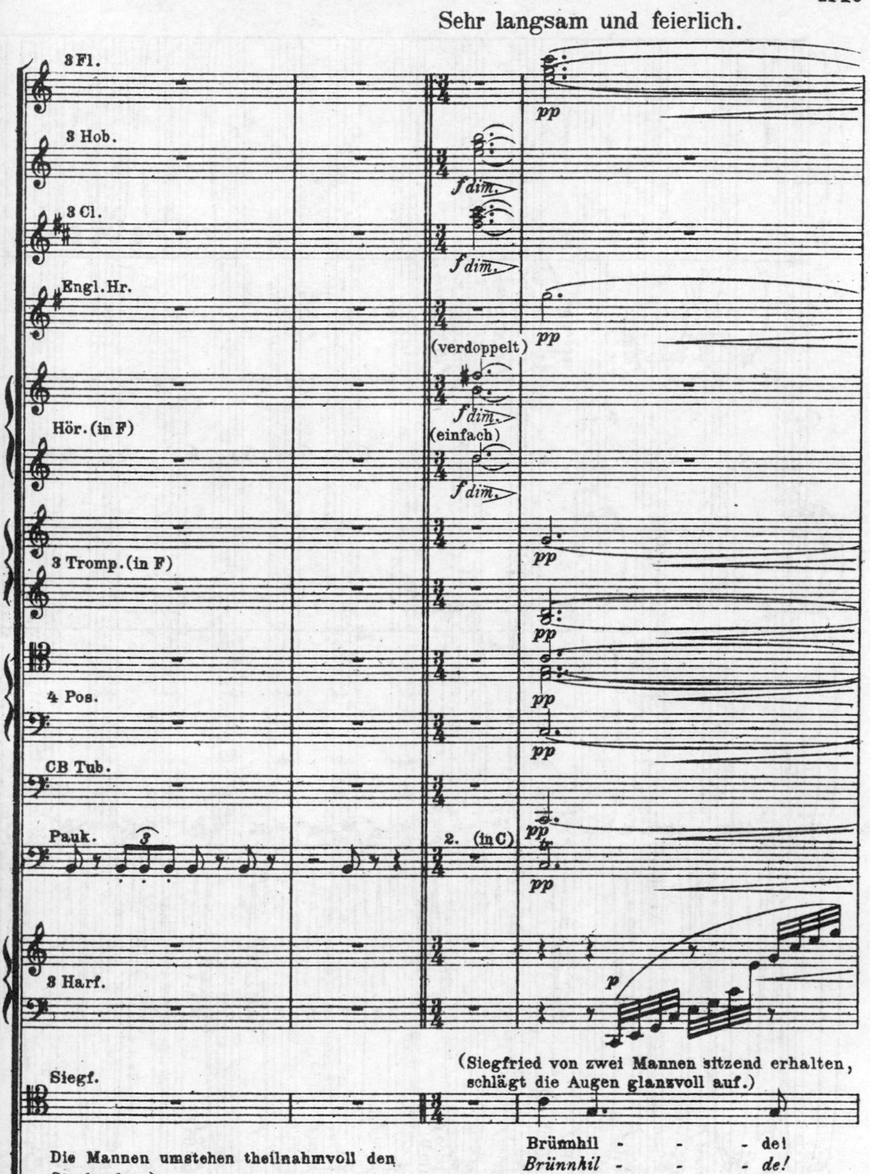
Sehr langsam und feierlich.
3 Fl.
pp
3 Hob.
f dim.
3 Cl.
f dim.
Engl. Hr.
pp
(verdoppelt)
f dim.
Hör. (in F)
(einfach)
f dim.
pp
3 Tromp. (in F)
pp
pp
4 Pos.
pp
CB Tub.
pp
Pauk.
2. (in C)
tr
pp
3 Harf.
p
(Siegfried von zwei Mannen sitzend erhalten, schlägt die Augen glanzvoll auf.)
Siegf.
Brünnhil - - - de!
Brünnhil - - - de!
Brünnhil - - - de!
Die Mannen umstehen theilnahmvoll den Sterbenden.)
Vc.

3 Fl.
poco f
dim.
più p
pp
3 Hob.
poco f
dim.
p
f dim.
3 Cl.
poco f
dim.
p
f dim.
Engl. Hr.
poco f
dim.
più p
pp
(verdoppelt)
pp
(einfach)
poco f
dim.
più p
f dim.
4 Hör.
poco f
dim.
più p
f dim.
Bs Cl. (in B)
poco f
dim.
p
3 Fag.
poco f
dim.
p
poco f
dim.
p
poco f
dim.
pp
pp
Tromp. (in F)
mf
dim.
pp
pp
4 Pos.
mf
dim.
pp
pp
mf
dim.
pp
pp
CB Tub.

mf
dim.
più p
pp
rallent.
pp
3Harf.
mf
dim.
p
più p
pp
mf
3Harf.
dim.
p
più p
pp
2. Harfe.
pp
cresc.
pp
trem.
pp
tr
pp
1. Viol. (in 3 Partien.)
2. Viol. (in 4 Partien.)
pp
pp
Siegf.
Hei - li - ge Braut!
Ho - li - est bride!
Sain-te é - pouse!
Vc.

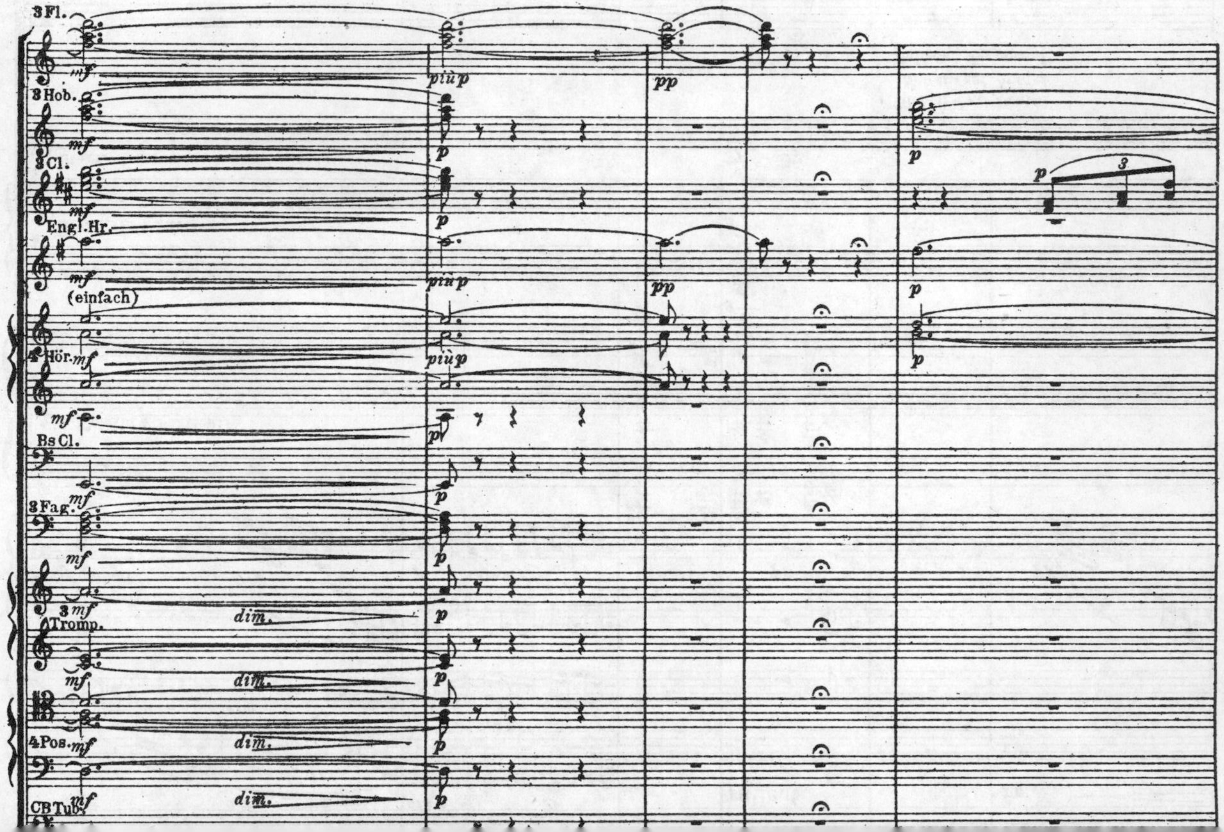
3 Fl.
mf
più p
pp
3 Hob.
mf
p
3 Cl.
mf
p
3
Engl. Hr.
mf
più p
pp
p
(einfach)
4 Hör.
mf
più p
p
mf
Bs Cl.
p
mf
3 Fag.
mf
p
3
mf
dim.
Tromp.
mf
dim.
4 Pos.
mf
dim.
CB Tub.
mf
dim.

mf
dim.
più p
pp
rall.
a tempo
1. Harf.
2. Harf.
1. Viol. (in 3 Partien.)
2. Viol. (in 4 Partien.)
trem.
Siegf.
Wach'
A -
Sois
Vc.

1.
3 Fl.
2.
3 Hob.
1.
3 Cl.
2.
Engl. Hr.
4 Hör.
Bs Cl.
3 Fag.
3 Tromp.
Bs Tromp.
1. u. 2.
cresc.
dim.

Pauk. 2. P. (in C u. G)
pp
1. Harf.
2. Harf.
Viol.
Br.
Siegf.
auf! Oeff'-ne dein Au - ge!
wake! Lift up thine eye - lids!
libre! vois la lu - miè - re!
Vc.
CB.
(trem.)
(Alle)
cresc.

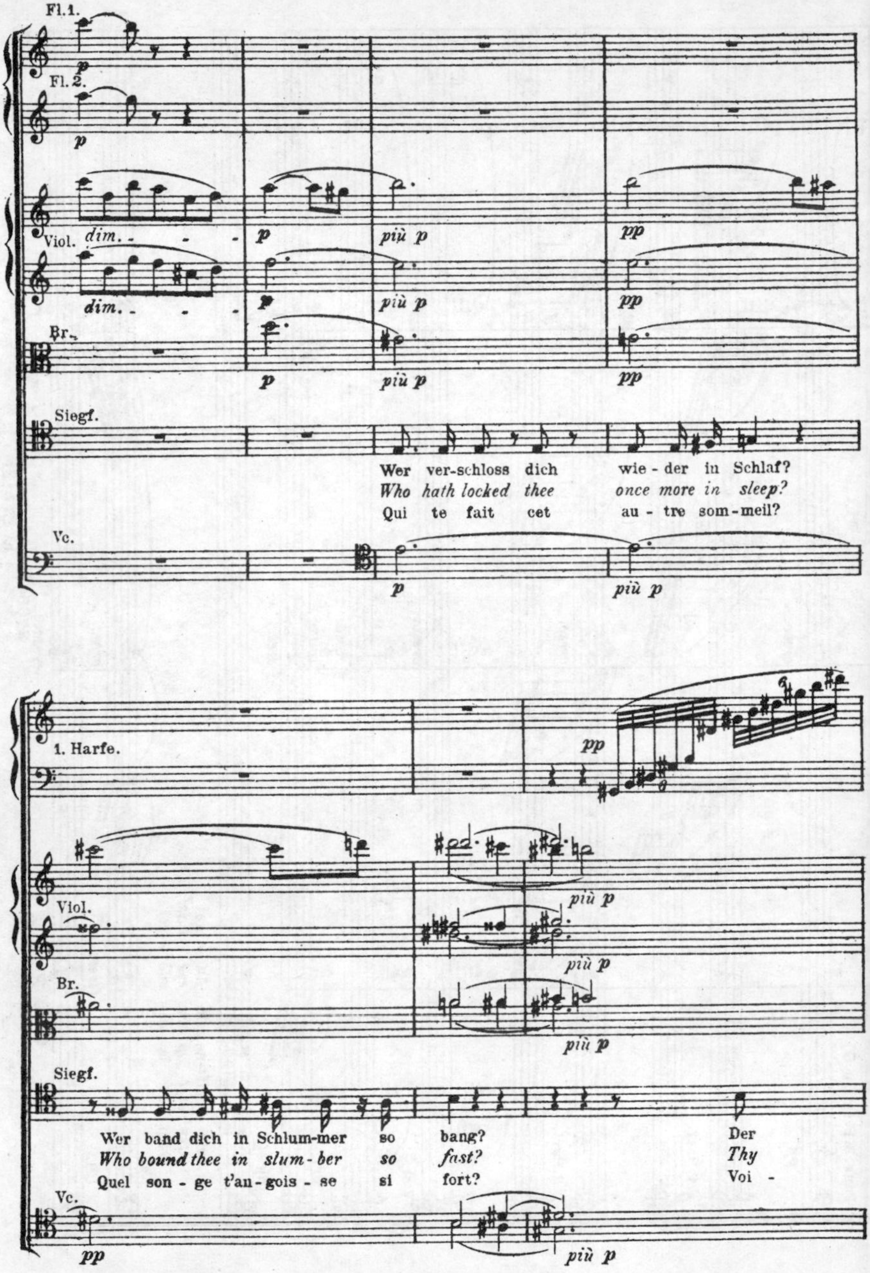
Fl. 1.
Fl. 2.
dim.
p
più p
pp
Viol.
Br.
Siegf.
Wer ver-schloss dich wie-der in Schlaf?
Who hath locked thee once more in sleep?
Qui te fait cet au-tre som-meil?
Vc.
1. Harfe.
Wer band dich in Schlum-mer so bang? Der
Who bound thee in slum-ber so fast? Thy
Quel son-ge t'an-gois-se si fort? Voi-

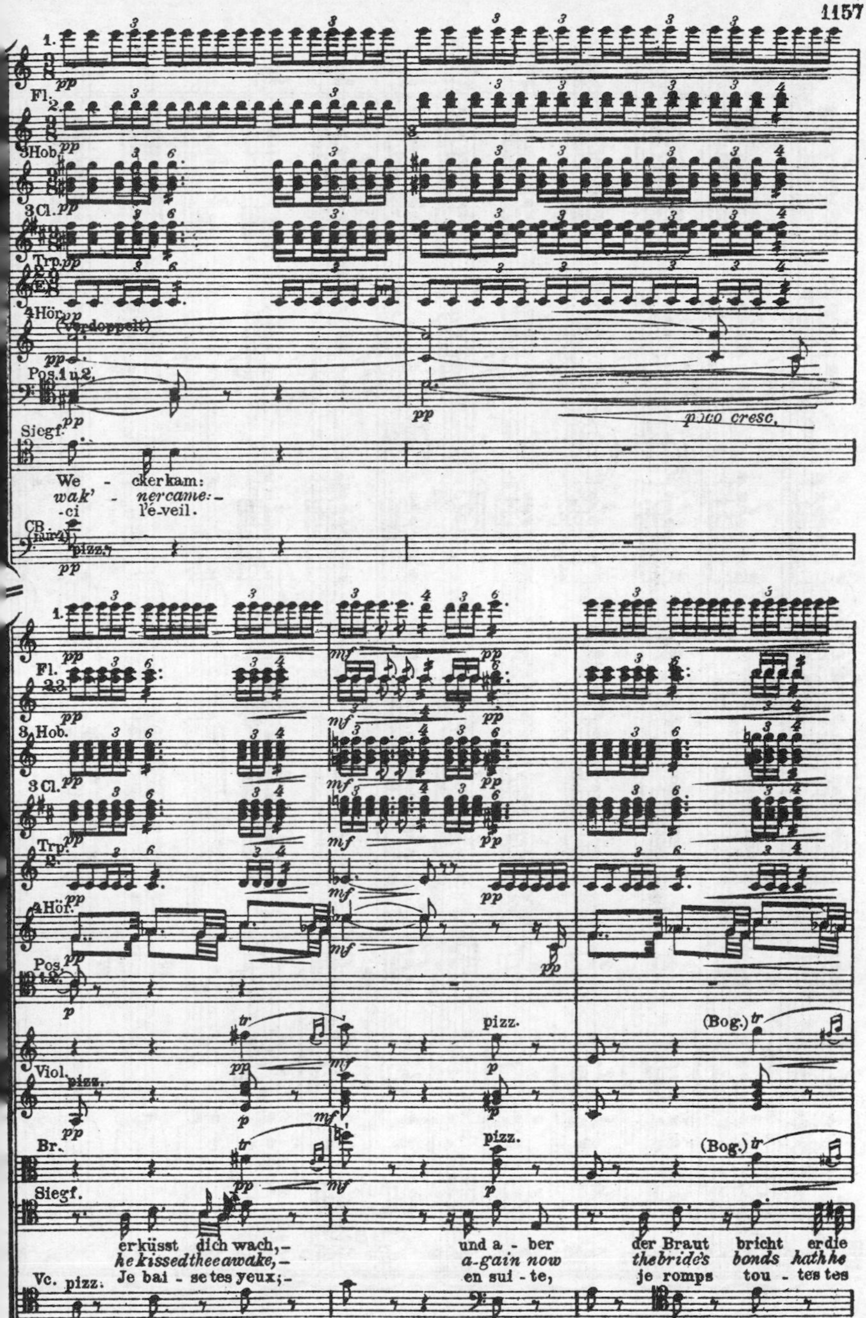
1. Fl. 2.
3Hob.
3Cl.
Trp. (E)
4Hör.
(verdoppelt)
Pos.1u.2.
poco cresc.
Siegf.
We - cker kam:
wak' - ner came: -
-ci l'é-veil.
CB. (nur 4)
pizz.
1. Fl. 2.3.
3. Hob.
3 Cl.
Trp. E.
4Hör.
Pos. 1.2.
Viol.
pizz.
tr
(Bog.)
Br.
Siegf.
erküsst dich wach, - und a - ber der Braut bricht er die
he kissed thee awake, - a-gain now the bride's bonds hath he
Je bai - se tes yeux, - en sui - te, je romps tou - tes tes
Vc. pizz.
cresc.
pp p mf

Fl.
Hob.
Cl.
Hör.
sf
pp
cresc.
più f
mf
4.6.8.(E.)

3.
1.
Trp. (E)
2.
3.
Pauk.
1.Pr. (E.H.)
Viol.
Br.
Siegf.
Ban - de: —
bro - ken: —
chai - nes!
da lacht ihm Brünnhil - de's Lust. —
now laughs to him Brünnhild's de-light. —
La joie de Brünnhild me rit!
Vc.
CB.
(Alle)
pizz.
(Bog.)
cresc.
più f

Fl.
Hob.
Engl.Hr.
Cl.
Hör.
Bs.Cl.(B.)
Fag.
ff dim.
p
più p
(ausdrucksvoll)

3.
4 Pos.
Pauk.
2 Pr.(A)
1.Pr.(H.)
3 Harf.
dim.
(nur 2.) più p
Viol.
più p
Br.
Siegf.
Ach!
Ah!
Oh!
Dieses Au - - - - ge
those eyes
ces pru-nel - - - - les
e - wig nun
e - ver now
pour toujours
Vc.
CB.

Das Zeitmass immer etwas zurückhaltend.

4.
Pauk.
2 Pr. (Gis)
Harf. (nur 1.)
piu p
pp
Viol.
Br.
Siegf.
tr
of - fen! Ach, dies-es A-them's won - ni-ges We - hen! sü - sses Ver-ge-hen
o - pen! Ah, what enchantment waft - eth her breathing! Bliss - full sur-ren-der,
vi - ves! Oh! cette ha - lei-ne souf - fle su - a - ve! Douce a-go-ni-e!
Vc.
p
CB. (4)
pizz.
(4)
(Bog.) pp

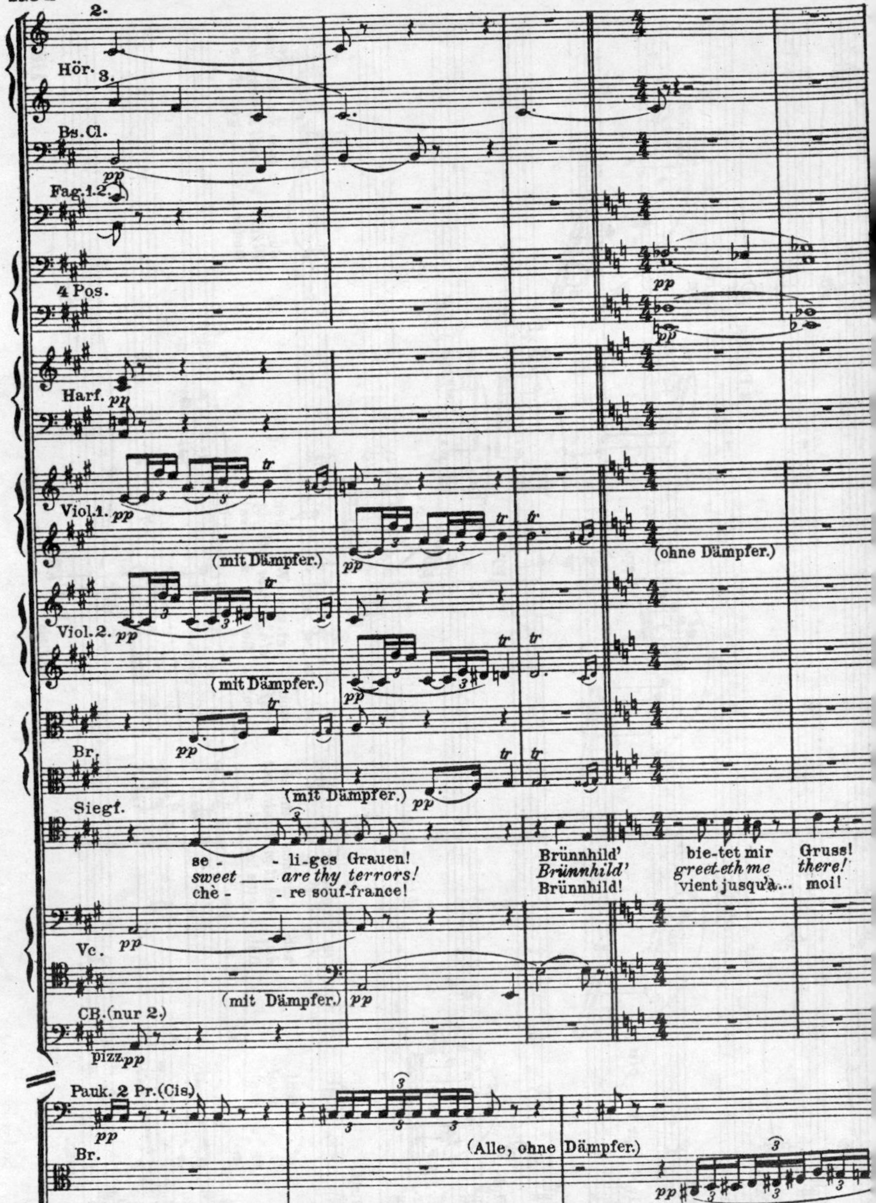

2.
Hör.
3.
Bs. Cl.
Fag. 1. 2.
4 Pos.
Harf.
Viol. 1.
(mit Dämpfer.)
(ohne Dämpfer.)
Viol. 2.
(mit Dämpfer.)
Br.
(mit Dämpfer.)
Siegf.
se - li-ges Grauen! Brünnhild' bie-tet mir Gruss!
sweet — are thy terrors! Brünnhild' greet-eth me there!
chè - re souf-france! Brünnhild! vient jusqu'à... moi!
Vc.
(mit Dämpfer.)
CB. (nur 2.)
pizz.
Pauk. 2 Pr. (Cis.)
Br.
(Alle, ohne Dämpfer.)
(Siegfried sinkt zurück und stirbt. — Regungslose Trauer der Umstehenden.)
Vc.
(Alle, ohne Dämpfer.)

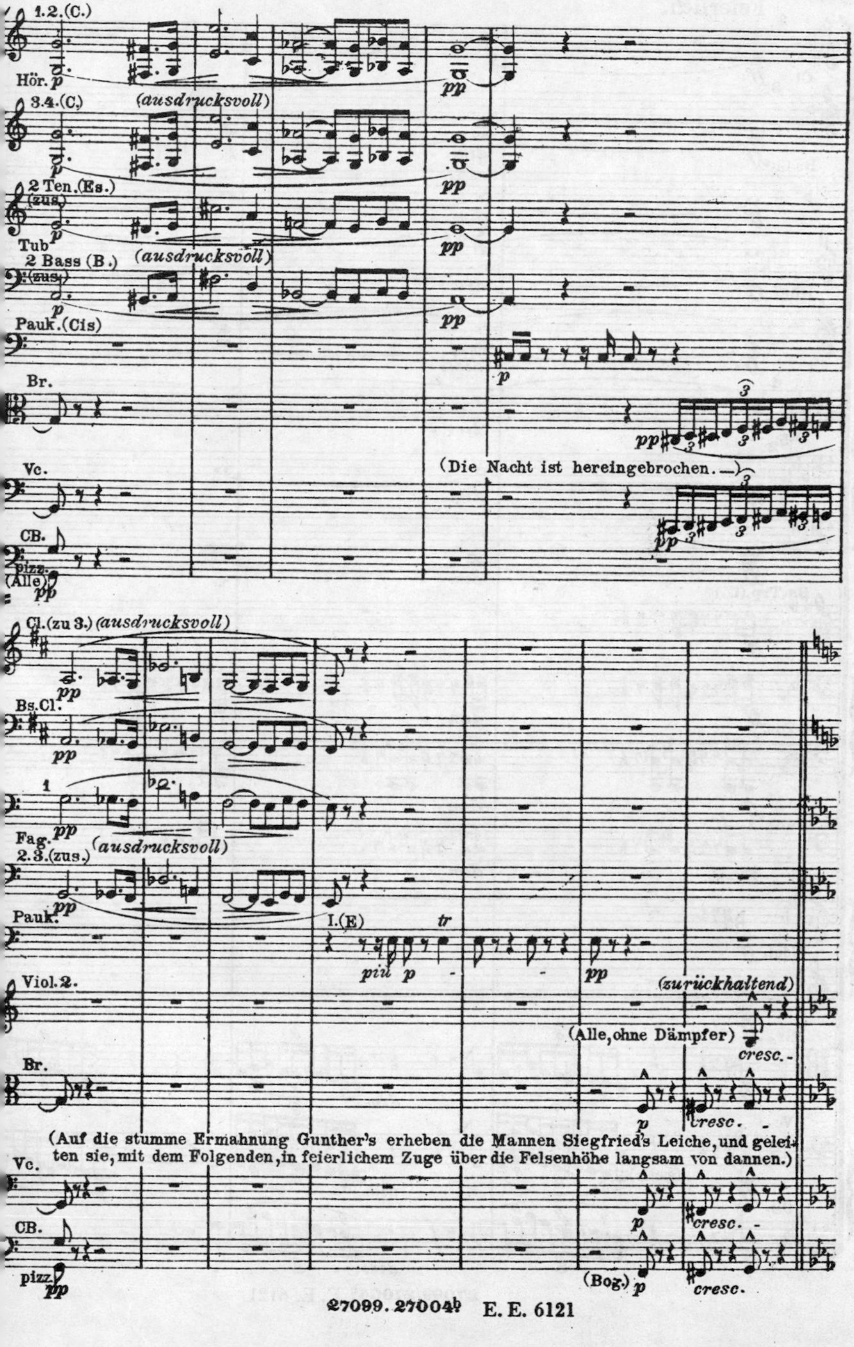
1.2.(C.)
Hör.
(ausdrucksvoll)
3.4.(C.)
2 Ten.(Es.)
(zus.)
Tub.
(ausdrucksvoll)
2 Bass (B.)
(zus.)
Pauk.(Cis)
Br.
(Die Nacht ist hereingebrochen.—)
Vc.
CB.
pizz.
(Alle)
Cl.(zu 3.) (ausdrucksvoll)
Bs.Cl.
Fag.
(ausdrucksvoll)
2.3.(zus.)
Pauk.
I.(E)
Viol.2.
(zurückhaltend)
(Alle, ohne Dämpfer)
cresc.
Br.
cresc.
(Auf die stumme Ermahnung Gunther's erheben die Mannen Siegfried's Leiche, und geleiten sie, mit dem Folgenden, in feierlichem Zuge über die Felsenhöhe langsam von dannen.)
Vc.
cresc.
CB.
pizz.
(Bog.)
cresc.

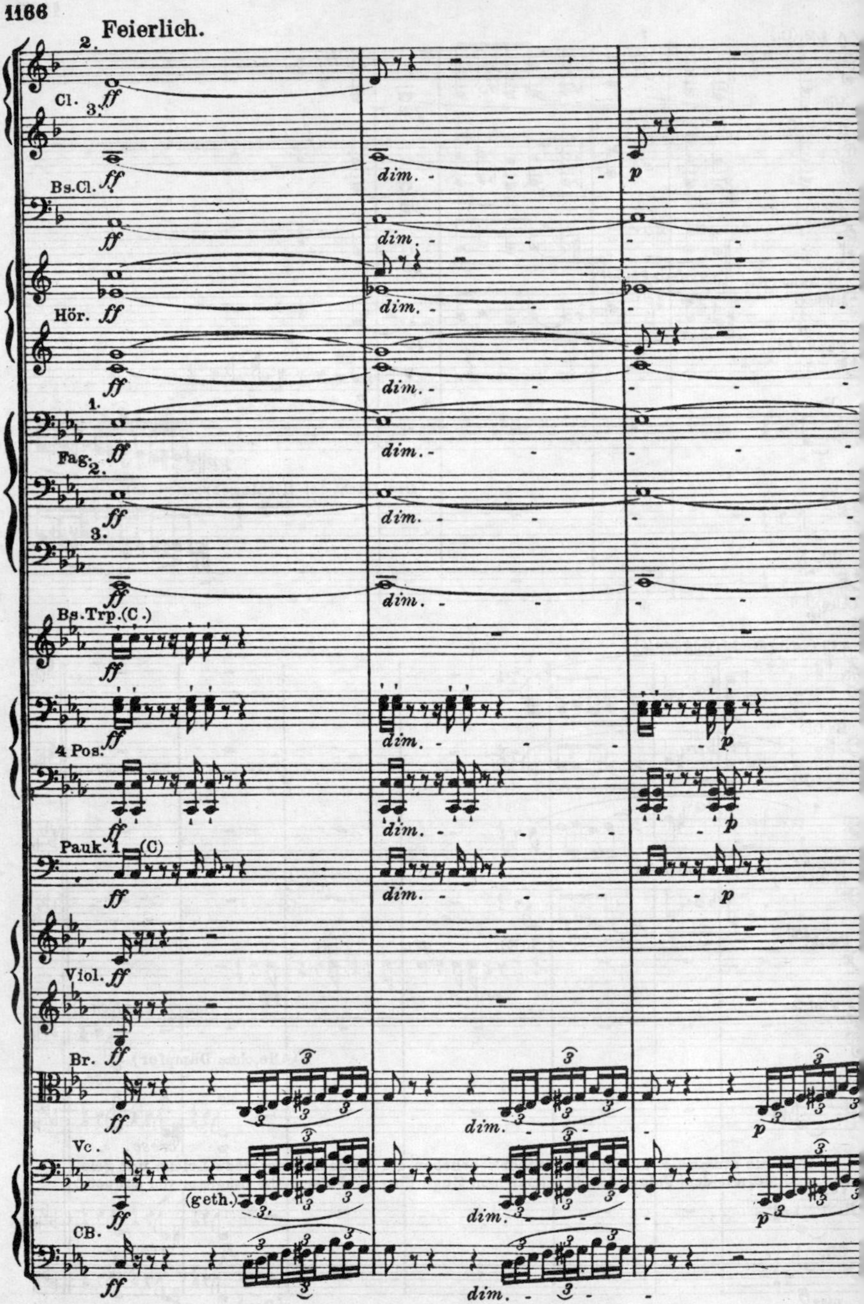
Feierlich.
2.
Cl.
3.
ff
dim.
p
Bs.Cl.
Hör.
1.
Fag.
2.
3.
Bs.Trp.(C.)
4 Pos.
Pauk. 1 (C)
Viol.
Br.
Vc.
(geth.)
CB.

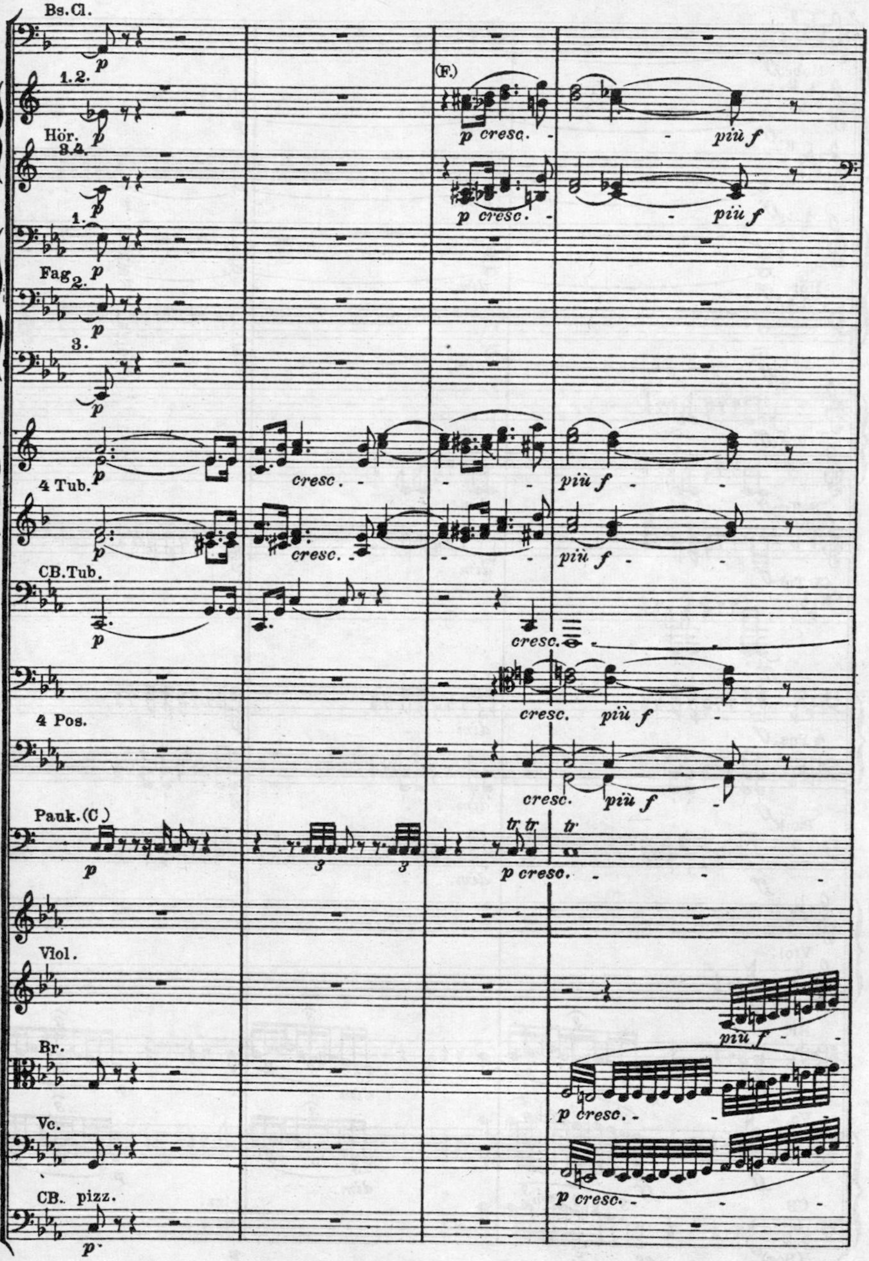
Bs.Cl.
p
1.2.
Hör.
3.4.
(F.)
p cresc.
più f
1.
Fag
2.
3.
4 Tub.
cresc.
più f
CB.Tub.
4 Pos.
Pauk. (C)
tr
p cresc.
Viol.
Br.
Vc.
CB. pizz.

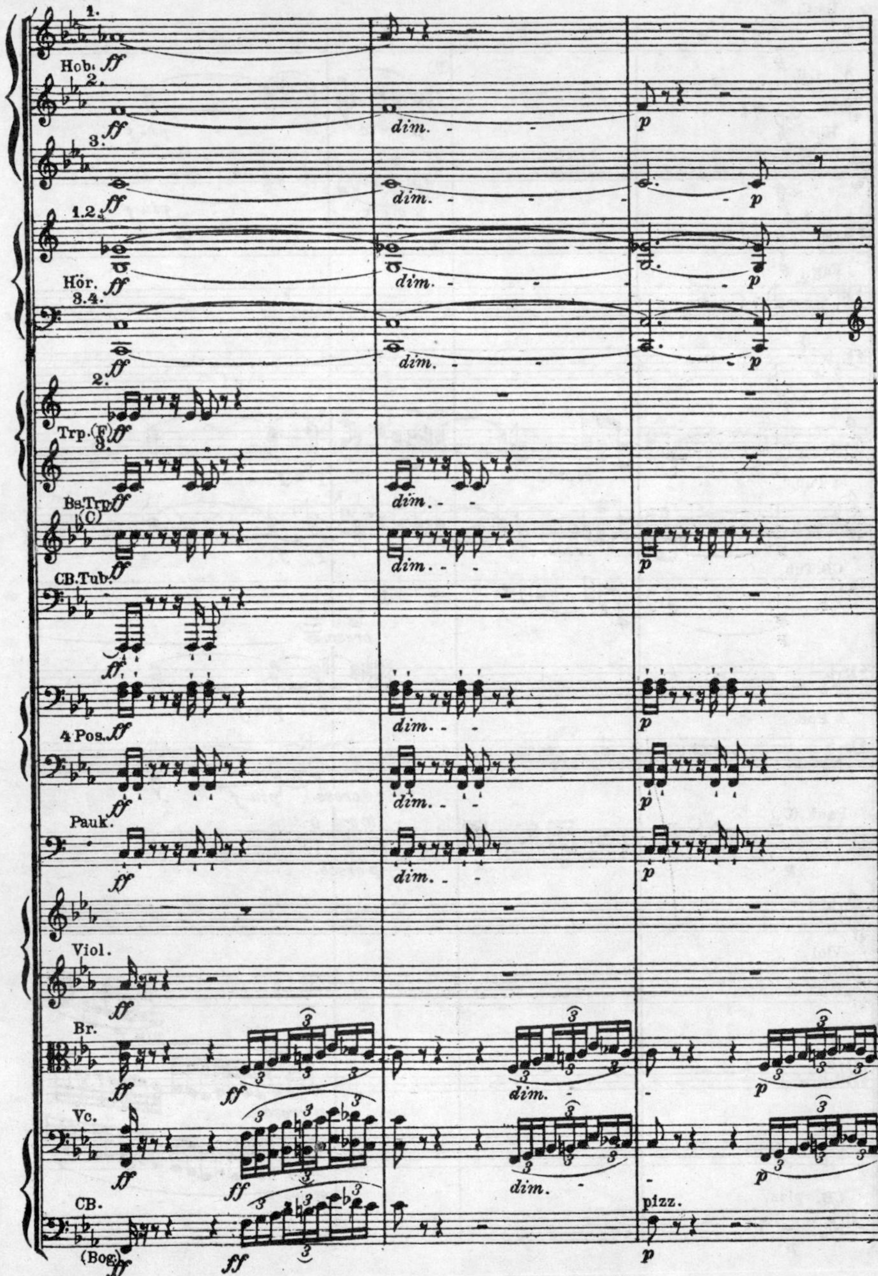
Hob.
1.
2.
3.
ff
dim.
p
Hör.
1.2.
3.4.
Trp. (F)
2.
3.
Bs.Trp. (C)
CB.Tub.
4 Pos.
Pauk.
Viol.
Br.
Vc.
CB.
(Bog.)
pizz.

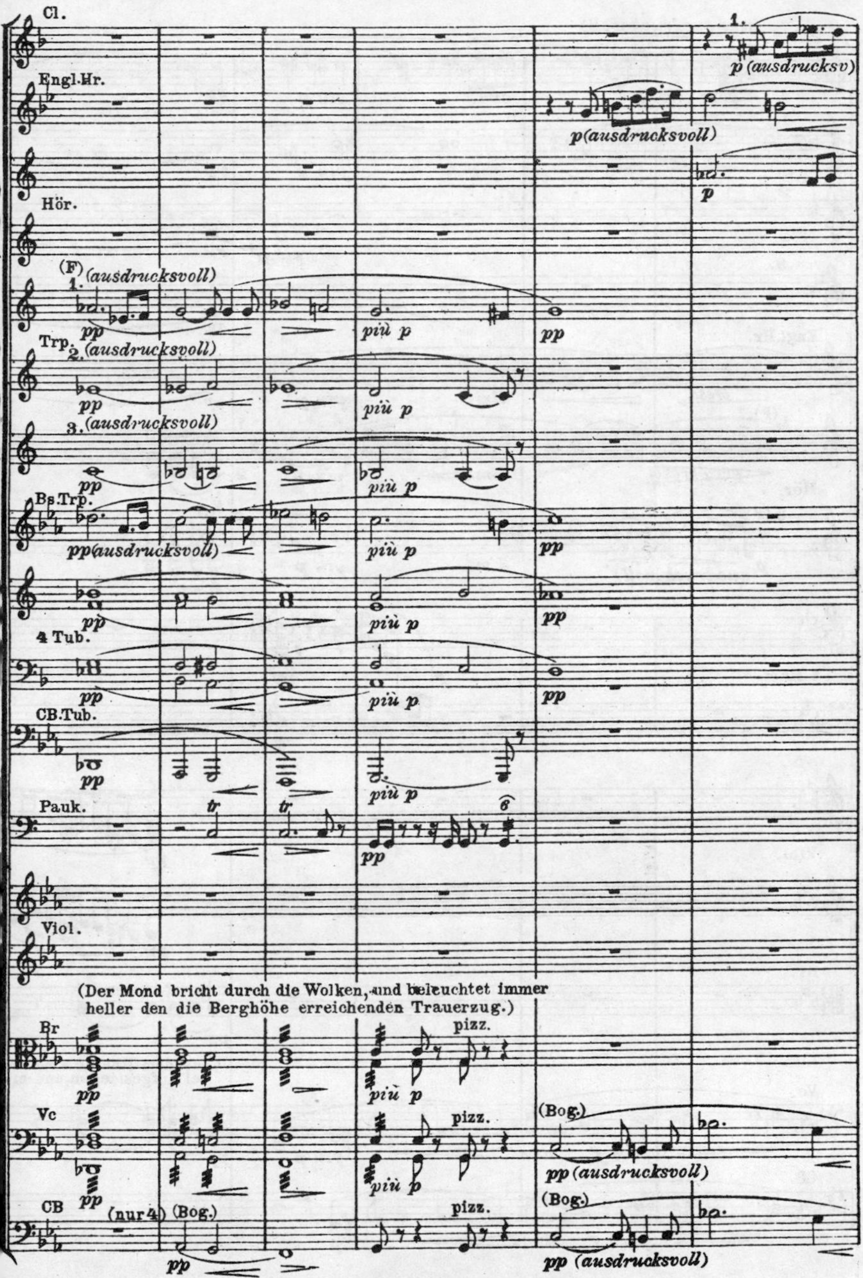
Cl.
1.
p (ausdrucksv)
Engl. Hr.
p (ausdrucksvoll)
p
Hör.
(F)
1. (ausdrucksvoll)
pp
più p
pp
Trp. 2. (ausdrucksvoll)
pp
più p
3. (ausdrucksvoll)
pp
più p
Bs.Trp.
pp (ausdrucksvoll)
più p
pp
pp
più p
pp
4 Tub.
pp
più p
pp
CB.Tub.
pp
più p
Pauk.
tr
tr
pp
6
Viol.
(Der Mond bricht durch die Wolken, und beleuchtet immer heller den die Berghöhe erreichenden Trauerzug.)
Br
pp
più p
pizz.
Vc
pp
più p
pizz.
(Bog.)
pp (ausdrucksvoll)
CB
(nur 4)
(Bog.)
pp
pizz.
(Bog.)
pp (ausdrucksvoll)

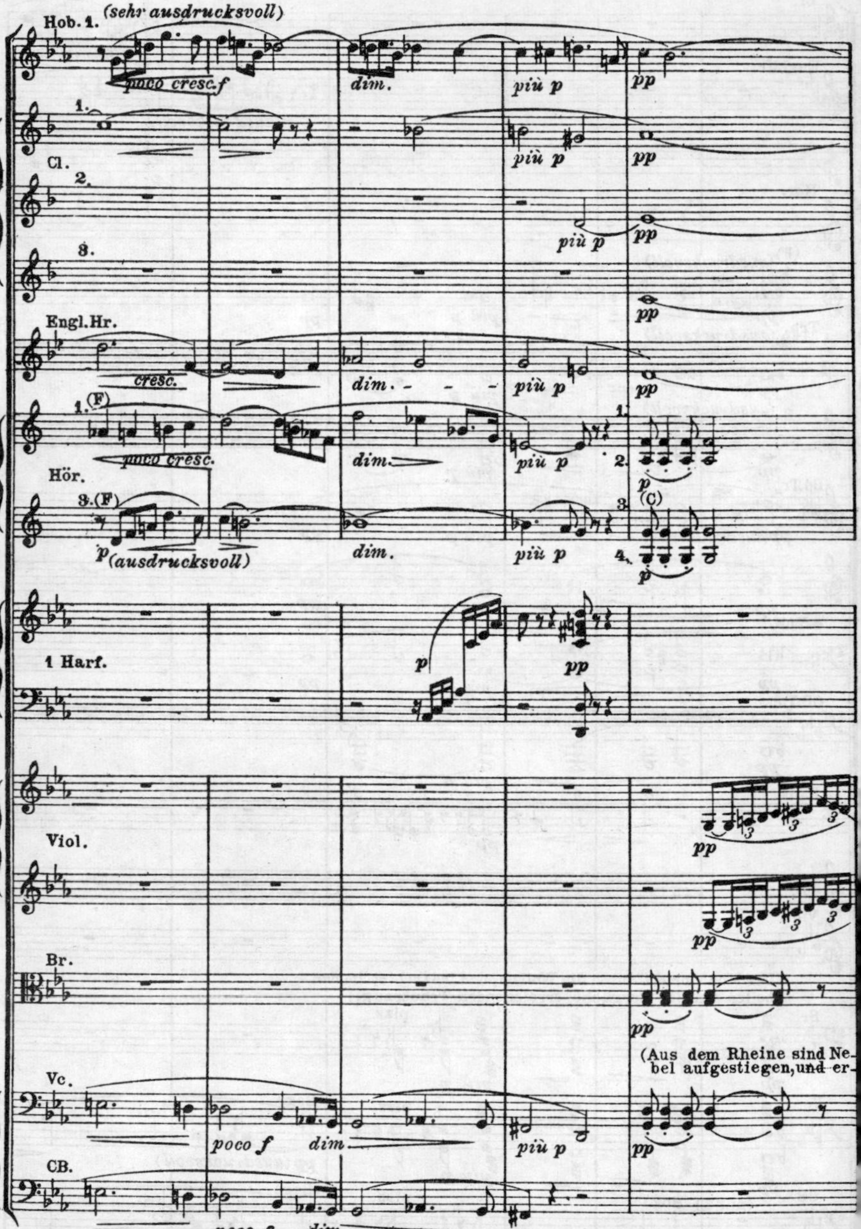
(sehr ausdrucksvoll)
Hob. 1.
poco cresc. f
dim.
più p
pp
1.
Cl.
2.
3.
Engl. Hr.
cresc.
1. (F)
poco cresc.
Hör.
3. (F)
p (ausdrucksvoll)
2.
3. (C)
4.
1 Harf.
p
Viol.
Br.
(Aus dem Rheine sind Nebel aufgestiegen, und er-
Vc.
poco f
dim
CB.
p

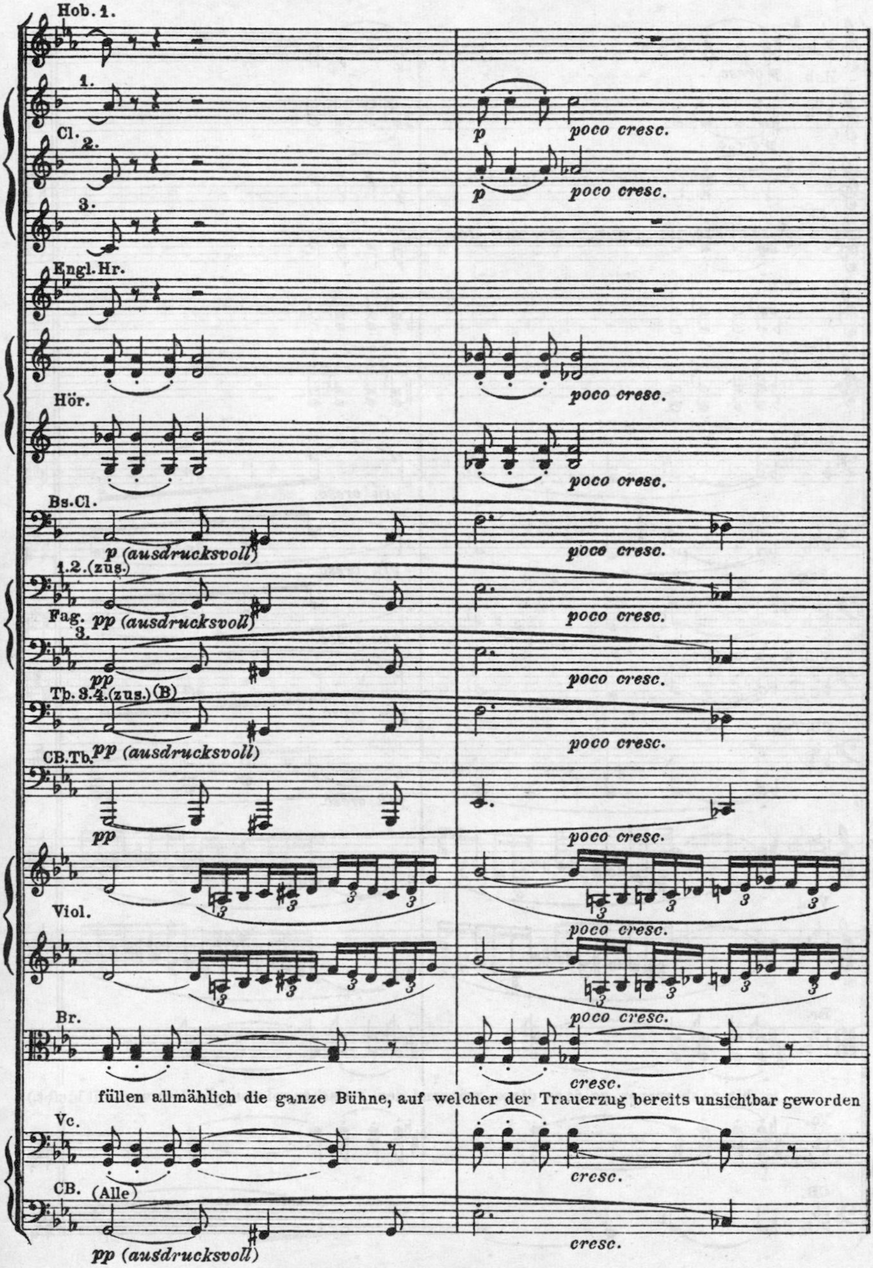
Hob. 1.
Cl.
1.
2.
3.
p
poco cresc.
Engl. Hr.
Hör.
Bs. Cl.
p (ausdrucksvoll)
1. 2. (zus.)
Fag.
3.
pp (ausdrucksvoll)
pp
Tb. 3. 4. (zus.) (B)
CB. Tb.
Viol.
Br.
cresc.
füllen allmählich die ganze Bühne, auf welcher der Trauerzug bereits unsichtbar geworden
Vc.
CB. (Alle)

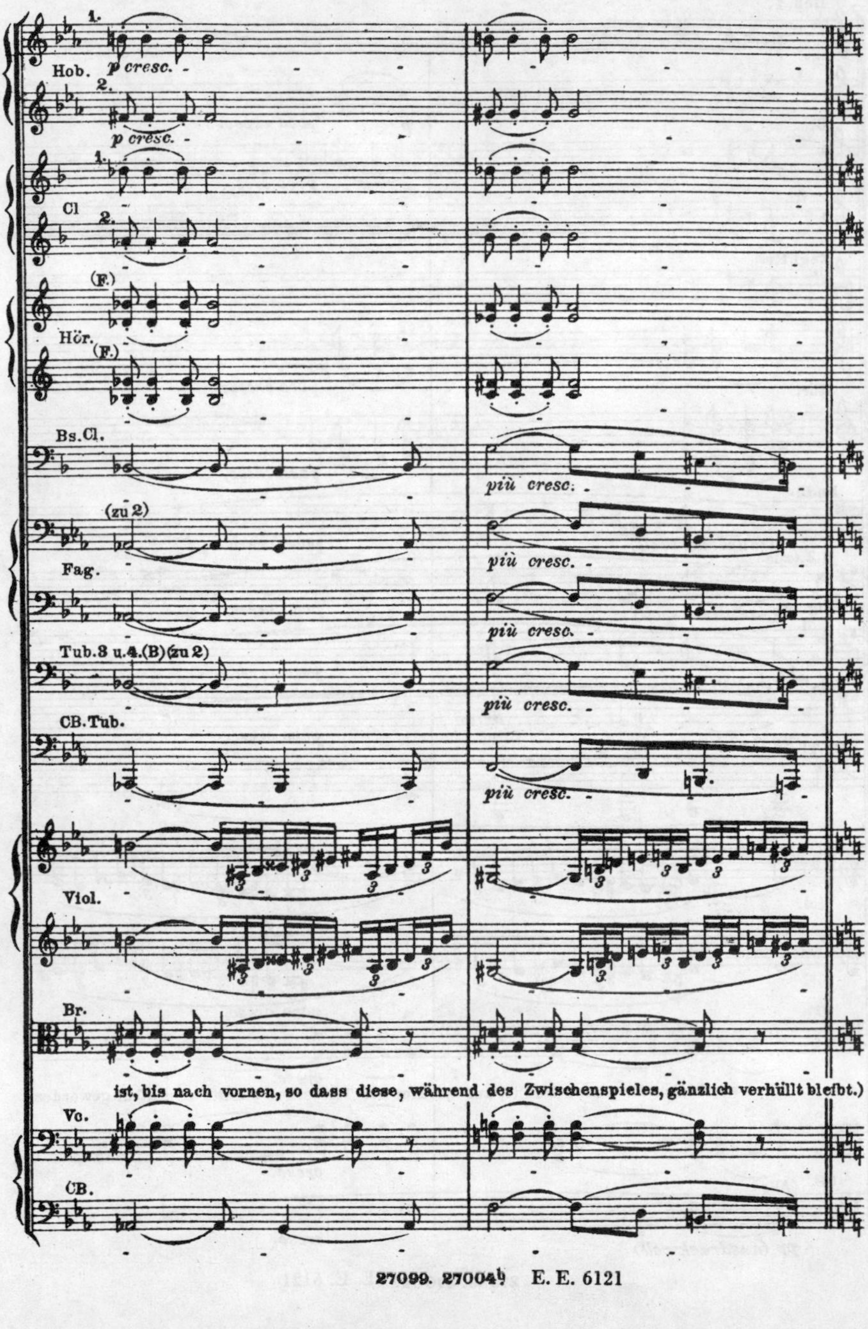
1.
Hob.
2.
p cresc.
p cresc.
1.
Cl
2.
(F.)
Hör.
(F.)
Bs.Cl.
più cresc.
(zu 2)
Fag.
più cresc.
più cresc.
Tub.3 u.4.(B)(zu 2)
più cresc.
CB.Tub.
più cresc.
Viol.
Br.
ist, bis nach vornen, so dass diese, während des Zwischenspieles, gänzlich verhüllt bleibt.)
Vc.
CB.

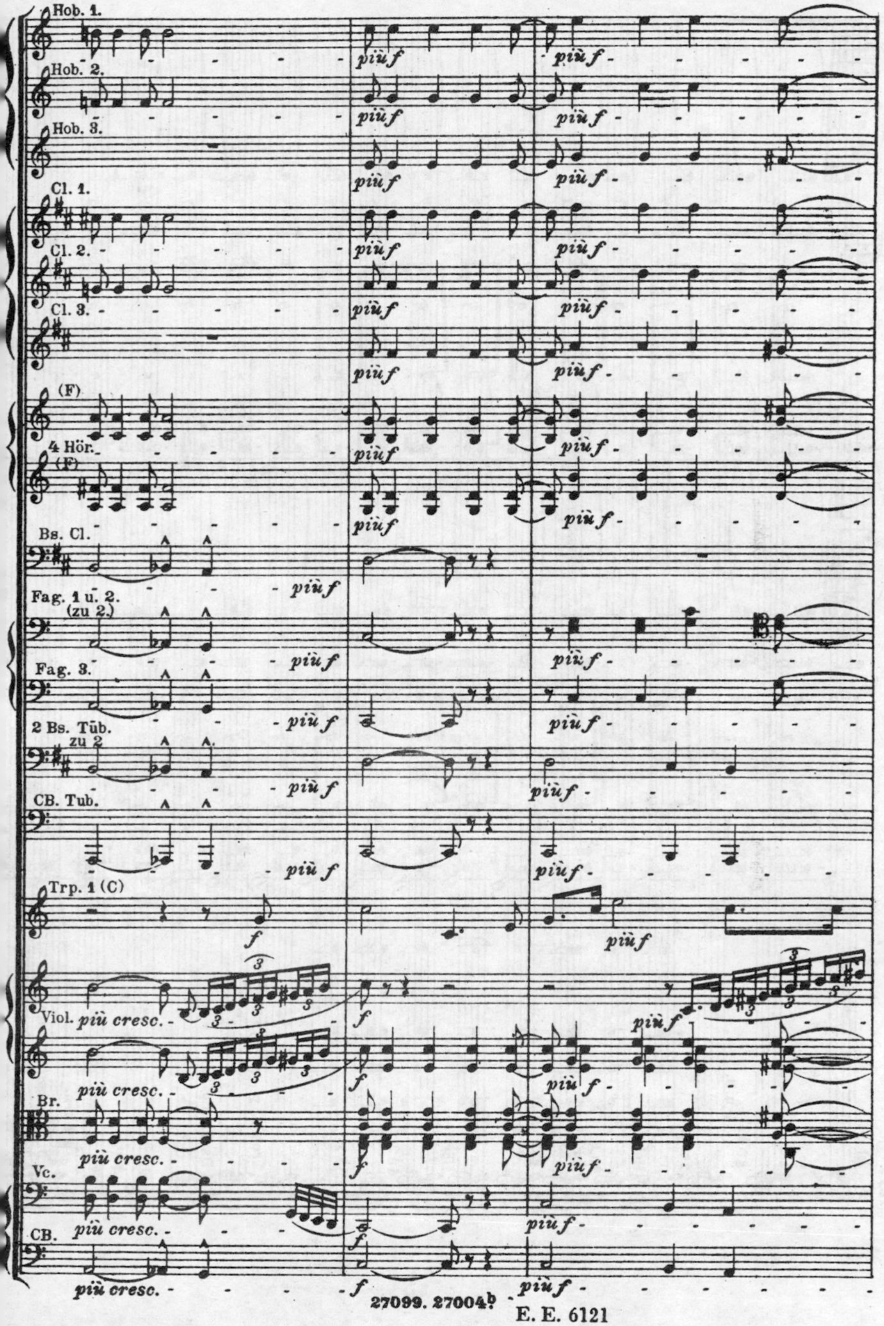
Hob. 1.
Hob. 2.
Hob. 3.
Cl. 1.
Cl. 2.
Cl. 3.
(F)
4 Hör.
(F)
Bs. Cl.
Fag. 1 u. 2.
(zu 2.)
Fag. 3.
2 Bs. Tub.
zu 2
CB. Tub.
Trp. 1 (C)
Viol.
Br.
Vc.
CB.
più f
più cresc.
f

kl. Fl.
1.
gr. Fl.
2 u. 3.
1 u. 2.
Hob. 3.
1 u. 2.
Cl. 3
Hör.
1 u. 2.
Fag. 3
1.
Tromp. 2 u. 3. (C)
Bs. Tromp. (C)
4 Pos.
2 Ten.
p molto cresc.
4 Tub.

3 I. Harfen.
6 Harfen.
3 II. Harfen.
(C G) 1. Pr.
Pauk.
(G C) 2. Pr.
cresc.
Triang.
Becken.
Rührtrommel.
Viol.
Br.
Vc.
CB.

kl. Fl.
tr
1
gr. Fl.
2 u. 3.
1 u. 2.
Hob.
3.
1 u. 2.
Cl.
3.
Hör.
1 u. 2.
Fag.
3.
1.
Trmp.
2 u. 3.
Bs. Tr.
4 Pos.
3.
2 Ten.
(Es)
(zu 2.)
dim.
cresc.
p
f

3 I.
6 Harfen.
3 II.
1. Pr.
Pauk.
2. Pr.
Triang.
Becken.
Rührtrommel.
Viol.
Br.
Vc.
CB.
pizz.
pizz. (Bog.)
dim.
cresc.

kl. Fl.
1.
gr. F. zu 3.
1 u. 2.
Hob.
3.
1. 2.
Cl. 3.
(zu 2.)
Hör. (zu 2.)
1 u. 2.
Fag. 3.
1.
Tromp. zu 3.
Bs. Tr.
(Es)
4. Tub. (B)
dim.
(B)
2.

3 I.
6 Harfen.
3 II.
(G D)
Pauk.
(G D)
Triangel.
Becken.
Rührtrommel.
Viol.
Br.
Vc.
CB.
ff
dim.
p
tr

1 u. 2.
Hob.
3.
1 u. 2.
Cl.
3.
Engl. Hr.
4 Hör. (F)
1 u. 2.
Fag.
3.
1 u. 2.
(zu 2.)
Tromp. (B)
3.
Bs. Tromp.
(Es)
4 Tub.
(B)
CB. Tub.
p (gut gehalten.)
cresc.
più f
(zu 2.)
(zus.)
ff

4 Pos.
3 I.
6 Harfen.
3 II.
Rührtrommel.
Viol.
Br.
Vc.
CB.
pp
p
f
ff
cresc.

kl. Fl.
1.
gr. Fl.
2 u. 3.
1 u. 2.
Hob. 3.
1 u. 2.
Cl. 3.
Engl. Hr.
4 Hör. (zus.)
1 u. 2. (zu 2.)
Fag. 3.
1 u. 2. (zu 2.)
Trp. 3.
Bs. Trp.
4 Tub.
CB. Tub.
ff
tr

3 I.
6 Harfen.
3 II.
(B F)
Pauk.
(B Es)
Triangel.
Becken.
Rührtrommel.
Viol.
Br.
Vc.
CB.
gliss.
stacc.
stacc.

kl. Fl.
1.
gr. Fl.
2 u. 3.
1 u. 2.
Hob.
3.
1 u. 2.
Cl.
3.
4 Hör. (F) (zus.)
1 u. 2.
(zu 2.)
Fag.
3.
1 u. 2. (zu 2.)
Tromp.
3.
Bs. Trp.
(Es)
4 Tub.
(B)

3 I.
6 Harfen.
3 II.
Pauk.
Triang.
Becken.
Rührtr.
Viol.
Br.
Vc.
CB

kl. Fl
1.
gr. Fl.
2. 3.
1. 2.
Hob.
3.
dim.
1. 2.
Cl.
3.
dim.
Engl. Hr.
4 Hör. (F) (zus.)
dim.
Bs. Cl.
1 u. 2.
Fag.
3.
dim.
1 u. 2.
Tromp.
3.
Bs. Tromp.
(Es)
dim.
1.
2.
ausdrucksvoll
più p

4 Pos.
dim.
p
pp
ff
3 I.
6 Harfen.
3 II.
(C F)
(die II. allein.)
Pauk
tr
Trgl.
più p
Rührtr.
Viol.
Br.
Vc.
CB.
pizz.
(Von hier an vertheilen
(Bog.)

Engl Hr.
cresc.
Cl.
2.
cresc.
poco f
Hör.
Bs. Cl.
cresc.
1 u. 2.
Fag.
3.
cresc.
Tromp. 3.
(Es)
4 Tub.

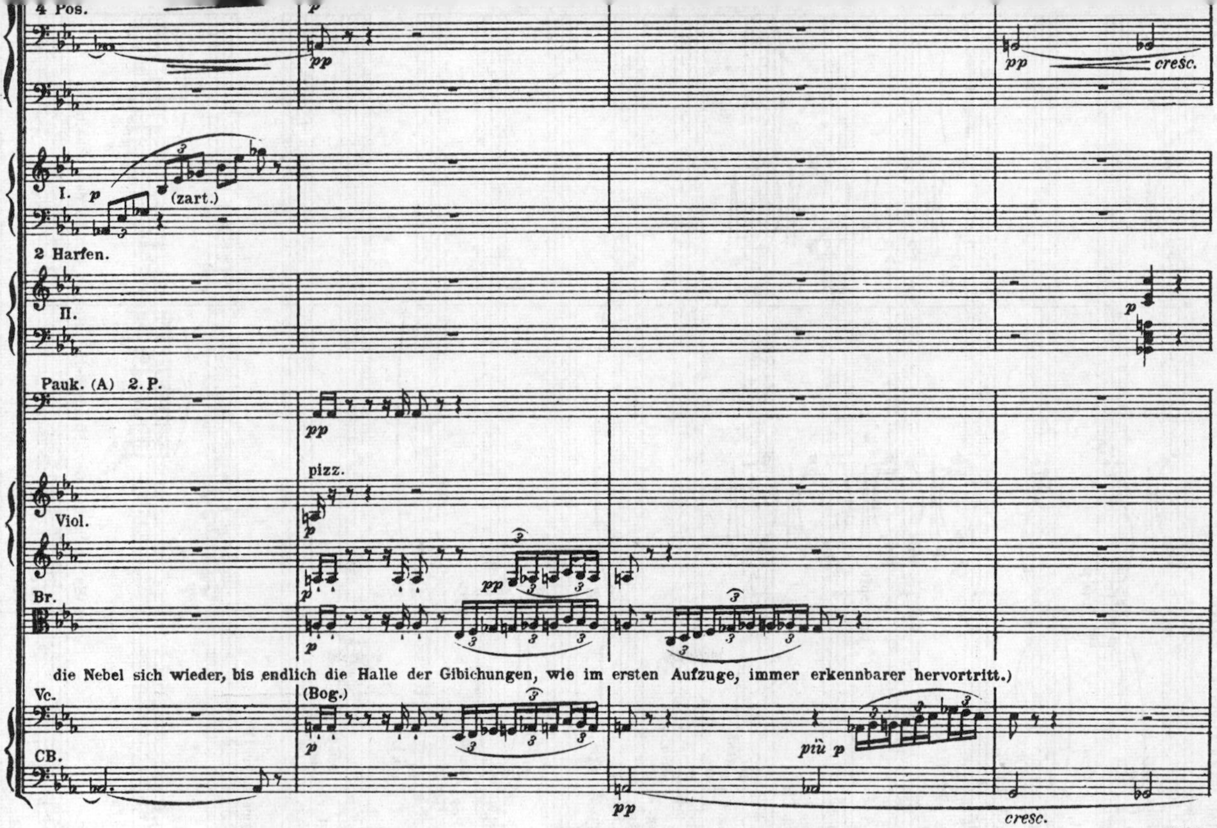
4 Pos.
pp
cresc.
I.
p
(zart.)
2 Harfen.
II.
p
Pauk. (A) 2. P.
pp
pizz.
Viol.
p
pp
Br.
die Nebel sich wieder, bis endlich die Halle der Gibichungen, wie im ersten Aufzuge, immer erkennbarer hervortritt.)
Vc.
(Bog.)
più p
CB.
cresc.

# Dritte Scene.

Noch etwas zurückhaltend.
Hob.
Engl. Hr.
Cl. 1.
Cl. 2 u. 3.
4 Hör.
offen.
(C)
dim.
dim.
Fag. 1 u. 2.
Fag. 3.
più p
Bs. Cl.
più p
Bstrp.
p gut betont
4 Pos.
più p
Harfe.
Pauk. 2. Pr. (Fis)
1. Pr. (G)
Viol. 2.
Br.
Vc.
pizz.
CB.
pizz.
pizz.
pizz.
pizz.

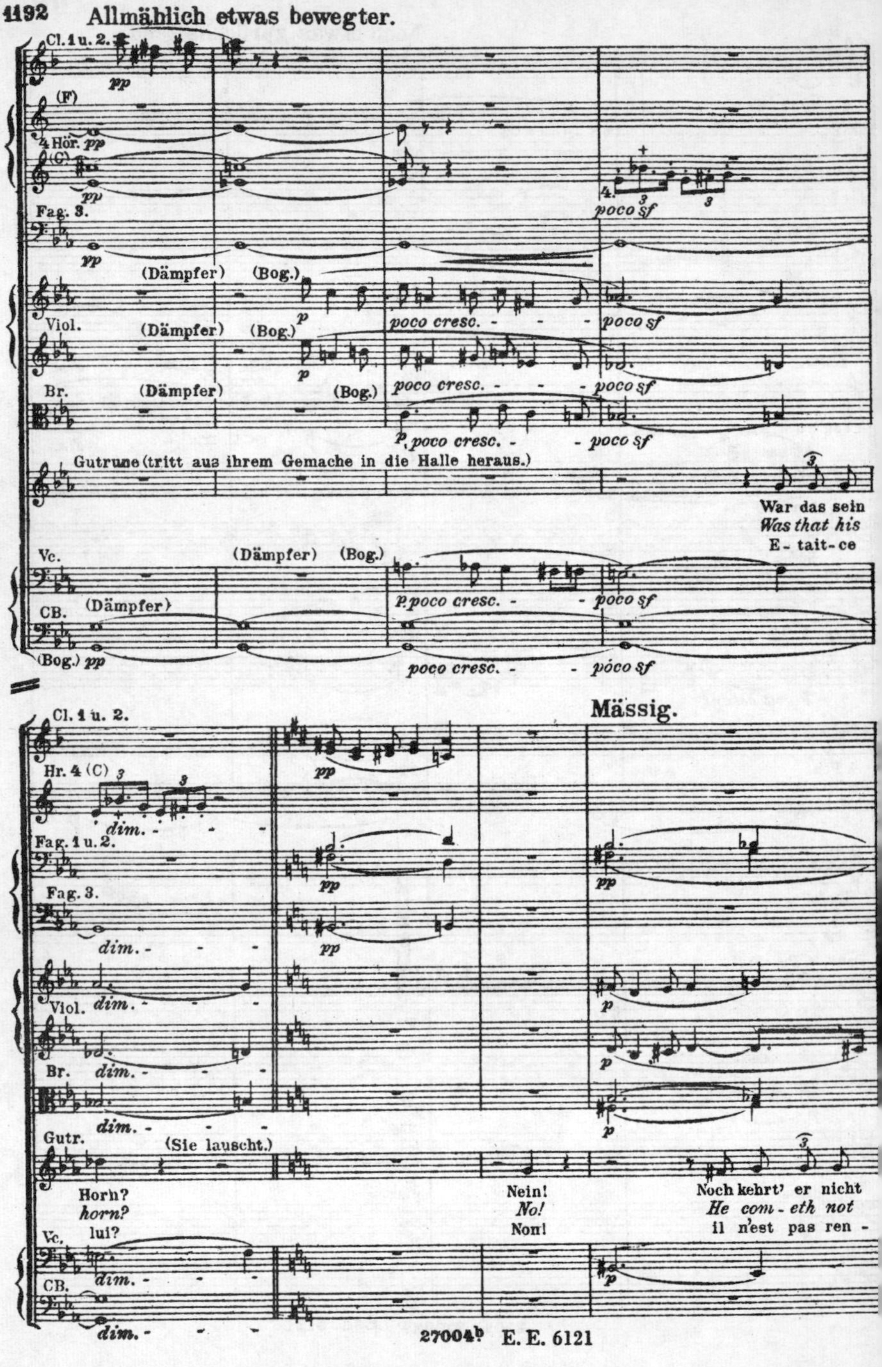
Allmählich etwas bewegter.
Cl. 1 u. 2.
pp
(F)
4 Hör.
pp
(C)
pp
4.
poco sf
Fag. 3.
pp
(Dämpfer)
(Bog.)
p
poco cresc.
poco sf
Viol.
(Dämpfer)
(Bog.)
p
poco cresc.
poco sf
Br.
(Dämpfer)
(Bog.)
p poco cresc.
poco sf
Gutrune (tritt aus ihrem Gemache in die Halle heraus.)
War das sein
Was that his
E - tait - ce
Vc.
(Dämpfer)
(Bog.)
p poco cresc.
poco sf
CB.
(Dämpfer)
(Bog.) pp
poco cresc.
poco sf
Mässig.
Cl. 1 u. 2.
pp
Hr. 4 (C)
dim.
Fag. 1 u. 2.
pp
pp
Fag. 3.
dim.
pp
dim.
p
Viol.
dim.
p
Br.
dim.
p
Gutr.
(Sie lauscht.)
Horn?
horn?
lui?
Nein!
No!
Non!
Noch kehrt' er nicht
He com - eth not
il n'est pas ren -
Vc.
dim.
p
CB.
dim.

Hr. 4 (F)
Fag. 1 u. 2.
Fag. 3.
Viol.
Br.
Gutr.
heim:_ yet._ -tré.
Schlim - me Träu - me
Dreams of e - vil
Sombres rê - ves,
stör - ten mir den
drove a - way my
tout sommeil me
Vc.
CB.
poco sf
pp
p
sf
Etwas beschleunigend.
Hr. 3 (C)
p cresc.
cresc.
stacc.
poco f
Schlaf. sleep. fuit.
Wild wie - her - te sein
Then wild - ly neighed his
Fauve a - hen - ni son che -
pizz.

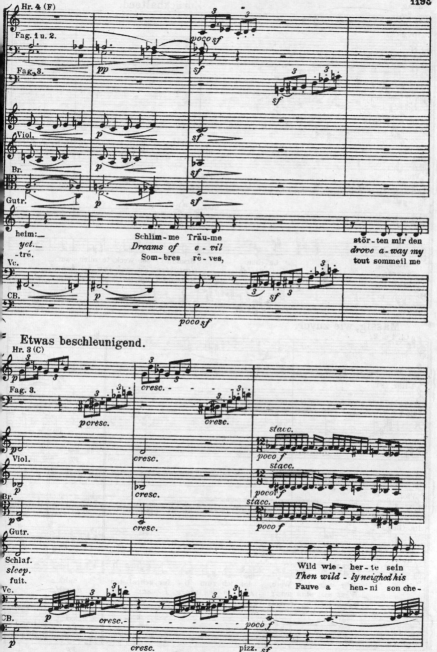

Zurückhaltend.
3 Fag.
Hr. 2 (E)
poco f
Hr. 4 (E)
cresc.
Fag. 2 u. 3. zu 2
p cresc. - f
Pauk. 1. Pr. (H)
p
rall.
Sehr gedehnt.
pizz.
(Bog.)
Viol.
Br.
Gutr.
Ross;—
horse;—
-val.
Lachen Brünnhilds
Brünnhild's laughter
D'un rire
Brünnhil-des weck-te mich auf.—
laughter in wak-ing I heard.—
Brünnhild m'é-veil-le sou-dain.
(zögernd)
Vc.
Mässig, wie zuvor.
Cl. 1 u. 2.
4 Hör. (F)
Fag. 1 u. 2.
più p
Bs. Cl.
Viol.
(Bog.)
Br. (Bog.)
(trem.)
Wer war das Weib, das ich zum U-fer schrei-ten sah?—
What wo-man was't that to the shore I saw go down!—
Quelle est la femme que vers le Rhin j'ai vu mar-cher?
Vc.
CB.
pizz.

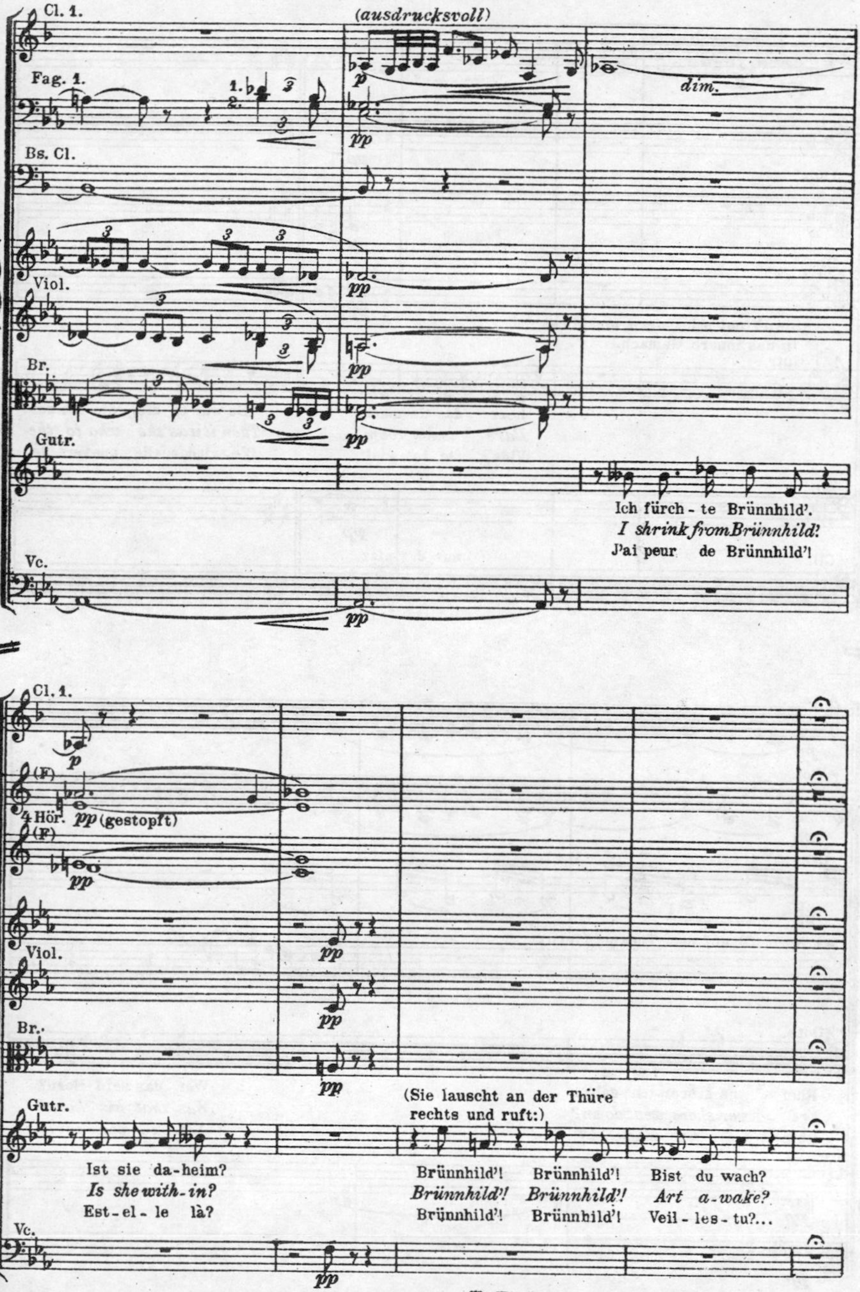
Cl. 1.
(ausdrucksvoll)
p
dim.
Fag. 1.
1.
2.
pp
Bs. Cl.
Viol.
pp
Br.
Gutr.
Ich fürch - te Brünnhild'.
I shrink from Brünnhild'.
J'ai peur de Brünnhild'!
Vc.
pp
Cl. 1.
p
4 Hör. (F)
pp (gestopft)
Viol.
Br.
Gutr.
(Sie lauscht an der Thüre rechts und ruft:)
Ist sie da-heim?
Is she with-in?
Est-el-le là?
Brünnhild'! Brünnhild'!
Brünnhild'! Brünnhild'!
Brünnhild'! Brünnhild'!
Bist du wach?
Art a-wake?
Veil-les-tu?...
Vc.
pp

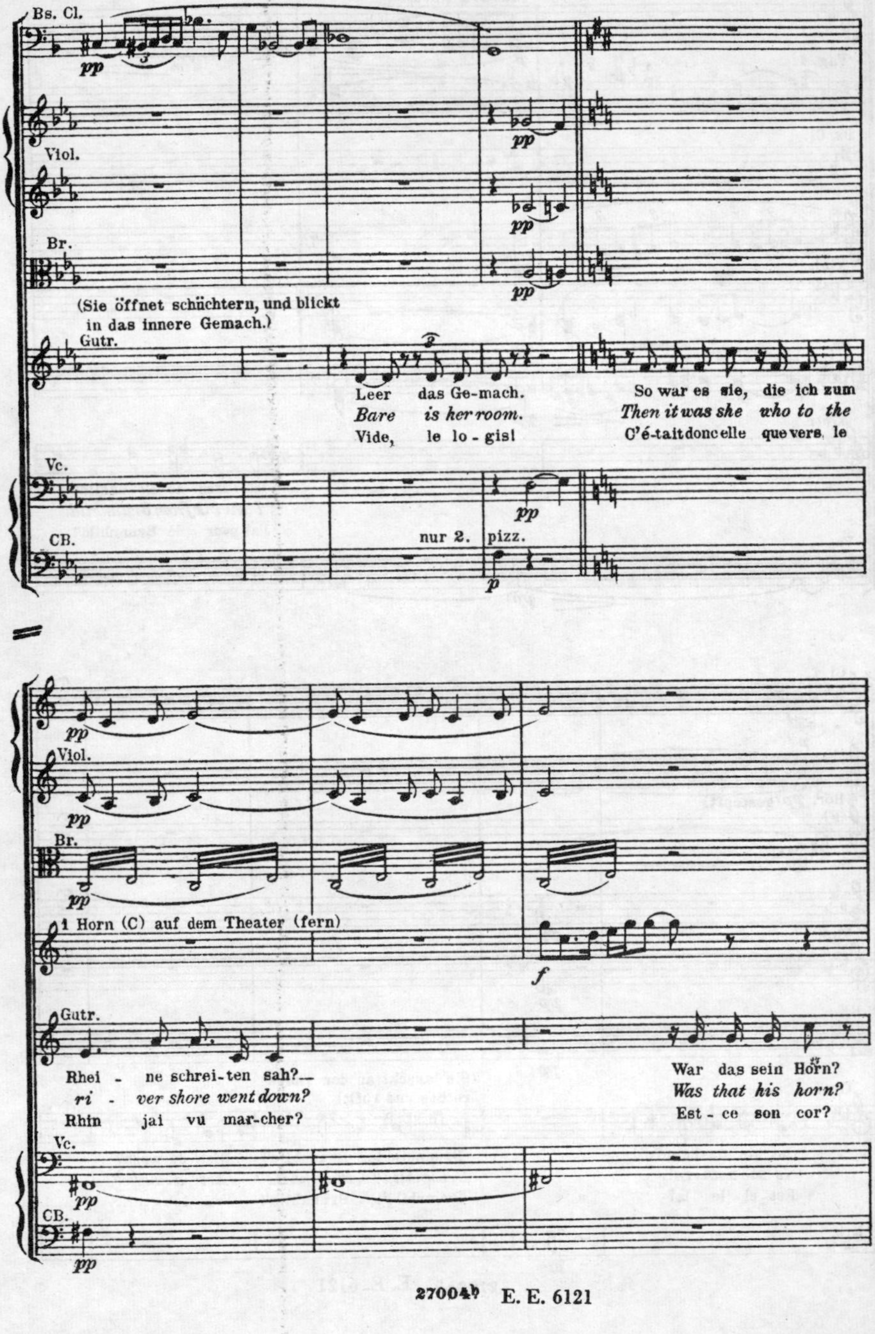
Bs. Cl.
pp
Viol.
pp
pp
Br.
pp
(Sie öffnet schüchtern, und blickt in das innere Gemach.)
Gutr.
Leer das Ge-mach.
Bare is her room.
Vide, le lo-gis!
So war es sie, die ich zum
Then it was she who to the
C'é-tait donc elle que vers le
Vc.
pp
nur 2. pizz.
CB.
p
pp
Viol.
pp
Br.
pp
1 Horn (C) auf dem Theater (fern)
f
Gutr.
Rhei - ne schrei-ten sah?—
ri - ver shore went down?
Rhin jai vu mar-cher?
War das sein Horn?
Was that his horn?
Est - ce son cor?
Vc.
pp
CB.
pp

Bewegt, und immer bewegter.
Fl. 1 u. 2.
Cl. 1 u. 2.
Hr. 1 u. 2 (F)
3 Fag.
Viol.
Br.
Gutr.
Vc.
CB.
pp
p
p (zart)
cresc.
(ohne Dämpfer)
(Sie blickt ängstlich hinaus.)
Nein! Öd' al - les!
No! All si - lent!
Non!... rien! l'om-bre!...
(Bog.)
(alle) p
Hob. 1 u. 2.
Cl. 1 u. 2.
Hr. 3 u. 4 (F)
Fag. 1 u. 2.
(zu 2.)
Fag. 3.
fp
Säh' ich Sieg-fried nun bald!
Would but Sieg-fried re - turn!
Vais - je, Sieg-fried, te voir!
(Hagen's Stimme, von aussen sich nähernd.)
Hag.
Hoi - ho! Hoi - ho!
Hoi - ho! Hoi - ho!
Hoï - ho! hoï - ho!
Vc. u. CB.

Fag. 1 u. 2.
zu 2.
fp
p
p
cresc.
Fag. 3.
fp
p
cresc.
Viol. 2.
cresc.
Br.
cresc.
(Als Gutrune Hagen's Stimme hört, bleibt sie, von Furcht gefesselt, eine Zeitlang unbe-
Hag.
Wacht auf! Wacht auf! Lich-te! Lich-te, hel-le Brän-de!
A-wake! A-wake! Tor-ches, tor-ches, burning tor-ches!
De-bout! De-bout! Vi-te! Vi-te, des lu-miè-res!
Vc.
fp
p
cresc.
CB.
fp
p
cresc.
Fag. 1 u. 2. (zu 2)
Fag. 3.
Pos. 1 u. 3.
fp
più f
Viol. 2.
Br.
weglich stehen.)
Wachsender Feuerschein
Hag.
Jagd-beu-te brin-gen wir heim.— Hoi-ho! Hoi-ho!
Home bring we spoils of our hunt.— Hoi-ho! Hoi-ho!
Nous rap-por-tons le gi-bier! Hoï-ho! Hoï-ho!
Vc.
CB.

Hr. 1 u. 2.
f
f
p
cresc. - -
Hr. 3 u. 4.
f
f
p
cresc. - -
Fag. 1 u. 2.
(zu 2)
f
f
p
cresc.
Fag. 3.
f
f
p
cresc.
Pos. 1 u. 3.
Pos. 4.
sf
sf
p
cresc.
Viol. 2.
f
p
cresc. - - - - - -
p
cresc.
Br.
f
p
cresc. - - - - - -
p
cresc.
von aussen. Hagen tritt in die Halle.)
Hag.
Auf, Gu - trun'! Be - grü - sse Sieg - fried! Der star - ke
Up Gu - trun'! Give Sieg - fried greet - ing! Thy he - ro
Viens, Gu - trun', ac - cueil - le Sieg - fried! Le fort hé -
Vc.
sf
sf
p
CB.
sf
sf
p

Hr. 1 u. 2.
(gestopft)
Hr. 3 u. 4,
(gestopft)
Hr. 5 u. 6.
(zu 2.)
Hr. 7 u. 8.
(zu 2.)
3 Fag.
(zu 3.)
cresc.
Pos. 1. 2 u. 3.
Pos. 4.
Viol.
cresc.
Br.
cresc.
Gutr.
(in grosser Angst)
Was ge-schah? Ha - gen!
What be-fell? Ha - gen!
Qu'est-ce donc? Ha - gen!
Hag.
Held, er keh - ret heim.
bold now com - eth home.
-ros— re-vient chez lui!
Vc.
cresc.
CB.
cresc.

Hr. 5 u. 7.
(zu 2.)
fp
Hr. 6 u. 8.
(zu 2.)
fp
cresc. - -
sf
3 Fag.
(zu 3.)
f
p
Pos. 1 u. 3.
p
sf
Pos. 4.
p
cresc.
sf
sf
sf
Viol.
f
fp
cresc.
fp
Br.
f
fp
cresc.
fp
Gutr.
Nicht hört' ich sein Horn!
I heard not his horn!
Son cor est mu - et!
(Männer und Frauen, mit Lichtern und Feuer-
Hag.
Der blei - che Held, nicht bläst er es mehr; nicht stürmt er zur
The pale-faced hero will wind it no more; to fight or to
Le pâ - le hé - ros n'y doit plus souff - ler; pour lui plus de
Vc.
sf
CB.
f
p

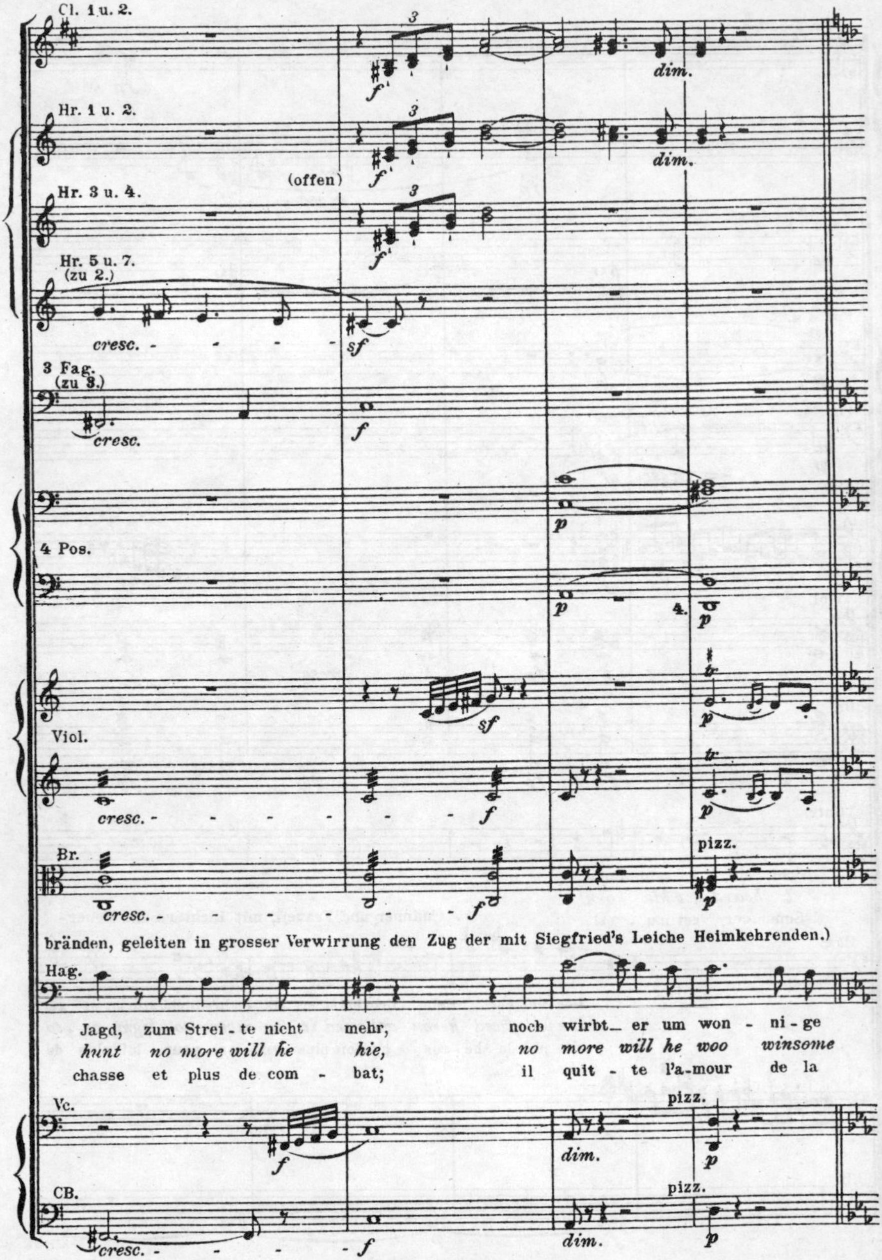
Cl. 1 u. 2.
dim.
Hr. 1 u. 2.
(offen)
dim.
Hr. 3 u. 4.
Hr. 5 u. 7.
(zu 2.)
cresc.
sf
3 Fag.
(zu 3.)
cresc.
f
4 Pos.
p
4.
Viol.
tr
sf
cresc.
f
Br.
pizz.
bränden, geleiten in grosser Verwirrung den Zug der mit Siegfried's Leiche Heimkehrenden.)
Hag.
Jagd, zum Strei - te nicht mehr, noch wirbt_ er um won - ni - ge
hunt no more will he hie, no more will he woo winsome
chasse et plus de com - bat; il quit - te l'a-mour de la
Vc.
dim.
CB.

Cl. 1 u. 2.
p
cresc.
cresc. - - - -
Hr. 2.
sf+
sf+
sf+
Hr. 3 u. 4.
(gestopft)
sf
sf
(offen)
cresc. - - - -
Fag. 1.
p
cresc.
cresc. - - - -
Fag. 2 u. 3.
p
cresc.
cresc. - - - -
Trp. 1 (B)
p
cresc. - - - -
p
cresc.
cresc.
Viol.
p
cresc.
cresc.
Br. (Bog.)
p
cresc.
cresc.
Gutrune (mit wachsendem Entsetzen.)
Was brin-gen die?
What bring they here?
Qu'appor - tent - ils?
Hag.
Frau - en.
wo - men.
fem - me.
(Der Zug gelangt in die Mitte der Halle, und die Mannen setzen dort die Leiche auf einer schnell errichteten Erhöhung nieder.)
Vc. (Bog.)
sfp
sfp
sfp
CB. (Bog.)
p
cresc.
cresc.

Fl. 1.
cresc.
Fl. 2 u. 3.
(zu 2)
cresc.
Hob. 1.
cresc.
Hob. 2 u. 3.
(zu 2)
cresc.
Cl. 1.
Cl. 2.
2.
3.
4 Hör.
cresc.
cresc.
Fag. 1.
Fag. 2 u. 3.
Trp. 1.
4 Pos.
stacc.
Viol.
cresc.
cresc.
Br.
cresc.
fp
Hag.
Ei-nes wil - de
'Tis a boar's
D'un cruel sang
Vc.
cresc.
CB.

Fl.1.
Fl.2u.3.
Hob.1.
Hob.2u.3.
Cl.1.
Cl.2u.3.
Hör.
Fag.1.
Fag.2u.3.
Tromp.1.(B.)
Tromp.2u.3.(B.)
Pos.1u.2.
Pos.3u.4.
Viol.
Br.
Hag.
E - - ber's Beu - te: Sieg - - - fried, dei-nen tod-ten
fa - - ted vic - tim: Sieg - - - fried, thy_ hus-band,
-er vic - ti - me, Sieg - - - fried, ton é-poux, est
Vc.
CB.

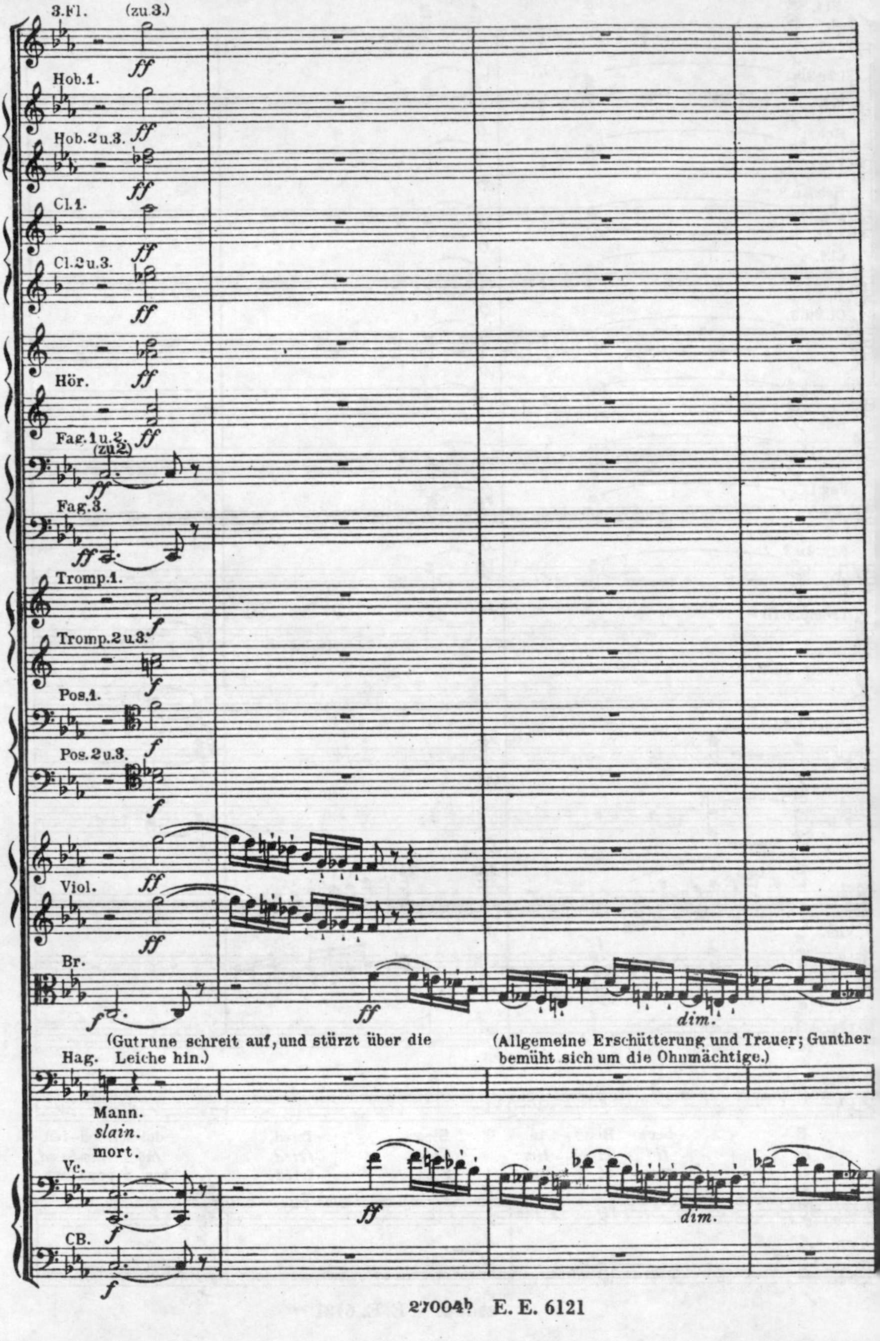
3.Fl.
(zu 3.)
Hob.1.
Hob.2 u.3.
Cl.1.
Cl.2 u.3.
Hör.
Fag.1 u.2.
(zu 2.)
Fag.3.
Tromp.1.
Tromp.2 u.3.
Pos.1.
Pos.2 u.3.
Viol.
Br.
(Gutrune schreit auf, und stürzt über die Leiche hin.)
(Allgemeine Erschütterung und Trauer; Gunther bemüht sich um die Ohnmächtige.)
Hag.
Mann.
slain.
mort.
Vc.
CB.
ff
f
dim.

Bs.Cl.
Fag.1 u.2.
(zu 2)
Fag.3.
Br.
Gunth.
Vc.
4 erste CB.
4 zweite CB.
sf
dim.
p
cresc.
poco f (ausdrucksvoll)
Gut - run,
Gu - trun,
Gu - trun,
Bs.Cl.
Fag.1 u.2. zu 2)
Fag.3.
Br.
Gunth.
Vc.
CB.
hol - de Schwe - ster,
gen. - tle sis - ter
sœur al - mé - e,
he - be dein
look thou up-
rou - vre ta pau-
f

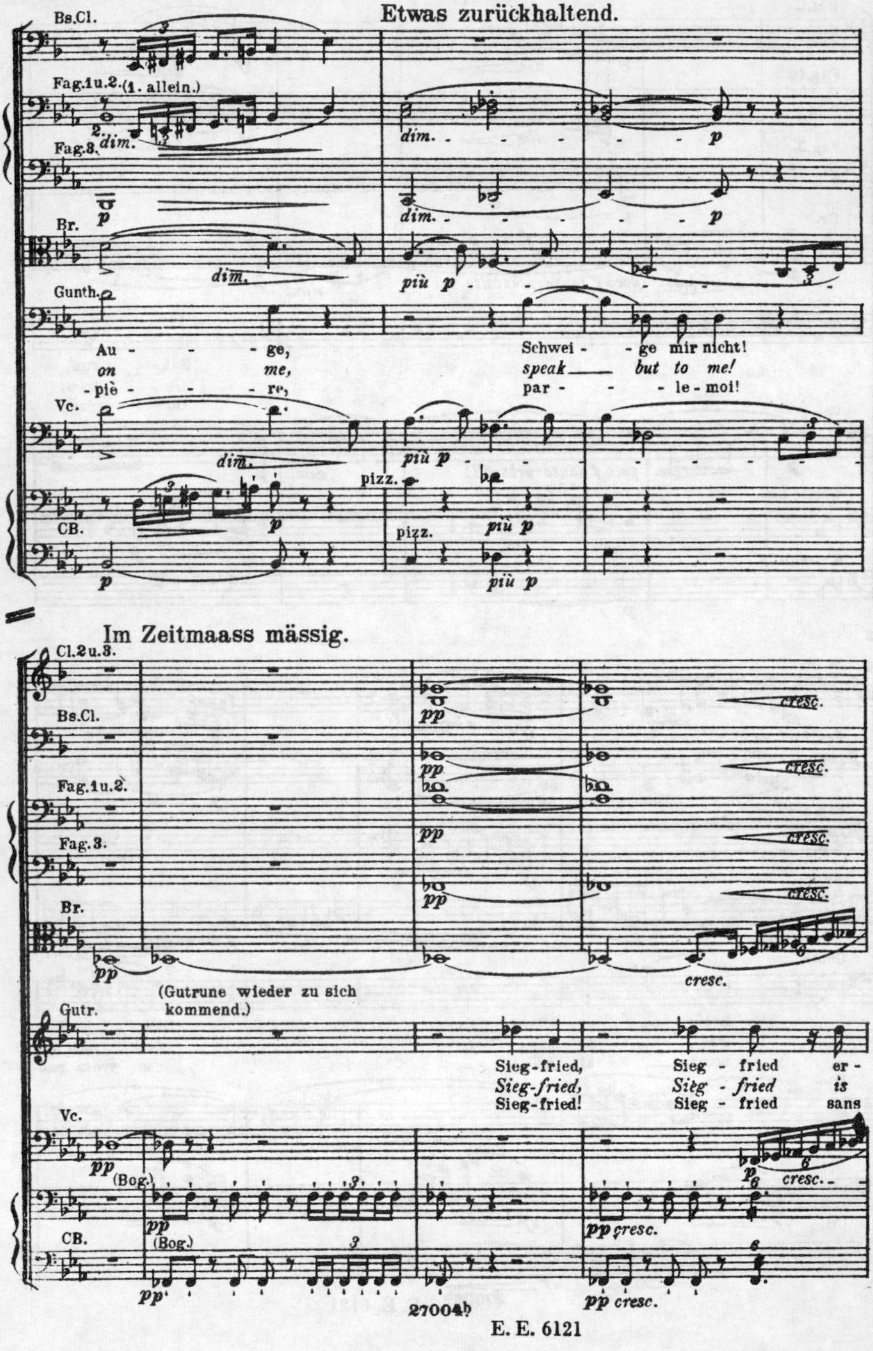
Etwas zurückhaltend.
Bs.Cl.
Fag.1 u.2. (1. allein.)
Fag.3.
Br.
Gunth.
Au - ge, Schwei - ge mir nicht!
on me, speak but to me!
-piè - re, par - le-moi!
Vc.
pizz.
CB.
Im Zeitmaass mässig.
Cl.2 u.3.
Bs.Cl.
Fag.1 u.2.
Fag.3.
Br.
(Gutrune wieder zu sich kommend.)
Gutr.
Sieg-fried, Sieg - fried er-
Sieg-fried, Sieg - fried is
Sieg-fried! Sieg - fried sans
Vc.
(Bog.)
CB.
(Bog.)

Beschleunigend.
Lebhaft.
Hob.1.
Hob.2 u.3.
Cl.1.
Cl.2 u.3.
(F.)
(offen.)
Hör.
Bs.Cl.
Fag.1 u.2.
Fag.3.
Viol.
Br.
Gutr.
(Sie stösst Guntner heftig zurück.)
schla-gen!
murdered!
vi - el
Fort,
Hence!
Loin,
treu-lo - ser Bru-der,
hence, faith-less brother!
frè-re par-ju-re,
Vc.
CB.
cresc.
più f
sf
ff
fp
p cresc.

Viol.
Br.
Gutr.
du Mör - der mei - nes Man - nes,
'tis thou hast slain my hus - band,
c'est toi qui fis ce meur - tre!
Vc.
stacc.
più cresc.
cresc
più f
Hob.1 u.2. (zus.)
Hob.3.
Cl.1 u.2. (zus.)
Cl.3.
Hör.
Bs.Cl.
Fag.1 u.2.
Fag.3.
Viol.
Br.
Gutr.
O Hül - fe! Hül - fe! We - he!
O, help me! Help me! Sor - row!
A l'ai - de! Vi - te! Las!
Vc.
CB.

Hob. 1 u. 2.
più f
Hob. 3.
più f
Cl. 1 u. 2. (zu 2.)
più f
Cl. 3.
più f
più f
Hör.
più f
Bs. Cl.
più f
Fag. 1 u. 2.
più f
Fag. 3.
più f
più f
Viol.
più f
Br.
f
tr
Gutr.
We - - he! Sie ha - ben Sieg - fried er-
Sor - - row! My he - ro, Sieg - fried, is
Las! Par eux mon Sieg - fried ex-
Vc.
f
tr
CB.

Hob.1 u.2.
Hob.3.
Cl.1 u.2.
Cl.3.
Hör.
Bs.Cl.
Fag.1 u.2.
Fag.3.
Viol.
Br.
Gutr.
schla- gen!
mur- dered!
-pi- re!
Gunth.
Nicht kla-ge wi-der mich, dort kla-ge wi-der
Cast not the blame on me, cast there the blame on
Non, ne m'ac-cu-se point, ac-cu-se seul ce
Vc.
CB.
ff
f
sf
dim.

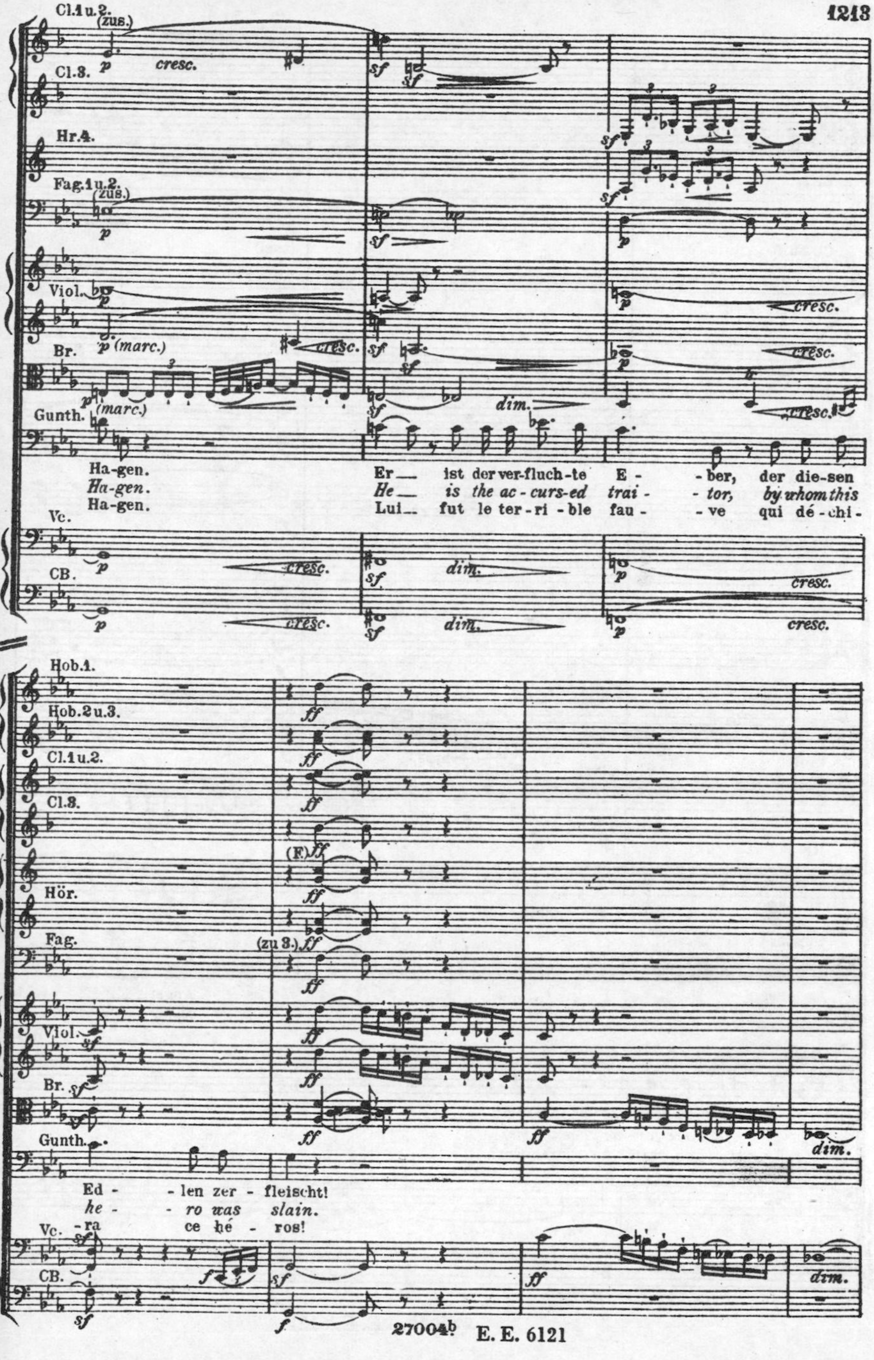
Cl.1 u.2.
(zus.)
cresc.
Cl.3.
Hr.4.
Fag.1 u.2.
(zus.)
Viol.
(marc.)
Br.
(marc.)
dim.
Gunth.
Ha-gen. Er — ist der ver-fluch-te E - ber, der die-sen
Ha-gen. He — is the ac-curs-ed trai - tor, by whom this
Ha-gen. Lui — fut le ter-ri-ble fau - ve qui dé-chi-
Vc.
CB.
Hob.1.
Hob.2 u.3.
Cl.1 u.2.
Cl.3.
(F.)
Hör.
Fag.
(zu 3.)
Viol.
Br.
Gunth.
Ed - len zer - fleischt!
he - ro was slain.
-ra ce hé - ros!
Vc.
CB.

Hob. 1 u. 2.
(zus.)
Hob. 3.
Cl. 1.
Cl. 2 u. 3.
(zus.)
Hör.
Fag. 1 u. 2.
Fag. 3.
Bs. Cl.
Viol.
pizz.
(Bog.)
cresc.
Br.
Gunth.
Angst und
Grief and
Peine, dé-
Hag.
Bist du mir gram da-rum?
Art there-fore wroth with me?
M'en vou-drais-tu vraiment?
Vc.
CB.

Hob.1 u.2.
(zus.)
più f
Hob.3.
Cl.1.
Cl.2 u.3.
Hör.
Fag.1 u.2.
Fag.3.
Bs.Cl.
Viol.
Br.
Gunth.
Un - heil grei - fe dich im-mer!
ill - fate thine be for e-ver!
-tres - se soient ton par - ta-ge!
Ve.
CB.

Hob. (zu 3.)
ff
Cl. 1 u. 2.
ff
Cl. 3.
ff
(zu 2.)
f
Hör.
(zu 2.)
f
Fag. (zu 3.)
ff
Pos. 1 u. 2.
f
(trem.)
Viol. ff
(trem.)
ff
Br.
ff
Hagen. (mit furchtbarem Trotze herantretend.)
Ja denn!
Yes then!
Oui donc!
Vc.
ff
CB.

(zu 2)
Hör.
(zu 2)
Pauk. 1. Paar.
(H)
tr
Viol.
Br.
Hag.
Ich hab' ihn er-schla-gen. Ich— Ha-gen— schlug ihn zu
'Tis I that did slay him. I Ha-gen dealt him his
J'ai fait, moi, ce meur-tre! Moi, Ha-gen, je l'ai frap-
Vc.
CB.
(geth.)
Cl. (zu 3)
Hr. 3 u. 4.
(zus.)
Fag. 1 u. 2.
(zus.)
Fag. 3
Pos. 1 u. 2.
Pos. 3 u. 4.
Viol.
Br.
cresc.
Hag.
todt. Mei-nem Speer— war er ge-spart, bei dem er
death. To my spear— was he de-creed, where on his
-pe! A ma lance— il fut vou-é de par son
Vc.
CB.

Hob. (zu 3)
fp
cresc.
Cl. (zu 3.)
fp
cresc.
f
(zu 2.)
fp
f
più f
Hör.
più f
Fag. 1 u. 2.
fp
cresc.
f
Fag. 3.
fp
cresc.
f
più f
Pos. 1 u. 2.
p
cresc.
più f
Pos. 3 u. 4.
p
cresc.
più f
Pauk. 2. Paar. (B.)
p
Viol.
fp
f
più f
fp
cresc.
f
più f
Br.
fp
cresc.
f
più f
Häg.
Mein - eid sprach.
false oath was sworn.
faux ser - ment!
Vc.
f
f
più f
(zus.)
CB.
fp
cresc.
f
più f

Hei - - li-ges Beu-te-recht hab' ich mir nun er - run-gen:— Drum
*Ho - - li-est he - ri-tage have I by right now won me:* *There-*
*Maî - - tre du droit sa-cré que le vainqueur ex - er - çe,* *j'e -*

Hob. 1 u. 2.
Cl. 1 u. 2.
Cl. 3.
Hör.
Fag.
(zu 3.)
Pos. 1 u. 2.
Pos. 3 u. 4.
Pauk. 1. Paar. (A.)
Viol.
pizz.
(Bog.)
Br.
Gunth.
Zu-rück! Was
A-way! What
Arrière! il
Hag.
fordr'ich hier die - sen Ring.
fore I claim here — this ring.
-xige i - ci — cet — an - neau.
Vc.
Cb.
cresc.

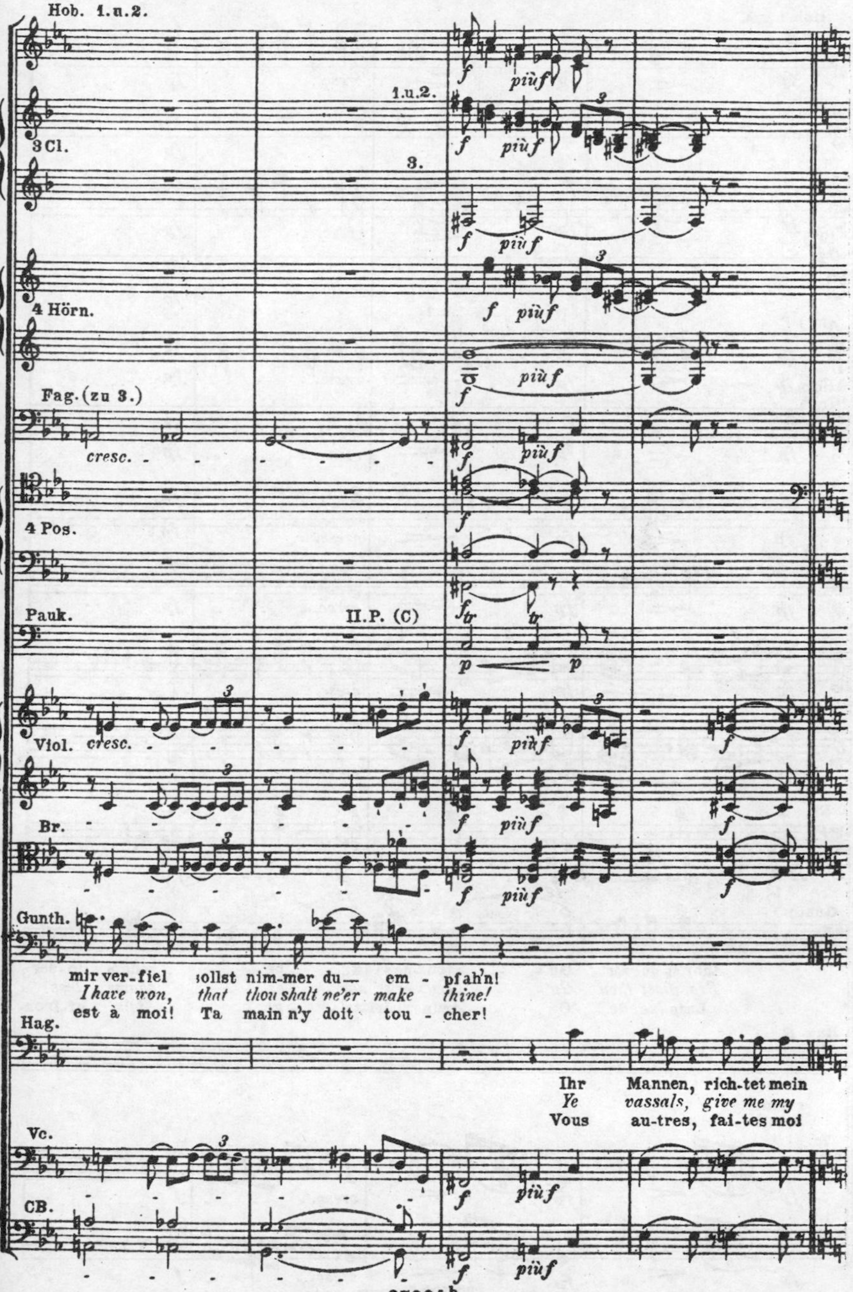
Hob. 1.u.2.
1.u.2.
3 Cl.
3.
4 Hörn.
Fag. (zu 3.)
cresc.
4 Pos.
Pauk.
II.P. (C)
Viol.
cresc.
Br.
Gunth.
mir ver-fiel sollst nim-mer du- em - pfah'n!
I have won, that thou shalt ne'er make thine!
est à moi! Ta main n'y doit tou - cher!
Hag.
Ihr Mannen, rich-tet mein
Ye vassals, give me my
Vous au-tres, fai-tes moi
Vc.
CB.
f
più f
p

Hob. 1. u. 2.
fp
cresc.
Hob. 3.
Cl. 1. u. 2.
Cl. 3.
(F)
4 Hörn.
1. u. 2.
3 Fag.
3.
Viol.
f
Br.
12
Gunth.
Rühr'st du an Gu - tru - ne's Er - be, scham - lo - ser
Grasp-est thou Gu - tru - ne's dow - er, shame - less
Lais - se de Gu - trun l'héri - ta - ge fils ef - fron -
Hag.
Recht!
right.
droit!
Vc.
CB.

1.u.2.
Hob.
3
1.u.2.
Cl.
3
4 Hrn.
3 Fag.
1.
3 Pos.
cresc.
Pauk. II. P. (Fis)
tr
cresc.
Viol.
Br.
Gunth.
Al - ben-sohn!
Nib - lung-sohn?
Hag - té du nain!
(Hagen zieht sein Schwert.)
Hag.
Des Al - ben Er - be for-dert so sein
The Nib - lung's dow - er so his son doth
Le bien de l'Al - fe est à moi, son
Vc.
CB.

Fl.
1. u. 2.
più f
Hob. 1. u. 2.
2 Cl. 1. u. 2.
4 Hörn. (F)
3 Fag.
1.
2. u. 3.
4 Pos.
Pauk.
poco f
(geth.)
(zus.)
Viol.
Br.
Hag.
(Er dringt auf Gunther ein; dieser wehrt sich; sie fechten. Die Mannen werfen sich dazwischen. Gunther fällt von einem Streiche Hagen's todt darnieder.)
Sohn.
seize.
fils.
Vc. u. CB. (zus.)

Fl.1u.2.
Fl.3.
Hob.
Hob.2.u.3.
Cl.1.
Cl.2.u.3.
4 Hörn.
1.u.2.
3 Fag.
Trp.
3.
(F)
Bstrp.(C)
1.u.2.
3 Pos.
3.
Pauk.
II. P.(G)
Viol.
Br.
Hagen.
Her den Ring!
Mine, the ring!
A moi l'an - neau!
(Er greift nach
Vc.u.CB.
ff
più f

Bedeutend langsamer.
Fl. 1.u.2.
Fl.3.
Hob.1.
Hob.2.u.3.
Cl.1.
Cl.2.
3.
4 Hörn.
(Es)
3 Fag.
Trp.1.
p marc.
Trp.2.u.3.(F)
Bstrp.
4 Pos.
dim.
più p
pp

270041

E. E. 6121

Fl.1.
Fl.2.
Fl.3.
1.
3 Hob.
2.u.3.
1u.2.
Cl.
3.
(F)
4 Hörn.
(Es)
3 Fag.
1.(F)
3 Trp.
2.(Es)
Bstrp.
4 Pos.
pp
p
2.
3.
poco cresc

27004 h

E. E. 6121

Fl.1.
poco cresc.
poco f
dim.
Fl.2.
poco cresc.
poco f
dim.
Fl.3.
poco cresc.
poco f
dim.
1.
Hob.
poco cresc.
poco f
dim.
p
2.
poco cresc.
poco f
Cl.
poco cresc.
poco f
dim.
p
poco cresc.
poco f
dim.
p
4Hörn.
(F)
poco f
dim.
dim.
poco f
3Fag.
poco cresc.
poco f
dim.
p
poco cresc.
poco f
dim.
p
1.
Trp.
poco cresc.
poco f
dim.
p
Bstrp.
poco cresc.
poco f
dim.
pp
poco f
dim.
p
poco cresc.
poco f
dim.

4 Tub.
CB. Tub.
I. P.
Pauk. (H)
H. P.
Becken.
Viol.
Br.
Brünnh.
Vc.
CB.
(G)
(B)
poco f
dim.
(während sie ruhig weiter vorschreitet.)
zur Ra - che schrei - tet sein Weib! Kin-der hört' ich grei-nen nach der
for ven - geance com - eth his wife. Chil-dren heard I whin-ing to their
ven - gean - ce! Place à l'é - pouse! Vous ver-sez des pleurs den-fants sans

Viol.
Br.
Brünnh.
Mut - ter, da sü - sse Milch sie ver-schüt - tet: doch nicht er -
mo - ther, be - cause sweet milk had been spill - ed: yet heard I
mè - res, pri - vés du lait qui fait vi - vre; mais nul n'a
Vc.
Trp. 1. u. 2.
(F)
1.
2.
Bstrp.
(C)
4 Pos.
4.
Pauk. I. P. (G)
(C) tr
Viol.
(ohne Dämpfer.)
(ohne Dämpfer.)
Br.
(ohne Dämpfer.)
Brünnh.
klang mir wür - di - ge Kla - ge, des höch - sten Hel - den
not la - ment that be - fit - teth the high - est he - ro's
dit la plain - te qu'ex - i - ge le plus vail - lant hé -
Vc.
(ohne Dämpfer.)

Wieder schnell.
Hob. 1.
ff
Hob. 2. u. 3.
ff
Cl. 1. u. 2.
ff
Cl. 3.
ff
(F)
ff
4 Hörn.
(F)
ff
Fag. zu 3.
ff
1.
3 Trp.
cresc.
sf
2. u. 3.
Bstrp.
cresc.
sf
4 Pos.
cresc.
sf
cresc.
stacc.
f
fp
Viol.
stacc.
f
fp
Br.
f
fp
Gutr. (vom Boden heftig sich aufrichtend.)
Brünn - hil - de! Neid - er - bos' - te!
Brünn - hil - de! En - vy - cursed one!
Brünn - hil - de! cœur de hai - ne,
Brünnh.
werth.
fame.
-ros.
Vc.
f
fp
CB.
pizz.
sf

Du brach-test uns die - se Noth: die du die Män - ner ihm ver - a -
*Thou hast on us brought this bane, for thou didst rouse the men a -*
toi seule as fait tous nos maux! Toi qui je - tas sur lui ces

hetz - test, weh', dass du dem Haus ge - naht!
*gainst him; woe, that to this house thou cam' st!*
hom - mes, sois mau-di - te d'être i - ci.

Mässiger, und im Zeitmaass etwas zurückhaltend.

poco rall.
a tempo
Hob. 1. u. 2.
Cl. 1. u. 2.
Engl. Hr.
(F)
4 Hörn.
(Es)
3 Fag.
Bs. Cl.
pizz.
(Bog.)
Viol.
Br.
Brünnh.
Buh-le-rin ban-dest du ihn. Sein Man - - nes-ge-mahl bin
le-man a-lone hast thou been. His man - - hood's bride am
-man-te d'un jour, tu lui plus. L'é - pou - - se qu'il prît c'est
Vc.
CB.
cresc.
dim.

Hr. 1.
p cresc.
f
dim.
Viol.
f
dim.
p
Br.
f
dim.
p
Brünnh.
(gedehnt)
ich, der e - wi-ge Ei - de er schwur, eh' Siegfried je dich er-
I; to me all his vows had been sworn ere Siegfried looked on thy
moi, et j'eus ses ser-ments pour tou-jours quand Siegfried, toi, t'ig-no-
Vc.
dim.
p
CB.
pizz.
(Bog.)
f
Wieder lebhaft.
1u.2.(zus.)
3 Hob.
3.
ff
sf
f
3 Cl.
Engl. Hr.
4 Hr.
3 Fag.
Viol.
p
cresc.
Br.
Brünn.
sah!
face!
-rait!
Gutr.
(in jähe Verzweiflung ausbrechend.)
Ver-fluch - ter Ha - gen! Dass du das Gift mir riethest, das
Ac-cur - sed Ha - gen! that thou the poi - son gav'st that has
In-fâ - me Ha - gen! De toi me vint le phil - tre qui
Vc. u. CB. (zus.)

Fl. 1.
3 Hob.
Engl. Hr.
3 Cl.
Hr.
Fag.
Viol.
Br.
Gutr.
(Sie hat sich voll
ihr den Gat-ten ent-rückt! Ach, Jammer! Wie jäh' nun weiss ich's,
stol'n her hus-band a-way! Ah, sor-row! Mine eyes are o-pened,
lui ra-vit son é-poux! Ah! lar-mes! I-ci j'apprends tout!
Vc.
CB.
p cresc.
f sf dim.
2 u. 3.

rall. Immer nach-
Fl. 1.
dim.
poco sf dim.
p
3 Hob.
Engl. Hr.
3 Cl.
(weich)
Hr. 1. (F)
poco sf
più p
Hr. 2. (C)
Hr. 3. (F)
(C)
Fag. 1.
pizz.
(Bog.)
Viol.
Br.
Scheu von Siegfried abgewendet, und beugt sich nun ersterbend über Gunther's Leiche; so verbleibt sie regungslos bis zum Schlusse.)
Gutr.
Brünnhild', war die Trau-te, die durch den Trank er ver - gass!
Brünnhild' was the truelove whom through the drink he for - got!
Brünnhild' est l'ai-mé-e que, par le phil-tre, il oubli - a.
Vc.
CB.

lassend im Zeitmass.
2. (C)
Hr.
3. (C)
4 Pos.
Pauk. 2. Paar. (tief E u. A)
Viol.
Br.
Vc.
(Bog.)
CB.
(Hagen steht, trotzig auf Speer und Schild gelehnt, in
Hr. 1 u. 2. (F)
p (gedämpft)
Hr. 3 u. 4. (F)
Pauk. 2. Paar. (E u. A)
sehr zurückhalt.
rallent.
(mit Dämpfer)
finsteres Sinnen versunken, auf der entgegengesetzten Seite. Brünnhilde allein in der Mitte;
poco cresc.
poco f

Sehr breit, und langsamer als zuvor.

Hob. 1 u. 2.
3 Cl.
Hngl. Hr.
Hr. 5 u. 6. (F)
Hr. 7 u. 8. (F)
3 Fag.
4 Pos.
Pauk. 1. Paar. (G u. C.)
Viol.
Br.
Brünnh.
(zu den Mannen.)
Star - ke Schei - te schichtet mir
Might - y logs I bid you now
Qu'un bû - cher s'é - lè - ve là -
Vc.
CB.
p
pp

Hob. 1 u. 2.
1.
3 Cl.
2 u. 3.
Engl. Hr.
Hr. 5 u. 6. (F)
Hr. 7 u. 8. (F)
3 Fag.
4 Pos.
Pauk. 1. Paar. (B)
Viol.
Br.
Brünnh.
dort am Ran - de des Rheins zu Hauf'!
pile on high by the ri - ver shore!
-bas, dres - sé sur le bord du Rhin.
Vc.
CB.
cresc.

Fl. 2 u. 3.
cresc.
1 u. 2.
3 Hob.
3.
p
Engl. Hr.
1.
3 Cl.
2 u. 3.
Hr. 1 u. 2. (E)
Hr. 3 u. 4. (E)
Hr. 5 u. 6. (F)
Hr. 7 u. 8. (F)
3 Fag.
3 Trp.
(E)
pp
Pos. 1.
Viol.
Br.
Brünnh.
Hoch und hell lod' - re die
Bright and fierce kin - dle a
Haut et clair flam - be le
Vc.
CB.

1.
3 Fl.
3 Hob.
Engl. Hr.
3 Cl.
Hr. 1 u. 2. (E)
Hr. 3 u. 4. (E)
3 Fag.
Trp. 3. (D)
Viol.
Br.
Brünnh.
Vc.
CB.
pizz.
cresc.
Gluth, die den ed - - - - - len
fire; let the no - - - - - blest
feu où le no - - - - - ble

1 u. 2.
3 Fl.
3.
3 Hob.
Engl. H.
3 Cl.
1 u. 2.
4 Hr. (E)
3 u. 4.
3 Fag.
Trp. 3. (D)
Bs. Trp.
4 Pos.
Becken.
Viol.
Br.
Brünnh.
Vc.
CB.
p
cresc.
f
dim.
marc.
Leib des heh- res-ten
he ro's corse in its
corps du bra- ve su-

3 Fl.
p
3 Hob.
Engl.Hr.
3 Cl.
Hr. 5 u. 6. (F)
Hr. 7 u. 8. (F)
3 Fag.
dim.
Trp. 3. (D)
Bs.Trp.
4 Pos.
Pauk. 2. Paar. (Gis u. Cis)
Viol.
Br.
Brünnh.
Hel - den ver - zehrt.
flames be con - sumed.
-bli - me brû - le - ra.
Vc.
CB.

1 u. 2. (zus.)
3 Hob.
Engl. Hr.
3 Cl.
Hr. 5 u. 6. (F)
Hr. 7 u. 8. (F)
1 u. 2. (zus.)
3 Fag.
Viol.
Br.
Brünnh.
Sein Ross füh - ret da-her, dass mit
His steed bring to me here, that with
Me - nez - moi son cheval; com - me
Vc.
stacc.
CB.
cresc.
p

Fl. 1.
tr
f
dim.
1. u. 2. (zus)
1.
dim.
3 Hob.
3.
2 u. 3.
Engl. Hr.
1.
3. Cl.
2 u. 3.
(zu 2)
Hr. 1 u. 3. (Es)
Hr. 2 u. 4. (Es)
(zu 2)
marc.
Hr. 5 u. 6.
(F)
Hr. 7 u. 8.
(F)
1 u. 2.
(zu 2)
3 Fag.
3.
Trp. 1. (E)
Bs. Trp. (Es)
Pauk. (Es)
Viol.
Br.
Brünnh.
mir dem Re - cken es fol - ge: denn des
me his lord he may fol - low: for my
moi qu'il sui - ve le Maî - tre. Du hé-
Vc.
mf
CB.
p

1250
Fl.
1.
2.
fp
3 Hob.
p
cresc.
Engl. Hr.
3 Cl.
Hr. 1 u. 2. (Es)
Hr. 3 u. 4. (Es)
Hr. 6. (E)
Hr. 8. (E)
poco f
3 Fag.

marc.
Bs. Trp. (Es)
marc.
poco f
poco f
p
p
1.
mf
p
2.
mf
4 Pos.
3.
p
4.
p
Viol.
p
cresc.
poco f
p
pizz.
p
cresc.
f
(Bog.)
p
Br.
p
cresc.
pizz.
sf
(Bog.)
p
Brünnh.
Hel - - den hei - - lig - ste Eh - - re zu thei - len ver-
bo - - dy burn - - eth with ho - li - est long - ing my
-ros la gloi - - re su - prê - - me mon pro - - - pre
Vc.
pizz.
p
cresc. - - - - f
CB.

1252
1.
Fl.
2.
cresc.
Hob.
Engl. Hr.
Cl.
Hr. 1 u. 2. (Es)
Hr. 3 u. 4. (Es)
Hr. 5 u. 6. (Es)
Hr. 7 u. 8. (Es)
Fag.
Tromp. 1. (E)
Tromp. 3. (Es)
tr
zu 2.
f
3

Pos.1 u.2.
1.
zu 2.
Pos.3.
Pos.4.
CB.Tub.
Pauk. (Es u.B)
Viol.
Br.
Brünnh.
langt mein ei - - ge-ner Leib.
he - - ro's hon - - our to share.
corps la veut par-ta - ger.
Vc.
(Bog.)
CB.
pizz.
(Bog.)
cresc.

Fl.
zu 2.
zu 2.
Hob.
Engl.Hr.
Cl.
Hr. 1 u. 2.
zu 2.
Hr. 3 u. 4.
zu 2.
Hr. 5 u. 6.
Hr. 7 u. 8.
3 Fag.
zu 3.
Tromp. 1. (Es)
Tromp. 2. (Es)
Tromp. 3. (Es)

Pos.1 u.2.
zu 2.
Pos.3.
Pos.4.
CB.Tub.
Pauk. (Es u. B)
Viol.
Br.
Brünnh.
Voll - bringt
Ful - fil
Al - lezl
Vc.
CB.

(schwer)
Fl.
(schwer)
zu 2.
zu 2.
Hob.
Engl. Hr.
Cl.
zu 2.
zu 2.
3 Fag. zu 3.
Tromp.1.(E)
Tromp.2.(E)
cresc.
f

Pos. 1 u. 2.
zu 2.
Pos. 3.
Pos. 4.
CB. Tub.
Pauk. I.P. (Es u B)
cresc.
Viol.
cresc.
cresc.
Br.
cresc.
Brünnh.
(Die jungen Männer errichten
Brünn - - hil - des Wort!
Brünn - - hild's be - hest!
Brünn - - hild' a dit!
Vc.
cresc.
CB.
cresc.

Fl.
zu 2.
Hob.
Engl.Hr.
Cl.
zu 2.
(Es)
(Es)
Hör.
(Es)
(Es)
Fag.
zu 2.
Tromp. 1. (E)
Tromp. 2. (E)
Tromp. 3. (Es)
ff
dim.
2 u.3.
f

Pos.1 u.2.
Pos. 3.
Pos. 4.
CB.Tub.
I.P. (Es u.B)
Pauk.
II.P. (Des u.As)
Viol.
Br.
während des Folgenden, vor der Halle, nahe am Rheinufer, einen mächtigen Scheithaufen: Frauen schmücken diesen dann mit Decken, auf welche sie Kräuter und Blumen streuen.— Brünnhilde versinkt von Neuem in die Betrachtung des Antlitzes der Leiche Siegfried's.)
Vc.
CB.

1.
Fl.
2 u.3.
dim.
2.
più p
pp
Hob.
dim.
p
Engl.Hr.
più p
(sehr ausdrucksvoll)
p cresc.
poco f
dim.
Cl.
1 u.2.(F)
3 u.4.(F)
Hör.
Fag.1 u.2.
Tromp.2.(E)
Harf.
Viol.
(trem.)
Br.
(Bog.)
pizz.
(Ihre Mienen nehmen eine immer sanftere Verklärung an.)
Vc.
CB.
(nur 4)
pizz.

1.
3 Fl. 2 u.3.
pp
pp
Hob.
1.
sehr ausdr.
p
3 Cl. 1.
2 u.3.
p
pp
1 u.2. (F)
Hör.
3 u.4. (F)
3.
pp
Fag. 1 u. 2.
pp
Harf.
pp
pp
Viol.
pp
(weich)
pp
pp
Br.
pp
Brünnh.
Wie Son - ne lau - ter strahlt mir sein Licht;
Like rays of sunshine stream-eth his light:
So - leil sans tache, il brille à mes yeux:
Vc (allein)
p (sehr zart)
pp

riten.
3 Fl.
Hob.1.
Engl. Hr
3 Cl.
Hör. (F)
Bs. Cl.
Fag. 1 u. 2.
Viol.
Br.
Brünnh.
der Rein - ste war er, der mich verrieth! Die Gat-tin trü-gend
the pur - est was he who hath be-trayed! In wedlock trai-tor
Si pur fut l'homme qui me tra-hit! Trom-pant l'é-pou-se
Vc.
CB.
(alle)
pizz.

a tempo
riten.
riten.
ausdrucksvoll
Hob. 1.
p (weich)
cresc.
Engl. Hr.
tr
dim.
sf
p
1.
1 u. 2.
3 Cl.
3.
(F)
Hör. p dolce
(C)
p dolce
pp
Fag. 1 u. 2.
Tromp. 1. (C)
Viol.
Br.
pizz.
(Bog.)
Brünnh.
treu dem Freun-de, von der eig-nen Trauten ein - zig ihm theu - er,
true in friendship, from his heart's own true-love on - ly be-loved one,
pour le frè - re, de sa pro-pre fem-me, seu - le che-ri - e,
Vc.
CB.

a tempo
Hob. 1.
sf
Cl. 2 u. 3.
cresc. - - -
sf
(F)
Hör.
(C)
p cresc. - - -
f
2 u. 3.
Fag.
f p
Bs. Cl.
f p
Tromp. 1. (C)
Viol.
p cresc
f
p
(trem.)
p cresc. - - - -
fp
Br.
(trem.)
p cresc. - - - -
fp
Brünnh.
schied er sich durch sein Schwert. Äch-ter als er schwur kei - ner
barred was he by his sword. Tru-er than his were oaths ne'er
son é-pée le met loin. Nul n'a ju-ré ser-ments plus
Vc.
(Bog.) p cresc. - - - -
f
p
CB.
(Bog.) p cresc. - - - -
f
p

**Belebt.**

Ei - del      treu - er als er hielt Kei - ner Ver - träge;     lau -
*spoken;*      *faith - ful as he, none   e - ver held promise;*     *pur -*
fermes;      nul n'est res - té plus droit en ses pactes;     plus

zurückhaltend. Noch mehr. Belebend.
(zu 2.)
Hob. 1 u. 2.
Cl. 1.
drucksvoll
dim.
più p
Hör. (F)
(zu 2.)
Fag.
Bs. Cl.
Viol.
Br.
Brünnh.
riten.
-trer als er
- er than his
— ten-drement
lieb-te kein And'rer:
love ne'er was plighted:
n'ai-me nul au-tre.
Und doch al - le
Yet oaths hath he
Pour-tant tous les
Vc.
CB.

Sehr lebhaft.
Zurückhaltend.
Hob. 1 u. 2.
(zu 2.)
Engl. Hr.
1 u. 2. (zus.)
Cl.
1.
2 u. 3.
Hör.
1.
Fag.
2 u. 3.
Bs. Cl.
Viol.
Br.
Brünnh.
Ei - de, al - le Ver - trä - ge, die treu - es - te
scorn - ed, bonds hath he bro - ken, the faith - full - est
pac - tes, et les pro - mes - ses, l'a - mour le plus
Vc.
CB.

Lebhaft, doch nicht zu schnell.
Sehr langsam.
Fl.
(zu 3)
3 Hob.
2 u. 3. (zus.)
3 Cl.
(zu 3)
4 Hr.
3 Fag.
(zu 3)
4 Pos.
Viol.
più p
Br.
(trem.)
dim.
Brünnh.
Lie - be, — trog — Kei - ner wie Er!
love — none — so hath be - trayed! —
ten - dre, — nul — n'y man - que au - tant!
Vc.
CB.
Immer feierlicher.
4 Hr.
cresc.
Bs. (sehr ausdrucksvoll.)
Trp. (Es)
4 Pos.
Br.
Brünnh.
Wisst ihr, wie das ward?
Know ye why that was?
Qui sait tels se - crets?

Mässig langsam, ohne zu schleppen.

Trp. 1. (D)
Trp. 3. (D)
Bstrp. pp (Es)
Pos. 1.
Pos. 2 u. 3.
Pos. 4.
Br.
Brünnh.
Lenkt eu - ren Blick auf mein blü - hen - des Leid; er - schaut eu - re
Turn now your eyes on my griev - ous dis - tress; be - hold your e -
que vos re - gards voient fleu - rir ma dou - leur. Voy - ez, vo - tre
Vc.
CB.
(Bog.)
Trp. 1. (D)
Bstrp. (Es)
Pos. 1 u. 2.
Pos. 3 u. 4.
Viol.
Br.
Brünnh.
e - - wi - ge Schuld! Mei - ne Kla - - ge hör', du
ter - - nal dis - grace! To my plaint ___ give ear thou
faute ___ é - ter - nelle! Je me plains ___ à toi, su -
Vc.
dim. - - - p (ausdrucksv.)
CB.
dim. - - - p (ausdrucksv.)

Hob. 1.
Engl. Hr.
Cl. 2 u. 3. (B)
Bs. Cl. (B)
Viol.
Br.
Brünnh.
hehr - ster Gott! Durch sei - ne ta - pfer-ste
might - y god! Through his most val - iant
prê - me Dieu! Par son ex - ploit le plus
Vc.
CB.
Hob. 1. Belebend.
Engl. Hr.
Cl. 1.
Cl. 2 u. 3.
Bs. Cl. (B)
Fag. 1 u. 2.
Viol.
Br.
Brünnh.
That, dir so taug-lich er - wünscht, weih - test du
deed by thee so dear - ly de - sired, didst thou con -
fier tel qu'il plut à ton voeu, tu l'as li -
Vc.
CB.
cresc.
cresc.

Hob.1. accel.
cresc.
Hob. 2.
p cresc.
2.
8.
cresc.
Engl. Hr.
p cresc.
Cl. 1.
p cresc.
Cl. 2 u. 3.
p
cresc.
Bs. Cl.
p
cresc.
Fag. 1 u. 2.
p
cresc.
Viol.
cresc.
cresc.
Br.
cresc.
Brünnh.
den, — der sie ge-wirkt, dem Flu-che dem du ver-fie-lest, —
demn him to en-dure the doom that on thee had fal-len,
-vré, — lui, ton hé-ros, au sort qui t'at-tend toi-mê-me.
Vc.
CB.

Zurückhaltend.
Hob. 1.
Hob. 2 u. 3.
Engl. Hr.
Cl. 1.
Cl. 2 u. 3.
Bs. Cl.
Fag. 1 u. 2.
Pos. 1 u. 2.
Pos. 3 u. 4.
Viol.
Br.
Brünnh.
(gedehnt)
mich musste der Reinste verrathen, dass wissend würde ein
he, truest of all, must betray me, that wise a woman might
Moi, l'être si pur m'a trahie pour qu'une femme com-
Vc.
CB.
Pauk (Fis)
Viol.
Br.
Brünnh.
Weib!
grow!
-prît!
Weiss ich nun was dir frommt?
Know I now all thy need?
Sais-je enfin ce qu'il faut?
Vc.
CB.
pizz.
dim.

Pauk. (Fis)
Viol. più p
più p
Br.
più p
Brünnh.
Al - les, Al - les, Al - les weiss ich, Al - les ward mir nun
All things, all things, all now know I. All to me is re -
Tou - te, tou - te, tou - te cho - se, tou - te cho - se, je
Vc.
più p
Engl. Hr.
pp
Cl. 1.
Cl. 2.
Cl. 3.
Bs. Cl.
(F) (gestopft)
Hör. (F) (gestopft)
sf
Pauk. (Fis)
pp
Viol. pp
Br. pp
Brünnh.
frei. Auch dei - ne Ra - ben hör' ich rau - schen;
vealed. Wings of thy ra - vens wave a - round me;
sais! De tes cor - beaux sacrés l'ai - le vi - bre;
Vc.
CB.
pizz.

Engl. Hr.
Cl. 1.
Cl. 2.
Cl. 3.
Bs. Cl.
Pos. 1.
Pauk. (Fis)
(mit Dämpfer)
Viol. (mit Dämpfer)
Br. (mit Dämpfer)
Brünnh.
mit bang er-sehn-ter Bot-schaft send' ich die bei-den nun
*with ti-dings long de-sired I send now thy mes-sengers*
le tant rê-vé mes-sa-ge qu'ils te le por-tent pour
Vc. (mit Dämpfer)
CB. (mit Dämpfer)
(Bog.)

rallent.
Hör. (F)
(F)
(natürlich)
p
più p
4 Tub. (Es)
(Es)
(B)
(B)
pp
(sehr getragen)
Pos. 1.
Pos. 2.
Pos. 3.
Pos. 4.
CB. Tub.
Pauk. II. P. (As)
Pauk. I. P. (Fis)
tr
Viol.
Br.
Brünnh.
heim.
home.
moi!
Ru - he,
Rest thou,
Dors!
ru -
rest
dors!
Vc.
CB.
p pizz.
pp

Sehr langsam.
riten.
ausdrucksvoll
Bstrp. (Es)
pp
(Es)
più p
(Es)
più p
Tub. (B)
più p
(B)
più p
Pos.1.
pp
Pos.2.
pp
Pos.3.
pp
Pos.4.
pp
CB. Tub.
pp
Pauk. II.P. (As)
tr
pp
Pauk. I.P. (Fis)
tr
pp
tr
Bs.Cl.
pp
pp
Brünnh.
he,
thou,
du
o
ô
Gott!
god!
Dieu!
Vc.
pp
pp
pizz.
pp
CB.
(Bog.) pp
pp
pizz.
pp

Vorheriges Zeitmaass, feierlich.
Fl. 1 u. 2.
Fl. 3.
Hob. 1.
Hob. 2 u. 3.
Cl. 1 u. 2.
Cl. 3.
(E)
Hör.
(E)
3 Fag. (zu 3)
4 Tub.
Trp. 1. (Es)
Trp. 2 u. 3. (Des)
(zu 2)
marc.
più p

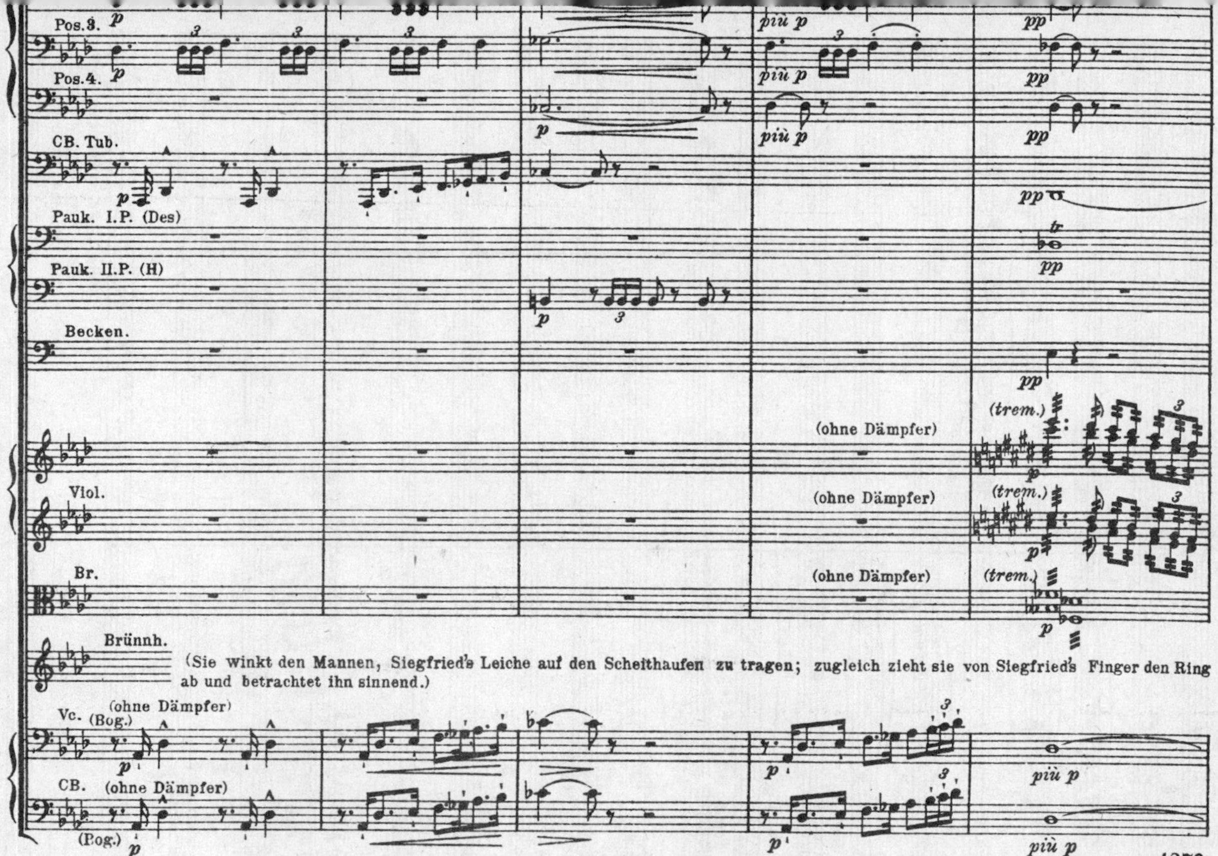
Pos. 3.
p
più p
pp
Pos. 4.
p
più p
pp
CB. Tub.
p
pp
Pauk. I.P. (Des)
tr
pp
Pauk. II.P. (H)
p
Becken.
pp
(trem.)
(ohne Dämpfer)
p
Viol.
(trem.)
(ohne Dämpfer)
p
Br.
(trem.)
(ohne Dämpfer)
p
Brünnh.
(Sie winkt den Mannen, Siegfried's Leiche auf den Scheithaufen zu tragen; zugleich zieht sie von Siegfried's Finger den Ring ab und betrachtet ihn sinnend.)
(ohne Dämpfer)
Vc. (Bog.)
p
più p
CB. (ohne Dämpfer)
(Bog.)
p
più p

Fl. 1 u. 2.
Fl. 3.
Hob. 1.
Hob. 2 u. 3.
Cl. 1 u. 2.
Cl. 3.
(E)
Hör. (Es)
Fag. 1.
più p
Fag. 2 u. 3.
più p
4 Tub.
pp
Bstrp. (Es)
CB. Tub.
Pauk. I. P. (Des)
Viol.
più p
Br.
più p
Brünnh.
Mein Er-be nun nehm' ich zu
My her-i-tage yields now the
Je prends i-ci mon hé-ri-
Vc.
pp
CB.
pp

Hob. 2 u. 3.
Engl. Hr.
Cl. 1 u. 2.
cresc.
Cl. 3.
(F)
Hör.
(Es)
(gestopft)
Fag. 2 u. 3.
Viol.
pizz.
Br. pizz.
(trem.)
(Bog.)
Brünnh.
ei-gen. Ver-fluch - ter Reif! Furcht - - ba-rer
he-ro. Ac-cur - sed charm! Ter - - ri-ble
-ta-ge. An-neau mau-dit! cer - - cle d'hor-
Vc. pizz.
(trem.)
(Bog.)
CB.
pizz.

riten.
Mässig.
Cl. 1 u. 2.
Cl. 3.
Hr. 1. (F)
(sehr weich)
Hr. 3. (B)
p (weich)
Hr. 2. (B)
Hr. 4. (B)
Fag. 2 u. 3.
Viol.
(Bog.)
dim.
Br.
Brünnh.
Ring! Dein Gold fass' ich, und geb' es nun fort.
ring! My hand grasps thee, and gives thee a - way.
reur! Ton or est mien j'en fais a - ban - don.
Vc.
CB.
(Bog.)
dim.
Cl. 1.
Cl. 2 u. 3.
Hr. 1. (F)
più p
Hr. 3. (B)
Hr. 2. (B)
Hr. 4. (B)
Fag. 3.
Viol. 1.
Brünnh.
Der Wasser-tie-fe wei - - se Schwe-stern,
Ye sis-ters wise who dwell in the wa-ters,
Des eaux pro-fon-des, sa - - - ges fil - les,
Vc.

Hr. 1. (F)
Hr. 2. (B)
Hr. 3 u. 4. (B)
Fag. 3.
Viol.
Br.
Brünnh.
des Rhei - - nes schwim-men-de Töch - ter, euch
give ear, ye sor - row-ing Rhine - maids, good
en-fants jou-eu - ses du fleu - ve, grâ -
Vc.
CB.
pp
p
Fl. 1.
poco cresc.
Fl. 2.
Hob. 1 u. 2.
Cl. 1 u. 2.
Hr. 1. (F)
Hr. 2. (B)
Hr. 3 u. 4. (B)
Fag. 3.
Viol. 2.
Br.
Brünnh.
— dank' ich red - li-chen Rath: was ihr be-
— coun - sel lives in your redes: what ye de-
- ces soient à vo - tre con-seil. C'est vo-tre
Vc.
CB.

Fl. 1.
dim.
Fl. 2.
Hob. 1.
Cl. 1 u. 2.
p
Hr. 1. (F)
Hr. 2. (B)
Hr. 3 u. 4. (B)
3. (F)
più p
p
Fag. 3.
più p
più p
Viol.
trem.
più p
p
Br.
trem.
più p
p
Brünnh.
gehrt ich geb' es euch: aus mei-ner
sire I leave to you: now from my
bien, qu'il reste à vous! À mon bû-
Vc.
trem.
più p
CB.
più p

accel.
Hob.
Cl.
Hör.
3. u. 4. (F.)
Fag.
Trp. 1.
(Es.)
Viol.
accel.
Br.
Brünnh.
A - schenehmt es zu ei - gen! Das Feu - er, das mich ver - brennt, rein'- ge vom
ash - es take ye your trea - sure! Let fi - re, burning this hand, cleanse, too, the
-cher ve - nez le re - pren - dre! Les flammes, en me brû - lant, sau - vent d'op-
Vc.
CB.
cresc.

rall.
Mässig.
Hob.
Cl.
p (weich.)
4 Hör.
4. (Es.)
Fag.
dim.
Viol.
Br.
pizz.
Brünnh.
Flu-che den Ring! – Ihr, in der Fluth lö-set ihn
ring from its curse! – Ye in the flood, wash it a-
-pro-bre l'an-neau! – Vous, dans les flots; qu'il se dis-
Vc.
CB.

Hob.
Cl.
Hör.
(Es.)
Fag.
Viol.
(Bog.) più p
Br.
Brünnh.
auf, — und lau - ter be - wahrt das lich - te Gold,
way, — and pur - er pre - serve your shin - ing gold,
-sol - ve! Sans ta - che gar - dez l'é - clat de l'or
Vc.
pizz.
CB.

Hob.
Cl.
Hör.
1. u. 2.
4. (Es.)
(E.)
Fag.
Pos. 3.
Pk. 1. P. (Fis.)
Viol.
pizz.
Br.
Brünnh.
das euch zum Un - - - heil ge-raubt.
that to your sor - - - row was stol'n.
qu'au jour fa - tal on vous prit.
Ve.
CB.
(Bog.)
dim.

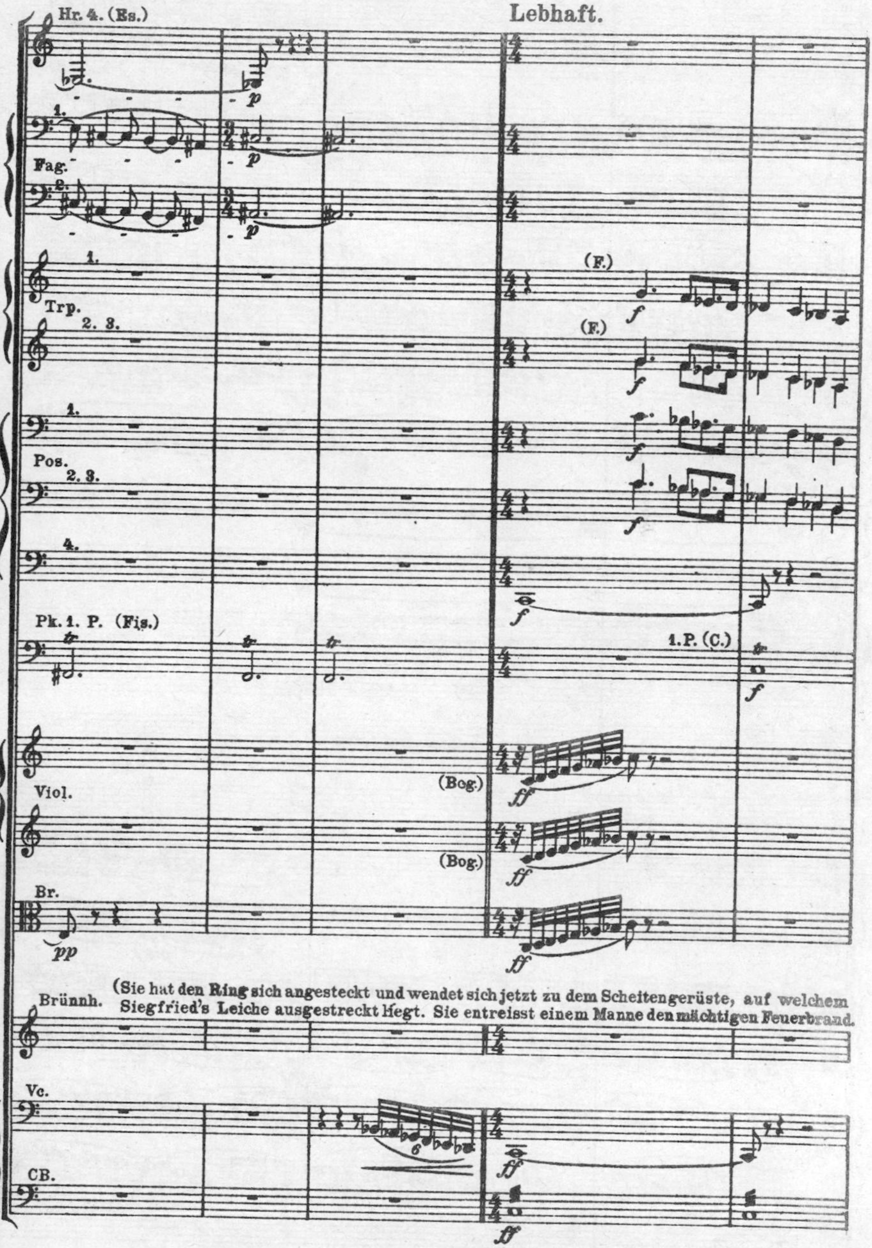
Lebhaft.
Hr. 4. (Es.)
Fag.
Trp.
Pos.
Pk. 1. P. (Fis.)
1. P. (C.)
Viol.
(Bog.)
Br.
Brünnh.
(Sie hat den Ring sich angesteckt und wendet sich jetzt zu dem Scheitengerüste, auf welchem Siegfried's Leiche ausgestreckt liegt. Sie entreisst einem Manne den mächtigen Feuerbrand.
Vc.
CB.

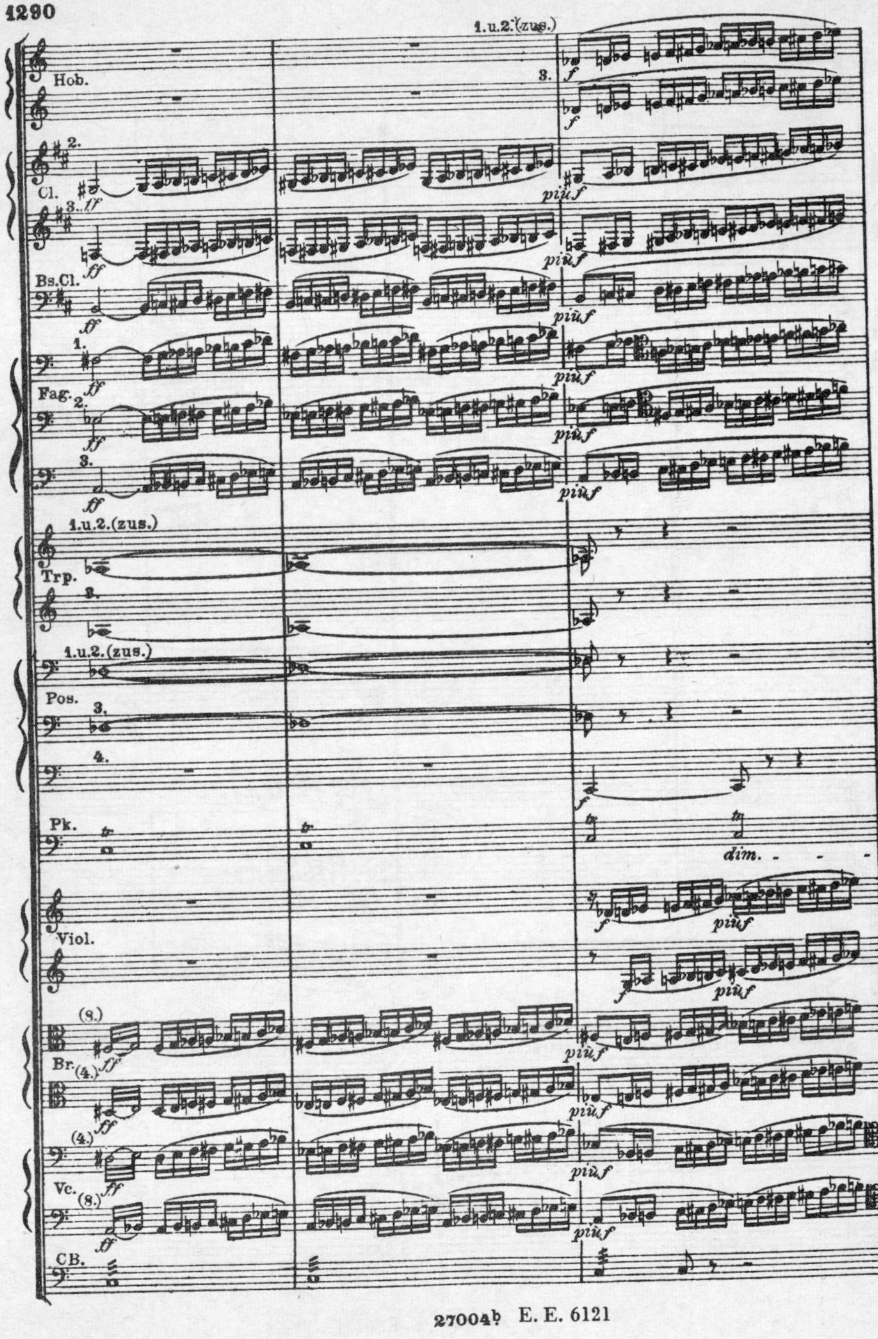
1.u.2.(zus.)
3.
Hob.
f
2.
Cl.
3.
ff
più f
Bs.Cl.
1.
Fag.
2.
3.
1.u.2.(zus.)
Trp.
3.
1.u.2.(zus.)
Pos.
3.
4.
Pk.
tr
dim.
Viol.
Br.
(8.)
(4.)
Vc.
(4.)
(8.)
CB.

Hob. 1
2.
3.
Engl. Hr.
1.
Cl.
2.
3.
Bs. Cl.
1. u. 2.
Hör.
3.
(F.)
1.
Fag.
2.
3.
Viol.
Br.
Brünnhilde (den Feuerbrand schwingend und nach dem Hintergrunde deutend.)
Fliegt heim ihr Ra - ben!
Fly home ye ra - vens!
Cor - beaux, vers Wo - tan!
Vc.

Hob.
Engl. Hr.
Cl.
4 Hör.
Viol.
Br.
Brünnh.
Raun't es eu - rem Her - ren, was
Tell your lord the ti - dings that
Fai - tes lui con - naî - tre les
Vc.
cresc.

Noch etwas lebhafter.

kl. Fl.
1.
Fl. 2. u. 3. (zus.)
Hob.
Engl. Hr.
Cl. 1
(E.)
4 Hör.
(D.)
Fag.
Viol.
Br.
Brünnh.
An Brünn - - hil - de's
To Brünn - - hil - de's
De Brünn - - hild' le
Vc.
pizz.
cresc.

kl. Fl.
Fl.
Hob.
Engl. Hr.
Cl.
4 Hör.
(F.)
cresc.
Fag.
Viol.
Br.
Brünnh.
Fel - - sen fahrt vor - bei!
rock first wing your flight!
roc flam - boie en - cor!
Vc.
(Bog.)

Hob.
Engl. Hr.
Cl.
(F.)
(F.)
4 Hör.
Fag.
Viol.
Br.
Brünnh.
der dort noch lo-dert
there burneth Lo-ge:
Que vo-tre fui-te
wei-set
straight way
gui-de
Lo-ge nach
bid him to
Lo-ge au
Vc.
CB.
cresc.
fp
sf
p

Noch etwas gedrängter.
1.u.2.
Fl. 3.
1.u 2.
Hob. 3.
Engl. Hr.
1.u.2.
Cl. 3.
4 Hör.
(D.)
1.u.2.
Fag. 3.
Trp. 1.u. 2.
Bs. Trp. (C.)
4 Pos.
CB. Tub.
(Des)
2 Pk.
(A.)
(B.)
(trem.)
Viol.
Br.
Brünnh.
Wal - hall! Denn der Göt - ter En - de
Wal - hall! For the end of god - hood
Wal - hall! Car des dieux la nuit fi -
Vc.
CB.
dim.
piùp

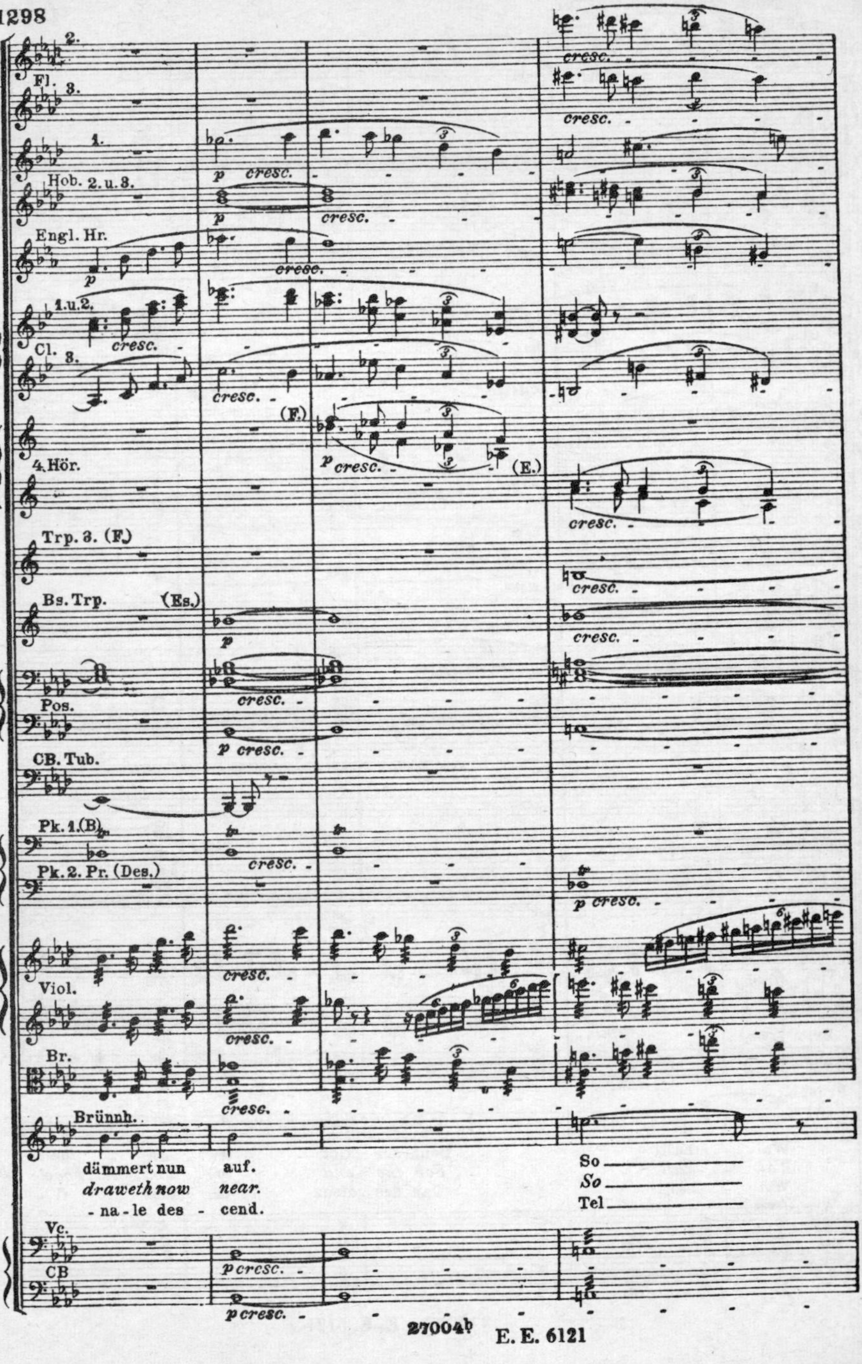
Fl. 2.
3.
Hob. 1.
2. u. 3.
Engl. Hr.
Cl. 1. u. 2.
3.
4. Hör. (F.)
(E.)
Trp. 3. (F.)
Bs. Trp. (Es.)
Pos.
CB. Tub.
Pk. 1. (B)
Pk. 2. Pr. (Des.)
Viol.
Br.
Brünnh.
dämmert nun auf.
draweth now near.
-na - le des - cend.
So
So
Tel
Vc.
CB
p cresc.

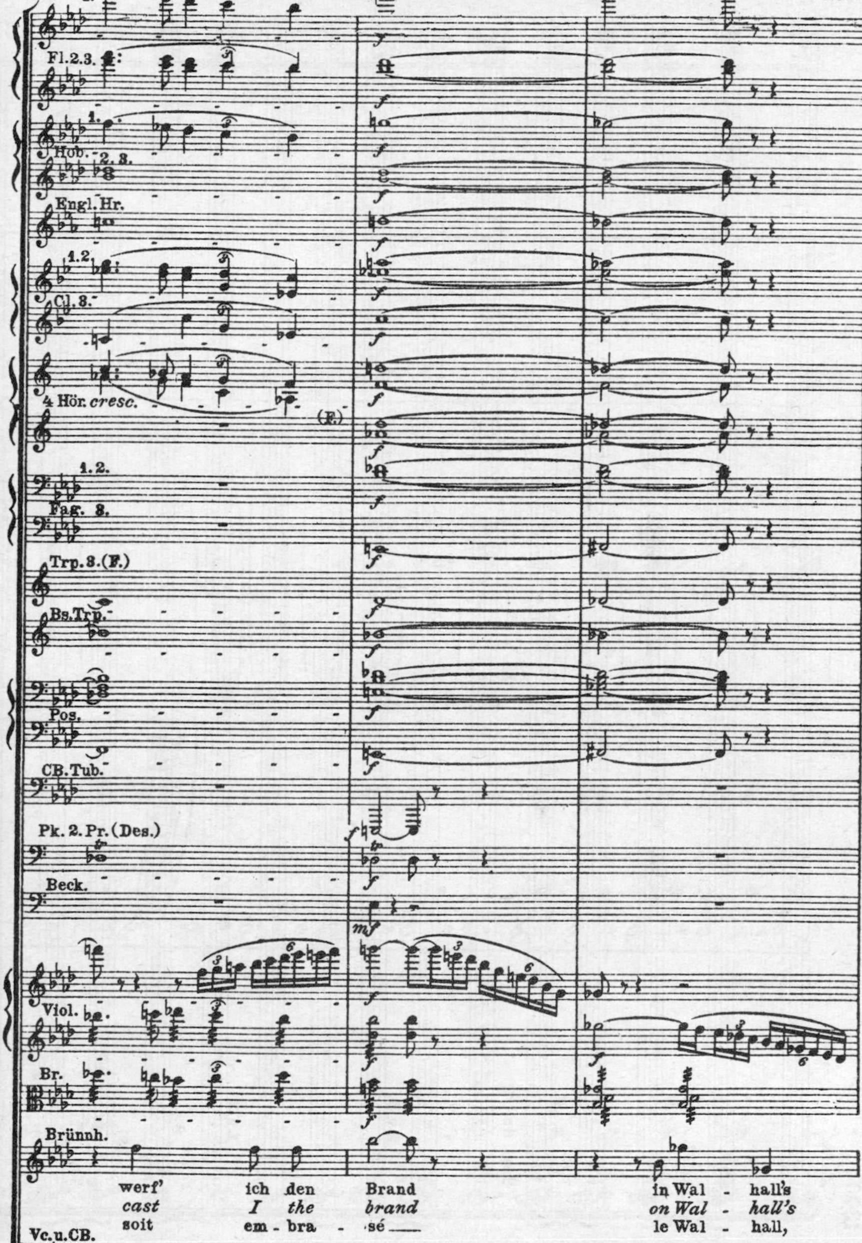
1.
Fl. 2. 3.
1.
Hob. 2. 3.
Engl. Hr.
1. 2.
Cl. 3.
4 Hör. cresc.
(F.)
1. 2.
Fag. 3.
Trp. 3. (F.)
Bs. Trp.
Pos.
CB. Tub.
Pk. 2. Pr. (Des.)
Beck.
Viol.
Br.
Brünnh.
werf' ich den Brand in Wal - hall's
cast I the brand on Wal - hall's
soit em - bra - sé le Wal - hall,
Vc. u. CB.

kl. Fl.
1.
gr. Fl.
2.u.3.
1.
Hob.
2.u.3.
Engl. Hr.
1.
Cl
2.u.3.
Hör.
1.u.2.
Fag.
3.
(F)
Trp.
(F)
Bstrp.

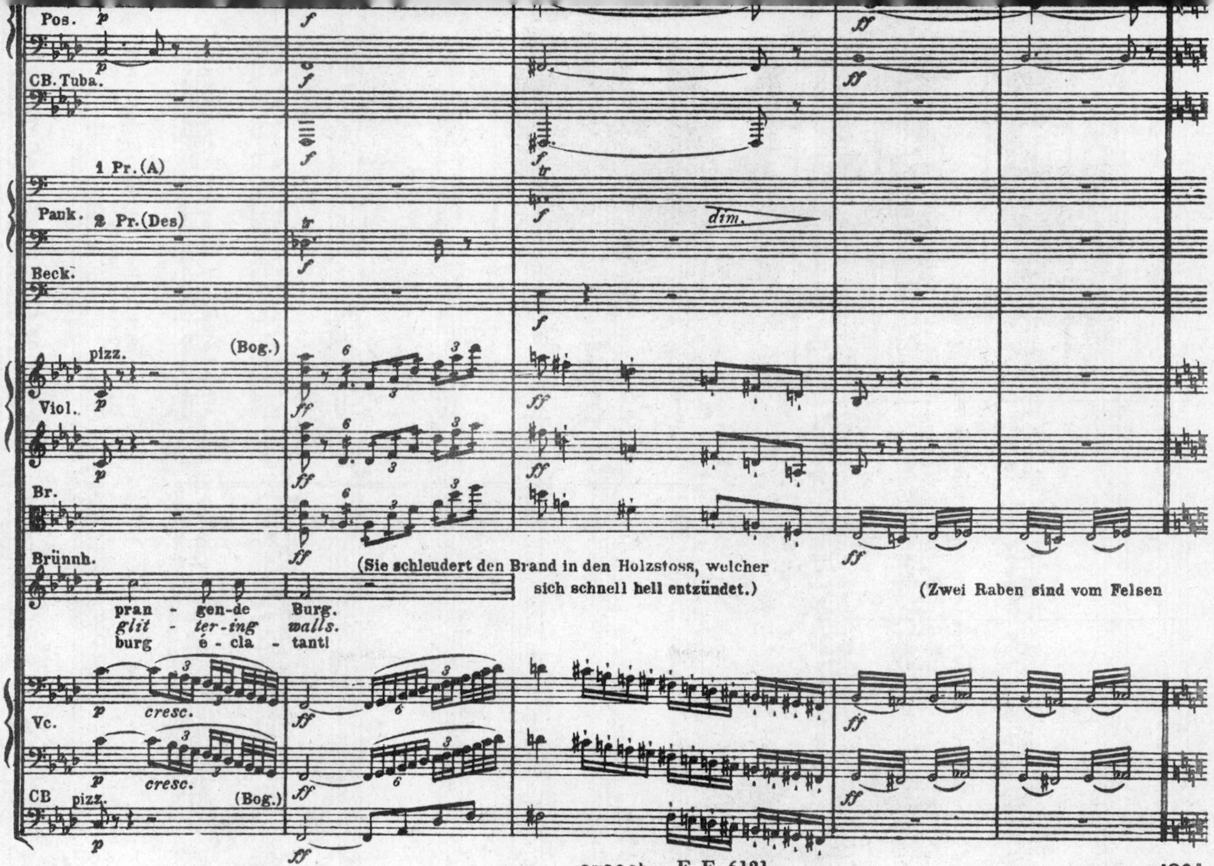
Pos.
CB. Tuba.
1 Pr. (A)
Pank. 2 Pr. (Des)
Beck.
pizz.
(Bog.)
Viol.
Br.
Brünnh.
pran - gen-de Burg.
glit - ter-ing walls.
burg é - cla - tant!
(Sie schleudert den Brand in den Holzstoss, welcher sich schnell hell entzündet.)
(Zwei Raben sind vom Felsen
dim.
cresc.
Vc.
CB pizz.
(Bog.)

Viol.
stacc.
fp
Br.
am Ufer aufgeflogen und verschwinden nach dem Hintergrunde.)
Vc.
3 Hob.
(zu 3)
ff
3 Cl.
4 Hör.
(F.)
f
più f
Br.
(Sie gewahrt ihr Ross, welches so eben zwei Männer hereinführen.)
Brünnh.
Vc.(zus.)

Trp. 2. (Des)
Hör.
(F)
(D)
Viol.
Br.
Brünnh.
Gra - ne, mein Ross!
Gra - ne, my steed,
Gra - ne, a mi!
Vc.
p stacc.
cresc.
fp
Trp. 1. u. 2. (D)
3 Fag.
(zu 3)
Pauk. 2. Pr. (Fis)
poco f
dim.
più f
Sei mir ge - grüsst!
I greet thee, friend!
Sa - lut à toi!
(Sie ist ihm entgegen gesprungen, fasst es und entzäumt es schnell: dann neigt sie sich traulich zu ihm.)

(E)
(E)
Hör.
Viol.
Br.
Vc.
Hör.
cresc.
cresc.
Viol.
Br.
Brünnh.
Weisst du auch, mein Freund, wo - hin ich dich
Know'st thou now to whom and whith-er I
Sais - - tu bien, a - mi, ou moi, je te
Vc.

Fl. 1.
p < poco f > p
Hob. 1.
p < poco f > p
Hob. 2.
p < poco f > p
Trp. 2. (Es)
p
marc.
(E)
(F)
f
p
Hör.
(E)
(F)
f
p
cresc. - - - f
p
Viol.
(trem.)
cresc. - - - f
p
Br.
(trem.)
cresc. - - - f
p
Brünnh.
füh - re?
lead thee?
mê - ne?
Im Feu - er leuch - tend
In fire ra - diant,
Aux rou - gès flam - mes
Vc.
f
p
CB.
f
p

Fl. 1.
poco f
Hob.
2.u.3.
Engl. Hr.
Cl.
poco f
cresc.
Hör.
Fag.
1.(E)
Trp.
2.(Es)
Bstrp.
Pos.
Pauk.
Viol.
Br.
Brünnh.
liegt dort dein Herr,
lies there thy lord,
gît ton sei - gneur,
Vc
CB

Fl.1.
1.
Hob.
2.3.
Engl.Hr.
Cl.3.
Hr.1. (E)
Fag.
1. (E)
Trp.
2.u.3. (E)
Bstrp.
Pos.
2 Harf.
Viol.
Br.
Brünnh.
Vc.
CB.
dim.
poco f
pizz.
Sieg - - - fried, mein se - - li-ger
Sieg - - - fried, my he - - ro
Sieg - - - fried, mon no - - ble hé -

Fl. 1
cresc.
Hob. 1.2.
Hob. 3.
Cl. 3.
(E)
Hör.
Fag.
Trp.
Bstrp.
Pos.
2 Harfen
Pauk. (H)
Viol.
Br.
(Bog.)
Brünnh.
Held. Dem Freun - de zu fol - gen
blest. To fol - low thy mas - ter,
ros! Heu - reux de le sui - vre
Vc.
CB.

kl. Fl.
Fl. 1 u. 2. (zu 2)
Hob.
Hör.
Fag.
Viol.
Br.
stacc.
Brünnh.
wie-herst du freu - dig?
joy - fully neigh'st thou?
t'entends-je hennir de joi - e?
Lockt dich zu ihm —
Lures thee to him —
Est - ce l'appel —
Vc.
cresc.

kl. Fl.
gr. Fl. 1.
gr. Fl. 2.
Hob. 1.
Hob. 2.
Hob. 3.
Cl. 1. (A)
Cl. 2. (A)
Cl. 3. (A)
Hör.
Viol.
Br.
Brünnh.
die la - - - chen-de Lo - he?
the light with its laugh - ter?
des flam - - mes ri - eu - ses?
Vc.
fp
cresc.
f
tr
pizz.
p
(Bog.)

Hob. 1.
(ausdrucksvoll)
poco f
Hör.
(E)
(E)
Fag. 1.
Fag. 2.
Trp. 1 u. 2.
(E)
cresc.
Pos.
cresc.
cresc.
1 Harfe
Viol.
(ausdrucksvoll)
mf
cresc. f
Br.
cresc.
Brünnh.
Fühl' — mei - ne Brust auch wie sie ent - brennt, — hel - les
Feel, — too, my bo - som, how it doth burn; — glow - ing
Dans — ma poi - tri - ne, sens quelle ar - deur. — Clai - re
Vc.
cresc.
CB.
cresc.

Hob. 1.
Hob. 2.
Hob. 3.
Cl. 1.
Cl. 2.
Cl. 3.
poco f
Hör.
cresc.
Fag. 1.
Fag. 2.
Fag. 3.
1 Harfe
2 Harfen
cresc
Viol.
mf
Br.
Brünnh.
Feu - er das Herz mir er - fasst, ihn zu um-
flames now lay hold on my heart fast to en-
flam-me au cœur me jail - lit. Lui, l'é -
Vc.
CB.

schlin-gen,    um - schlos - sen von    ihm __ in mäch - tigster
*fold him,*    em - *braced* __ *by bis*    *arms,* __ *in might* __ *of our*
trein - dre,    é - trein - - te par    lui __ su - prê - me ten-

Hob.1.
Hob.2.
Hob.3.
Cl.1.
Cl.2.
Cl.3.
Hör.
Fag.1.
Fag.2.
Fag.3.
p
cresc.
sf
f

mf
2 Harfen
f
Viol.
p
sf
cresc.
p cresc.
Br.
Brünnh.
Min - ne, ver - mählt ihm zu sein!
lov - ing with him aye made one!
-dres - se! m'u - nir toute à lui!
Hei-a-ja-ho! Grane!
Hei-a-ja-ho! Grane!
Hei-a-ia-ho! Grane!
Vc.
CB.

Fl.
Hob.1.
Hob.2.
Hob.3.
Cl.1.
Cl.2.
Cl.3.
Hör.
Fag.
Trp.1.
Trp.2.
Bstrp.
cresc.
dim.
marc.
(F)

Pos.2u.3.
Pos.4.
CB.Tub.
1.u.2.
4 Harf.
3.u.4.
Pauk.(C)
2. Paar.(Des As)
Viol.
Br.
(Sie hat sich auf das Ross geschwungen und hebt es jetzt zum Sprunge.)
Brünnh.
Grüss deinen Herren! Sieg - fried! Sieg - fried! Sieh! Se - - lig
Give him thy greeting! Sieg - fried! Sieg - fried! See! Brünn - - hild
Va verston maître! Sieg - fried! Sieg - fried! Vois! Brünn - - hild'
Vc.
CB.

Schneller.

kl. Fl.
più f
gr. Fl.
Hob.1.
Hob.2.
Hob.3.
Cl.1.
Cl.2.
Cl.3.
Hör.
(F)
3 Fag.
Trp.1.
Trp.2
Bstrp.
2.u.3.(F) (zu 2)

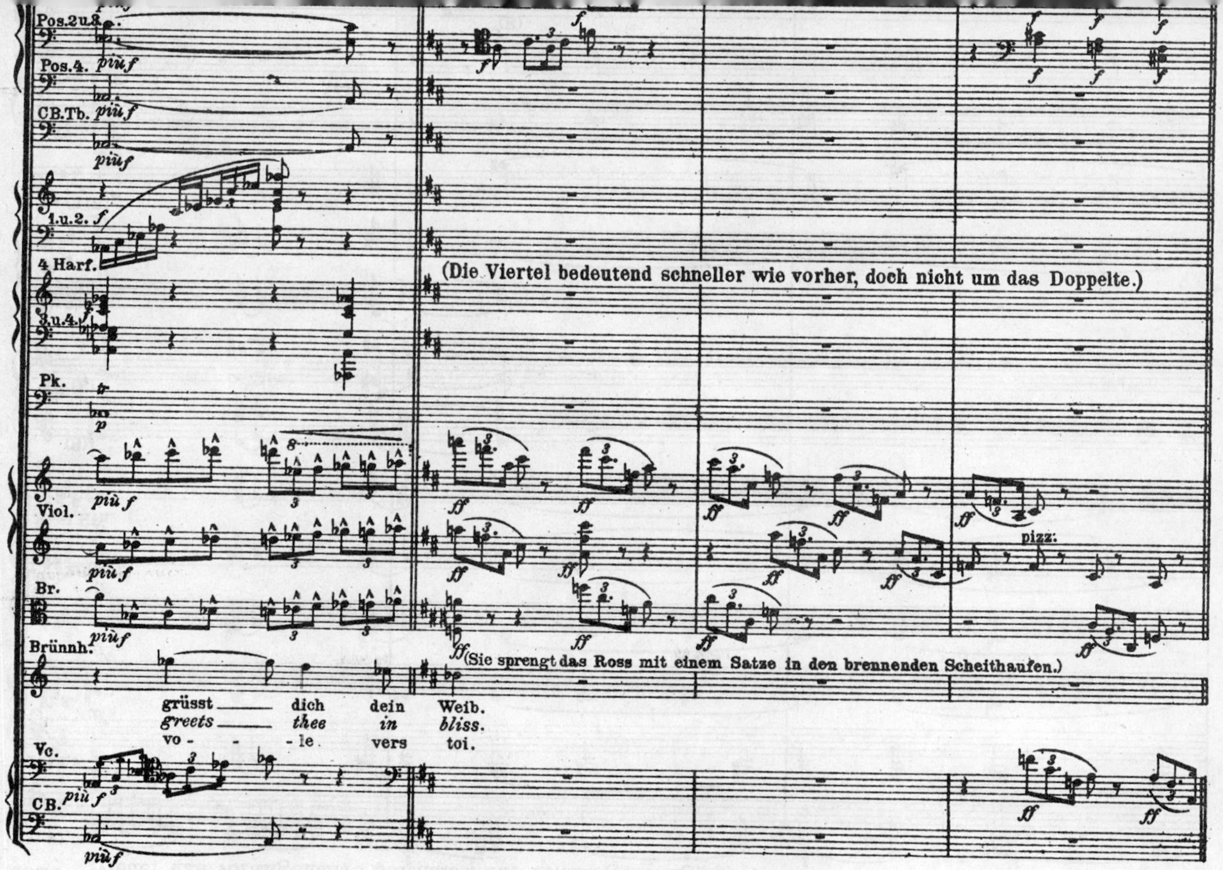
Pos. 2 u. 3.
più f
Pos. 4.
più f
CB. Tb.
più f
1. u. 2.
4 Harf.
3. u. 4.
Pk.
tr
p
(Die Viertel bedeutend schneller wie vorher, doch nicht um das Doppelte.)
Viol.
più f
ff
pizz.
Br.
più f
Brünnh.
grüsst ___ dich dein Weib.
greets ___ thee in bliss.
vo - - le vers toi.
(Sie sprengt das Ross mit einem Satze in den brennenden Scheithaufen.)
Vc.
più f
CB.
più f
ff

Wieder das vorangehende Zeitmass, nur etwas gedrängter.

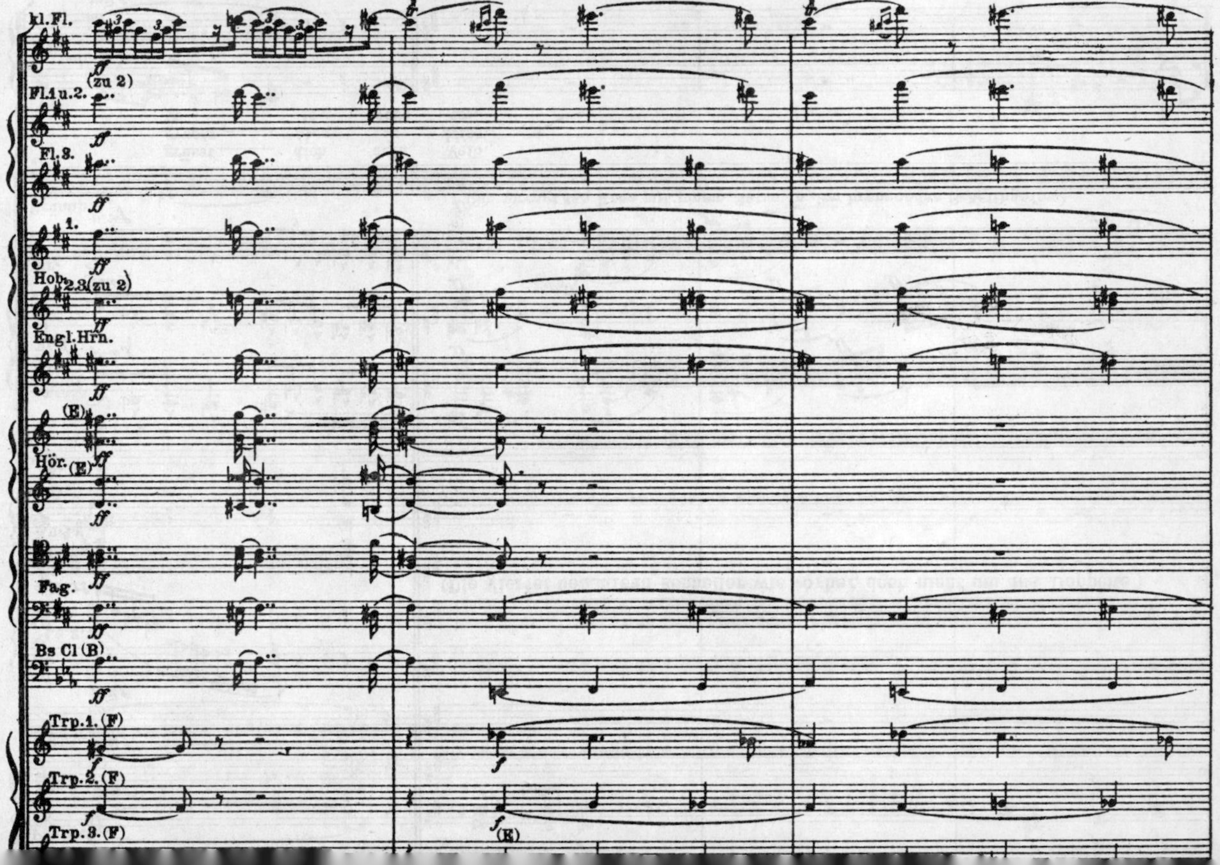

Pos.1.
Pos.2.
Pos.3.
Pos.4.
Pk.(Fis)
Trgl.
Viol.
Br.
(Sogleich prasselt der Brand hoch auf, so dass das Feuer den ganzen Raum vor der Halle erfüllt und diese selbst schon zu erfassen
Vc.
CB.

kl. Fl.
(zu 2)
1 u. 2.
gr. Fl.
3.
Hob.
Engl. Hrn.
(F)
Hör. (E)
Fag.
Bs Cl.
Trp. 1. (F)
Trp. 2.
(F)
Trp. 3. (F)
(E)
Bstrp.
(Es)
(zu 2)
(E)
ff
f

Pos. 3.
Pos. 4.
(Es)
zu 2
4 Tub.
zu 2
CB Tub.
Pk.
Trgl.
Becken.
Viol.
Br.
scheint. Entsetzt drängen sich die Männer und Frauen nach dem äussersten Vordergrunde. Als der ganze Bühnenraum nur
Vc.
CB.

kl. Fl.
gr. Fl.
Hob.
Engl. Hrn.
Hr. 3 u. 4. (E)
Fag.
Bs Cl.
Trp. 1.
Trp. 2.
(E)
Trp. 3.
Bstro.
ff

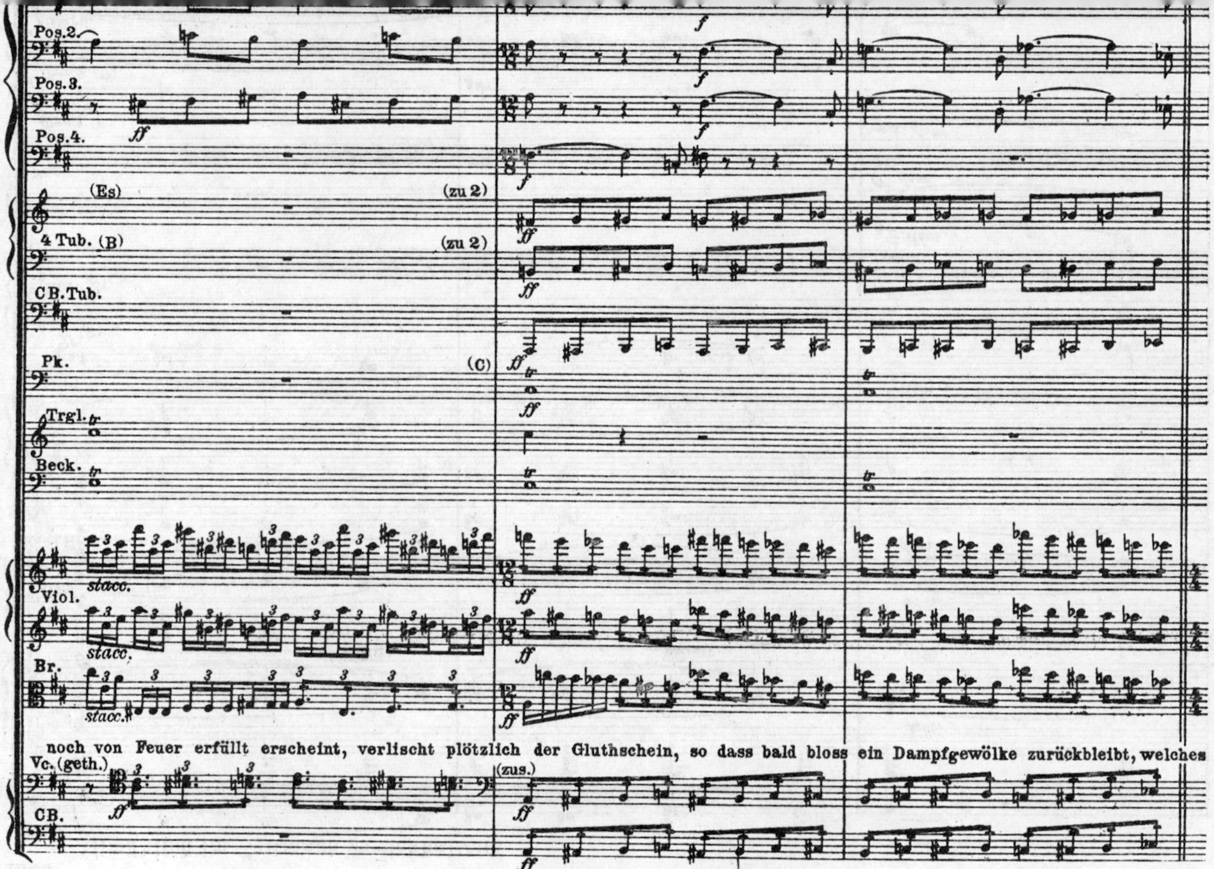
Pos.2.
Pos.3.
Pos.4.
(Es)
(zu 2)
4 Tub. (B)
(zu 2)
CB.Tub.
Pk.
(C)
Trgl.
Beck.
Viol.
stacc.
Br.
noch von Feuer erfüllt erscheint, verlischt plötzlich der Gluthschein, so dass bald bloss ein Dampfgewölke zurückbleibt, welches
Vc. (geth.)
(zus.)
CB.

Allmählich im Zeitmass zurückhaltend.

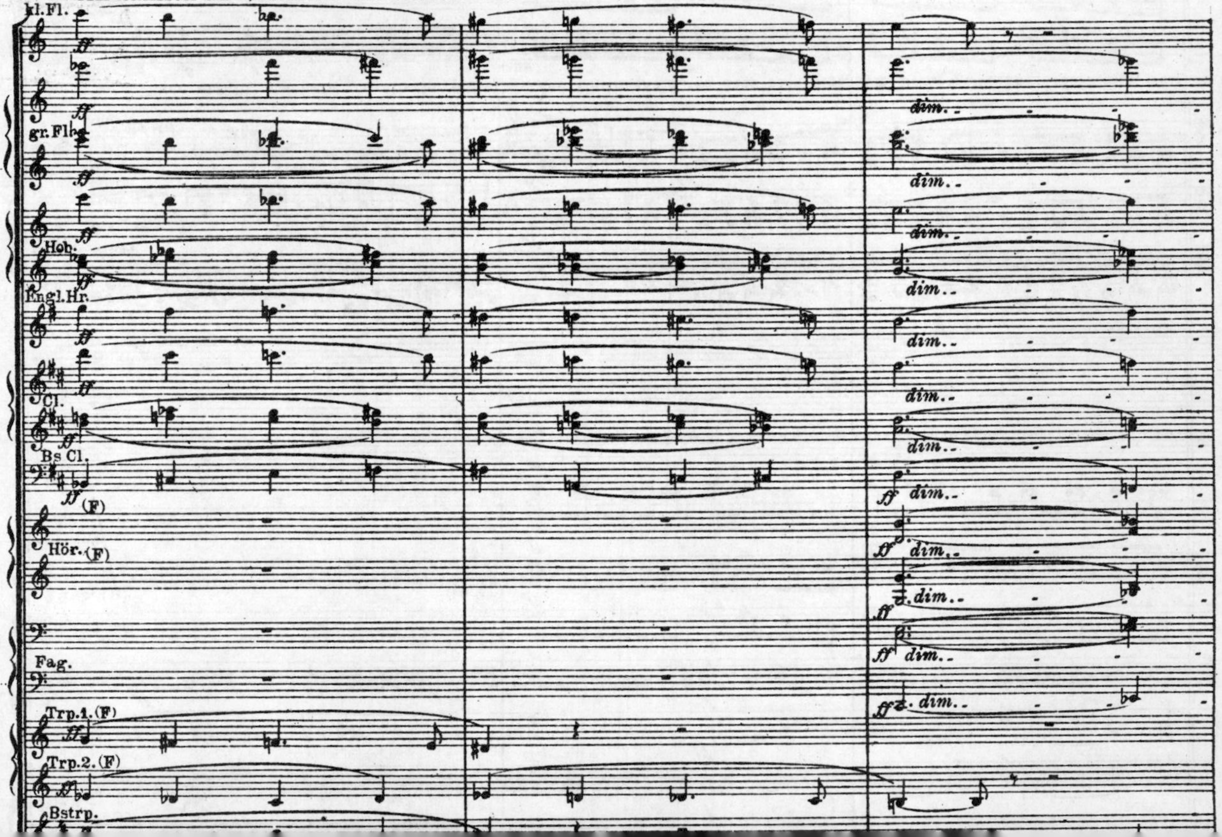

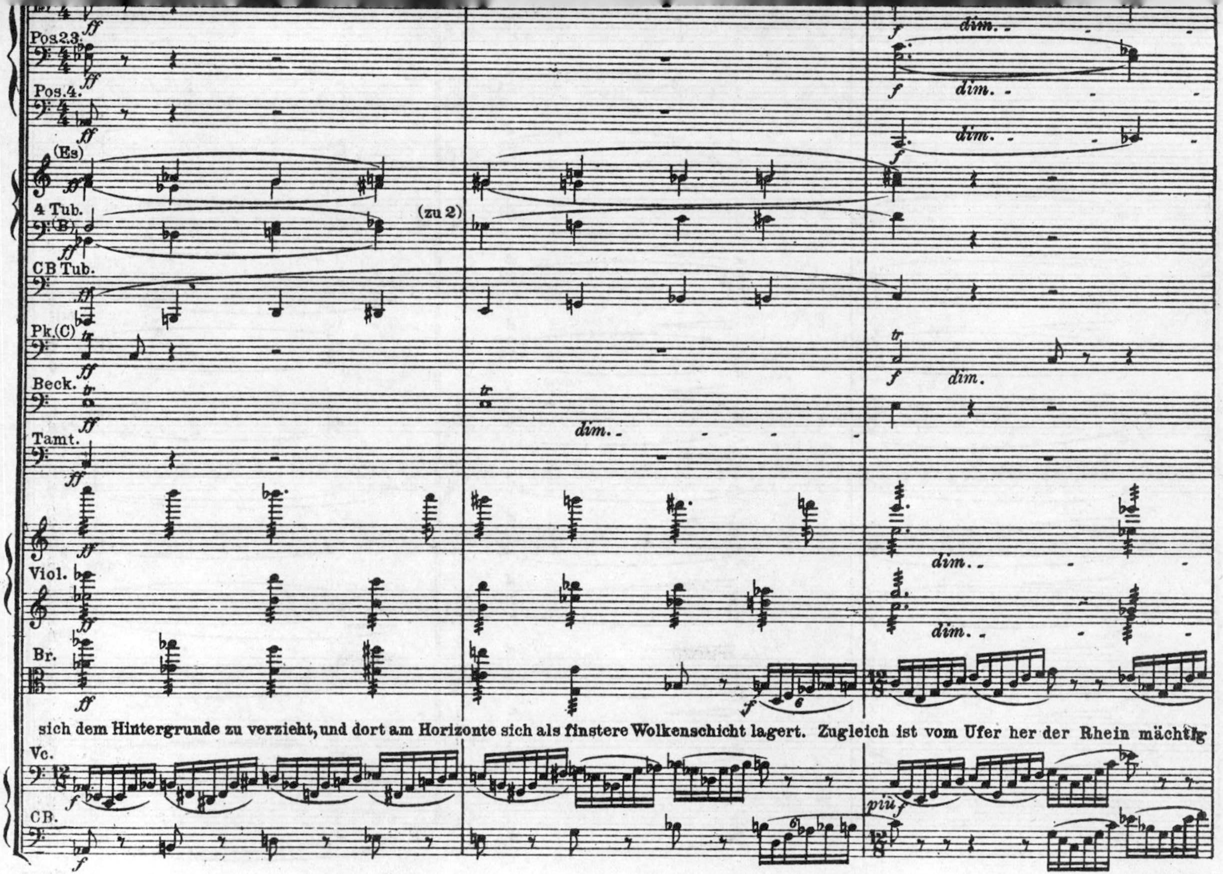
Pos.2.3.
Pos.4.
(Es)
4 Tub.
(B)
(zu 2)
CB Tub.
Pk.(C)
Beck.
Tamt.
Viol.
Br.
Vc.
CB.
ff
f
dim.
tr
più f
sich dem Hintergrunde zu verzieht, und dort am Horizonte sich als finstere Wolkenschicht lagert. Zugleich ist vom Ufer her der Rhein mächtig

Fl. 1 u. 2.
(zu 2)
gr. Fl.
Fl 3
Hob
Engl. Hrn.
Cl,
Hrn.
Fag.
Bs Cl.
Bstrp.
p

Pos.2.
p
Pos.3.
p
Pos.4.
p
Pk. (C)
p
Trgl.
Viol.
sf
f
immer più f
f
Br.
più f
più f
angeschwollen, und hat seine Fluth über die Brandstätte gewälzt. Auf den Wogen sind die drei Rheintöchter herbeigeschwommen und erscheinen
più f
più f
Vc. (geth.)
più f
più f
CB.
più f

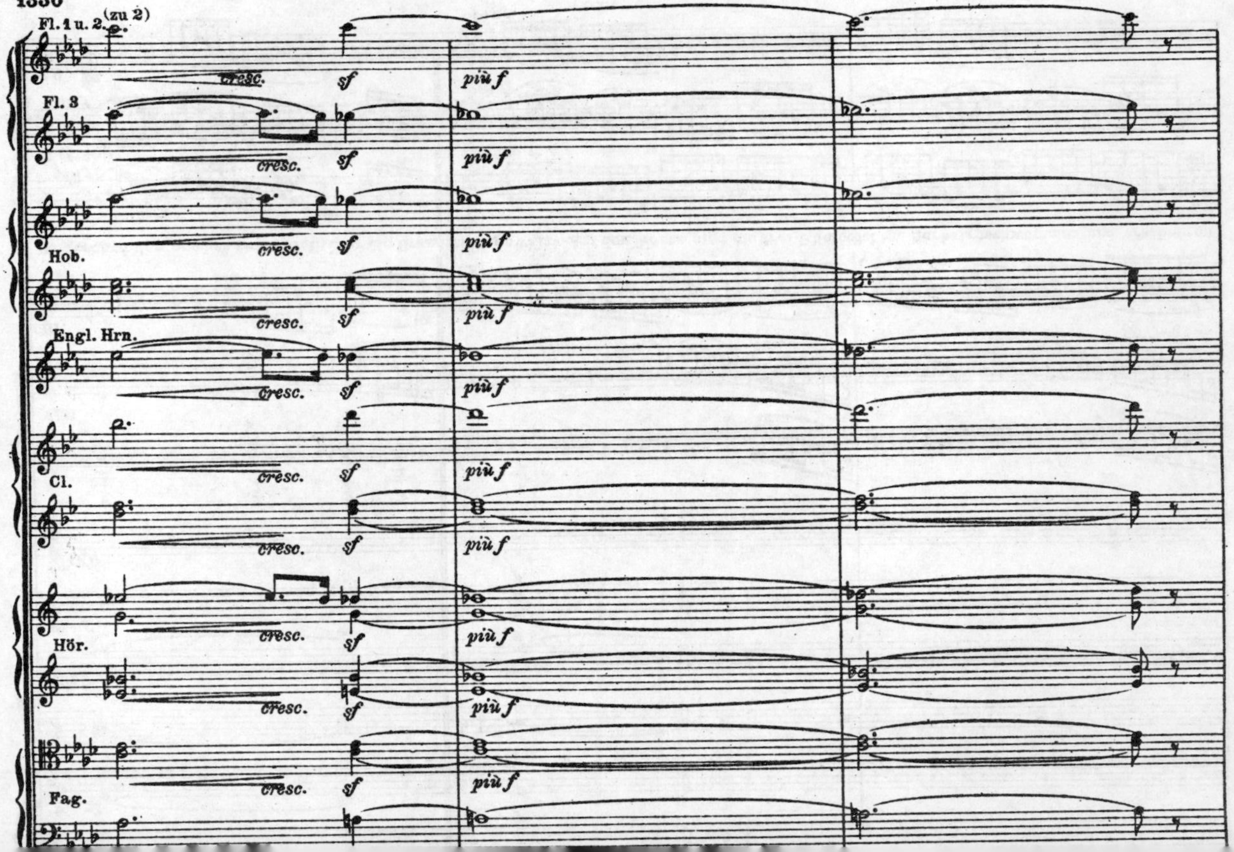
Fl. 1 u. 2.
(zu 2)
Fl. 3
Hob.
Engl. Hrn.
Cl.
Hör.
Fag.
cresc.
sf
più f

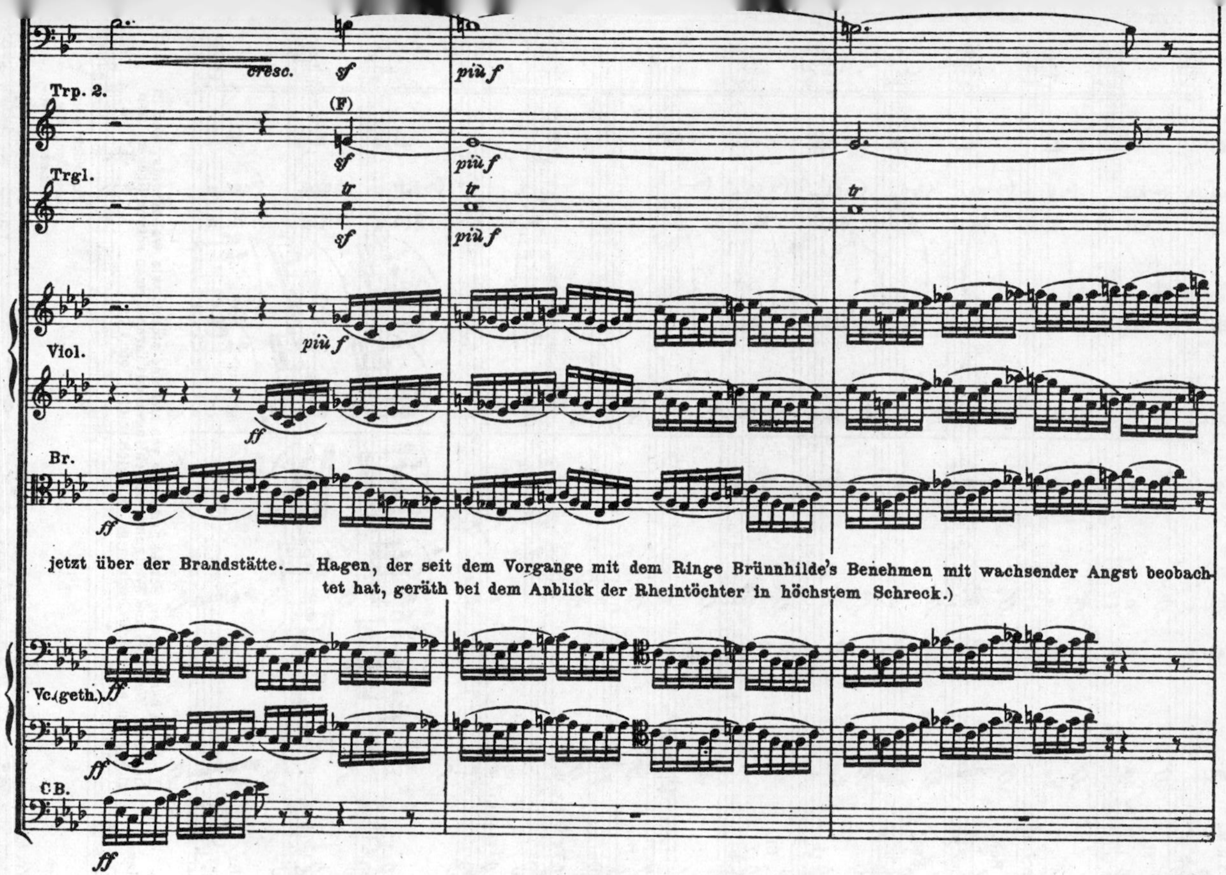
cresc.
sf
più f
Trp. 2.
(F)
Trgl.
tr
Viol.
ff
Br.
jetzt über der Brandstätte.— Hagen, der seit dem Vorgange mit dem Ringe Brünnhilde's Benehmen mit wachsender Angst beobachtet hat, geräth bei dem Anblick der Rheintöchter in höchstem Schreck.)
Vc.(geth.)
C.B.

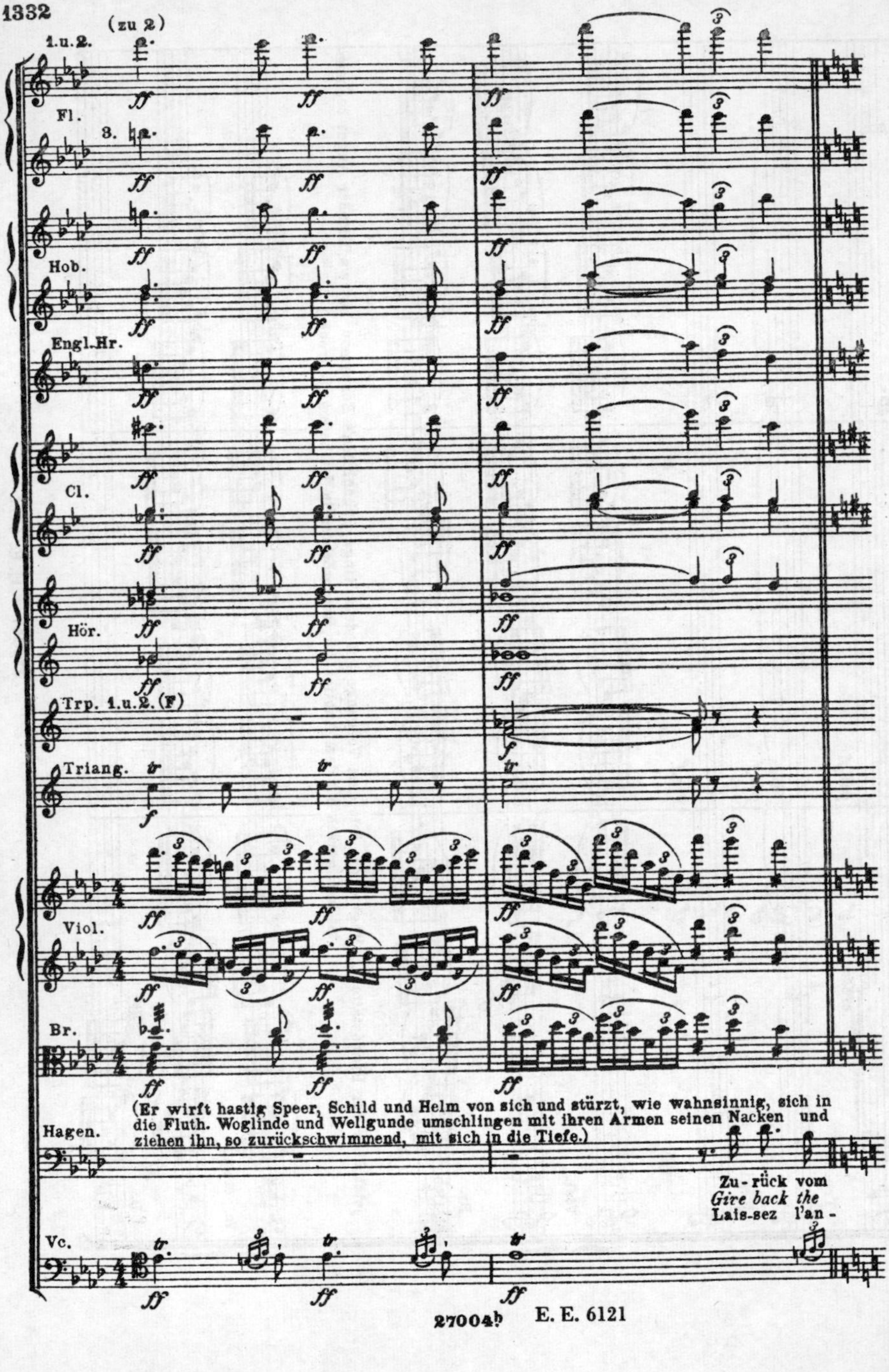
(zu 2)
1.u.2.
Fl.
3.
Hob.
Engl.Hr.
Cl.
Hör.
Trp. 1.u.2. (F)
Triang.
Viol.
Br.
(Er wirft hastig Speer, Schild und Helm von sich und stürzt, wie wahnsinnig, sich in die Fluth. Woglinde und Wellgunde umschlingen mit ihren Armen seinen Nacken und ziehen ihn, so zurückschwimmend, mit sich in die Tiefe.)
Hagen.
Zu-rück vom
Give back the
Lais-sez l'an-
Vc.

1 u. 2. (zus.)
Fl.
3.
1.
Hob.
2 u. 3.
Engl. Hr.
1.
Cl.
2 u. 3.
Hr.
Fag.
Tromp. 1 u. 2. (F)
1. 2 u. 3. (zusamm.)
marc.
Pos.
4.
Pauk.
2. Pauk. (Fis.)
Beck.
Viol.
Br.
Hag.
Ring!
ring!
-neau!
Vc.
CB.

Fag. 3.
Pos. 4.
1. P. (C.)
Pauk. dim.
2. P. (Fis.)
dim.
dim.
p
Viol.
Br.
(♩. = ♩)
Hob. 1 u. 2.
p cresc.
Cl. 1 u. 2.
p cresc.
1 u. 2. (Es.)
Hör.
p cresc.
3 u. 4. (Es.)
p cresc.
1 u. 2.
Fag. 3.
p cresc.
dim.
p cresc.
Pos. 4.
dim.
p
Pauk. 1.
p
Viol.
dim.
p
p cresc.
Br.
dim.
p
(Flosshilde, den anderen voran dem Hintergrunde zu
Vc.
ff dim.
p
p cresc.
CB.
pizz. f
p

Hob. 1 u. 2.
Cl. 1 u. 2.
1 u. 2. (Es.)
Hör.
3 u. 4. (Es.)
u. 2.
Fag.
3.
Viol.
p cresc.
Br.
cresc.
schwimmend, hält jubelnd den gewonnenen Ring in die Höhe.)
Vc.
tr.
CB.

Hob. 1
Cl. 1 u. 2.
1 u. 2. (Es.)
Hör.
3 u. 4. (Es.)
1 u. 2.
Fag. 3.
Bstrp.
f (sehr gehalten.)
1 u. 2.
Tub.
f (sehr gehalten.)
3 u. 4.
CB. Tub.
Pauk. (As.)
2 erste Harfen.
2 Harf.
Viol. 2.
Br.
(Durch die Wolkenschicht, welche sich am Horizonte gelagert, bricht ein röthlicher
Vc.
CB.
pizz.
dim.

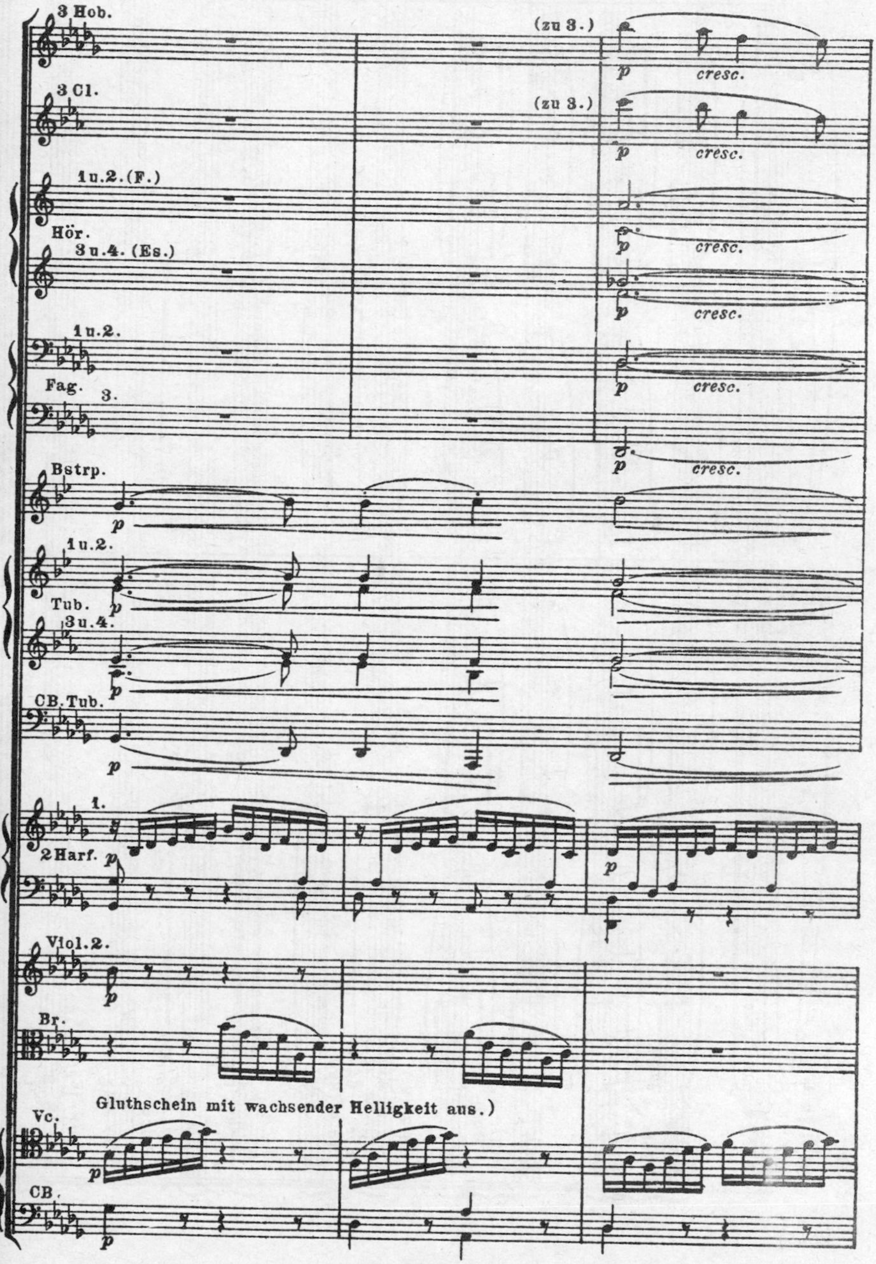
3 Hob.
(zu 3.)
p
cresc.
3 Cl.
(zu 3.)
p
cresc.
1 u.2. (F.)
Hör.
3 u.4. (Es.)
p
cresc.
p
cresc.
1 u.2.
Fag.
3.
p
cresc.
p
cresc.
Bstrp.
p
1 u.2.
Tub.
3 u.4.
p
p
CB. Tub.
p
1.
2 Harf.
p
p
Viol. 2.
p
Br.
Gluthschein mit wachsender Helligkeit aus.)
Vc.
p
CB.
p

Gr. Fl. 1 u. 2.
p
cresc.
1.
Hob.
2 u. 3.
cresc.
1.
Cl.
2 u. 3.
cresc.
1 u. 2. (F.)
Hör.
3 u. 4. (Es.)
cresc.
1 u. 2.
Fag.
3.
cresc.
Bstrp.
p
1 u. 2. (Es.)
Tub.
3 u. 4. (B.)
p

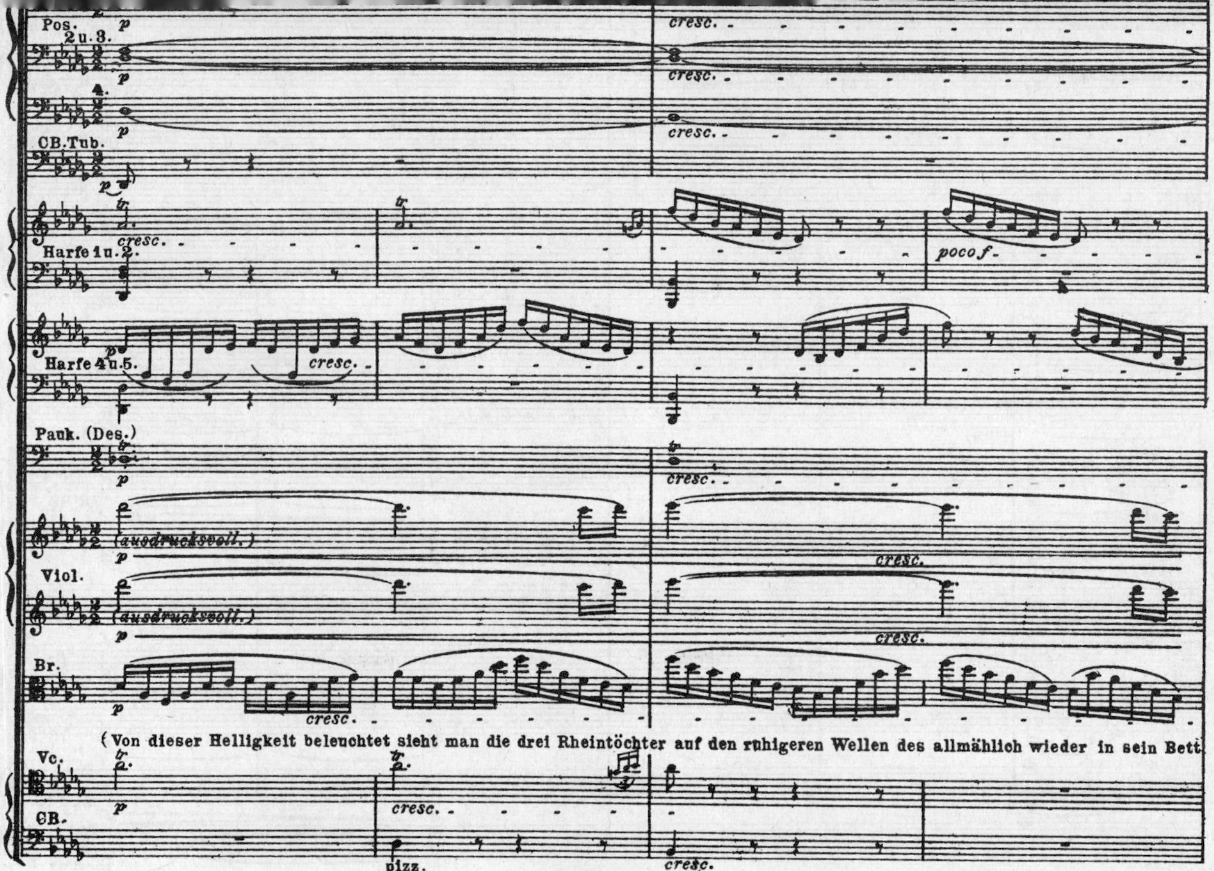
Pos. 2 u. 3.
4.
CB. Tub.
Harfe 1 u. 2.
Harfe 4 u. 5.
Pauk. (Des.)
Viol.
Br.
Vc.
CB.
cresc.
poco f
(ausdrucksvoll.)
pizz.
p
(Von dieser Helligkeit beleuchtet sieht man die drei Rheintöchter auf den ruhigeren Wellen des allmählich wieder in sein Bett

1u.2.
gr.Fl.
3.
1.
Hob.
2u.3.
Engl.Hr.
1.
Cl.
2u.3.
1u.2.(F.)
Hör.
3u.3.(Es.)
(Es.)
(Es.)
1.
Fag.
2u.3.
Trp.3.(Es.)
Bstrp.
1u.2.(Es.)
Tub.
3u.4.(B.)
f
p
dim.
cresc.

Pos.
2 u. 3.
4.
CB. Tub.
Harfe 1 u. 2.
Harfe 4 u. 5.
Pauk. (Des.)
Viol.
Br.
zurückgetretenen Rheines, lustig mit dem Ringe spielend, den Reigen schwimmen.)
Vc.
CB.
dim.
f
p
mf

(zus.)
1 u. 2.
gr Fl.
3.
Hob. (zu 3.)
Engl. Hr.
1.
Cl.
2 u. 3.
1 u. 2. (Es.)
Hör.
3 u. 4. (Es.)
1.
Fag. 2 u. 3.
Trp. 3. (Es.)
Bstrp.
(Es.)
4 Tub.
(B.)
p
cresc.
più f

1.
Pos. 2 u. 3.
4.
cresc.
Harfe 1 u. 2.
Harfe 4 u. 5.
Pauk. 1. P. (Es.)
Viol.
Br.
(Aus den Trümmern der zusammengestürzten Halle sehen die Männer und Frauen, in höchster Ergriffenheit den wachsenden
Vc.
CB.
pizz.

(zus.)
1 u. 2.
gr. Fl.
3.
1.
Hob.
2 u. 3.
Engl. Hr.
1.
Cl.
2 u. 3.
1 u. 2. (Es.)
Hor
3 u. 4. (Es.)
1.
Fag.
2 u. 3.
dim.
2. (F.)
(sehr gehalten.)
Trp.
3. (F.)
(sehr gehalten.)
Bstrp.
(sehr gehalten.)
(Es.)
4 Tub.
(B.)
(sehr gehalten.)

Pos.
1.
2 u. 3.
4.
Harfe 1. 2 u. 3.
1. 2 u. 3.
Harfe 4. 5 u. 6.
Pauk. 1. P. (Es.)
Viol.
dim.
(stacc.)
Br. (stacc.)
Feuerschein am Himmel zu. Als dieser endlich in lichtester Helligkeit leuchtet, erblickt man darin den Saal Walhall's, in
Vc.
pizz.
CB.

kl. Fl.
gr. Fl.
Hob.
Cl.
Hör.
Fag.
Trp.
1. (F.)
2. (F.)
3. (F.)
Bstrp.
4 Tub.
(Es.)
(B.)
1.
2 u. 3.
(F.)
tr
(immer stärker.)

(immer stärker.)
1.
Pos.
2 u. 3.
4.
Pauk. (Cu. G.)
Harfe
1. 2 u. 3.
immer f
Harfe
4. 5 u. 6.
immer f
Beck.
(stacc.)
Viol.
(immer stark.)
Br.
pizz.
(Bog.)
welchem die Götter und Helden, ganz nach der Schilderung Waltraute's im ersten Aufzuge, versammelt sitzen. _)
Vc.
pizz.
(Bog.)
CB.
pizz.
(Bog.)

Kl. Fl.
gr. Fl.
1.
Hob. 2 u. 3.
Cl. 2 u. 3.
(F.)
Hör. (F.)
Fag. 2 u. 3.
Bs. Cl.
1. (F.)
Trp. 2 u. 3. (F.)
Bstrp. (Es.)
(Es.)
immer f
(immer stärker.)

1.
Pos.
2 u. 3.
4.
Pauk. (C u. G.)
2. P. (A u. D.)
Harfe
1. 2 u. 3.
immer f
Harfe
4. 5 u. 6.
Beck.
Viol.
immer f
Br.
Vc. u.
CB.

1350

4 Tub. (B)
CB. Tub.
4 Pos.
più f
più f
Pauk. 2.
I. P. (C.u.G.)
f
più f
6 Harfen.
f
Beck.
f
Viol.
ff
ff
Br.
ff
Vc.u.CB.
ff

kl.Fl.
1.
gr.Fl.
2 u.3.
3 Hob.
3 Cl.
Engl.Hr.
Hr.
3 Fag.
Bs.Cl.
1 u. 2.
Tromp.
3.
Bs.Tromp.
ff

Tub. (B)
ff
CB Tub.
ff
1 u. 2.
3
4 Pos.
3.
4.
Pauk. 2. (A)
f
(D)
più f
6 Harfen.
Triangel.
Beck.
f
Viol.
Br.
Vc. u. CB.

kl.Fl.
tr
(stacc.)
immer ff
1.
tr
(stacc.)
immer ff
gr.Fl. 2.u. 3.
poco dim.
Hob.
poco dim.
poco dim.
Cl.
poco dim.
poco dim.
Engl.Hr.
poco dim.
Hr.
poco dim.
poco dim.
poco dim.
Fag.
poco dim.
Bs.Cl.
poco dim.
1 u. 2.
Tromp.
3.
poco dim.
Bs.Tromp.
poco dim.

4 Tub.(B)
poco dim.
CB. Tub.
poco dim.
4 Pos.
poco dim.
Pauk. 2. (Ges. u. Des.)
poco dim.
immer ff
6 Harfen
immer ff
Triangel.
Beck.
Viol.
ff
immer ff
immer ff
Br.
immer ff
Vc. u. CB.
immer ff

kl.Fl.
gr. Fl.
3 Hob.
3Cl.
Engl.Hr.
Hr.
3 Fag.
Bs.Cl.
1 u. 2.
Tromp. 3.
Bs.Tromp.
p
cresc.
(D)
f
più f

4 Tub.
p
cresc.
CB. Tub.
p
cresc.
p
cresc.
(zu 3.)
f
più f
4 Pos.
p
cresc.
Pauk. (Ges u. Des.)
p
cresc.
6 Harfen.
Triagel.
Viol
Br.
Vc.
CB.

Etwas zurückhaltend.
kl.Fl.
gr.Fl.
3 Hob.
3 Cl.
Engl.Hr.
Hr. (F)
1.
Fag. 2 u. 3.
Bs.Cl.
Tromp. (D)
(Des)
Bs. Tromp.
ff
p
cresc.
fp dim.
dim.
più p

4 Tub.
CB. Tub.
1 u. 2. (zus.)
2 u. 3.
4 Pos.
Pauk. 1.
(Des)
Pauk. 2. (Ges u. Des.)
6 Harfen.
Trgl.
Beck.
Tamtam.
(Helle Flammen scheinen in dem Saale der Götter aufzuschlagen.)
(Als die Götter von den Flammen gänzlich verhüllt sind, fällt der Vorhang.)
Viol.
Br.
Vc. u. CB.
(geth.) I. II. Sp.
dim.
cresc.
poco f
più p

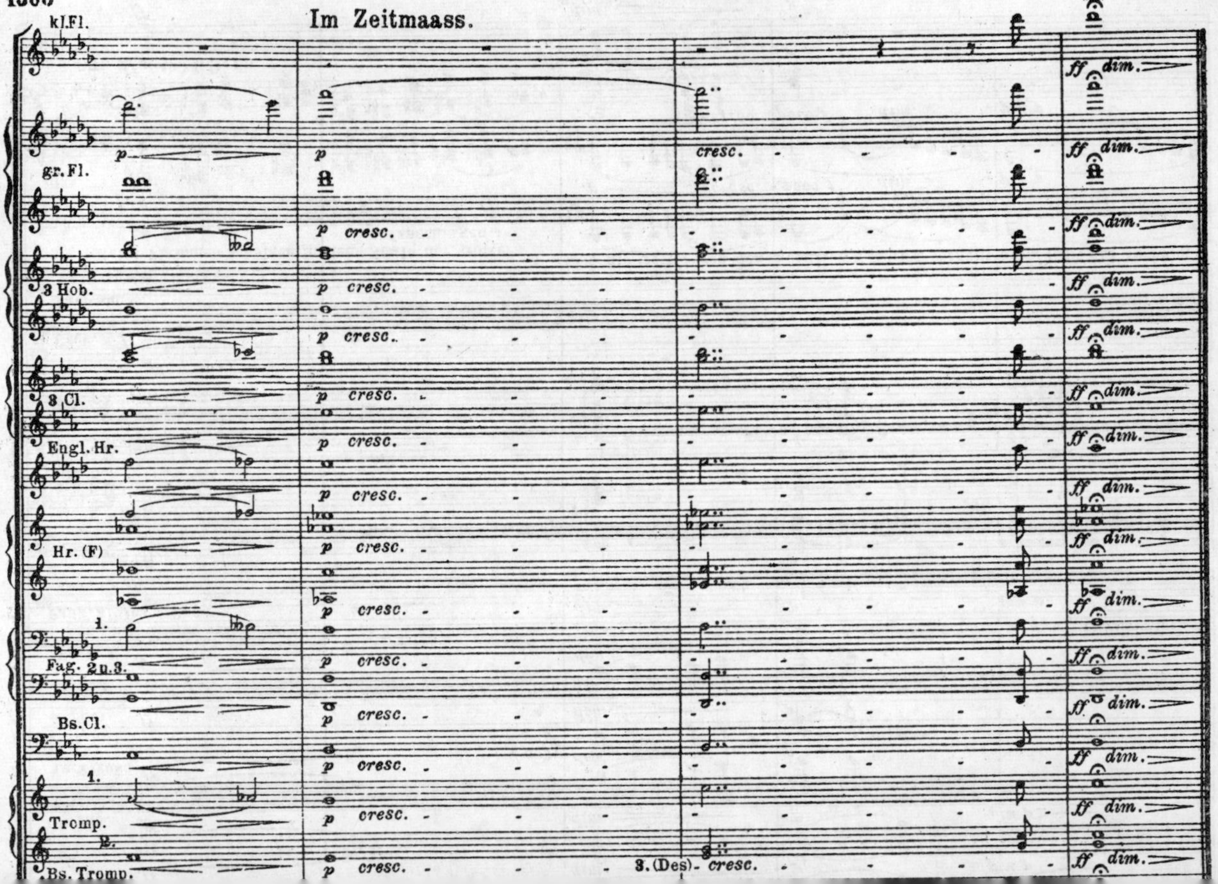
Im Zeitmaass.
kl.Fl.
gr.Fl.
3 Hob.
3 Cl.
Engl.Hr.
Hr. (F)
1.
Fag. 2 u.3.
Bs.Cl.
1.
Tromp.
2.
Bs. Tromp.
3.(Des)
p
cresc.
ff
dim.

4 Tub.
4 Pos.
CB.Tub.
(Des)
Pauk. (Ges.u.Des.)
6 Harfen.
Viol.
Br.
Vc.
CB.
cresc.
poco f
ff
dim.

## SYMPHONIES

No.
401. **Mozart,** C (Jupiter) [551]
402. **Beethoven,** No. 5, C m
403. **Schubert,** B m (unfinished)
404. **Mozart,** G m [550]
405. **Beethoven,** No. 3, E♭ (Eroica)
406. **Mendelssohn,** Nr. 3, A m
407. **Beethoven,** No. 6, F (Pastorale)
408. **Schumann,** No. 3, E♭
409. **Haydn,** No. 104, D (London)
410. **Schubert,** No. 7, C
411. **Beethoven,** No. 9, D m
412. **Beethoven,** No. 7, A
413. **Schumann,** No. 4, D m
414. **Beethoven,** No. 4, B♭
415. **Mozart,** E♭ [543]
416. **Beethoven,** No. 8, F♭
417. **Schumann,** No. 1, B♭
418. **Beethoven,** No. 1, C
419. **Beethoven,** No. 2, D
420. **Mendelssohn,** Nr. 4, A
421. **Schumann,** No. 2, C
422. **Berlioz,** Phant. Symph
423. **Berlioz,** Harold i. Ital
424. **Berlioz,** Romeo and Juliet
425. **Brahms,** No. 1, C m
426. **Brahms,** No. 2, D
427. **Brahms,** No. 3, F
428. **Brahms,** No. 4, E m
429. **Tschaikowsky,** No. 5, E m
430. **Tschaikowsky,** No. 4, F m
431. **Haydn,** No. 99, [3], E♭
432. **Haydn,** No. 85, [15], B♭ (La Reine)
433. **Dvořák,** No. 5, E m (New World)
434. **Haydn,** No. 100, G (Mil.)
435. **Haydn,** No. 94, G (Surprise)
436. **Haydn,** No. 92, G (Oxf.)
437. **Mozart,** D [385] (Haffner)
438. **Haydn,** No. 102, B♭
439. **Haydn,** No. 101, D (Cloches)
440. **Strauss,** Don Juan
441. **Strauss,** Macbeth
442. **Strauss,** Death and Transfig.
443. **Strauss,** Till Eulenspiegel
444. **Strauss,** Zarathustra
445. **Strauss,** Don Quixote
446. **Mozart,** D [504]
447. **Liszt,** Montagne
448. **Liszt,** Tasso
449. **Liszt,** Préludes
450. **Liszt,** Orpheus
451. **Liszt,** Prometheus
452. **Liszt,** Mazeppa
453. **Liszt,** Festival Sounds
454. **Liszt,** Heroic Elegy
455. **Liszt,** Hungaria
456. **Liszt,** Hamlet
457. **Liszt,** Battle of Hums
458. **Liszt,** Ideals
459. **Bruckner,** No. 1, C m
460. **Bruckner,** No. 2, C m
461. **Bruckner,** No. 3, Dm
462. **Bruckner,** No. 4, E♭ (romantic)
463. **Bruckner,** No. 5, B♭

No.
464. **Bruckner,** No. 6, A
465. **Bruckner,** No. 7, E
466. **Bruckner,** No. 8, C m
467. **Bruckner,** No. 9, D m
468. **Haydn,** No. 93, D
469. **Haydn,** No. 103, E♭ (Drum Roll)
470. **Volkmann,** No. 1, D m
471. **Smetana,** Vysehrad
472. **Smetana,** Moldau
473. **Smetana,** Sarka
474. **Smetana,** Bohemia's Woods and Fields
475. **Smetana,** Tábor
476. **Smetana,** Blanik
477. **Liszt,** Faust-Symph.
478. **Strauss,** From Italy
479. **Tschaikowsky,** No. 6, B m (Pathétique)
480. **Haydn,** No. 95, C m
481. **Hadyn,** No. 96, D
482. **Franck,** D m
483. **Haydn,** No. 97, C
484. **Haydn,** No. 86, D
485. **Haydn,** No. 98, B♭
486. **Haydn,** No. 45, F♯m (Farewell)
487. **Haydn,** No. 88, G
488. **Haydn,** No. 82, C (L'ours)
489. **Rimsky-Korsakow, Antar** (No. 2)
490. **Borodin,** No. 1, E♭
491. **Borodin,** No. 2, B m
492. **Mahler,** No. 7
493. **Rimsky-Korsakow,** Scheherazade
494. **Glasunow,** No. 4, E♭
495. **Glasunow,** No. 8, E♭
496. **Skrjabin,** Divin Poème
497. **Skrjabin,** Le Poème de l'Extase
498. **Strauss,** Hero's Life
499. **Strauss,** Alpine Symph.
500. **Tschaikowsky,** Manfred
501. **Borodin,** No. 3, A m (unfinished)
502. **Mozart,** C [425]
503. **Skrjabin,** No. 2, C m
504. **Schubert,** No. 1, D
505. **Schubert,** No. 2, B♭
506. **Schubert,** No. 3, D
507. **Schubert,** No. 4, C m (Tragic)
508. **Schubert,** No. 5, B♭
509. **Schubert,** No. 6, C
510. **Strauss,** Domestica
511. **Haydn,** No. 73, D (Chasse)
512. **Haydn,** No. 31, D (Hornsignal)
513. **Haydn,** No. 7, C (Le Midi)
514. **Franck,** Chasseur maudit
515. **Haydn,** No. 8, G (Le Soir)
516. **Franck,** Les Eolides
517. **Haydn,** No. 48, C (Maria Theresia)
518. **Haydn,** No. 55, E♭ (Schoolmaster)
521. **J.Chr.Bach,** D
522. **J.Chr.Bach,** E♭
523. **Franck,** Rédemption
524. **Zador,** Dance Symph
525. **Dvořák,** No. 4, G
526. **Dvorak,** No. 2. Dm